계축일기

정은임 교주

이회

□ 머리말

『한중록』과 『인현왕후전』에 이어 『계축일기』의 교주를 출간함으로써 조선조 궁중문학을 대표하는 세 작품의 교주를 마치게 되었다. 지금껏 세 작품의 교주 본이 전혀 없었던 것은 아니다. 그럼에도 투사적인 사명감까지 지니면서 추진 한 것은 3~40년 전에 출간된 교주 본을 한글세대들이 쉽게 접근하기 어려워하는 것을 알았기 때문이다. 또한 시중에 유통되는 현대어 출판본이 심각한 오류로 인해 원전이 지닌 문학성을 훼손하고 있음에도 일반 독자는 물론이고 집필하고 감수한 자들도 문제점을 전혀 인식하지 못하고 있다. 현존하는 고전 작품 중에는 유통 과정에서 필사자의 오기나 오랜 세월로 인해 훼손되어 해독이 어려운 부분이 많아 세밀한 연구가 필요하다. 특히 궁중문학은 궁중문화 전반에 대한 지식이 있어야 이해가 가능한 경우가 많다. 이러한 이유로 교주 본을 처음 기획하면서 일회적인 일반 독자들이나 본격적인 연구자들을 대상으로 하지 않았다. 절대적으로 부족한 궁중문학 연구자들을 확대하기 위하여 초학자들이 궁중문학에 보다 쉽게 접근하는 계기를 마련하기 위해서였다.

이번 교주 본에서는 내용과 서술 기법이 거의 같은 〈계축일기〉와 〈서궁일기〉를 비교하면서 교주는 각기 따로 했다. 작업 중에 선학들이 필사 상태가 나쁘거나 생략된 부분은 '해독 불가' 또는 '미상'으로 남겨

두었던 상당 부분을 밝힐 수 있었다. 〈계축일기〉는 낙선재본을 영인한 『조선역대여류문집』에 실린 것으로 하고, 강한영 교주 『계축일기』(민협출판사, 1662)와 김용숙 교수님이 교주한 『〈계축일기〉·〈인현왕후전〉』(삼중당, 1980)을 참조 했다. 〈서궁일기〉는 임창순본으로 전하는 복사본으로 하고, 홍기원 역주 『서궁일기』(민속원, 1986)를 참조 했다.

이번에도 앞의 두 작품을 교주할 때와 같이 본문을 현대어로 옮기는 것을 원칙으로 하고 주석은 되도록 간략하게 하려고 했다. 그러나 〈계축일기〉에는 우아한 궁중어와 고어가 많아 원문을 현대어로 옮기는 것을 고집하였더니 작품의 묘미를 살릴 수 없었다. 다시 원문을 고어로 옮긴 후 학생들에게 보였더니 고개를 저으며 어렵다는 반응이었다. 학생들의 견해를 중시한 것은 원전에 충실하면서 초학자들이 쉽게 접근할 수 있게 하겠다는 처음 기획의도 때문이었다. 좀처럼 판단이 서지 않아 현대어와 고어로 옮기는 작업을 몇 차례 반복하다가 현대어로 옮기되 작품의 묘미를 감하게 되는 경우에는 고어를 그대로 사용하였다. 또한 〈계축일기〉에는 고전 작품에서 흔히 나타나는 어려운 용어나 고사숙어가 없음에도 문장을 이해하기 어려운 곳이 많아 주석이 길어지게 되었다. 그것은 창작의도와 관련이 깊지 않은 사건들은 생략하거나 간략하게 서술되었고, 내인들과 관련된 생소한 어휘가 많기 때문이다. (이해에 도움을 주려고 부록에 '조선조 궁녀 제도'를 첨부하였다.) 이번에도 원전에 충실하면서 이해도를 높이려고 노력했지만 한정된 지면과 일천한 학문으로 인해 밝히지 못하거나 잘못된 주석도 있을 것이다. 관심 있는 분들의 질정을 바란다.

이 책이 출간되기까지 많은 사람들의 도움이 있었다. 『인현왕후전』에 이어 지난 번 보다 더 많은 교정에도 말없이 수정 작업을 한 중국인 제자 류수수앙(劉淑雙), 늘 격려와 조언으로 힘을 주는 선후배와

지인들, 그리고 가족들에게 미안함과 고마움을 전한다. 또한 어려운 여건임에도 『한중록』과 『인현왕후전』에 이어 『계축일기』 출판을 위해 애써주신 이회문화사 사장님과 관계자 여러분께 감사드린다.

궁중문학과 인연한 후 30년이 넘었다. 내 생의 반이 훌쩍 넘는 세월이다. 그동안 배우고 가르치면서 고통과 기쁨을 반복했다. 그러나 해가 갈수록 고통의 시간은 점점 길어지는데 기쁨의 시간은 늘 제 자리 걸음이다. 그러나 개의치 않는다. 미욱한 내가 학문에, 그것도 우아한 궁중문학에 발을 들여놓은 그 순간부터 고통과 좌절은 나에게 지워진 업보인 것을 알기 때문이다.

이제, 지고 있기에 늘 버거웠던 무거운 짐 하나를 내려놓으며 누군가 그 짐을 지고 가기를 고대한다. 미안하고 안쓰러운 마음에 그에게는 제발 고통의 시간은 짧게, 그러나 기쁨과 보람의 시간은 길게 느낄 수 있도록 지혜와 능력을 듬뿍 주시길 기원한다.

2005년 한 여름

시내산 기슭 연구실에서

정 은 임

□ 해 제

1. 명칭과 창작 동기

〈계축일기〉는 조선조 광해군 5년(계축, 1613)에 영창대군을 죽이고, 모후인 인목대비를 서궁에 유폐시킨 사건들을 대비편의 시각에서 기술한 작품이다. 내용과 서술 기법이 거의 같아 이본으로 볼 수 있는 〈서궁일기〉가 있다.

광해군은 선조의 후궁 공빈 김씨의 소생으로 둘째 아들이지만 일찍이 세자로 내정되었다. 그것은 왕후(의인왕후)가 자식을 생산하지 못하고 장자인 동복형(同腹兄) 임해군(珒)이 왕위를 계승할 자질이 없다고 판단되었기 때문이다. 그러나 정식으로 세자로 책봉되어 명나라의 승인을 얻은 것은 아니었다. 임진왜란으로 한양을 떠나야 할 위급한 상황에 처하자 선조는 둘째 아들 혼(琿)에게 분조(分朝, 비상시에 조정을 둘로 나누어 통치하는 것)를 함으로써 세자로 책봉하였다. 그는 전쟁 중에 민심을 수습하고 의병을 일으키는 등 세자의 책임을 성실히 이행하여 많은 사람들의 신뢰를 얻었다. 전쟁이 끝난 후 조정에서는 명나라에 세자 승인을 받기 위하여 여러 차례를 사신을 보냈으나 장자가 아니라는 이유로 승인을 받지 못했다. 이러한 상황에서 의인왕후가 승하하여 선조(51세)는 김제남의 딸(19세)을 왕비로 맞이했다.

계비 김씨는 입궁 후 곧 잉태하여 공주를 생산하더니 이어서 왕자를

생산했다. 그가 비극의 주인공 영창대군이다. 왕이 노년에 얻은 대군에 대한 사랑이 각별하자 유영경을 중심으로 한 소북파는 영창대군을, 정인홍 등 대북파는 세자(광해군)를 지지하면서 첨예하게 대립되어갔다. 당시 세자는 명나라의 승인을 받지 못한 상황에서 대군이 탄생하자 불안이 가중되었고, 영창대군은 왕의 사랑을 독차지 했으나 나이가 어리고 부왕의 병세가 악화되고 있어 양측 모두 앞일을 예측하기 어려운 상황이었다. 이러한 때에 선조는 동궁 처소에서 온 약밥을 먹은 후 목이 막히어 대군(당시 3세)이 자라는 것을 보지 못하고 승하했다. 승하 직후 왕후는 지난 겨울 선조가 병석에서 손수 쓴 편지라며 두 통의 편지를 내놓았다. 세자에게 준 편지에는 "대군을 헐뜯는 말이 있더라도 믿지 말고 대군을 어엿비 여기라."는 내용이었고, 겉봉에 유영경·한응인 등 7신하의 이름을 쓴 편지에는 "내가 죽더라도 어린 대군을 보호해 달라."는 내용이었다.

선조를 이어 왕이 된 광해군은 집권 이듬해에 장자인 임해군이 왕권 수행에 걸림돌이 된다는 이유로 죽인다. 재위 5년(계축, 1613) 조령에서 박응서 등 명문대가의 서얼 출신들이 은 상인을 습격하다가 붙잡혔다. 이이첨 등 대북파는 이들이 김제남 등 소북파가 영창대군을 옹립하기 위해 거사 자금을 준비하는 도적이라며 일명 '박응서 옥사'로 확대한다. 이 옥사로 김제남 등 소북파의 상당수가 죽거나 유배되고 화근의 씨앗으로 여겼던 영창대군은 죽임을 당했다.

박응서 옥사로 연일 수많은 사람이 화를 당하는 때에 박동량은 '전일 선조가 위독할 때 병에 차도가 없는 것이 죽은 의인왕후의 탈이라며 인목대비 측의 궁인과 무속인들이 왕후의 능에 가서 방정을 했다'고 고변한다. 이 일로 30여 명의 내인들이 죽거나 화를 당하게 된다. 이어서 광해군 측의 상궁 개시는 대비 측에서 영창대군을 구하기 위해

명나라 사신에게 서신을 보내고, 왕과 세자가 죽기를 축원하는 제사를 지냈다며 대비 측의 내인들이 다시 수난을 당한다. 연이어 일어난 저주와 방정 사건의 모든 책임이 대비에게 있다는 이유로 광해군은 모후인 인목대비의 작위를 폐하고 서궁에 유폐시킨다. 이러한 패륜 행위가 인조반정의 명분과 원인이 되었다. 이 모든 과정을 감내한 작자는 광해군 편의 악행을 고발하고, 인목대비 편의 고통과 수난의 세월을 알리려는 창작 의도로 기술된 작품이다.

2. 이본

〈계축일기〉는 조선조 궁중문학을 대표하는 세 작품 중에서 창작 배경 시기가 가장 빠르다. 이본으로 한글본 〈서궁일기〉가 있고, 이본은 아니지만 두 작품의 속편과 같은 인조반정을 소재로 한 〈계해반정록〉이 있다.

〈계축일기〉는 1947년(10월 24~27일) 서울대학교 조선어문학연구회 주최 도서 전시회에 낙선재(樂善齋, 구 왕실 도서관)본으로 소개되어 학계의 관심을 모았으나 그 후 사본의 행방은 알 수 없다. 다행히 『조선역대여류문집』(민병도 편, 을유문화사, 1950)에 영인되어 전해지고 있다. 〈계축일기〉는 〈계축일긔 서궁녹 권지일〉과 〈계축일긔 권지이〉로 2권 1책으로 되어있지만 내용에 의한 분책이 아니라 분량에 의해 편의상 나눈 것으로 생각된다.

〈서궁일기〉는 임창순이 「궁정문학 소고 -서궁일기를 발견하고서-」(대학신문 50호, 서울대학교, 1953년 6월 8일)로 학계에 소개 되었다. 임창순본으로 전하는 〈서궁일기〉는 3권 1책(天·地·人)으로 천권(1~90쪽, 〈서궁일긔상〉)과 지권(1~81쪽)의 앞부분(1~58쪽)이 〈서궁일기

상〉으로 〈계축일기〉와 같은 내용이다. 이어서 필사된 〈인목왕후 친필 불경〉(59~60쪽), 〈인조순호대왕〉(61~81쪽)이 있다. 인권(1~89쪽)의 〈서궁일기권지하〉(1~26쪽), 〈반정일기〉(27~60쪽), 〈백사 그림 전하던 사설〉(60~69쪽), 〈단종출손기〉(70~77쪽), 〈참판박공일기 육신록〉(78~89쪽)은 〈계축일기〉의 내용과는 무관하지만 인목대비와는 직접 또는 간접으로 관련이 있다. 그동안 임창순본으로 알려진 〈서궁일기〉가 홍기원 소장본이었음이 밝혀졌다.

현재 〈계축일기〉와 〈서궁일기〉는 각기 한편씩 전한다. 명칭은 달라도 작품의 내용과 서술 시점이 거의 일치하다는 데에는 이견이 없으나, 원전 확정과 파생의 선후에 대해서는 합일점을 찾지 못하고 있다. 이본은 아니지만 〈계축일기〉의 후편과 같은 〈계해반정록〉을 더하여 정리하면 아래 도표와 같다.

〈계축일기〉 이본

번호	이본명칭	소장인(장소)	표지	표기	면수	행수	자수
1	낙선재본	서울대학교규장각 낙선재문고	癸丑日記 卷之一	한글	98	11	20~21
			癸丑日記 卷之二	한글	94	11	20~21
2	임창순본	임창순(복사본) 홍기원소장본	西宮日記 天卷	한글	90	11~13	17~19
			西宮日記 地卷	한글	81	11~13	17~19
			西宮日記 人卷	한글	89	11~13	17~19
3	한중연본	한국학중앙연구원	계해반정녹	한글	62	11~12	21~22

3. 작자와 창작 연대

〈계축일기〉는 작품 말미에 '내인들이 잠깐 기록하노라.'라는 구절이 있어 가람과 도남은 인목대비를 서궁에 모시고 있던 내인을 작자로 보았다. 그러나 김용숙은 내인이면 내인이지 왜 내인들이라고 했는가? 여러 차례 수난을 겪은 대비 측 내인 중에서 작품을 쓸 만한 내인이 살아남을 수 있었겠는가?에 의문을 제기하면서 내인 설을 부정하였다. 원작은 대비 자신이 일기로 시작한 것을 이본이 파생하는 과정에 소설적인 외피가 입혀졌을 걸로 보아 대비 자신이 썼을 가능성을 제시했다. 또한 김일근은 대비의 유일한 혈육인 정명공주가 서궁 유폐 시에 대비가 기록한 것을 간직하였다가 혼례 후 그것을 근거로 자신의 회고록을 더하여 시위하는 내인에게 집필하도록 했을 것으로 추정했다.

필자는 정명공주나 인목대비가 작자일 가능성이 희박하다고 본다. 정명공주 설을 부인하는 것은 공주와 관련된 사건이 매우 간략하게 다루어 졌기 때문이다. 혜경궁홍씨는 환갑 해에 쓴 〈한중록〉에서 9살 때 세자빈으로 간택되던 일들을 매우 소상히 기술하고 있다. 인목대비 설을 부인하는 이유는 첫째, 혼례 전에는 사대부가의 자녀로 교육받았고 혼례 후에는 왕비로 모든 백성의 어머니였던 대비가 극한 상황이라고 '요년' 또는 '그년'과 같은 상스러운 말을 서슴없이 할 수 있었겠는가? 둘째, 작품에 시녀 계난이 보모상궁의 종 보름이 보삭이와 같이 수많은 내인들의 이름이 거명된다. 상궁의 이름은 알 수 있을 수 있더라도 상궁의 종 이름까지 기억할 수 있겠는가? 셋째, 영창대군이 죽은 후에는 공주가 유일한 혈육인데 공주와 관련된 부분은 간략하게 기술하면서 내인들의 수난 대목에 많은 지면을 할애할 수 있을까? 이와 같은 이유로 작품에 명시된 내인설이 가장 설득력이 있다고 본다. 김신연은

모든 사건들이 변상궁을 중심으로 기술되고 변상궁과 시점이 동일한 점으로 보아 내인 변상궁을 작자로 보았다.

창작 연대는 대다수의 연구자들이 작품 말미에 '계해년 삼월 십삼일에 문을 여니라'에 주목하여 인조반정 후에 창작되었을 것으로 추정하였다. 한편 민영대는 1편과 2편의 창작 연대가 다르다면서 1편은 폐모에 대한 언급이 없고 광해군을 시종 대전이라고 한 것으로 보아 광해군 10년(무오, 1618) 이전에, 2편은 계해반정(1623) 후 다른 작자에 의해 약간의 서궁 생활이 첨가되어 낙선재본 〈계축일기〉와 〈서궁일기〉가 완성되었다고 추정했다. 그 후 김신연은 작자가 자신을 객관화 시킬 정도로 정리된 점으로 보아 〈서궁일기〉는 인조반정(계해, 1623) 후 4~5년이 지나 인목대비가 생존 하던 시기에 성립되었다고 보았다. 필자는 작품의 내용으로 보아 반정 직후를 창작 시기로 본다. 정리하면 다음과 같다.

1) 작자 : ① 내인 복수 설(내인들) ② 내인 단수 설(변상궁)
③ 인목 대비 ④ 정명공주

2) 창작 시기 : ① 인조반정 직후
② 인조반정 전(광해군 재위시절)
③ 이조반정 이후 4~5년 후

4. 양식론

'〈계축일기〉는 소설이다.'라고 처음 언급 된 것은 강한영의 교주본이다. 그는 발문(跋文)에서 "〈계축일기〉는 〈한듕록〉·〈인현왕후전〉 등과 같은 궁정소설의 한 작품이다."고 했고, 이숭녕은 서문에서 "〈계축일기〉는 궁녀(또는 인목대비?)의 손에서 이루어진 희귀한 사실소설(寫

實小說)로서 작가의 수법을 방불케 하는 필치와 이조의 궁정에서 전개된 인정 풍속과 서로 착잡한 생활상을 서술한 작품으로서 소설문학의 백미라고 하겠다."고 했다. 가람은 해설에서 "이 기록은 〈한중록〉과 〈인현왕후전〉과 같은 궁중의 비사라 옛날 같으면 민간에 퍼질 수 없다."라고만 했을 뿐 장르에 대한 구체적인 언급은 하지 않았다. 그 후 국문학사에서 "〈계축일기〉는 희귀한 사실소설로서 근조 중엽의 가장 대표적인 담화체 문장이다."하여 이숭녕과 함께 사실소설로 장르를 구분하였다. 궁정소설과 사실소설의 차이는 있어도 소설이라는 데에는 의견을 같이 했다.

한편 도남(陶南)은 "국문학의 발전시대에 들어와서는 그것이 당당이 기사체로 기록되어 밖에 나왔다. 이것을 우리는 궁정기사체문학(宮廷記事體文學)이라 하나 그 작품으로 〈계축일기〉는 그 표현이 지극히 섬세하여 그 장면을 보는 듯이 그렸다." 하여 소설이 아님을 제시했다.

신정숙은 〈계축일기〉를 수기문학(手記文學)으로 규정하고, 그 이유를 다음과 같이 정리했다.

① 소재에 있어서 사실을 바탕으로 한 개인적인 체험의 기록이다.

② 사실의 기록이면서 개성적 표현을 쓰고 있다.

③ 내용이나 서술의 태도가 실천적이고 목적의식적이다.

④ 일정한 스토리의 형식을 취하고 있다.

김일근도 작품을 바라보는 인식엔 차이가 있어도 신정숙과 의견을 같이 했다.

김동욱은 "남성들에 의한 한문의 수필 작품에 대응하여, 여성들의 한글로 된 수필들이 숙종 이후에 산견된다. 이는 궁중에서 기록되었던 만록(漫錄). 일기(日記) 등의 존재로 알 수 있다. 비극의 주인공 선조의 아들 영창대군을 둘러 싼 사실을 기록한 〈서궁록〉(계축일기)은 문

장은 그다지 세련되지 않았으나 이런 유의 대표적 작품으로 보여 진다. 이 작품도 엄정한 의미로 해서는 기록 유에 들것이지 수필이라고 하기는 어렵다. 그러나 소설적 창작의도를 가지고 쓴 것이 아니라면 이 수필의 범주에 넣어 무방할 것이다."며 수필로 볼 수밖에 없는 이유는 소설적 창작의도로 쓰여 진 것이 아니기 때문이라 했다.

이 후 장르에 대한 논란이 계속되는 가운데 장덕순은 소설적 작품라면서 수필 항목에서 작품을 다루어 장르 규정에 어려움이 있음을 단적으로 보여주었다.

양식론의 쟁점 중 가장 대표적인 양식은 소설과 수필이다. 그러나 구체적인 검토를 통한 결과가 아니었다. 문학개론이나 문학사, 또는 소설이나 수필에 대한 이론서를 기술하는 중에 간단히 언급되거나, 〈계축일기〉의 작자나 창작 시기, 또는 문체를 연구하면서 잠시 정리 해 보는 정도였다.

본격적인 연구는 민영대에 의해서다. 그는 작자의 저작 태도와 소설적 구성에서 허구성을 추출하여 〈계축일기〉를 소설로 볼 수 있는 까닭을 검토하였다. 정리하면 다음과 같다.

① 작품의 중심인물인 인목대비와 광해군의 묘사에 있어서 사실과 전혀 다르게 기술되어 있다.

② 작품 속의 사건이 사실과 다르게 기술한 것은 작가가 허구화에 의해 재구성하였기 때문이다.

③ 구성에서 도입부엔 비극의 씨앗인 영창대군의 탄생, 전개부에서 갑작스런 선조의 승하와 광해군의 즉위로 인해 연이어 일어나는 비극적 사건, 종결부에서 인조반정과 인목대비 복위 등이 훌륭한 소설적 구성을 갖추었다.

이러한 논란이 계속되자 김용숙은 경직된 장르론으로는 이 작품의

성격을 완전히 규명할 수 없음을 들어 P. Hernardi의 탈(脫) 장르적 입장에서 시도된 주제적(主題的) 양식에 귀속시켜 실기문학(實記文學)이라는 장르를 제시했다. 실기문학이란 전쟁이나 격동기를 살아가는 동안 역사상 중요한 역할을 담당했던 실존 인물과 주요 사건이 문학으로 승화된 작품을 말한다.

필자는 고소설에서 『南怡將軍實記』, 『世宗大王實記』 등 實記라는 명칭이 붙은 작품에서 공통점을 찾아 實記文學 장르를 모색한 후, '실기문학'의 하위개념으로 '궁정실기문학' 장르를 제시한 바 있다. 그 후에도 기존의 삼분법이나 오분법에 의한 양식론이 제기되어 궁중문학을 대표하는 작품을 ①창작 의도 ②표현 수법 ③서술 시점에 적용하여 오분법에 의한 장르론을 재조명하였다.

〈계축일기〉는 수필 장르에 수용할 수 있음이 확인되었다. 정리하면 다음과 같다.

① 〈계축일기〉는 조선조 광해군편의 악행을 고발하고, 인목대비편이 수많은 시련을 극복했던 과정을 알리려는 창작 의도를 지닌 작품이다.

② 표현 수법에 의한 논란은 악행을 고발하는 대목에서 때로는 사실과 다르거나 과장되게 표현하여 소설이 지닌 허구적인 요소가 발견되기 때문이다. 그러나 허구적인 요소는 소설이외의 양식에서도 발견된다. 오히려 '자기가 중심이 되며 타인과의 공통점이 아닌 사소한 변화에도 작자는 충분한 의의를 부여할 수 있다.'는 수필문학 특성에 의한 표현 수법이다.

③ 서술 시점에서도 작자는 고소설의 특징인 주인공의 가계를 서두로 하여 탄생에서 말년에 이르는 일대기를 기술하는 평면적 서술법을 쓰지 않았으며 행복한 결말과 악인에 대한 일장의 훈계

도 생략했다. 다만 그동안 겪은 고통의 날들을 다 기록하지 못하는 것이 한스러울 뿐이다. 서술자가 스스로 이야기하는 서술시점으로 보아 계축일기는 소설이 될 수 없다.

그러므로 〈계축일기〉는 脫장르론에 의해 분류한 주제적 양식에서는 궁정실기문학이며, 일반적인 오분법에서는 수필 영역에 속한다.

5. 문예적 가치

〈계축일기〉는 〈인현왕후전〉·〈한중록〉과 함께 궁중문학의 대표적인 작품으로 평가되고 있다. 이 작품들은 시대적 배경은 서로 다르지만 역사에서 한 장을 장식하는 큰 사건들과, 궁중이라는 특수한 공간에서 생성되었기에 동시대의 다른 작품들과 쉽게 구별된다. 필자는 사실에 바탕을 두고 생성된 기록문학 중에서, 개인적인 기록이 아닌 역사적인 사실에 기인하여 승화된 작품을 실기문학이라 하고, 궁중을 배경으로 생성된 실기문학을 궁정실기문학으로 장르를 수용하였다. 궁정실기문학의 특질과 가치를 정리하면 다음과 같다.

1. 궁정실기문학은 세 편 모두 여성의 시각에서 서술되었다. 조선조 여인들의 원초적인 한과 궁중이라는 폐쇄된 사회에서 자신과 자식, 그리고 친정의 성쇠를 어깨에 짊어진 한의 무게를 우리는 쉽게 짐작할 수 있다. 문학작품이 현실과 화자의 부조화에서 생성된다고 볼 때, 궁중 여인들의 고통과 아픔이 작품으로 승화된 것은 어쩌면 당연한 귀결일 것이다.
2. 오백년의 조선조 궁중 풍속 연구의 귀중한 자료가 된다. 물론 작품이 풍속에 초점을 두고 집필된 것은 아니지만, 작품 속에는 등장인물들의 생활상이 그대로 반영되었기에 자연 궁중의 크고 작

을 일들(출산 · 돌잔치 · 관례 · 혼례 · 상례 등)의 묘사를 통해 독특한 궁중 풍속을 엿보게 한다.

3. 〈계축일기〉는 작품의 상당부분이 내인들의 이야기다. 그들은 내인의 처지를 숙명처럼 받아들이며 자신들이 모시는 상전들과 희로애락을 함께한다. 그러나 결정적인 순간이 되면 긍정적인 상황일 때는 공적을 헤아리지 않으면서 부정적인 일에 연루되었을 때엔 가장 먼저 화를 당하는 모습들이 상세하게 묘사되었다. 실록이나 공적인 기록에서는 알 수 없는 내인들의 이야기를 들을 수 있다.
4. 작품에는 폐쇄된 사회에서만 가능한 고어와 우아한 궁중용어가 곳곳에 아로새겨져 있어 특수어 연구의 귀중한 자료가 된다.
5. 동서고금을 막론하고 위정자들에 의해 진실이 왜곡되는 경우는 허다하다. 특히 조선조는 당쟁이 극심했기에 예외는 아니었을 것이다. 작품은 진실을 말할 수 없는 시대 상황이나, 대의명분이란 이름하에 희생된 수많은 사람들의 기록과 이면의 진실을 알게 한다.

이와 같이 궁정실기문학은 궁궐이라는 신비함과 작품이 지닌 문예적인 향기로 인해 오는 날에도 영화와 연극 등으로 끝임 없이 재생되고 있다.

그 중 〈계축일기는〉는 말미에 '내인들이 잠깐 기록하노라'에서 알 수 있듯이 내인들의 시선에서 서술된 작품이다. 그러므로 〈인현왕후전〉이나 〈한중록〉에서 많은 지면에 할애되는 왕족들의 이야기보다는 내인들의 이야기가 많다. 작품은 상전과 운명을 같이하면서 몸소 겪은 고통과 수난의 이야기가 매우 섬세하게 기술되었다. 죄목도 모르면서 형장에 끌려가 절규하던 내인들의 비원이 가슴을 적시지만 독자는 궁궐이

왕족들만의 공간이 아니라 곳곳에서 말없이 살았던 수많은 내인들에 대해서도 관심과 흥미를 갖게 한다. 〈인현왕후전〉·〈한중록〉과 함께 궁중실기문학의 백미로 평가되기에 부족함이 없다.

목

차

계축일기

癸丑日記

계축일기 서궁록
권지일

만력[1] 임인년[2]에 중전[3]이 아기 계오시다[4] 듣고 유가[5]가 낙태(落胎)하실 일을 하노라 놀래오되, 궐내의 팔매질도 하고 액정[6] 사람을 사괴여[7] 내인[8] 측간[9]에 구무[10] 뚫고 남그[11]로 쑤시며 여염처[12]에 명화강도[13] 났

1 만력(萬曆): 중국 명(明)나라 제14대 임금인 신종(神宗)의 연호(年號, 군주 시대에 임금이 그 자리에 오른 해에 붙이던 이름. 大年號의 준말).

2 임인년(壬寅年): 선조(宣祖) 35년(1602).

3 중전(中殿): 중궁전(中宮殿)의 준말. 왕비(王妃)의 경칭(敬稱). 본문에서는 선조의 계비(繼妃)인 인목왕후(仁穆王后: 1584년~1632년)를 가리킴. 부록 등장인물 참조.

4 계오시다: '계시다'의 존칭어. 본문에서는 인목왕후가 임신하였음을 말함.

5 유가(柳家): 광해군(光海君)의 장인인 문양부원군(文陽府院君) 유자신(柳自新: 1533년~1612년). 부록 등장인물 참조.

6 액정(掖庭): 조선 시대 궐내의 총무(왕명 전달, 임금이 쓰는 붓과 벼루 공급, 대궐 열쇠 보관, 대궐 뜰의 설비 및 정원 관리 등)와 같은 일을 맡은 부서를 가리킴.

7 사괴여: 원형은 'ᄉᆞ괴다'. '사귀어서'의 옛말.

8 내인(內人): 나인의 원어(原語)로 궁중어(宮中語). 궁중의 여관(女官). 궁녀(宮女), 시녀(侍女) 등의 별칭도 있음. 부록 '조선조 궁녀 제도' 참조.

9 측간(厠間): 대소변을 배출하기 위한 시설로 오늘날의 화장실. 뒷간. 변소(便所).

10 구무: '구멍'의 옛말.

11 남그: '나무'의 옛말.

12 여염처(閭閻處): 여염은 백성들의 살림집이 많이 모여 있는 곳. 본문에서는 '민가(民家)가 몰려 있는 여러 곳'을 말함.

13 명화강도(明火强盜): 횃불을 들고 밤중에 떼를 지어 돌아다니며 도적질하는 강도. 불

다 소문내니, 기시[14]에 궁중(宮中)에서도 유가를 의심하더라.

계묘년[15]에 공주[16]를 탄생하오시니, 분발[17] 가져간 자가 오전(誤傳)하여 대군이라 듣고 대답지 아니하다가, 공주 나시다 듣고 무엇 주더라 하니, 더불어 미워함을 알리러라.

그 후 병오년[18]에 대군[19] 나시다 듣고 유자신(柳自新) 집에서 머리 싸 용심[20]하며, 적자[21]가 나시니 동궁[22] 위(位) 위태하면 하여, 동궁 권신[23]과 정인홍[24]이 사괴여서,

"아모려나 동궁 위하야 굿[25]을 술[26]을 하라."

하며, 일변 말을 내되,

"임해군[27]이 자식이 없으니 임해군으로 세자를 삼아 대군[28]을 전(傳)

한당(不汗黨). 화적(火賊)이라고도 함.

14 기시(其時): 그 때, 그 당시. 본문에서는 선조의 계비(인목왕후)가 처음 임신했을 때, 광해군 측에서 낙태를 목적으로 음모하던 때를 말함.

15 계묘년(癸卯年): 선조 36년(1603).

16 공주(公主): 정실왕비(왕후)가 낳은 임금의 딸. 본문에서는 '정명공주(貞明公主: 1603년~1685년)'를 가리킴. 부록 등장인물 및 선조 가계도 참조.

17 분발(分撥): 긴요한 사항이 있을 때 조보(朝報)가 발행되기 전에 베껴서 돌리는 일.

18 병오년(丙午年): 선조 39년(1606).

19 대군(大君): 정실왕비(왕후)가 낳은 아들. 본문에서는 영창대군 의(永昌大君 㼁: 1606년~1614년)를 가리킴. 부록 등장인물 및 선조 가계도 참조.

20 용심(用心): 심술을 부려서 짓궂게 남을 해롭게 음해하는 마음.

21 적자(嫡子): 왕의 정실부인인 왕비가 낳은 아들, 즉 대군을 말함.

22 동궁(東宮): '황태자'나 '왕세자'를 이르는 말. 동쪽은 태양이 떠오르는 곳으로 계절로는 봄에 해당한다. 봄은 사계절이 처음 시작하는 계절로 준비기이다. 장차 왕이 될 세자는 준비하고 기다리라는 의미로 궁궐의 동쪽에 거처하게 하였기에 동궁, 또는 춘궁(春宮)이라 했다. 본문에서는 선조 때의 왕세자 혼(琿, 후일 광해군)을 가리킴. 부록 등장인물 참조.

23 권신(權臣): 권세(權勢)가 있는 신하.

24 정인홍(鄭仁弘): 광해군 때 중신(重臣, 1535년~1623년). 부록 등장인물 참조.

25 굿: 무당이 노래하고 춤추며 귀신에게 치성을 드리는 의식.

26 술(術): 목적을 이루기 위해 수단과 방법을 가리지 않고 꾸미는 술책(術策).

켸 하려 하신다."

운풍[29]을 내어,

'션믁뎨 만믁뎨[30]'

란 동요(童謠)를 지어내어 천조 주청[31]을 바야니[32], 갑진년[33]에 광해군(光海君)을 봉세자[34] 할 일을 표문(表文)[35]을 간측[36]히 지어 올리니, 천조가 그 적은 회뢰[37] 행(行)치 못하며 조정이 정(正)답고 황제[38] 엄(嚴)하신지라 성지(聖旨) 무한 엄하시고 싁싁하사[39],

"대례[40]상 입차자[41]는 가국(家國)이 상망(相亡)하는 일이니, 천조는 사해[42]에 법을 펴고 한 조정을 위치 못 할 것이니라."

---

27 임해군(臨海君): 선조의 장자(長子). 광해군의 동복 형 진(同腹兄 珒: 1574년~1609년). 부록 등장인물 및 선조 가계도 참조.

28 대군(大君): 본문에서는 영창대군을 가리킴.

29 운풍(云風): 목적한 바를 달성하기 위하여 소문을 내어 풍자함.

30 션믁뎨(先目帝) 만믁뎨(晩目帝): 문맥상 '션믁뎨'는 임해군을, '만믁뎨'는 영창대군을 가리킨 것 같음. 즉 선조가 만년에 얻은 대군에게 왕위를 물려주기 위해 먼저 장자(長子)인 임해군을 세자로 하고, 임해군은 자식이 없으므로 자연스럽게 적자인 대군에게 왕위가 이어지도록 계획을 세운다는 것을 풍자한 내용으로 생각됨.

31 천조 주청(天朝 奏請): 천조는 제후의 나라에서 천자의 조정을 일컫는 것으로 조선조는 명나라를 천조로 섬겼기에 국가의 중대사는 반드시 명나라의 승인을 얻어야 했다. 선조는 임진란의 위급한 상황이 처하자 승인을 받지 못한 채 차자인 혼(琿, 광해군)을 세자로 삼았다. 그후 세자 책봉에 대하여 명나라에 인준(認准)을 신청한 것을 말한다.

32 바야니: '보채다', '재촉하다'의 옛말.

33 갑진년(甲辰年): 선조 37년(1604).

34 봉세자(封世子): 왕세자로 정하여 세움.

35 표문(表文): 황제나 임금에게 마음에 품은 생각을 기록하여 올리는 글.

36 간측(懇惻): 매우 간절하고 지성스러움.

37 회뢰(賄賂): 뇌물을 주거나 받는 행위.

38 황제(皇帝): 명나라 제14대 신종(神宗)을 가리킴. 부록 등장인물 참조.

39 싁싁하사: '엄하다', '엄숙하다', '장엄하다'의 옛말.

40 대례(大禮): 국가에서 중요하고 막중한 예법.

41 입차자(立次子): 차자(次子)로 세자를 삼음을 말함. 봉건군주제에서는 적자(嫡子)를 후계자로 삼는 것이 원칙이나 적자가 없으면 장자(長子)로 후계자를 삼는다.

엄지준절[43]하시니, 그 후에 표[44]를 올리오면 크게 면책[45]을 보옵고 봉세자 일사(一事)도 장래(將來)조차 막히올까 하여, 기시(其時)에 예부관[46]과 각로[47]가 가라든[48] 다시 주청하랴 정침(停寢)[49]하고 들었더니, 유가의 당(黨)이 하되,

"적자(嫡子)가 나시니 봉세자 주청을 아니한다."

하더니, 대왕 불평 시[50]에 정인홍·이이첨[51] 다엿 사람이 상소하되,

"유영경[52]이라서[53] 임해군을 위하여 광해군 봉세자 주청을 아니 하오니 수상[54] 유영경의 머리를 주소서."

하야, 성의[55]에 내도한[56] 주사[57]를 불패무상[58]한 구불가도[59]의 말로 상소하오니, 해포[60] 미류[61]하신 증세에 침식(寢食)을 못 하오시고 실 같자오

---

42 사해(四海): 천하(天下), 세계만방(世界萬邦).
43 엄지준절(嚴旨峻截): 매우 위엄있고 엄숙한 임금의 교지
44 표(表): 생각한 바를 기록하여 임금에게 올리는 글. 본문에서는 세자 책봉을 승인 받기 위하여 명나라에 올리는 글.
45 면책(面責): 잘못을 직접적으로 책망함.
46 예부관(禮部官): 명나라 중앙 행정 관서인 6부(部) 중 예부(禮部)의 장관(長官).
47 각로(閣老): 내각의 원로. 중국 명나라 때의 재상(宰相)을 가리킴.
48 가라든: '갈다', '바꾸다'의 옛말.
49 정침(停寢): 하던 일을 중도에서 정지함.
50 불평 시(不平 時): 몸이 편안하지 않을 때. 본문에서는 선조가 병중에 있을 때(정미년, 선조 40년, 1607)를 말함. 〈서궁일기〉에는 '정미년 불평 시'로 되어 있음.
51 이이첨(李爾瞻): 조선 광해군 때의 권신(權臣: 1560년~1623년). 부록 등장인물 참조.
52 유영경(柳永慶): 조선 선조 때의 권신(權臣: 1550년~1608년). 부록 등장인물 참조.
53 이라서: 이라는 것이. 천대(賤待)의 의미를 담은 조사.
54 수상(首相): 조선 정종 2년(1400)에 베푼 행정부의 최고 기관인 의정부(議政府)의 으뜸 벼슬인 영의정(領議政)의 다른 이름.
55 성의(聖意): 임금의 뜻.
56 내도한: 거슬리는, 다른, 반항하는, 판이(判異)한.
57 주사(奏辭): 어떠한 사항을 임금에게 아뢺.
58 불패무상(不悖無常): 광포하기 그지없음.
59 구불가도(口不可道): 차마 입에 올릴 수 없는 말.

신[62] 기운에 상소를 보옵시고,

"제 어찌 군부[63]를 협칙[64]하는 일을 하리,"

하오사, 분완[65]하오심을 참지 못 하오사 침식(寢食)을 전폐하오시고,

"인홍(仁弘) 등을 정배[66]하라."

겨요 전교[67]하오시고 드디어 훙[68]하오셔늘, 즉시 멈추지 아니하고 세자와 빙[69]을 침전[70]에 들여 계자[71]와 새보[72]와 마패[73] 등 이렇듯 중대한 것들을 즉시 도라보내고[74], 세자와 제자[75]에게 하오신 유교[76]를 후궁이

60 해포: 일 년이 넘는 동안.

61 미류(彌留): 병이 오래도록 낫지 않아 위중해짐. 위독함.

62 같자오신: '같은, 같다'의 존댓말.

63 군부(君父): 임금과 아버지. 본문에서는 '임금'을 뜻함.

64 협칙(脅飭): 거듭하여 위협함.

65 분완(憤惋): 분원(憤怨). 몹시 분하여 원망함.

66 정배(定配): 죄인에게 내리던 형벌의 하나로 지방이나 섬으로 보내 일정한 기간 동안 정해진 지역 내에서 감시를 받으며 생활하게 함.

67 전교(傳敎): 임금이 내리는 명령.

68 훙(薨): 제후, 왕공(王公), 귀인(貴人)의 죽음을 높임. 천자(天子)의 죽음은 붕(崩)이라 함. 조선조는 제후국이므로 왕의 죽음을 말함. 본문에서는 선조의 죽음을 가리킴.

69 빙(嬪): 빈의 아음(雅音, 어금닛 소리). 궁중에서는 빈을 빙으로 발음하는 것이 통례였다. 조선시대의 내명부(內命婦)의 하나, 임금의 제1부실(副室)로 정 2품의 품계를 가진 여관(女官), 왕세자의 정실부인. 본문에서는 세자(광해군)의 빈(嬪, 유자신의 딸)을 가리킴.

70 침전(寢殿): 임금의 침실이 있는 곳. 선조는 선조 41년(1608) 2월 1일에 정릉동 행궁 정침에서 승하했다.

71 계자(啓字): '계(啓)'자를 새긴 나무 도장. 임금의 재가를 맡은 서류에 찍음.

72 새보(璽寶): 옥새(玉璽, 옥으로 만든 도장)와 옥보(玉寶, 황금으로 만든 도장)로 임금의 존호(尊號)를 새긴 도장.

73 마패(馬牌): 출장 간 관원(官員)이 지방에서 역마(驛馬)를 동원할 때 증표로서 보이던 지름 10센티 쯤의 굵은 구리 패. 한쪽 면에는 자호(字號)와 연월일을 새기고 다른 한쪽에는 말을 새긴 것으로 어사(御使)가 이것을 도장으로 사용하기도 하였다.

74 도라보내고: '돌려보내다'의 옛말. 본문에서는 선조 승하 후 인목왕후가 국사는 잠시도 비워서는 안된다며 어보와 계자를 동궁에게 전한 것을 가리킴. 『광해군일기』 권1, 광해군 즉위년(무신, 1608) 2월 1일(무오) 참조.

하되,

"대군(大君) 향하야 하오신 유교를 내어 이때에 한가지로 내오소서."
하거늘, 중전[77]으로 겨오샤[78] 불성인사[79]하오사,

"그 유교는 이제 가(可)치 아니타."
만 하시되, 중의[80] 세워 내되[81] 제자를 먼저 뵈고 조정(朝廷)에 내달더라.

이리한 것을 이 유교 내다 하고 큰 허물을 삼으니, 진실로 대군을

---

75 제자(諸子): ① 여러 신하들. 선조의 임종이 가까워 오자 많은 신하들이 대기하고 있었는데 중전이 전호(傳呼)로 원임 대신과 상공, 육승지, 사관이 모두 중문(中門) 안에서 대기했다고 기록되었다. 이로 보면 '제자'는 '여러 신하들'로 생각할 수 있다. ② 여러 아들들. 본문에 '후궁'이 임종 시에 함께 했으므로 선조의 직계(아내와 자녀들)가 임종을 지키고 있었다고 생각된다. 선조는 2왕후 6후궁 사이에 14명의 아들(1대군, 13군)과 11명의 딸(1공주 10서녀)을 두었다. 그 당시 직계가 모두 있지는 않았더라도 많은 자녀들이 함께 했으리라 생각된다. 『광해군일기』 권1, 광해군 즉위년(무신, 1608) 2월 1일(무오) 참조.

76 유교(遺敎): 임금이나 부모님이 죽을 때에 남긴 말씀. 선조가 승하하기 전 겨울에 쓴 유서로 세자에게 주는 유서에는 "동기간을 대하기를 나 있을 때와 같이 하고, 사람의 참언(讒言)이 있더라도 듣지 말라, 나의 뜻을 유념하라"라는 내용이고, 겉봉에 '유(柳永慶)·한(韓應仁)·신(申欽)·허(許筬)·박(朴東亮)·서(徐渻)·한(韓浚謙)'이라고 쓰여진 것에는 "대군이 어려 미처 성장함을 보지 못하는 것이 잊혀지지 않고, 내가 죽은 후에 인심을 헤아리기 어려우니 만일 어떤 사설이 있더라도 제공(諸公)들은 애호하고 붙들어주시오. 감히 이를 부탁하오"라고 적혀 있었다. 이들은 모두 왕족과 인척 관계가 있는 자들이므로 대군을 보호하도록 부탁하였는데 일곱 신하의 화가 이로부터 시작되었다. 신하들에게 준 이 유서가 후일 '박응서 옥사'에서도 거론되어 김제남과 영창대군을 죽이는 한 이유로 이용되었다. 『연려실기술』 권18, 하담록 참조. 『광해군일기』 권1, 광해군 즉위년(무신, 1608) 2월 1일(무오); 2월 2일(기미) 참조.

77 중전(中殿): 광해군이 즉위하기 전이므로 본문에서 중전은 선조의 계비(繼妃, 후일 인목왕후)를 가리킴.

78 겨오샤: '겨오셔'와 같은 말로 주격조사 '가'와 '이'의 높인 말인 '~께서'의 옛말.

79 불성인사(不省人事): 자신이 하는 일을 모를 정도로 정신이 혼미함. 인사불성(人事不省).

80 중의(衆意): 여러 사람의 의견.

81 세워 내되: 고집을 세워 자신이 의도한 대로 행동함. 본문에서는 선조의 유교를 알리라는 후궁의 말을 듣지 않았음을 말함.

세우랴 하면 대권(大權)이 장중(掌中)에 이신 제 올리지 새보를 내어 베풀 사이 없이 세자의 전(殿)으로 즉시 보내시며 또 유교에,

"참뫼[82] 있어도 신참[83]치 말고 대군을 어엿비[84] 여기라."

하오신 말씀이거늘 어찌 유교대로 대군 세울 일이 있으리오.

정미년[85] 십월 불평시에도 동궁(東宮)이며 빙을 즉시 불러 시측[86]에서 시약(侍藥)하옵게 하며, 불민[87]하여 성의(聖意)에 어기온 일이 있어도 내전[88]으로 겨오샤 사이에서 좋도록 꾸려가니 그 때에는,

"내전 상덕(上德)이 지중(至重)하여라."

깃거하더니[89], 점점 내외(內外) 표리[90]할 사람이 있어 임해(臨海)부터 없이 할 모책[91]을 내어 불의(不義)의 일로 영흉[92]하여 마침내 소장[93]의 대환(大患)을 부쳐내니[94] 그런 간인(奸人)이 어디 있으리오.

---

82 참뫼(讒謀): 꾀를 써서 남을 해하려고 헐뜯음.

83 신참(信讒): 참소(讒訴, 남을 헐뜯기 위해 거짓으로 없는 죄를 꾸며서 고해바치는 것)를 믿음.

84 어엿비: '불쌍히'의 옛말.

85 정미년(丁未年): 선조 40년(1607).

86 시측(侍側): 곁에 있으면서 웃어른을 모심.

87 불민(不敏): 어리석고 둔하여 민첩하지 못함.

88 내전(內殿): '왕비'를 높인 말. 본문에서는 선조가 생존해 있을 때이므로 왕비는 계비(繼妃) 김씨(후일 인목왕후)를 가리킴.

89 깃거하더니: '기뻐하더니'의 옛말.

90 표리(表裏): 겉과 속. 겉으로 드러내는 언행과 속으로 가지는 생각. 본문에서는 속과 겉을 분리하듯이 광해군 측과 인목황후 측을 이간한다는 뜻임.

91 모책(謀策): 어떤 일을 처리하거나 위기를 벗어나기 위하여 꾀나 방법을 짜냄.

92 영흉(獰兇): 모질고 매우 흉악함.

93 소장(訴狀): 원하는 것이 있을 때 관청에 내는 서면(書面). 본문에서는 광해군 즉위년(무신, 1608) 2월에 임해군이 선조가 병환 중에 있을 때부터 군사를 모으는 등 모반의 뜻을 두고 있으므로 죄 줄 것을 청하는 내용의 소장을 올린 것을 말함.

94 부쳐내니: 문맥상 '선동하다'의 옛말인 '부치다'로 해석함이 옳을 것 같음. 남을 이리저리 들쑤시어 어떤 일을 하도록 선동함.

대개 아시(兒時)적부터 불민히 여기오시나 임진왜란[95]에 불의(不意)에 정하오신지라 상시 훈회[96]에 전교 나오신 일이나 일절(一切) 승순[97]치 아니하고, 니라오시는[98] 족족 원수로이 너겨만 하니[99] 니라오시되,

"자식이 어버이 향하여 하는 도리 저렇듯 할 것이리오."

하오시고 외오[100] 여기오시더니, 후궁의 족하를 의인왕후[101] 빙전[102] 적에 다려다가 첩 삼아 가려 하거늘,

"못 하리라. 어찌 부덕(不德)의 일을 하려 하느뇨?."

하오셔, 허(許)치 아니하오시는 일을 깊이 한(恨)하다가 병오년(丙午年)에 대화(大禍)를 내어 한 힘을 얻고자 대욕[103]하여 기이옵고[104] 다려가랴 후궁을 저히되[105],

"이리 하는 일을 여짭거나 아니 주거나 하면 타일(他日)에 족멸[106]하리라."

저히고 협칙하야 내인을 보내어 아사[107]가니, 그를 듣자오시고 크게 사

---

95 임진왜란(壬辰倭亂): 선조 25년(1592)~선조 31년(1598), 7년 동안의 왜구(倭寇)의 침략.

96 훈회(訓誨): 타일러서 뉘우치게 함.

97 승순(承順): 웃어른의 명령에 순종함.

98 니라오시는: 원형은 '니ᄅ다'. '이르다', '말하다'의 옛말. 이르오시는.

99 너겨만 하니: '너겨'의 원형은 '너기다'로 '여기다'의 옛말. 여기기만 하니.

100 외오: '잘못', '그릇'의 옛말.

101 의인왕후(懿仁王后): 선조의 초비(初妃)인 박씨. 부록 등장인물 참조.

102 빙전(殯殿): '빈전'을 궁중에서 통용되어 온 아음(牙音)에 의하여 '빙전'이라 함. 대궐에서 장사 때까지 왕이나 왕비의 관을 모시던 곳.

103 대욕(大慾): 큰 욕심. 욕심이 많음.

104 기이옵고: 원형은 '긔이다'. 사실을 숨기고 바른대로 말하지 않음.

105 저히되: 원형은 '저히다'. '위협하다'의 옛말.

106 족멸(族滅): 일족(一族) 즉, 부계(父系), 모계(母系), 처계(妻系)인 삼족(三族)을 남김없이 죽여 버림.

107 아사: 원형은 '앗다'. '빼앗다', '없이하다'의 옛말.

오나이[108] 여기오사 닐아사되,

"옛 조종조[109]에 소헌왕후[110]를 그 아바님 일[111]로 태종[112]이 폐하랴 하시니 '그리 하리이다.' 하시되, '여덟 대군[113]을 어찌 처치하리이까?' 하시니 태종이 그제야 '말라.' 하시니, 한 어린 계집이 무엇이 귀하여 어버이를 기이고 다려가니 흉악한 뜻이로다."

하오시고, 이 후부터 마땅히 못 여기오시더라.

대개 대군 향하여 병오년부터 화심을 조장[114]하여 안중정[115]과 계자[116]같이 여기다가, 대군이 자라가매 큰 변을 수이 일워 급거[117]히 없이할 일을 유가(柳哥)와 날로 일워내니, 저 인사(人事)도 모르는 대군이 애연(哀然)이 불쌍하고 어엿브리오[118]마는, 상시(常時) 대소사(大小事)에 반드시 쉬운 일도 순종치 아니하고 뜻을 거슬워[119] 박대함이 심하더라.

정인홍(鄭仁弘) 등은 적소[120]에 채 가지 아니하여서 훙서(薨逝)하오신

---

108 사오나이: '사납게'의 옛말.

109 조종조(祖宗朝): 임금의 조상, 본문에서는 3대 태종 때를 가리킴.

110 소헌왕후(昭憲王后): 세종(世宗)의 비(妃)인 청송 심씨(沈氏, 1395년~1446년). 부록 등장인물 참조.

111 그 아바님 일: 소헌왕후의 아버지 청천부원군(青川府院君) 심온(沈溫)이 역적으로 몰린 사건. 부록 등장인물 '심온' 참조.

112 태종(太宗): 조선 제3대 왕. 부록 등장인물 참조.

113 여덟 대군: 조선 제4대 왕 세종대왕(1397년~1450년)은 1왕비 5후궁 사이에 18남 4녀(정비 청송 심씨에서 8대군 2공주, 후궁 5명에서 10군 2옹주)를 두었다. 본문에서 여덟 대군은 정비 소생인 문종, 세조, 안평대군, 임영대군, 광평대군, 금성대군, 평원대군, 영응대군을 말함.

114 화심(禍心)을 조장(助長): 남을 해치려는 마음이 점점 커지게 함.

115 안중정(眼中釘): 눈 안의 가시 같이 못마땅하게 여김.

116 계자(繼子): 양자(養子), 양아들, 의붓자식, 자기가 낳지 않은 아들.

117 급거(急遽): 갑자기. 행동하는 것이 갑작스러움.

118 어엿브리오: '불쌍하다'의 옛말.

119 거슬워: '거슬러'의 옛말. 남의 뜻에 따르지 않고 어긋나는 행동을 함.

120 적소(謫所): 죄인을 귀양 보내던 곳. 본문에서는 왕(선조)과 세자(광해군) 사이를

날 즉시 궐하(闕下)에 불러 불차로 용지[121]하고, 빙천[122]하오신 이칠일[123] 만에 형을 외척[124]으로 두 대간[125]하여 논계[126]하게 하여 놓고, 임해(臨海)를 보고 계사[127]를 뵈여 왈,

"이제 나가면 죄를 벗고 궐중(闕中)에 있으면 죄 더을[128] 것이니 내 몰라 이를가, 수이 나가소."

하고 군병(軍兵)을 포열은복[129] 하였닷더라.

임해 꾀에 감겨 즉시 나가니, 일시(一時)에 내달아 두로 싸매어 비변사[130]에 구류(拘留)하여 두었다가 교동[131]에 보내어 우리안치[132] 하였더

이간시킨다는 죄목으로 정인홍은 영변(寧邊)으로, 이이첨은 갑산(甲山)으로 귀양 가게 한 것을 말함.『연려실기술』 권18, 이효원의 행장 참조.

121 불차로 용지(不次用之): 단계를 밟지 아니하고 한꺼번에 벼슬을 올려서 씀.

122 빙천(賓天): 빈천(賓天)을 아음에 의하여 '빙천'으로 씀. 하늘의 손님이 되었다는 뜻으로 귀인의 죽음을 말함. 본문에서는 선조가 세상을 뜬 것을 가리킴.

123 이칠일(二七日): 두 이레. 사람이 태어나거나 죽은 지 14일째 되는 날.

124 외척(外戚): 같은 본 이외의 친척. 외가 쪽의 친척.

125 두 대간(臺諫): 사헌부(司憲府, 정치에 관하여 논하고 관리들의 비행을 조사 규탄하며, 풍속을 바로 잡던 관청)와 사간원(司諫院, 임금께 옳지 못하거나 잘못된 일을 고치도록 말하던 일을 맡아 보던 관청)을 가리킴. 양사(兩司)라고도 함. 사헌부(司憲府) 정 4품 장령 윤양(尹讓), 정 5품 지평 민덕남(閔德男), 사간원(司諫院) 정 5품 헌납 윤효선(尹孝先), 정 6품 정언 이사경(李士慶) 등의 상소로 임해군 옥사가 시작되었다.『연려실기술』 권19, 일월록 참조.『광해군일기』 권1, 광해군 즉위년(무신, 1608) 2월 14일(신미) 참조.

126 논계(論啓): 신하가 임금에게 그 잘못을 간하여 논함. 본문에서는 임해군이 명장(名將)과 결탁하여 역모를 준비했다는 죄목으로 절도에 귀양 보내야 함을 논계한 것을 말함.『연려실기술』 권19, 일월록(日月錄) 참조.『광해군일기』 권1, 광해군 즉위년(무신, 1608) 2월 14일(신미) 참조.

127 계사(啓辭): 논죄(論罪)에 관하여 임금에게 올리는 글.

128 더을: 원형은 '더으다'. '더하다'의 옛말. 더할.

129 포열은복(布列隱伏): 주위에 숨어서 진(陣)을 치게 함.

130 비변사(備邊司): 조선시대 군국(軍國)의 사무를 맡아서 처리하던 관청. 임진왜란·정유재란이후 의정부를 대신하여 정치의 중추기관이 됨.

131 교동(喬桐): 경기도 광화군(江華郡) 교동면에 있는 섬 이름. 조선시대 귀양 장소로

니, 어사당인[133]이 오니 임해더러 닐오되,

"전신불수[134]한 체하여야 처자와 한데 두고, 니란 대로 아닌 즉 죽이리라."

하고, 공빈[135] 사촌 오라비 김예직[136]을 보내어 은근히 달래니 곧이 듣고 니란 대로 한대, 당장[137]이 돌아간 후 즉시 심복(心腹)의 의원을 보

자주 쓰임. 광해군도 폐위 된 후 처음에는 이곳에 귀양 갔다가 다시 제주도로 귀양 감. 임해군은 처음(2월 14일)에는 도(珍島)로 유배되었다. 이덕형, 이항복 등이 진도는 멀어 안전을 보장하기 어려우므로 가까운 곳에 정하기를 청하였다(2월 15일). 20일 진도로 가는 도중에 왕명에 의하여 강화(江華)의 교동으로 옮겼다. 『광해군일기』 권1, 광해군 즉위년(무신, 1608) 2월 14일(신미); 2월 15일(임신); 2월 20일(정축) 참조.

132 우리안치(圍籬安置): 귀양 보낸 죄인이 배소(配所)에서 달아나지 못하도록 가시로 울타리를 둘러쳐서 외부와 차단시키는 벌. 본문에서는 임해군의 유배장소를 강화로 옮기면서 "진도(津渡)를 엄히 지키고 담장을 높게 쌓아 출입을 금하게 함으로써 외부 사람과 서로 접촉하지 못하게 하며 무장한 군인으로 지키게 했음"을 말함. 『광해군일기』 권1, 광해군 즉위년(무신, 1608) 2월 20일(정축) 참조.

133 어사당인(御使唐人): 임해군의 질병을 조사하기 위하여 조선에 온 명나라에의 차관(差官) 요동도사(遼東都司) 엄일괴(嚴一魁) 일행. 세자 승인을 받지 못한 채 왕위를 계승한 광해군은 이호민이 이끄는 사신을 명나라에 보내어 왕위 계승의 승인을 받아 오도록 했다. 명에서 장자가 아닌 자가 왕이 된 이유를 묻자 '임해군은 중풍에 걸려 저위(儲位)를 감당할 수 없다'고 한 것을 의심하여 사실 확인을 위해 서울에 온 것이다. 『광해군일기』 권1, 광해군 즉위년(무신, 1608) 5월 15일(경오); 5월 20일(을사) 참조.

134 전신불수(全身不遂): 중풍 등으로 말미암아 온몸을 마음대로 쓰지 못하는 상태.

135 공빈(恭嬪): 선조의 후궁. 임해군과 광해군의 생모(生母). 광해군 등극 후 공성왕후(恭聖王后)로 추존됨. 부록 등장인물 참조.

136 김예직(金禮直): 광해군의 외숙(外叔), 자는 문백(文伯). 임해군과 영창대군의 옥사 때와 인목대비의 폐위를 반대하여 방축(放逐)되었다가 인조반정 후에 복권됨. 본문에서는 김예직이 임해군에게 차관을 만났을 때 답할 말을 잘 타일러 주게 한 것을 말한다. 『광해군일기』 권1, 광해군 즉위년(무신, 1608) 5월 16일(신미) 참조.

137 당장(唐將): 명나라에서 사신으로 온 요동도사 엄일괴(嚴一魁)를 가리킴. 엄일괴 일행이 서강(西江)에서 임해군을 만나 사실 확인을 하였다. 그때 대신들이 미리 가르쳐 준 대로 모두 긍정하였지만 반역을 도모한 죄에 대해서는 부인하였다. 다만 자신이 병으로 정신이 없을 때 노예들이 그런 뜻을 가졌던 것 같으나 자신은 몰랐다 하여 노

내어 치독[138]하여 죽이니라.

임해(臨海) 죽일 제, 대군(大君)을 함께 잡으려 한 번의 소계[139]에 얹으니 조정(朝廷)이 혹 시비하되,

"당시 강보[140]에 있고 신정[141]을 하매 형제 둘을 함께 없애기 어렵다."

하니, 도로 대군을 거두지 아니탓더라.

삼시[142] 문안을 자로[143] 드는 체하더니 점점하여 삭망[144]으로 들고 그도 연고[145] 있으면 궐[146]하고, 든 때도 예사 말씀이나 혹 시속(時俗) 말씀이나 일가의 은휘[147] 아녀 하오시면 말씀을 찰혀[148] 듣도 아니하고,

"아모란 하여지라."

하오시는 말씀을 의논하오시면, 손 내어 헤저으며 자교[149]란 듣지 아니하고 넓더[150] 일어나며, 문안을 오래 게야[151] 와서 머무도 아니하고 앉

예들에게 핑계대라는 대신의 말을 따랐다. 엄일괴 일행 등은 이러한 말을 사실대로 다 믿지는 않았지만 수만냥의 은을 받고 돌아갔다. 『광해군일기』 권1, 광해군 즉위년(무신, 1608) 5월 20일(신미) 참조.

138 치독(置毒): 독약을 음식에 넣음.

139 소계(疏啓): 상소문(上疏文). 생각한 바를 조목별(條目別)로 써서 임금에게 올리는 글.

140 강보(襁褓): 포대기. 포대기에 쌓인 어린 아이란 뜻으로 본문에서는 영창대군을 가리킴. 당시 영창대군은 4살이었음.

141 신정(新政): 왕이 새로 등극(登極)하여 베푸는 정치.

142 삼시(三時): 아침·점심·저녁 세 때.

143 자로: '자주'의 옛말. 여러 번 되풀이 하여.

144 삭망(朔望): 음력 초하룻날과 보름날.

145 연고(緣故): 일의 까닭. 이유. 사유(事由).

146 궐(闕): 해야 할 일을 하지 않거나 모임에 빠짐.

147 은휘(隱諱): 꺼리어 감추거나 숨김.

148 찰혀: '차리다'의 옛말. 예절을 차리다. 본문에서는 주의 깊게 듣지 않아 공경하는 태도가 없음을 말함.

149 자교(慈教): 자전(慈殿: 왕의 모친)의 말씀. 본문에서는 인목대비의 말씀.

는 듯 일어나니, 무슨 쟁그라온[152] 화(和)한 말이 있으리오.

대왕 빙천(賓天)하오신 후 삼칠일[153] 만에 문안드니 상시(常時) 벗의 조상(吊喪)도 처음 만나면 곡읍[154]함이 예사(例事)이어늘, 우히[155] 애곡(哀哭)하오시니 드리다라며[156] 손 내어 헤저으며[157] 시위인(侍衛人)더러,

"우지 마라시게 하라."

하고, 더루어리며[158], 곡(哭)함은 카니와[159] 조금도 애척지용[160]이 없으니 인자정[161]은 없거니와, 척인(戚人)인들 상가(喪家)에 와 마음이 무심할 것이랴. 크게 비인정(非人情)이러라.

대왕 묘호[162]하올 제 우히 니라오시되,

"임진왜란의 중흥지공[163]은 헤압지[164] 말려니와 조종망극[165]되 종계변무지공[166]은 막대하니 창업지주[167]에서 떨어지시리이까. 묘(廟)를 심

---

150 넓더: '벌떡'의 옛말. 급하게 일어나는 모양.
151 게야: '지나서야'의 옛말.
152 쟁그라온: '재미있는', '아기자기한'의 옛말.
153 삼칠일(三七日): 세이레, 사람이 태어나거나 죽은 지 21일 째 되는 날.
154 곡읍(哭泣): 소리 내어 슬피 움.
155 우히: 위(上)께서. 본문에서는 '인목대비'를 가리킴.
156 드리다라며: '달려 들어가며'의 옛말.
157 헤저으며: '휘저으며'의 옛말.
158 더루어리며: '더듬거리다'의 옛말.
159 카니와: '~커녕', '~도', '~이지만', '~물론이거니와'의 옛말.
160 애척지용(哀戚之容): 사람의 죽음을 슬퍼하는 모습.
161 인자정(人子情): 자식으로서 부모에게 느끼는 정.
162 묘호(廟號): 왕의 시호. 왕이 죽은 뒤에 신주(神主)를 종묘(宗廟)에 들일 때 그 공덕을 기리어 주던 이름.
163 중흥지공(中興之功): 나라를 다시 일으킨 공.
164 헤압지: 원형은 '헤다'. '헤아리다'의 옛말. 생각하다. 계산하다. 헤아리지.
165 조종망극(祖宗罔極): 역대 선왕께 송구스러움이 한이 없음을 이름.
166 종계변무지공(宗系辨誣之功): 조선 건국 후 명나라의 승인을 얻기 위해 보낸 서류에 이성계(李成桂)의 아버지 이자춘(李子春)이 이인임(李仁壬)으로 잘못 기재되었었다.

상[168]히 말으시고 헤아려 하소서."

하오시니, 오래 생각다가 여짜오되,

"비록 공이 겨오시나 임진왜란으로 조종[169]이 평안히 못 지내여계시니 어찌 공이 계시다 하리이까? 다시 의논을 못할 소이다."

하니, 우히 의논하오사 다시옴[170] 개유[171]하오사 니라오시되 듣지 아니하올 뿐 아니라 대하오되,

"종자[172]를 가지셔도 낫지 아니시다."

하니, 그 불효(不孝)함이 가히[173] 알지라.

자고(自古)로 자전(慈殿)이 초상(初喪)에 배릉[174]하오시는 예(禮) 있으매 우흐로서[175],

"니거지라."[176]

하오시니, 대 왈(對曰)

그 후 역대 임금들이 잘못된 것을 시정하려고 노력했으나 뜻을 이루지 못하다가, 선조 때 역관(譯官) 홍순언(洪純彦)이 명나라 대신 석성(石星)의 도움으로 시정한 일을 가리킴.

167 창업지주(創業之主): 나라를 창업한 왕, 즉 태조 이성계(李成桂)를 가리킴.

168 심상(尋常): 대수롭지 않고 예사로움.

169 조종(祖宗): 창업 이후 여러 군주의 총칭. 본문에서는 종묘에 모셔진 역대 왕들의 위폐와 혼백을 가리킴.

170 다시옴: 거듭하여 강조를 나타내는 '다시금'의 옛말.

171 개유(開諭): 사물의 이치를 알아 듣도록 잘 타이름.

172 종자(宗子): 루얼쿠이(陸爾奎) 등이 편찬한 중국의 사전인 사원(辭源)에는 "묘호(廟號) 중 가장 존귀한 임금을 가리켜 조(祖)라 하고, 그 다음을 종(宗)이라 한다. 조는 공이 있고, 종은 덕이 있다."라는 구절이 있다. 우리나라 역대 임금들의 묘호는 생전의 업적과 항상 일치되는 것은 아니다.

173 가히: 과연. 잘. 마땅히.

174 배릉(拜陵): 임금이나 왕후의 무덤을 찾아 절을 올림. 본문에서는 선조의 계비(繼妃) 인목왕후가 선조의 무덤에 가려 했음을 말함.

175 우흐로서: 본문에서 '우흐'는 대비를 가리키므로 '대비께서'로 해석함이 옳을 것 같음.

176 니거지라: '가다'의 옛말이 '니거다'이므로 '가고 싶다'로 해석됨.

"가심이 불가(不可)하니이다. 하[177] 가고저 하시면 소상[178]에나 가소서."

하거늘, 겨유 기다리오셔 또,

"니거지라."

하오시니, 또 탈하되,

"조정(朝廷)이 하 막으니 못 가시리이다. 대상[179]에나 가소서."

또 그때 다다르니 하되,

"이위[180] 다 지났으니 이제 가시다 무슨 유익함이 계시리이까? 옛 왕후네 가심도 예(禮)의 일이 아니니이다. 폐 있을 따름이오 보실 일이 없으니 결연[181]히 못 가시리이다."

하더라.

삼 년을 두고 간측(懇惻)이 비다가 못하고 달래다가 못하오시니, 그런 불쌍하오신 일이 없더라.

"혼전[182]에 나가지라."

하오시니 그도 여러 번 막거늘, 우히 내전[183]에 애긍[184]히 비오시니 대왈,

"본디 대전(大殿)이 변통[185]이 없어 그러하오시니, 지극히 하야 가오

177 하: '많이', '크게'의 옛말.
178 소상(小祥): 사람이 죽은 지 1년 만에 지내는 제사.
179 대상(大祥): 사람이 죽은 지 두 돌 만에 지내는 제사.
180 이위: '이미'의 옛말.
181 결연(決然): 결심이 움직일 수 없을 만큼 확고함.
182 혼전(魂殿): 임금이나 왕비의 국장(國葬) 뒤에 3년 동안 신위(神位)를 모시던 전각(殿閣).
183 내전(內殿): '왕비'의 높인 말. 본문에서는 광해군 비(妃) 유(柳)씨를 가리킴.
184 애긍(哀矜): 불쌍하게 여김.
185 변통(變通): 일의 형편에 따라 막힘이 없이 적절하게 잘 처리함.

시게 하리이다."

하더니, 내전 지휘[186]로 허하니라.

날을 급히 택일(擇日)하니, 내인을 보내어 유희분[187]더러 날을 물리라 하는지라. 우리 전(殿)에서는 급급히 제전[188]의 차반[189]을 장만하였더니, 내전은 심상히 여겨 제전을 아니 하려 하였다가 불의에 생각하여 하노라 남의 폐를 보지 아니하고, 대사를 내해 편토록 할지언정 이렇듯이 한들 어대 가 민망하여라 하리오. 숙설[190]하온 후, 여러 날 물리며 우리 전에서는 장만한 것을 오라[191] 다 버리고 새로 장만하니라.

내전에서 행여 진지하여도 공주란 받잡고 대군으란 아니 받잡더라.

대전이 니라되,

"웃전에 문안 가면 대군의 소래 듣기 슬터라."

하며, 하루는 대군이 하,

"대전 형님 보아지라."[192]

하셔늘, 공주·대군 두 아기시를 문안 오신 때에 앉혀 뵈오니,

"공주란 나아오라."

하여 만져 보고,

"하 영민[193]하니 어엿브이다."

---

186 지휘(指揮): 명령을 내려 알려 줌.

187 유희분(柳希奮): 조선 광해군 때 권신(1564년~1623년). 광해군의 처남. 부록 등장인물 참조.

188 제전(祭奠): 제사. 혹은 제사에 쓰이는 음식물(祭物).

189 차반: 제사에 올리는 음식.

190 숙설(熟設): 잔치나 제사에 쓸 음식을 만드는 일.

191 오라: 원형은 '오라다'. '오래다'의 옛말.

192 보아지라: '~지라'는 '~고 싶다', '~기를 바라다'의 옛말. '보아지라'는 '보고 싶다', '보기를 바란다'의 옛말임.

193 영민(穎敏): 슬기롭고 민첩하여 남보다 뛰어남.

하고, 대군으란 본 체도 아니 하고 말도 아니하니 어려워 하시거늘, 우히 하오시되,

"너도 나아 니거라."

하오시니, 일어나 대전 앞에 서시되 본체도 아니하니 대군이 나가 울으시며,

"대전 형님이 누으님으란 어엿비하고 날난 본 체도 아니시니, 나도 누으님이나 될 것을 무사 일 사나이 되닷던고."

하시고 종일(終日)토록 울으시니, 보매 불쌍터라.

대전이 상상[194]에 니라되,

"내 이신[195] 적은 열 대군이 이시나 두렵지 아니려니와, 세자는 대군과 족해니 조종조(祖宗朝)에도 족하를 해하고 섰으니 이런 일이 있을까 저허하노라.[196] 내 부대 대군을 없이하고 세자를 편히 살게 하렸노라."

이렇듯 들렸기에 세자가 대군 보기를 슬희여[197] 두리온[198] 것 보듯 하니라.

빙천하오신 석 달 만에 대전이 수라[199]를 못 자시니거늘 우히 육선[200]을 권하오시니 권육(勸肉)한 두 번 만에 자시다. 양죽[201]을 하여 갔더니 자시고 물려 근신(近臣) 당보하되,

"이 죽이 가장 좋으니 채와[202] 두었다가 홋 때에 달라."

194 상상(常常): 항상. 평소에 늘.
195 이신: 원형은 '이시다'. '있다'의 옛말.
196 저허하노라: '두려워하노라'의 옛말.
197 슬희여: '싫어하다'의 옛말.
198 두리온: '무서운'의 옛말.
199 수라(水라): 임금에게 올리는 진지의 궁중어.
200 육선(肉饍): 고기를 재료로 하여 만든 반찬.
201 양죽(胖汁): 양즙. 소의 내장 양을 끓이거나 불에 볶아서 짜낸 물. 병자나 허약한 사람이 보신용으로 먹음.

하니, 내인이 야븟그려[203] 닐오되,

"하루 소선[204]도 못 하오시던데 하절(夏節)에 서너 달을 하오시니, 그도 가장 잘 하여 계오시더니, 웃전이 권하오시니 하 젓사와[205] 잡사왔으니, 이도 웃전이 계오시매 두었다가 달라 하오신다."

하니, 듣는 이 불쌍이 여기고 웃더라.

정미년[206] 시월부터 불평하오시되 세자가 녀차[207]에 와 시약[208]하옵더니, 엄연히[209] 들어 앉았지 못하여 공사(公事)하오시던 청(廳)에 와 좌철[210] 놓고 앉았더니, 빙천(賓天)하오신 후에 닐오되,

"겨울에 찬데 앉았던 일이야 죽다 잊으랴."

하더라.

빙측[211]에도 한 달에 한 번식 가락말락 애척[212]이 아조 없어, 상복 중(喪服中)에 우음[213]이 자약[214]하고, 대전상[215]에 감선[216]하는 체도 하고, 입

202 채와: 차게 하다. 얼음이나 찬물에 채워 차게 하다.
203 야븟그려: '비웃어'의 옛말. 냉소(冷笑).
204 소선(素饍): 생선이나 육류를 쓰지 않은 간소한 반찬.
205 젓사와: '황송하여'의 옛말.
206 정미년(丁未年): 선조 40년(1607).
207 녀차(廬次): 빈전(殯殿) 주변에다 여막(廬幕)을 만들고 임금이 거쳐하는 곳.
208 시약(侍藥): 임금께서 병환이 계실 때에 약을 쓰는 행위.
209 엄연(儼然)히: 사람의 겉모습이나 언행이 엄숙하고 점잖음.
210 좌철(座鐵): 철로 만든 의자.
211 빙측(殯側): '빈측'을 '빙측'으로 발음함. 장사 때까지 왕의 관을 모셔 놓은 집(빈전) 곁여막.
212 애척(哀戚): 애도(哀悼). 사람의 죽음을 슬퍼함.
213 우음: '웃음'의 옛말.
214 자약(自若): 큰일을 당하여도 놀라지 않고 평상시와 같이 침착함.
215 대전상(大殿床): 본문에서는 새로 된 왕(광해군)의 수라상.
216 감선(減膳): 나라에 변고가 있을 때 임금이 근심하는 뜻에서 수라상의 음식 가짓수를 줄임으로 삼가게 함.

을 가리오고 우음을 참는 체도 하되, 다 참지 못 하야 하 우사니, 보나니 민망[217] 하더라.

우히 빙측에 와 곡읍을 그치지 아니 하오시니,

"이 우름 소리 어데서 나나니"

내관이 하되,

"자전에서 우옵시나이다."

"무슨 일 저리 우옵시나니. 춘추[218]가 많아 없어 겨옵시니 설워 하오심이 우읍다.[219] 사람이 매양 살랴. 듣기 슬타.[220]"

하니, 좌우에 있는 사람이 어이 없이 여겨 혹 가만히 웃더라.

공사를 하 못하여 한 장(張) 것도 친히 결치 못하여 내전을 녀차 곁 익낭방[221]에다가 두고 주야에 공사를 물어 결(決)하니, 내전이 혹 빙청에 와 나가신 적이면 공사를 못하여 혼자서 두라매며[222] 조희[223]와 칼을 놓지 못하여 조희를 잘게 싸호라[224] 도로 붙이고, 칼을 도로 버려[225] 세우고 있어서 혹 중중 읍주어리니[226], 내관이 혹 소래나 하면 소리질러 꾸짖으니 내관도 들어붙지 못하며 밖에서 앙천(仰天)하여 애를 태오더니, 명종조[227] 늙은 내관이 있더니 당돌히 들어가 살오되,[228]

217 민망(憫惘): 딱하여 걱정스러움.
218 춘추(春秋): 어른의 나이를 높이어 부르는 말.
219 우읍다: '우습다'의 옛말.
220 슬타: '싫다'의 옛말.
221 익낭방(翼廊房): 대궐 전각 좌우에 ㄱ자로 잇대어 꺾어서 지은 집.
222 두라매며: '두루마리'의 옛말. 가로로 길게 이어 돌돌 둥글게 만 종이, 편지나 그 밖의 글을 쓸 때 쓴다.
223 조희(조해): '종이'의 옛말
224 싸호라: '썰어'의 옛말. 물건을 잘게 쪼갬.
225 버려: 벌리다. 접혀있는 것을 펴다.
226 중중 읍주어리니: '중얼중얼 읊주리다'의 옛말.
227 명종조(明宗朝): 조선 제13대 왕(1534년~1567년). 부록 등장인물 참조.

"무사 일 심기(心氣)를 내압시나니이까. 형님[229]도 남의 말 듣고 벌써 없이하여 계시고, 이 공사는 아주 어렵지 아니 하니이다. 글 배우신지 오래니 슬긔[230]는 글에서 나는 일이오, 마노라[231] 선왕 아드님이시고 들어계신 집도 선왕 집이오, 조해 필묵이 다 선왕 것이니 이만 공사를 못하셔 사람 없이하고 고요히 앉아계셔 칼과 조회를 가지고 무사 일을 하시난고."

하니, 붓그려[232] 잠잠하였더라.

이 말이 튓튓[233] 나니 이 내관을 미워하더니 대군란[234]에 죽이니라.

내관을 한 번 일 시키매 열 번 고쳐 시키고, 한 번 심부름 하매 열 번 고쳐 부리고, 잘한 일도 상(賞)할 줄을 모르고 그른 일에 죄 줄 줄을 모르더라.

상시에 유가가 민망하여 날마다 때마다 가르쳐, 이제 아모개 상소하려 하니 이리이리 대답하고, 저때 아모개 계사(啓辭)하려 하니 이리이리 대답하시고, 시시로 진서[235]로며 언서[236]로 써 광자리[237]이며 속고리[238]에 넣어 다니며, 혹 문을 닫은 때면 동산(東山) 측간(厠間) 다히[239]

---

228 살오되: '여쭈다'의 옛말.
229 형님: 광해군의 동복(同腹) 형인 임해군을 가리킴.
230 슬긔: '슬기'의 옛말. 사물의 이치를 빨리 깨닫고 사물을 정확하게 처리할 방도를 생각해 내는 재능.
231 마노라(摩樓下): 왕, 왕비 기타 귀인(貴人)에게 가장 높임말.
232 붓그려: '부끄러워'의 옛말.
233 튓튓 나니: '튀어서 나오다'의 옛말. 소문이 퍼지다.
234 대군란(大君亂): 광해군 5년의 영창대군 살해사건.
235 진서(眞書): 우리글을 언문(諺文)이라 낮춘데 대하여 한문을 높여 이르던 말.
236 언서(諺書): 언문(諺文)은 옛날에 한글을 속되게 이르던 말. 언서는 언문으로 쓴 책.
237 광즈리(광자리): '광주리'의 옛말. 대, 싸리, 버들 등으로 엮어 만든 둥근 그릇.
238 속고리: '소쿠리'의 옛말. 얇고 가늘게 쪼갠 대로 테가 있게 길게 엮어 만든 그릇.
239 다히: '근처(近處)', '편'의 옛말.

외장[240]이 있으니 그리로 사람이 들게 쇠공[241]을 내었으되, 하 크매 밖에서 번히[242] 뵈지 못하게 안에만 가리와 두고 내외(內外)에 응(應)하여 출납(出納)하고, 하 자로 하매 담 밖에 종 울막[243] 지어 내도히[244] 살리며 밤이면 그 종하야 유가에 통하여 알아 오더라.

침실에는 노[245] 끼운 광즈리와 보(褓) 싼 소코리 대글데글 하였으니, 한 시녀가 매양 맡아 공사(公事) 대답 알아 유가에게 보내더니, 날마다 공사 든 족족 하 써 보내랴 밥 먹을 사이도 없으니 괴롭고 싫게 여겨 한번은 혼잣말로 니라되,

"사나히로서 이만 공사를 못 하여 매양 남에게 묻고 다니는가? 우리 침실에는 고리 광즈리도 많은자."

박차닷더라[246]

대전이 듣고 영출[247]하고 소문내되 침실에 붙어 앉았지 아니하니 내칠와[248] 하더라.

본대 성(性)이 잔잉[249]하여, 네 없던[250] 행실로 기동[251]으로 사람을 치며 채[252]로 치거나 혹 적쇠[253]로 치니, 알패리[254] 하는 소래 진동하여

240 외장(外牆): 바깥 담.
241 쇠공: 작은 구멍. 시궁창.
242 번히: '훤하다', '환하다'의 옛말.
243 울막: 울타리 막, 움막, 움집, 토막(土幕).
244 내도히: 은밀히, 형적이 나타나지 아니하다.
245 노: 실, 삼, 종이 따위를 가늘게 비비꼬아서 만든 끈.
246 박차닷더라: 박 차다, 걷어차다, 발을 들어 힘있게 차다.
247 영출(令出): 명령으로 쫓아 냄.
248 내칠와: 내치다. 물러나게 하다.
249 잔잉(殘忍): 인정이 없고 몹시 모짐.
250 네 없던: '네'는 '예'의 옛말. 예로부터, 오래전, 아주 먼 과거에도 없었던.
251 기동: '기둥(柱)'의 옛말.
252 채: 사람을 때리거나 벌을 줄때 쓰는 채찍의 준말.

들리고,

"내전 마노라 살오소서."

하는 소래 밖에 들리더라.

내수사[255] 것을 전례(前例)부터 웃전이 임양[256]으로 쓰시는 것을 한 적은[257],

"청밀[258]을 받아 아모만을[259] 웃전에 드리라."

하니, 차지내관[260] 이봉정이 하되,

"생심[261]이나, 자하[262]로서 금 쳐[263] 드리리이까? 쓰오실 때에 드리리이다."

하나, 아니 니라고 또한 한 적은 하되,

"웃전이 들이라 하시는 것을 날더러 니라고 드리라."

하니, 그 후부터 먼저 취품[264]하는 버릇이 났더라.

마을[265] 것을 다른 데 옮기니 하인은 하되,

"웃전이 못 쓰오시게 그리한다."

253 적(赤)쇠: 불에 뜨겁게 달군 쇠.
254 알패라: '아파라'의 옛말.
255 내수사(內需司): 궁중에서 쓰는 쌀·베·잡물과 노비에 관한 일을 맡아 보던 관아.
256 임양(任量): 양대로, 양 그대로. 본문에서는 필요한 물건을 허락 없이 쓸 수 있음을 말함.
257 한 적은: '한 때는', '한 동안은'의 옛말.
258 청밀(淸蜜): 꿀. 벌꿀.
259 아모만을: 얼마큼, 어느 정도, 확실치 않음을 나타내는 형용사.
260 차지내관(次知內官): 궁궐 각 궁방의 총무 담당관.
261 생심(生心): 무슨 일 따위를 하려는 생각을 냄. 생의(生意).
262 자하(自下): 자하거행(自下擧行)의 준말. 윗사람의 결재나 승낙 없이 자기 맘대로 해나감.
263 금 쳐: 값을 쳐서. 평가하다. 값을 정하다.
264 취품(取稟): 웃어른께 여쭈어서 그 결정을 기다리는 일.
265 마을: 관원이 모여 나라 일을 처리 하던 곳. 관부(官府). 관청(官廳). 관아(官衙).

하고, 임자[266]는 하되,

"행여 불의지변[267]이 있어도 내종에 가 살렸노라."

하며, 이현궁[268]이라 이름 짓고 각색 것을 다 그 궁으로 거두어 쌓더라.

무신[269]초에는 가장 공경 하옵는 체 하여 닐오되,

"내 위 하옵는 것은 자전(慈殿)이오시니 하고저 하오시는 일은 다 니라소서."

하니, 우희 감동 하오시고 고마이 여기오셔 세자 향하여 친자같이 대접하오시고 대왕마노라 공사하오시던 일이며 어진 일흠을 얻고저 하오셔 일일마다 가르치오시더라[270].

세자가 영민(英敏)하시니 더욱 어엿비 여기오사 사나희게 가한[271] 것

---

266 임자: 본문에서는 문맥상 '어떤 사람'으로 해석됨.

267 불의지변(不意之變): 의리나 정의에 어긋나는 뜻밖의 변고.

268 이현궁(梨峴宮): 현재 서울특별시 종로구 인의동에 있는 옛 궁. 조선 광해군이 지은 궁으로, 인조 원년(1623)에는 계운궁(啓運宮). 숙종 때는 숙빈방(淑嬪房)이 되었다가 숙종 37년(1711)에는 연잉군(延礽君)의 집이 되었다. 영조 36년(1760)에 경희궁(慶熙宮)으로 이름이 바뀌었다. 정조 11년(1787)에는 장용위영(壯勇衛營)이 되었다가 순조 2년(1802)에 폐하여지고, 고종 25년(1888)에 통위영(統衛營)이 되어 동별영(東別營)이라고 불리었다. 현재는 '경희궁'이라고 함.

269 무신초(戊申): 선조 41년(1608). 선조가 승하하던 해.

270 고마이……가르치오시더라: 〈계축일기〉는 2권(卷) 1책(冊)으로 각 권은 49면(面)으로 되어 있고, 한 면은 22행(行), 1행은 평균 21자(字)로 되어 있다. 이 부분은 1권 10면 20행 14자부터 끝까지, 21행 10자부터 끝까지, 22행 17자부터 끝까지 누락되어 다음과 같이 필사되어 있다.

20행, "고 고마이 너기오셔 셰ᄌᆞ 향ᄒᆞ여…누락…."

21행, "티 ᄃᆡ답ᄒᆞ오시고 겨오…누락…."

22행, "딘 일흠을 엇과뎌 ᄒᆞ오셔 일일마다 ᄀᆞᄅᆞ…누락…."

각 행의 누락된 부분이 많아 해독이 불가능하다. 본문은 〈서궁일기〉의 같은 대목에서 아래 밑줄 친 부분,

"고마이 너기오셔 대뎐이며 셰ᄌᆞ 향하여 친ᄌᆞᄀᆞ티 ᄃᆡ졉ᄒᆞ오시고 대왕마노라 공사ᄒᆞ오시던 일이며 어딘 일흠을 엇과져 ᄒᆞ오셔 일일마다 ᄀᆞᄅᆞ치오시더라"에서 차용하였다. 그러나 20행은 글자 수로 보아 빠진 부분이 있다고 생각되지만 새로운 이본이 발견되지 않는 한 현시점에서는 복원이 불가능하다.

을 문안 온 족족 주오시니, 세자 보모상궁[272] 옥환(玉環)이 손 비비여 상덕 축수하며 닐오되,

"웃전이 아니시면 우리게 무엇이 있사올꼬. 온 족족 주오시니 이 상덕은 하늘 갇사와, 아바님은 숙배지[273] 한 장도 아니 주니 눌을 닮아 계오신고. 종의 말 아니 듣기는 술위 쇤들[274] 그리 질길까. 선왕(先王)마노라 아들이나 눈 똥이나 닮았을까? 똥 누실 제는 아침부터 앉으면 겨울이면 오시[275]까지 누고, 문안 들려 할 적이면 별로 똥을 두세 순씩[276] 누시노라 육석[277] 에야 드라시니 그런 애닯은[278] 일이 어데 있을꼬.

아모 일이나 하려 하오시거든 기별하였거니 마오시고 쑥쑥 여러들 셔기옵고[279] 한번 들으신 일은 본대 아니 들으시나니 저 술위 소야."

하여늘, 모다.

---

271 사나희게 가(可)한: 본문에서는 웃전(대비전)에서 사내 아이에게 필요한 물건을 자주 주었음을 말함.

272 보모상궁: 왕 자녀(王子女)의 양육을 맡은 궁녀 중 우두머리. 부록 '조선조 궁녀 제도' 참조.

273 숙배지(肅拜紙): '숙배'는 '공손히 절하는 것'이므로 '숙배지'는 궁중에서 아침저녁으로 문안을 주고받는 종이로 해석함이 좋을 것 같음.

274 술위 쇤들: '술위'는 '수레'의 옛말. '쇠'는 소+의로 '소(牛)'의 뜻을 나타내므로 수레를 끄는 소처럼 미련함을 의미함.

275 오시(午時): 하루를 열둘로 나누어 십이지(十二支)의 이름을 붙여 이르는 시간에서 일곱째 시(午時)를 가리킴. 곧 오전 11시에서 오후 1시까지.

276 두세 순: 두 세 번.

277 육석(酉夕): 본문에 '육석'으로 되어있으나 십이시(十二時)의 여섯 번째 시는 오전 9~11시로 문맥상 맞지 않는다. 〈서궁일기〉에 오고(午鼓) 친 후에 문안 온다는 구절이 있고, 아주 늦게서야 왔음을 강조하는 것으로 보아 십이지(十二支)에서의 유시(酉時)와 저녁(夕)의 합성어로 볼 수 있을 것 같음. 곧 오후 5시에서 7시 사이.

278 애닯은: 원형은 '애닯다'. '애달프다'의 옛말. 애달플 정도로 마음이 쓰리고 아프다.

279 쑥쑥 여러들 셔기옵고: '쑥쑥'은 말을 거리낌 없이 해대거나 나서는 모양. '셔기옵고'의 원형은 '셔기다'로 '속이다'의 옛말. 그러므로 '거리낌 없이 여러 번(자주) 속인다'라고 해석됨.

"어찌 저런 말을 하시는고?"

한대, 답 왈,

"소(牛)같거든 쇠라 아니랴."

하더라.

처음 말이라 순이 듣고 용한가 하더니 점점하여 박대 심하고 경술·신해년[280] 사이는 더욱 심하여 불공(不恭)함이 심터라.

상궁[281] 가희[282]란 점점 친히하고 내전은 소(疎)히 하더니 공사(公事) 결단하기는 내전을 불러다가 시키니, 내전도 노하여 가지 아니하면 친히 와 다려가며 묻고 혹 나려와도 물으니, 내전이 하되,

"이만 공사를 친히 결치 못 하시는가. 이 후란 날더러 묻지 마소."

한다 하더라.

대군을 두고 각색으로 의심한 후 더욱 위엄을 내어 고기를 화기(火氣)만 들여 날고기로 많이 먹고, 밥으란 죽같이 하여 먹고, 날고기를 즐기니 눈은 점점 붉더라.

산채[283]란 더럽다 하고 아마도 고기만 자시고 증광어[284]와 즌여슬[285] 즐기더라.

거동이 수상[286]하고 남과 달라 남이 하라 하는 일은 아니 하고, 말라

---

280 경술·신해년(庚戌·辛亥年): 광해군 2년(1610)·3년(1611).

281 상궁(尙宮): 조선시대 정 5품의 여관(女官). 궁인으로서는 최고의 벼슬임. 부록 '조선조 궁녀 제도' 참조.

282 가희(介屎): 성은 김(金)씨. 이름은 개시. 선조가 만년에 얻은 대군(인목왕후 소생. 영창대군)을 세자로 삼으려는 뜻이 있음을 광해군 측에 전하는 등 광해군 즉위에 일조 하였다. 그 공이 인정되어 궁궐 내부의 일상사에서 막대한 권력을 휘둘러 이이첨과 함께 광해군의 난정(亂政)에 주도적인 역할을 하였다. 부록 등장인물 참조.

283 산채(山菜): 산나물 채소.

284 증광어(蒸廣魚): '증'은 수증기 등으로 김이 올라가는 것을 말하고, '광어'는 생선 중 넙치를 말한다. 그러므로 증광어는 넙치 찜을 가리킴.

285 즌여슬: '즌'은 '묽다'의 옛말. '여슬'은 '엿'의 옛말. 그러므로 '묽은 엿'을 일컬음.

하는 일은 부대 하더라.

속은 흉하고 말은 실(實)이 없으니 위엄은 걸주[287]를 본받고, 행실은 양제[288]에게 더으니[289], 우히 주야에 두려하오사 타일의 선묘[290]를 저바리[291]올가 여기오시더라.

과연 난(亂)을 이뤄 내니라.

내인 향하여도 무신초(戊申初)는 가장 후히 하는 체하야,

"우흘 잘 시위하야서 평안하오시니 너희 곧 아닌 즉 어찌 잘 평안이 지내오시리."

하시며, 침실 상궁 간 족족 인사하고 상 주더니, 신해년부터는 점점 소(疏)히 하야 본 체도 아니 하고 간 즉, 밖에 세워두기 날이 기우도록 하고, 들어오라 하련마는 '연고 있어 못 보니 가라' 하더라.

한 늙은 상궁이 하되, 선왕 마노라는 웃전 내인이 가면 마리[292] 빗자오시다가도 마리 털을 쥐오시고 상궁을 침실에 들어오라 하오셔 웃 문안(問安)을 묻자오시고, 세수 하오시다가도 들어오라 하오샤 문안을 묻자오시던 말을 한대, 꾸짖어 닐아되,

"나는 현마[293] 못 할노라. 한 달의 두 번씩 친히 가 문안하는데 내인을 불러 친히 보리. 내 마음대로 하지 그 조차 선왕을 본받으랴? 나는

286 수상(殊常): 유다른 모양. 기이한 현상.

287 걸주(桀紂): 중국 하나라의 걸 임금과 은나라의 주 임금. 천하고금의 포악한 임금의 대표자임.

288 양제(煬帝): 중국 수나라의 제2대 임금. 운하를 파고 방탕한 생활을 하였으며, 대군을 보내어 우리나라에 침입하였다가 을지문덕에게 대파됨.

289 더으니: '더하다'의 옛말.

290 선묘(先廟): 종묘에 모셔진 임금. 즉 역대 선왕(先王).

291 저바리: '저버리다'의 옛말. 마음에 새겨 두어야 할 것을 잊거나 어기어 은혜를 배반함.

292 마리: '머리'의 옛말.

293 현마: '차마'의 옛말.

내 법으로 할 것이니 다시 니라지 말라."

하니, 듣는 이 다 어이없어 여기더라.

대전이 처음으로 배릉(拜陵)가니, 제 재상(諸宰相)들은 동구(洞口)부터 통곡고저 하되, 겨우 참아가서 상(上)이 우오셔든 실컷 울리라 하고 이때저때 기다리고 있더니, 상릉(上陵)하여 천천히 그저 오니 기간에 뉘가라친지 나려온 후야 예조[294]에,

"울냐? 말냐?"

의논하니,

"울으셔야 옳다."

하니, 올 적에야 우니 그 소래를 듣고 유가(柳哥)는 하되,

"실성통곡[295] 하였더니 너모 우다 외오 여기실까."

하더라.

이렇듯 천성(天性)에 좇은 효성이 없어 완포[296]함이 심하니 우리게 향하야 어찌 또 지극하리오.

내전은 상사(喪事)한 적에 문안 아니 와서 소상의[297] 벗은 해나 올까 녁이더니, 벗고도 아니 와서 양자[298]를 아니 뵈고 내란(內亂)만 지어내니라.

신해년에 신궐[299]에 가 계오셔 후원(後苑) 구경 가오시니 내전이 하되,

---

294 예조(禮曹): 육조(六曹)의 하나. 예악(禮樂)·제사(祭祀)·연향(宴享)·조빙(朝聘)·유학(儒學)·과거(科擧) 등의 일을 맡음.

295 실성통곡(失性痛哭): 정신을 잃을 정도로 소리 내어 슬피 움.

296 완포(頑暴): 미련하고 고집이 세어 사나움.

297 소상의(小祥衣): '소상'은 사후 만 1년이 되는 날 지내는 제사. '소상의'는 그 동안 입고 있었던 상복을 말함. 본문에서는 1년이 지나도록 문안 오지 않았음을 말함.

298 양자(樣子): 얼굴의 생긴 모양. 꼴. 본문에서는 한 번도 문안을 오지 않았기에 얼굴도 못 보았다는 뜻임.

299 신궐(新闕): 광해군 3년에 중수된 창덕궁을 말함.

"나는 나이 많고 웃전은 나이 젊사오시니 현마 내 뒤에는 못 설 것이니 나는 져근덧[300] 탈[301]하고 머믈든 웃전을 몬져 뫼셔 가시게 하라."
하였더라.

여러 번 유의(留意)하여 지내니 과연 뒷 시위(侍衛)하기를 아니 하더라.

이날 우히 드오시다가 연[302] 메온 하인이 엎어져 연 기우러져 거의 나려지오실 뻔하되, 이런 줄을 내전이 들으시되 '어찌 하오신고?' 묻도 아니 하고 바로 당신 전(殿)으로 가니라.

늙은 내인들이 의인왕후(懿仁王后) 겨오신 때 웃전[303] 섬기옵던 일을 보아다가 어이없이 여기더니, 이 말을 내전이 듣고 탄하고 원(怨)하여 타일에 보자 벼르더라.

그러나 내전은 말도 잘 알아듣고 글도 잘 하매 혹 용코져[304] 하는 일이 있으되, 대전과 종이 흉악불통(凶惡不通)하여 종적[305]없는 거짓말을 하여, 웃전이 무신(戊申) 빙천에 우히 없아오심을 설워 곡읍(哭泣)을 주야(晝夜) 그치지 아니하오시니 닐오되,

"어데서 그저 사람이야 저럴꼬. 대군을 세우려다가 못 이루시니 글로 하여 더욱 설워하오시는가 싶으다."
하니, 대전이 곧이듣더라.

---

300 져근덧: '잠깐 동안'의 옛말. 아주 짧은 시간을 가리킴.

301 탈(頉): 뜻밖에 일어난, 걱정될 만한 사고.

302 연(輦): 왕이나 왕비가 타는 가마. 덩 모양과 비슷하며 좌우와 앞에 구슬로 된 발(珠簾)이 있고 채가 썩 길게 되었음.

303 웃전: 본문에서 웃전은 이조 명종의 비인 인순왕후(1532년~1575년)를 가리킴. 〈서궁일기〉에는 '인순왕후'로 되어 있음. 부록 등장인물 참조.

304 용코져: 착하고, 기특하고.

305 종적(蹤迹): 사라지거나 떠난 뒤에 남아 있는 자취. 본문에서는 광해군과 그 편의 종들이 의심의 여지없이 거짓말을 꾸몄음을 말함.

또 은덕[306]이 갑이란 내인이 닐오되,

"임진 이후에 선왕마노라 뫼와[307] 계오시던 세간을 우리 전(殿)에 주지 아니시시니 대군을 주랴 하시난다 싀긔[308] 할 일인가?"

"지녀[309] 살가 보세."

늙은 상궁을 가히(介屎)서 만나보고 닐오되,

"대군보모가 좋이 있는가. 귀밑에 패(牌) 달 날[310] 있으리. 김 상궁 좋이 있는가. 약사발 붙들 날[311] 있으리."

한대, 듣는 사람이 하 흉히 여겨 못 들은 체하고 오댰더라.

내전에서 진지[312]를 하며 내전은 양반(兩班)이라 혹 잘 하란 말이 있어도 종들이 심히 박대하여 길에 사람[313] 대접하듯 하더라.

신해년에 대궐(大闕) 이어(移御)하오실 제, 세자 친영[314] 구살[315] 보려 하오신 일이더니, 다른 이는 관광(觀光)에 족친(族親)이라도 홀연 이[316]

306 은덕(恩德): 광해군 측의 내인. 인조반정 직후 대비의 하교로 국문한 내인이 40여 명이었는데 은덕이는 그때 죽임을 당했다. 『인조실록』 권1, 인조원년(계해, 1623) 3월 25일(을묘) 참조.

307 뫼와: '모시던'의 옛말. 〈서궁일기〉에는 '모화'('모으다'의 옛말)로 되어 있음.

308 싀긔(猜忌): '시기'의 옛말. 시샘하여 미워함.

309 지녀: 지니고, 계속하여 가지고.

310 귀밑에 패 달(貫耳令箭) 날: 전쟁에서 군율을 어긴 자의 두 귀에 화살을 꿰어 무리에게 보내는 일. 본문에서는 '죽을 날이 있으리라'는 뜻으로 쓰임.

311 약사발 붙들 날: 사약을 받을 날.

312 진지: 〈서궁일기〉에는 이 부분이 "내전에서 진지를 하여도 공주만 반잡고 대군을 아니 반자오며"라고 되어 있다. 인용문에서의 진지는 식사(食事)로 보아 '음식을 하여 올림'으로 해석됨. 〈서궁일기〉 참조.

313 길에 사람: 길거리의 사람처럼 무시함을 뜻함.

314 친영(親迎): 옛 혼례 절차인 육례(六禮)의 하나로 신랑이 신부를 친히 맞이하는 의식.

315 구살: '굿'은 '구경'의 옛말. 구경을.

316 홀연 이: 문맥상 '홀로 된 이'로 해석함이 옳을 것 같음. 〈서궁일기〉에도 이 부분에 '홀로 된 이란'으로 되어 있음. 본문에서는 인목왕후가 남편(선조)을 잃고 홀로 되어

금하니 '우흐로 계오서는 나지 마오소서' 하여 사이에[317] 후궁이 여짜온대, 길사(吉事)에 미안 하시되,

"친영(親迎) 하는 일을 두굿겨[318] 보고저 하더니 그러면 못 할노라."

하고 아니 보아 계오시더니, 그 후에 말을 지어내되 '정(情)이 없어 아니 보오시다.' 하며,

"진풍정[319]도 탈상(脫喪)하연지 오라지 아니하니 무엇이 바쁘리이까? 날회소서[320]."

하니, 세워[321] 시작하여 두고 택일을 매양 제 마음대로 진퇴(進退)하며, 지어[322] 차반(茶飯)을 다 숙설(熟設)한 후도 슬흔[323] 때면 퇴정[324]하며, 조정에 지이[325] 외척(外戚)으로 통하여 험[326]하오신 대로 하며, 내인 은덕이 가히 등은 그 적부터 하되,

"할니나[327] 고이 살가 보자. 대군 기물(器物)이나 수진궁[328]이 아니오랴. 우리게 오리라."

상중에 있다는 뜻임.

317 사이에: 중간에서.

318 두굿겨: '매우 기쁘게', '무척 즐겁게'의 옛말.

319 진풍정(進豊呈): 나라에 경사가 있을 때 궁중에서 베풀던 잔치인 진연(進宴)보다 의식이 더 정중한 잔치임.

320 날회소서: 원형은 '날호다'. '천천히 하다, 더디다'의 옛말. 천천히 하소서, 늦추소서.

321 세워: '고집 세우다'의 옛말.

322 지어(至於): 심지어(甚至於)의 줄인 말. 심하다 못하여. 나중에는.

323 슬흔: '싫은, 싫어하다'의 옛말.

324 퇴정(退定): 기한을 뒤로 미루어서 작정함. 본문에서는 광해군 측에서 모든 일들을 멋대로 정하고 심지어 부왕인 선조 신위(神位)에 제사하기 위해 제물을 다 장만 해 놓았음에도 싫으면 멋대로 날을 바꾸어 뜻을 이루지 못하였음을 말함.

325 지이(知委): 명령을 내려 알려 주는 것. 명령을 내려 거행하게 하다.

326 험(欠): '흠'의 옛말. 사물의 불안정하거나 잘못된 부분. 허물.

327 할니나: '하루나'의 옛말.

328 수진궁(壽進宮): 지금의 청진동에 있었던 궁. 왕대비의 사궁(私宮)으로 사용하던 궁. 본문에서는 수진궁에 있는 인목대비의 재산을 의미함.

이렇듯 중한 말을 매양하더라.

무신년에 대왕 빙천(賓天)하오신 후에 여염에서 요언[329]을 전파하리[330] 하 많으니 외척(外戚)과 혼가(婚家)가 되면 요언이 침식[331]할까 헤오샤[332],

"공주·대군(大君) 중에 상덕 하니로 중전(中殿) 가문(家門)에 정하사이다."

하오시니,

"호세[333]하 리 백 간인(奸人)인들 신(臣)이 신참[334]하며, 선왕 유교를 잊으리이까? 혼사는 그리 하리이다."

하였더니, 임자년[335] 김직재의 난[336]의 괘방[337] 일로 더욱 화심[338]을 조장하여 그런 놈들에게 무복[339] 받을 제 아해[340]라도 니라라 가라치니, 그 옥사(獄事) 후에 조정 어루신내며 기중 심희수[341]가 부원군[342]께 가

329 요언(妖言): 제 잇속을 차리기 위한 말과 행동에서 기술이나 솜씨가 뛰어나 간사스러움.

330 전파하 리: 전파하는 사람이.

331 침식(侵蝕): 서서히 파고들어 몹시 닳아짐. 본문에서는 외척과 혼인하게 되면 요사스러운 망언이 서서히 사라지게 되어 화를 면하게 되리라는 말.

332 헤오샤: '헤아리다'의 옛말.

333 호세(怙勢): 권력과 세력을 믿는 것.

334 신참(信讒): 남을 헐뜯어 없는 죄를 있는 것처럼 꾸며서 고해바치는 것을 믿음.

335 임자년(壬子年): 광해군 4년(1612).

336 김직재(金直哉)의 난: 필사본에는 '김직자'로 되어 있으나 오기이므로 바로 잡음. 광해군 4년(1612) 병조의 문서를 위조하다가 체포된 김경립의 자백으로, 김직재와 아들 백함이 반역을 꾸민다는 혐의로 투옥, 친국을 받고 이호문, 송상인 등 백여 명의 소북파가 처벌당함. 대북이 소북을 제거하기 위해 조작한 옥사(獄事)였다.

337 괘방(掛榜): 익명으로 글을 써 붙이는 일.

338 화심(禍心): 남을 해치려는 마음.

339 무복(誣服): 죄가 없음에도 어쩔 수 없이 자신의 죄를 인정하고 형벌을 받음.

340 아해(兒孩): '아이'의 옛말.

341 심희수(沈喜壽): 명종 3년~광해군 14년(1548~1622). 자는 백구(伯懼), 호는 일송

하되,

"'아해라도 니라랴.' 할 적은 등에 땀이 사맛삽더니[343] 그 난에 벗어났으니 유복(有福)하실샤."

하더라.

이적 난(亂) 후부터 싀기(猜忌) 심하여 밖에라도[344] 복자[345] 이름 난 이는 다 불러 유가의 집에 앉혀두고 제 뜻을 일올 수[346]와 이녁[347] 액운(厄運)을 실컷 확론(確論)하여 묻고, 또 유희량[348]이 신경달[349]이 더러 물으니 그 맹인이 하되,

"대군 분위[350] 가 할만하다."

하니,

"남이 죽여도 아니 죽으랴."

하더라.

"아모려나 죽이고 말랴."

하닷더라.

(一松). 도승지, 형조판서, 호조판서, 이조판서 등을 지냈고 광해군 즉위 후 사직을 청했으나, 오히려 우의정으로 전임되었다. 부록 등장인물 참조.

342 부원군(府院君): 조선 시대에 임금의 장인이나 정 1품 공신에게 주던 작호. 본문에서는 선조의 장인이며 인목왕후의 부친인 김제남(金悌男)을 가리킴.

343 사맛삽더니: 원형은 '사맛다'로 '통하다'의 옛말. 본문에서는 등에 땀이 흠뻑 배도록 매우 놀랐다는 뜻임.

344 밖에라도: 점쟁이가 용하다는 소문이 멀리까지 남.

345 복자(卜者): 점쟁이.

346 수(術): 방법. 술법.

347 이녁: 이쪽. 본문에서는 광해군 측의 반대편인 인목왕후 측을 말함.

348 유희량(柳希亮): 선조 8년(1575)~인조 6년(1628). 광해군 때의 문신. 부록 등장인물 참조.

349 신경달: 맹인 점쟁이.

350 분위(分位): 본문에서는 영창대군이 왕이 될 수 있는 운수(運數)를 지니고 있다는 뜻임.

임자년 겨울에 유자신 아내 정씨(鄭氏) 궐내에 들어와 딸과 사회와[351] 머리를 마초고 연 사흘을 삼경[352]이 되도록 의논하여, 계축년[353] 정월 초사흗날 저주[354]를 시작하되, 센 개야지[355] 배 타 드리며[356], 사람 그려 쏘는 양하여 외인(外人) 아니 다니는 데, 대전 자시는 데도 놓으며, 담 너머 처도[357] 놓으며, 대전 책상 아래며 베개 밑에도 놓으며, 이리 하기를 사월까지 하며, 말 내기란 임해 · 유영경 부인[358] 하는 일이라도 하며, 온 가지로 니라기는,

"국무녀 수란개[359] 니라더라."

하더라. 우리 의심 아니케 함이라.

우리게서는 우리 겟 사람 다니는 곳이 아니매, 우리 향하여 의심한 일이 아닌가 염려(念慮)도 아니하니, 비록 염려한들 어찌 할 것이 아니어니와, 말이 누설[360]하면 제 일이 그릇될까 한 일이랏더라.

351 딸과 사회와: 딸과 사위와. 딸은 광해군의 비인 유씨. '사회'는 '사위'의 옛말로 광해군을 가리킴.

352 삼경(三更): 하룻밤을 다섯으로 나눈 셋째의 시간. 밤 11시부터 새벽 1시까지의 동안을 가리킴.

353 계축년(癸丑年): 광해군 5년(1613).

354 저주(詛呪): 남에게 재앙이나 불행이 일어나도록 빌며 바라는 것.

355 센 개야지: 털빛이 흰 강아지. '센'은 '세다'의 옛말로 머리나 고양이 털 등이 하얗게 변함을 나타냄.

356 배 타 드리며: 배를 갈라 들여옴.

357 담 너머 처도: 담장(牆) 넘은 곳(處)에도.

358 임해(臨海) · 유영경(柳永慶)부인: 인목왕후 측에서 대비하지 못하도록 임해군 또는 유영경 부인이 한 것처럼 소문을 흘림.

359 국무녀 수란개(國巫女水蘭介): 수란개는 국무녀로 당시 70세였다. 김제남의 집에 드나들었기에 여자 무당들이 끌어들인 것이다. 자신은 무비(巫婢)로 의인왕후 상사 후에는 삼년상을 입었다. 박동량이 선조가 위독했을 때 유릉에 저주한 것으로 의심하여 체포되었을 때에도 죄가 없어 방면된 적이 있었으나 이번 사건은 아는 바가 없다고 진술함. 『광해군일기』 권67, 광해군 5년(계축, 1613) 6월 16일(계묘) 참조.

360 누설(漏泄): 비밀로 한 일이 알려짐.

사월로서 유가(柳哥)·이이첨(李爾瞻)·박승종[361] 등 심복과 도모(圖謀)하며, 방정지사[362]로 소계(疎啓) 할 마대[363]에 은(銀) 도적 박응서[364] 포도청(捕盜廳)에 개개히[365] 복초[366]하니, 결안[367] 다짐받아 결의(決議) 낼 것이어늘, 유(柳)·박(朴)·이(李) 삼적(三賊)이 포도대장 지주[368]하여 죽이고 죄수(罪囚)는 도로 가도고 이리이리 하라 맞추니, 그 도적이 제 살 억탁[369]으로 일종 지휘(知委)대로 상소한데, 사월 스무엿샛날 상소든데 즉시 고변[370]이라 선성[371]내고, 적도(賊徒) 응서(應犀)가 탑전[372]에 가르쳐 가며 묻는 말이,

361 박승종(朴承宗): 명종 17년~인조 1년(1562~1623). 호 퇴우당. 좌의정, 영의정 등을 지냈고 나중에 인목대비 폐모론이 제기되었을 때(1617) 극력 반대함. 인조반정이 일어나자 손녀가 광해군의 세자빈으로 오랫동안 권세를 누린 사실을 자책하여 자결함. 시호는 숙연(肅然). 부록 등장인물 참조.

362 방정지사(謗穽之事): 남이 못 되기를 빌고 바라는 마음에서 요사한 방법으로 귀신의 힘을 빌려 미운 사람에게 재앙을 내리게 하는 일.

363 마대: 마디. 한 부분. 경우. 부닥친 형편이나 사정.

364 박응서(朴應犀): ?~인조 1년(1623). 조선 중기의 문사(文士). 문경 조령에서 은 도적질을 하다가 포도청에 잡혔을 때 포도대장(捕盜大將) 한희길(韓希吉)의 보고에서는 단순한 강도사건에 지나지 않았으나 후에 국구(國舅) 김제남(金悌男)과 몰래 통하여 영창대군을 받들어 임금으로 삼으려고 한 것이라는 거짓 자백으로 대옥사가 시작되었다. 일명 '박응서 옥사'라 하며 당시 광해군 측의 대북파가 소북파를 제거하기 위한 옥사였다. 이 사건으로 인목대비의 친정이 몰락하고 이어서 아들 영창대군이 죽게 된다. 『연려실기술』 권20, 폐주 광해조 고사본말 하담록(荷擔錄), 일월록(日月錄) 참조. 부록 등장인물 참조.

365 개개(箇箇)히: '낱낱이', '하나하나'의 옛말.

366 복초(服招): 취복취초(取服取招)의 준말. 취복은 죄인이 자기의 죄를 낱낱이 고백하는 것을 말하며 취초는 죄를 저지른 사람의 진술을 받는 일을 가리킨다.

367 결안(結案): 사죄(死罪)를 결정한 문서.

368 지주(指嗾): 달래고 꾀어서 부추김.

369 억탁(臆度): 사실에 근거하지 않고 제멋대로 하는 짐작. 억측(臆測)

370 고변(告變): 정권을 뒤엎으려는 행위를 고발하는 것.

371 선성(先聲): 큰 일이 일어나기 전에 소문내는 일.

372 탑전(榻前): 왕의 용상 앞.

"네 김 부원군 집에 갔던다? 네로라 하면 살리라."

대 왈,

"살기는 중(重)하오나 부원군은 모라나이다."

대군도 니라라 하거늘,

"한 부원군이 무엇이 귀하여 아니 묻더라 하리이까? 그 집 문도 모라나이다. 아모리 살오려 하시다 모르는 사람을 어찌 거덜니잇까[373]? 대군도 우리 부원군 올니란[374]말이지 부원군도 알 배 아니니이다. 남의 애매한 말을 하리이까?"

하되, 저의 어버이 다 잡아다가 극형[375] 하니, 혹 어미 앉히고 아들 치며, 아들 앉히고 어미 동생 치듯 갖가지 극형을 하며, 서로 뵈며 치되 그것들이 잔잉(殘忍)한 소래로 서로 보며 어미는,

"아들아, 무복[376]하여 날 살와라."

하면,

"아모리 어버히 중하여 살오고저 한들 거짓말을 하여 나도 쉽거든, 남에게 미뤄 어대다가 그 끝을 다히리오[377]."

하며, 자식이 어버이를 보채면 하되,

"자식이 중타 하고 언근[378] 없은 말을 내 어찌 갈모리[379]."

하여, 이대로 생소히 굴다가 양갑[380]이는 어미 극형 하여 죽은 후에, 문

373 거덜니잇까?: '거들겠습니까?'의 옛말.

374 올니란: '올리다', 본문에서는 '대군에 대하여 말하란 것은 부원군 김제남이 대군을 세우려 역모하려 했다는 것을 증명하기 위한 말을 하라'는 뜻임.

375 극형(極刑): 가장 무거운 형벌.

376 무복(誣服): 거짓 자백. 외압이나 다른 목적에 의해 없는 죄를 꾸며 냄.

377 끝을 다히리오: 끝(末)을 닿게 하겠는가? 일이나 차례의 맨 나중으로 최후에 종착할 수 있는 것.

378 언근(言根): 말의 뿌리.

379 갈모리: '감추다'의 옛말. 간직하리.

사낭청[381]이 계하[382]로 자로 오르나려 말하더니 그 후는 남의 말 하듯 하되,

"부원군도 아나이다."

하니,

"네 그 집에 가니 어찌 하더니?"

대답하되,

"가니 술 내어 먹이더이다. 역모[383] 할시[384] 옳으니이다."

저는 정형[385]하나 제 아비의 무덤 파기는 아니하고 아들 살오니,[386] 그 언약(言約)을 하노라 귀에 다혀[387] 무복 밧닷더라.

이 후는 더옥 아해 어룬[388] 극형하야 무복받기만 힘써 하야 큰 옥사[389]를 일웠으나, 내인 죽일 일을 어려이 여겨 방정술을 내고저 하되, 마라[390] 없어 못하여, 하로 마대에[391] 박동량[392]이 요공[393]하려 거짓 유

---

380 양갑(羊甲): 본문에는 '영갑'으로 되어 있으나 오기이므로 바로 잡음. 서양갑(徐羊甲: ?~1613년). 서익(徐益)의 서자(庶子). 박응서와 함께 조령에서 은(銀) 장수 타살사건을 일으킨 강변칠우(江邊七友)의 한 사람. 부록 등장인물 참조.

381 문사낭청(問事郎廳): 조선시대에 정국(庭鞫. 대궐 안에서 중죄인을 신문하는 것). 국청(鞫廳, 조선시대에 역적 등 중죄인을 신문하기 위하여 임시로 설치하였던 기구.) 등에 차출되어 죄인을 신문(訊問)할 때 필기와 낭독을 맡은 임시직(臨時職) 관리.

382 계하(階下): 층계 아래. 오르내리기 위하여 만든 댓돌 아래.

383 역모(逆謀): 역적모의(逆賊謀議)의 줄인 말. 자기 나라나 임금에게 반역하려는 사람들이 의논하는 것.

384 할시: '하였다'의 옛말.

385 정형(正刑): 죄인을 사형(死刑)에 처하는 형벌. 정법(正法).

386 살오니: 원형은 '살오다'. '살리다'의 옛말.

387 귀에 다혀: 귀에 대고. 귓속말로.

388 더옥 아해 어룬: 더욱 아이와 어른을 가리지 않고.

389 옥사(獄事): 역적(逆賊). 살인범 등의 중대한 범죄를 다스리는 일, 또는 사건을 말함. 본문에서는 영창대군을 없애기에 앞서 대군의 외할아버지 김제남에게 역모의 죄를 씌우고 대북파가 소북파를 제거하는 과정에 큰 옥사를 일으킨 것을 말함.

390 마라: 의(義)로움. 없어서는 안 될 만큼 꼭 필요한 조건, 혹은 명목.

릉[394] 방정을 거다라,

"대군 숙노[395] 순창[396]이 선왕 불평시(不平時)에 하닷 말 듣고 매양 설워하되, 고할 곳이 없어 언제 원수를 갚으려뇨 하더이다."

하니, 대개 유릉(裕陵) 방정 난지 정미년[397] 불평시에 어내 궁인(宮人)인지 유릉 기슭에서 굿하다 들었더니, 무신년[398] 여름에 법사가(法司)[399] 국무녀(國巫女) 수란개 친국[400]하였다가 도로 애매타 하고 놓다 하더라.

나라[401]흔 수난개 외에 잡무녀(雜巫女) 아니 부리는 일은 만목[402]이 다 아는 줄로 들었더니, 유가(柳哥)가 박동량에게 이리이리 하면 살오

391 하로 마대에: '하로'는 '하루'의 옛말. '마대'는 '마디'의 옛말. 즉 하루 사이에. 본문에서는 하루 사이에 내인들에게 방정하였다는 죄목으로 다스렸음을 말함.

392 박동량(朴東亮): 조선시대 선조, 광해군 때의 신하(1569년~1635년). 선조의 초비 의인왕후가 고모임. 부록 등장인물 참조.

393 요공(要功): 자기가 베푼 공을 내놓고 남이 칭찬하여 주기를 바람.

394 유릉(裕陵): 선조의 초비(初妃)인 의인왕후(懿仁王后) 박(朴)씨의 능. 지금은 선조와 선조의 계비 인목왕후와 함께 목릉(穆陵)에 안치되었음.

395 숙노(稤奴): 궁방의 일을 맡아보던 서리. 숙궁(稤宮)이라도 함. 필사본에는 '위로'로 되어 있으나 당시 사건을 기록한 『광해군일기』를 참조하여 고침. 『광해군일기』 권66, 광해군 5년(계축년, 1613) 5월 16일(계유) 참조.

396 순창(順昌): 순창은 박동량의 숙부인 박응인의 집 여종의 남편으로, 임진년에 수고하며 일행을 호위해 준 공로가 있어 특별히 숙노로 차임되었다. 『광해군일기』 권66, 광해군 5년(계축년 1613) 5월 16일(계유) 참조. 박응인은 부록 등장인물 참조.

397 정미년(丁未年): 선조 40년(1607).

398 무신년(戊申年): 선조 41년(1608).

399 법사(法司): 형조(刑曹)와 한성부(漢城府)를 일컬음.

400 수란개(水蘭介) 친국(親鞫): '친국'은 임금이 중죄인을 친히 신문(訊問)함을 말함. 수란개가 당시 70세의 국무녀로 전일(선조 40년, 1607)에 선조가 위독할 때 박동량이 유릉을 저주한 것으로 의심하여 관청에 가두었으나 혐의가 없어 풀려났었다. 박동량 초사로 다시 옥사가 시작되어 중요한 죄수로 지목되자 죽었다. 『광해군일기』 권67, 광해군 5년 6월 16일(계묘) 참조.

401 나라: 나라님, 본문에서는 인목대비를 가리킴.

402 만목(萬目): 많은 사람들의 눈. 본문에서는 인목왕후가 국무녀가 아닌 잡무녀는 부리지 않았음을 많은 사람들이 다 알고 있다는 뜻임.

마 달내니, 일종 유가의 뜻대로 일을 온 가지로 거짓말을 꾸며, 우리게서 순창(順昌)이 시켜 하오시다 하야, 일정[403] 본 체하야 모식모해[404] 하니, 이런 말을 듣고저 하다가 그제야 긋찰 엇쾌라[405] 하야, 유릉 방정도 하였으니 우리 겟 방정도 이리이리 하였다 하고, 오월 십팔일의 침실상궁(寢室尙宮) 김씨(金氏)와 대군 보모상궁(保姆尙宮)과 침실시녀(寢室侍女) 여옥이와 대군 큰각시[406] 환이[407]를 소명[408] 써 와서,

"박동량 초사[409]니 어서 내소서."

403 일정(一定): '꼭'의 옛말. 어떤 기준이나 모양이 꼭 하나로 정해져 있음.

404 모식모해(模式謀害): 어떤 목적을 이루기 위해 사실을 왜곡하거나 속임수를 써서 남을 어려움에 빠뜨림.

405 긋찰 엇쾌라: '긋찰'은 '단서(端緖)'의 옛말. 어떤 일의 실마리를 얻었다.

406 큰 각시: '각시'는 '계집아이'의 옛말. '큰 각시'는 큰 계집종을 말함. 본문에서는 대군궁(大君宮) 소속의 생각시를 말함. 관례(冠禮) 전에는 내인이라 아니 함. 부록 '조선조 궁녀 제도' 참조.

407 환이(還伊): 대군 궁방의 여종. 일찍이 세자를 돌보아 기르다가 뒤에 밖으로 나와 집에 있었는데 도로 대군의 궁방에 들어가 천연두를 치료하였다. 당시 국문에서 "대내(大內)에서 저주한 정상과 김제남이 들어와 직숙(直宿)한 일 등은 내관(內官)이 모두 증거해 줄 수 있는데 단연코 그럴 수가 없습니다."라고 함. 궁인(宮人)의 공초는 대개가 이런 식이었다고 사관은 당시의 정황을 전한다. 『광해군일기』 권66, 광해군 5년(계축, 1613) 5월 23일(경진) 참조.

408 소명(召命): 임금이 신하를 부르는 명령.

409 박동량 초사(招辭): '초사'는 죄인이 죄를 상세하게 자백한 말을 뜻함. 박동량은 당시 금계군(錦溪君)으로 왕명에 따라 범인을 다루던 판의금부사(判義禁府事)를 겸하고 있다가 파직되었는데 초사에서 "정미년 10월에 선왕의 병환이 위독해진 뒤로 신의 숙부인 반성(潘城) 집안의 여종 경춘(景春)이 의인 왕후를 모셨다가 경자년 이후로는 대군의 궁방으로 옮겨가 있었는데, 하루는 신의 종형 박동언(朴東彦)의 처에게 와서 말하기를 '대군 궁방의 사람들은 선왕께서 병환에 시달리게 된 이유를 의인 왕후에게 돌리고 있다. 그리하여 수십여 명이 요망한 무당들과 함께 잇따라 유릉(裕陵)에 가서 저주(咀呪)하는 일을 대대적으로 벌였다.' 하였습니다. 그런데 의인 왕후의 가상(假像)을 만들어 놓고 대군 궁방의 하인인 거마송(巨馬松)과 순창(順昌) 등에게 의인 왕후의 어휘(御諱)를 쓰게 했더니, 거마송은 당초 은덕을 받은 일도 없는 사람인데 한사코 피해 달아났고, 순창은 숙부 박응인의 집 여종의 남편으로서 임진년에 수고하며 일행을 호위해 준 공로가 있다 하여 특별히 숙노(稤奴)로 차임해 준 망극

한대, 그 내인들이 하늘을 부르고 따흘[410] 두다려 궁중(宮中)이 진동(振動)하여 곡성이 창천[411]하고,

"박동량 도적놈아! 우리 네 이름을 알기나 아더냐? 나라와 무삼 원수(怨讐)이러니!"

진동하며,

"저기 가 모진 형벌을 어이 입오리. 목매여 죽으리라."

하고, 김 상궁과 욱이[412]는 목매야 달았거늘 모다 그라니[413] 죽지 못 하

한 은덕을 받았는데도 도리어 팔뚝을 걷어 붙이고 어휘를 쓴 뒤 필경에는 활을 쏘아 차마 듣지도 말하지도 못할 흉악한 짓을 저질렀다고 하였습니다. 신의 문중 전체가 이 말을 듣고는 절치부심하였는데, 이 세상에 같이 살 수 없는 원수에 대해 조금이라도 복수해 보고 싶은 마음이 없는 것은 아니었으나, 이 일이 감히 말할 수 없는 곳과 관련이 되어 있기 때문에 감히 김제남과 드러내 놓고 서로 따지지는 못하였습니다." 라고 진술하였다. 사관은 당시의 상황을 아래와 같이 서술하였다. "박동량은 재변(才辯)도 있고 기백도 있는 인물이다. 그런데 죽고 사는 일이 논해지는 마당에 바른 자세를 견지하여 통쾌하게 해명하려 노력하지는 않고 마침내 노복들 사이에서 일어난 어설픈 자취와 잘못 전해진 소문을 대옥(大獄)이 벌어진 상황에서 발설하고 말았다. 그 결과 간신들이 온갖 계책으로 일을 꾸며 만들면서 모두 대비(大妃)와 김제남의 소행으로 돌렸는데, 저주(咀呪)의 옥사는 바로 이로 말미암아 일어나게 된 것이었다. 그런데 박동량 역시 결국은 면하지 못한 채 신흠(申欽) 등과 함께 유배를 가게 되었으므로 식자들이 탄식하며 통분스럽게 여겼다." 『광해군일기』 권66, 광해군 5년(계축년, 1613) 5월 16일(계유) 참조.

410 따흘: 땅(地)을.

411 창천(漲天): 하늘에 퍼져 가득함.

412 김 상궁과 욱이: 본문에는 '김 상궁', '욱이'로 두 사람을 가리켰으나 『광해군일기』에는 여러 날 내인들이 수난을 당하는 내용들이 자세히 기록되어 있으나 '욱이'는 어느 곳에서도 찾을 수 없다. 목을 메 단 사람은 김 상궁과 뒤에 나오는 '언금'이다. "대비전 상궁 응희(應希)를 잡아 가두었다. 응희는 선묘(宣廟)의 시비(侍婢)였는데 대비가 가장 총애하였기 때문에 맨 먼저 나국(拿鞫)을 받게 된 것이었다. 응희가 소주(燒酒)를 마시고 후원(後苑)에서 목을 매었는데 내시가 구출하여 관리에게 넘겼다"라는 기록으로 보아 김 상궁의 이름이 응희이므로 '김 상궁과 욱이'는 '김 상궁 응희'의 오기가 아닐 까 생각됨. 『광해군일기』 권66, 광해군 5년(계축년, 1613) 5월 18일(을해) 참조.

413 그라니: '끄르니'의 옛말. 끈을 푸니.

니라.

"예서 죽으면 저즐고[414] 죽다 할 것이니 나 니거라."[415]

이렁굴제[416] 그 설움이 어찌 하리오. 천지 미여질 듯[417]하며,

"마노라! 죽으라 가나이다. 우리게서 무사 일을 하던고? 지하(地下)에 가 다시 감(鑑)해올소이다.[418]"

할 제, 그 안들이[419] 어떠하리오.

박동량은 임진[420] 호종[421]이오 나라에 인친[422]이 되어 선조(宣祖)의 수릉 역장[423]을 입사온 은혜 하늘 같고, 우리 전(殿)에서 수릉 산(山)일로 제 신 중(諸臣中)도 각별 위대하오시더니, 평일(平日)에는 상덕(上德)이야 하되 부원군께는 각별 절하더니, 흉참[424]한 꾀 내여 그런 지원극통[425]한 환난[426]을 내도[427]한 일로 허다(許多)혀 여러 주니[428], 짐즛[429] 불난

---

414 저즐고: '저지르고'의 옛말. 본문에서는 목을 매고 죽으면 방정하는 죄를 짓고 죽었다는 누명을 쓰게 된다는 뜻임.

415 니거라: 원형은 '니거다', '가다'의 옛말. 본문에서는 '나가라'라는 뜻임. 〈서궁일기〉에는 '나가라'로 되어 있음.

416 이렁굴제: 이렇게 할 때에. 〈서궁일기〉에는 '이리할 제'로 필사되어 있음.

417 미여질 듯: '찢어질듯'의 옛말.

418 감(鑑)해올소이다: '뵙겠습니다'의 궁중어.

419 안(內)들이: '마음 속', '가슴 속'의 옛말.

420 임진(壬辰): 임진왜란을 가리킴.

421 호종(扈從): 임금이 출타하거나 피난하실 때 가마를 모시고 따름. 또는 그 사람. 본문에서는 임진왜란 때에 감 상궁이 선조를 모시고 의주로 피난간 것을 말함.

422 인친(姻親): 사돈(査頓). 혼인한 두 집안의 부모들끼리, 또는 같은 항렬이 되는 사람끼리 서로 부르는 말. 박동량은 의인왕후가 고모이고, 아들 미(瀰)가 선조의 서 5녀 정안옹주(貞安翁主)의 남편으로 금양위(錦陽尉)다. 부록 등장인물 '박미' 참조.

423 수릉 역장(守陵役將): 국장(國葬) 때에 왕릉을 관리하는 임시 벼슬. 본문에서는 박동량이 선조의 국상 때 수릉관(守陵官)이 되어 국상을 무사히 마쳤던 일을 일컬음.

424 흉참(凶慘): 흉악하고 비참할 정도로 딱하고 한심하다.

425 지원극통(至冤極痛): 매우 원통하고 한이 됨.

426 환난(患亂): 근심과 재난.

427 내도(來到): 어떤 일이나 지점에 와서 닿음. 본문에서는 화(禍)가 이르게 했음을

불의 섶 안아 감 같으니[430] 어찌 혈육지인[431]의 할 일이리오. 그런 죽은 내인은,

"박동량아, 우리 네 이름 알기나 아더냐?"

하고 웨여[432] 꾸지자며, 이 한(恨)이야 죽다 니자랴. 외군식녹 영작지은[433]을 바리미소야[434] 무지지인[435]인들 이리 심하랴.

그 중 김 상궁은 열네 살에 호종(扈從)하야 촌시[436]도 떠나지 아니하고 환조[437]하오시니, 간고[438]히 시위(侍衛)한 일로는 대공신(大功臣)을 하렸마는, 내인인 전차로[439] 반공신(半功臣)도 못하나 결제위장[440] 하이오시고 궁인 중에도 위대하오시더니, 이 적의 머리지어[441] 잡아내니, 그 사람이 나가는 서문(西門) 안에 앉아서 하되,

"아모 나라힌들 아비 첩[442]을 나장[443]의 손에 잡아내, 임군도 사오납

말함.

428 허다(許多)혀 여러 주니: 많은 것이 허락하도록 열어 주니. 본문에서는 박동량의 흉참한 말로 수많은 고통이 물밀듯이 밀려왔음을 말함.

429 짐즛: 짐짓. 일부러. 고의(故意)로.

430 섶(薪)안아 감 같으니: '섶'은 '섶나무'의 준말. 섶나무는 땔 나무임. 본문에서는 땔 나무를 안고 불속으로 뛰어 드는 것과 같이 화(禍)가 불붙듯이 일어났음을 말함.

431 혈육지인(血肉之人): 피와 살을 나눈 사람. 본문에서는 친척을 이름.

432 웨여: 원형은 '웨다'. '외치다'의 옛말.

433 외군식녹 영작지은(外君食祿 榮爵之恩): 나라의 외척으로 녹을 먹은 것과 영예로운 작위를 받은 은혜.

434 바리미소야: '바리미'는 '버리다'의 옛말. 은혜를 저버리더라도.

435 무지지인(無知之人): 아는 것이 없어 무식한 사람.

436 촌시(寸時): 한 순간. 매우 짧은 시간.

437 환조(還朝): 임금이 조정(朝廷)으로 돌아 옴. 본문에서는 임진왜란이 끝나 한양 궁궐로 돌아 왔음을 말함.

438 간고(艱苦): 몹시 힘들고 어려움.

439 전차로: '까닭으로'의 옛말. 일이 생기는 조건이나 원인.

440 결제위장(闋制衛將): 3년 상 동안 모든 제사의 책임을 맡은 궁녀. 본문에는 '결네위장'으로 되어 있으나 오기로 생각되어 바로 잡음.

441 머리지어: 우두머리(首領)를 만들어서.

거니와[444] 신하도 하나도 사람이 없도다. 이덕형[445]·이항복[446] 머리지어 예 앉았더니, 임진 호종신(扈從臣)은 내 이름 모르시리 없아리이다. 평양(平壤) 함성[447]하야 깊이 드러갈 제 내인을 내지 아니하니, 대로(大路)에서 길에 머므오시면 선전관[448] 보내어 우리 찾자오실 제는, 비록 창황[449]중이나 몸이 커 가라어치 리[450] 없더니, 그 마노라 아들이 서 계오셔[451] 오늘날 이리 욕볼 줄 아더면 무신[452] 재궁[453] 밑에서 죽을나소

442 아비 첩(妾): 김 상궁은 자신이 선조의 승은을 입었기에 아비의 첩이라 했다. 이에 대해 광해군은 다음과 같이 말했다. "이 궁인(宮人)들은 의인 왕후(懿仁王后)의 능에 저주하는 못된 짓을 대대적으로 자행했으니 그 죄악이 넘쳐 흐른다 하겠다. 그리고 역적이 격서(檄書) 속에서 나를 극악한 이름으로 지칭한 것도 모두 이 자들의 소행 때문이니 이치상 당연히 엄하게 국문하여 사실을 밝혀내야 할 것이다. 그런데 응희(應希)가 스스로 죄가 중하다는 것을 알고는 일찍이 선왕의 총애를 받았노라고 핑계대고 있다. 참으로 가까이 총애를 받은 일정 수의 후궁(後宮)에 대해서는 내가 어찌 모르고 있겠는가마는, 그래도 혹 한두 번 총애를 받았는지에 대해서는 역시 단정하기가 어려운데, 그럴 경우 그대로 국문한다면 의리에 손상됨이 어찌 없겠는가. 미안한 점이 있으니 이 죄목으로 사사(賜死)하는 것이 좋겠는데, 경들이 십분 의논해 아뢰라." 대신이 그렇게하는 것이 온당하다고 하여 마침내 사사하였다. 『광해군일기』 권66, 광해군 5년(계축년, 1613) 5월 24일(신사).

443 나장(羅將): 조선시대 의금부(義禁府)의 하급 무예(武隷). 죄인을 문초할 때에 매를 때리는 역을 맡았다.

444 사오납거니와: '사납다'의 옛말.

445 이덕형(李德馨): 명종 16년(1561)~광해군 5년(1613). 조선 선조·광해군 때의 명신. 부록 등장인물 참조.

446 이항복(李恒福): 명종 11년(1556)~광해군 10년(1618). 조선 선조 때의 명신. 부록 등장인물 참조.

447 함성(陷城): 성이 함락되는 것. 임진왜란 당시, 1592년 6월 13일에 평양성이 함락된 것을 말함. 선조 일행은 그 후 평안북도 의주로 피란하여 임시수도로 정함.

448 선전관(宣傳官): 조선시대 형명(刑名), 계라(啓螺), 시위(侍衛), 전령(傳令) 부신(符信)의 출납 등을 맡아 보던 선전관청(宣傳官廳)에 달린 무관(武官) 벼슬. 정 3품부터 종 9품까지 있었음.

449 창황(愴惶): 슬프고 두려워함.

450 가라어치 리: 가르쳐 드릴 사람.

451 그 마노라 아들이 서 계오셔: '그 마노라'는 선조. '아들'은 광해군을 가리킴. 즉 '선조의 아들인 광해군이 왕이 되어서'라는 뜻임.

이다. 당장[454]이 평양 보통문(普通門)을 깨쳐 왜적(倭賊) 몰아내친 기별[455] 니라오시니, 우리 다 놟드며,[456] '이제야 다 살아 환조(還朝)하오실 날이 있으리로다.' 모다 즐겨하던 일이 어제론 듯하더니, 그 작란(作亂)에 벗어나나 종사 위하와[457] 파군 입궁[458]에 드오시니, 인심이 진정(鎭定)치 못하야 고름 글러[459] 잠자지 못하여서, 하루는 하인이 닭 잡으러 집 위해 오라니 내간[460] 엿보는 도적인가 여겨 우히 오시며, 후궁이 놀라 나왔다가 우흔[461] 내관(內官)에게 가오시며, 소환도[462]를 주오시며 '급한 일이 있거든 자사(自死)하라.' 하오시니, 각각 손에들 쥐고 서서 도곤도곤[463]이 기다리더니, 그 시절 다 지나셔 내 마노라 아들이 서서 오늘

452 무신(戊申): 1608년 선조가 승하한 때를 가리킴.
453 재궁(梓宮): 임금, 왕대비, 왕비, 왕세자들의 유해를 모시는 관(棺). 옛날 중국에서 가래나무로 만들어 썼으므로 이렇게 일컬음.
454 당장(唐將): 당나라 장수. 본문에서는 중국 명나라의 장수인 이여송(李如松)을 가리킴.
455 기별(奇別): 조선 시대에 승정원(承政院)에서 생긴 일을 매일 아침 글로 적어서 반포하던 일. 본문에서는 이여송이 끄는 군사가 평양에 주둔 해 있던 왜장(倭將) 고시니 유키나와(小西行長)의 군사를 물리쳤다는 기별을 말함.
456 놟드며: '날뛰며'의 옛말.
457 종사(宗社) 위하와: 종묘사직(宗廟社稷)의 준말. 종묘는 역대 제왕의 위패(位牌)를 모시는 왕실의 사당. 사직은 토지와 곡식의 신을 모셔둔 곳임. 종묘와 사직은 왕조사회에서 가장 중요시 여기는 곳으로 왕실과 나라를 이르는 말이다. '종묘사직을 위하여', 〈서궁일기〉에는 '종내 시위하여'로 되어 있다. '끝까지 시위하여'라고 해석하여도 무리가 없을 것 같음.
458 파군 입궁(罷軍入宮): 군대의 진영(陣營)을 풀고 대궐로 돌아 옴. 본문에서는 임진왜란 당시 의주로 피난 가 있다가 한양 궁궐로 돌아옴을 말함.
459 고름 글러: 고름을 끄르다. 본문에서는 임진왜란 후 인심이 흉흉하여 밤에도 고름을 끄르고 잠을 자지 못할 정도로 불안했음을 말함.
460 내간(內間): 아낙. 부녀자가 거처하는 집의 안채. 본문에서는 내인들이 거처하는 곳을 말함.
461 우흔: 본문에서는 왕(선조)을 가리킴.
462 소환도(小還刀): 작은 환도. 환도는 군복을 입고서 차는 군도(軍刀)를 말함.
463 도곤도곤: '두근두근'의 옛말. 본문에서는 가슴이 두근거릴 정도로 불안했음을 말함.

욕 볼 줄 어찌 알리오. 의녀[464]로나 잡아내지 아냐 나장이로 잡으니, 이 욕이 내 몸에 당치 아녀, 대왕이 보오시는 각시니 녹(祿) 자시나니 다 알아소서. 이제 이리 할 일이니이까? 이 도리로 임군을 속이면 상망할 망조[465]이로소이다."

이터로 하야 긴 해를 저무도록 대언(大言)을 하니, 원정[466]을 받으랴 하다가 못하고 이 말을 듣고 의녀를 정하니라[467].

옥중(獄中)에서 이터로 말을 바로 할까[468]? 즉시 내어 사약하고[469], 그

464 의녀(醫女): 본래 신분은 기생으로 의술을 배워 내의원, 혜민서에서 심부름하는 여자. 부록 '조선조 궁녀 제도' 참조.

465 상망(喪亡)할 망조(亡兆): 없어지고 망할 조짐.

466 원정(原情): 사정(事情)을 말하여 하소연 함.

467 의녀(醫女)를 정하니라: 이 부분에 대하여 『광해군일기』에는 다음과 같이 기록되었다. "영의정 이덕형이 아뢰기를, '평상시에 사대부들 집에서 사람을 붙잡아 올 경우더러 의녀(醫女)들로 하여금 들어가 염탐해 보게 하였는데, 지금도 이 관례에 따라 의녀로 하여금 대비전의 궁녀를 찾아보게 하는 게 어떻겠습니까?' 하니, 왕이 승지에게 명하기를, '영상의 말에 따라 수문장과 선전관을 많이 정하여 잡인들이 드나들지 못하도록 엄히 금한 뒤에 의녀로 하여금 들어가 찾아서 잡아 오도록 하라.' 하였다. 이미 자전이라 불러 놓고 마치 여염집에서 수색하듯이 궁인들을 찾아냈으니, 대신이 옳은 일과 그른 일을 가려 말씀드려야 하는 의리가 과연 이렇단 말인가." 『광해군일기』 권67, 광해군 5년(계축년, 1613) 6월 13일(경자) 참조.

468 말을 바로 할까: 당시의 상황이 『광해군일기』에 다음과 같이 기록되었다. 응희가 큰 소리를 지르며 욕설을 퍼붓기를, "나는 그 동안 선왕을 모셔온 몸이다. 임진년 난리 때에는 김빈(金嬪) 등 여섯 사람과 함께 늘 대가(大駕) 앞에서 시중을 들었었다. 당시의 대신 윤두수(尹斗壽)·유성룡(柳成龍)·이항복(李恒福)·이산보(李山甫) 등은 지금 어디에 있느냐. 너희들이 어찌 지금 임금의 녹(祿)만 먹고 선왕의 녹은 받아먹지 않았겠느냐. 그런데 어찌하여 나를 이렇게 속박하여 모욕을 준단 말이냐." 하였는데, 듣는 자들이 귀를 가렸다. 『광해군일기』 권66, 광해군 5년(계축년, 1613) 5월 18일(을해) 참조.

469 사약(賜藥)하고: 전교하기를, "이 궁인(宮人)들은 의인 왕후(懿仁王后)의 능에 저주하는 못된 짓을 대대적으로 자행했으니 그 죄악이 넘쳐 흐른다 하겠다. 그리고 역적이 격서(檄書) 속에서 나를 극악한 이름으로 지칭한 것도 모두 이 자들의 소행 때문이니 이치상 당연히 엄하게 국문하여 사실을 밝혀내야 할 것이다. 이 죄목으로 사사(賜死)하는 것이 좋겠는데, 경들이 십분 의논해 아뢰라." 하였는데, 대신이 그렇게 하

이하로 대왕 근시인(近侍人)은 다 사약하고, 그 남은 이는 상궁의 니라히[470] 중형(重刑)을 베퍼 박동량의 초사(招辭)라 하고, 유월 십삼일 열세 사람을 소명(召命) 써 내다.

시녀 계난이, 수사[471] 학천이[472], 수모[473] 언금이[474] · 덕복이[475] · 춘가이(春介) · 표금이[476], 보모상궁의 아아[477] 복이[478], 종 도섭이[479] · 고운이[480], 김 상궁 종 보롬이[481] · 보삭이, 대군 겻 읏 각시 예환이[482], 수모

는 것이 온당하다고 하여 마침내 사사하였다. 『광해군일기』 권66, 광해군 5년(계축년, 1613) 5월 24일(신사) 참조.

470 니라히: '이르기까지'의 옛말.

471 수사(水賜): 무수리. 궁궐 안에서 잡일을 맡은 하녀. 부록 '조선조 궁녀 제도' 참조.

472 학천(鶴千)이: 대비전의 나인, 당시 나이 72세. 『광해군일기』 권67, 광해군 5년(계축년, 1613) 6월 14일(신축) 참조.

473 수모(手母): 전통 혼례 때에 신부의 단장 및 그 밖의 일을 곁에서 도와주던 여자. 본문에서는 의복 단장을 도와주던 내인. 부록 '조선조 궁녀 제도' 참조.

474 언금(彦今)이: 국문하라는 왕의 전교에 처음에 기절하였다가 목을 메달아 죽음. 『광해군일기』 권67, 광해군 5년(계축년, 1613) 6월 13일(경자) 참조.

475 덕복(德福)이: 영창대군의 보모상궁. 『광해군일기』 권67, 광해군 5년(계축년, 1613) 6월 2일(기축) 참조.

476 표금이: 나인 춘개(春介)의 어미. 『광해군일기』 권67, 광해군 5년(계축년, 1613) 6월 15일(임인) 참조.

477 아아: '아이'의 옛말.

478 복이: 복이내인(僕伊內人). 불 때고 물 긷는 일을 맡은 처소의 내인. 부록 '조선조 궁녀 제도' 참조.

479 도섭이(道西非): 영창대군의 보모상궁 덕복(德福)이의 여종. 공초를 받다가 곤장을 맞고 죽음. 『광해군일기』 권67, 광해군 5년(계축년, 1613) 6월 13일(경자) 참조.

480 고운이(古隱伊): 영창대군 보모상궁 덕복(德福)이의 여종. 『광해군일기』 권67, 광해군 5년(계축년, 1613) 6월 17일(갑진) 참조.

481 보롬이(甫老未): 김 상궁 응희(應希)의 여종. 압슬형을 가하였으나 자복하지 않음. 『광해군일기』에는 보로미(甫老未)와 보로음이(甫老音伊)로 되어 있음. 『광해군일기』 권67, 광해군 5년(계축년, 1613) 6월 13일(경자), 14일(신축) 참조.

482 대군 겻 읏 각시 예환(禮還)이: 본문대로 해석하면 '대군 처소의 관례전 내인 중 우두머리인 예환이'가 된다. 그러나 본문의 내용을 기록한 『광해군일기』에는 다음과 같이 기록되어 있다. "정이(貞伊)의 여종과 자수궁의 예환, 가시도 잡아다 국문하도록

향가히[483] 등을 도사[484]와 나장(羅將)과 당번내관(當番內官) 이덕상이 와서,

"어서 내라."

독촉하니, 곡성이 천디진동(天地振動)하여 새로이 망극하여 궁중이 진동하니 통곡하며,

"박동량을 알기나 아더니이까? 어찌 우리를 이리 섧게 하는고. 죽어 원혼[485]이 되여도 박동량은 잊지 못할소이다. 마노라 애매(曖昧)하오신 일을 남에게 잡혀 계오시니 종시[486] 설니 죽다 무슨 한(恨)이 이시리잇가카니와[487], 우히 부대 사오시고 우리 이리 죽사오니 이 원수를 부대 잊지 마오소서. 죽으라 가옵나이다."

기 중(其中)의 향가(香介)이는 병들어 나갔더니, 두고서 기이고[488] 아니 내어 준다 하고, 의녀 대엿이 와 공주·대군이 들어계신 침간 지이[489] 뒤여 얻으되 없으니 또 들어와,

"어서 내라."

함", "가시와 예환 나인 정이의 여종이다", "가시와 예환에게 형추하였으나 자복하지 않았다."고 기록된 것으로 보아 '대군 옷 각시 예환'은 정이의 종 '가시'와 '예환' 두 사람을 가리킨 것이 아닐까 생각됨. 『광해군일기』 권67, 광해군 5년(계축년, 1613) 6월 13일(경자), 6월 14일(신축) 참조.

483 향가히(香介): 영창대군 처소의 내인.

484 도사(都事): 조선시대에 충훈부(忠勳府), 의금부(義禁府), 중추부(中樞府) 등에 소속되어 관리의 감찰(監察, 공무상의 비위나 비행을 조사하거나 감독하는 일)이나 규탄(糾彈, 잘못이나 옳지 못한 행동을 잡아내어 따지고 나무람.)하는 일을 맡아보던 종 5품의 벼슬. 고종 19년(1882)에 폐지됨.

485 원혼(冤魂): 원통하게 죽은 사람의 넋.

486 종시(終是): 끝내.

487 이시리잇가카니와: '카니와'는 '~커녕', '~도', '~이지만', '~물론 이거니와', '~마는'의 옛말. 그러므로 '있겠습니까마는'으로 됨.

488 기(忌)이고: 사실을 숨기고 바른대로 말하지 않음.

489 지(至)이: '~까지'의 옛말. 동작이나 상태가 계속됨을 나타내는 조사.

독촉하여 보채니 사람이 족불이지[490]하야

"평일(平日)에 병들어 나갔나니라."

하여도 무한(無限) 와서,

"어서 내라. 아니 내거든 감찰상궁(監察尙宮) 하옥(下獄)하라."

의녀 여일곱이나 흩어 궁중에 엇고[491], 공주·대군은 하 두려 우흔 거적의[492]를 입사오시고 엎대어 계오셔,

"없는 내인을 내라 하니, 이리 핍박히 보채나뇨. 왔는 내관더러 내 친히 니라리라."

하시고 니라오시니, 내관이 하되,

"나가고 없다 하더이다."

살오니[493]

"거짓말이니 어서 가 싸뒤여 얻으라."

하시니,

"마음으로 못하나이다."

하더라.

의녀 니라되,

"침간(寢間)이라도 뒤라 하시니 다 뒤여 얻으니이다."

하거늘, 내인이 주먹으로 쳐 물리치고,

"네 아무리 한들 어내 뉘 곳이라 이리 행실(行實) 없이 구난다."

꾸짖으니,

"우리도 살라 하네."

490 족불이지(足不履地): 발이 땅에 닿지 않을 정도로 급히 걷거나 달아남.

491 엇고: 얻다. 수중에 넣다.

492 거적의(衣): 겉의 옷. '거적'은 '거죽'의 옛말. 본문에서는 대비(인목왕후)가 의관을 제대로 갖추지 못했음을 말함.

493 살오니: '사뢰다'의 옛말. 말하다. 웃어른께 말씀을 드리다.

하고 다아다[494] 들어가니, 두 아기시는 우흘 의지하야 한녁에 하나씩 짓보[495] 밑에 엎대여서 숨을 겨우 쉬시고 울으시니, 보옵기 참담[496]하고 가슴이 메어지는 듯 차마 보옵지 못할러라.

이튿날 감찰상궁 둘을 다 잡아내어다가 유월 이십팔일에 대군아지[497] 네히니 소명 써 와서,

"이 수(數)대로 다 내라."

"아기시 자라시매 유모(乳母)가 다 나가고 없다."

하니,

"괴이니[498] 어서 내라."

보채더니, 밖으로 가 잡아다가 칠월(七月)에 수사(水賜) 명환이, 수모(手母) 신옥이 · 조금이 등 여라믄[499] 하인을 잡아 내어가다.

궁인(宮人) 설흔 나믄이[500] 이 한 점도[501] 무복[502] 아니하고 죽으니, 방정 일이 허사가(虛事) 될까 민망하여 내인의 종 나이 열 다섯 만한 아해를 내어다가 좋은 음식 먹이고,

"살을 것이니 이리이리 하라."

494 다아다: 원형은 '다완다'. '다그치다'의 옛말. 닥치어.

495 짓보: 표백하지 않은 무명 또는 무명 포대기.

496 참담(慘憺): 비참하고 끔찍함.

497 대군아지: '아지'는 '유모'의 궁중어. 본문에서는 영창대군의 유모를 말함.

498 괴(故意)이니: '괴'는 '고의'의 줄인 말. 일부러 하는 생각이나 행동. 본문에서는 '있으면서 숨기고 없다'고 한다는 뜻임.

499 여라믄: '여남은'의 옛말. 열 남짓한(十餘) 수.

500 설흔 나믄이: '설흔'은 '서른'의 옛말. 서른이 넘는 사람. 삼십 여명(三十餘名). 『광해군일기』에도 "나인들 중 국문을 받고 죽은 자가 30명이나 되었으나 끝내 한 마디도 자복하지 않았다"고 기록되었음. 『광해군일기』 권67, 광해군 5년(계축년, 1613) 6월 20일(정미) 참조.

501 한 점도: '한 마디도', '한 가지도'의 옛말.

502 무복(誣服): 강제로 없는 죄를 있다고 자복(自服)하고 형벌을 받음.

달래니, 남의 죽는 양 보고 무삼 충성(忠誠)으로 살길을 바라리오, 죽을 곳을 가랴 하리오. 니란 대로 대답하니 그제야 방정지사 복초(服招)하였다 하고, 평일부터 유자신 집에서 사괴는 맹녀(盲女) 고성[503]이를 후히 사괴여 들여다가 온갖 말 일러두고, 제 종도 없이[504] 데려가 온갖 말 일러두고,

"이것이 대군곁이오[505], 나는 대군 곁 큰 각시[506]로라. 대전·동궁 팔자(八字)가 어떠하며 운수(運數)는 어떠하며, 갑신생[507]이 병오생[508] 위하여 을해생[509]·무술생[510]을 해(害)코저 하니 일우랴 못 일우랴."

방정을 하더니,

"득(得)하랴, 못 득하랴."

온 가지로 방정하는 즘생[511]을 일러 들이며,

503 고성(高成): 여자 맹인 점쟁이로 18세였다. 사관은 당시의 상황을 다음과 같이 적고 있다. "고성은 배천 사람이다. 막 시골에서 올라왔는데, 영험이 있다고 상당히 이름이 있었다. 그래서 대궐로부터 외척과 궁가들이 너나없이 그를 불러다 점을 쳤으니, 오윤남이 그를 불러다 운명을 물어본 것이 역시 이상한 일이 아니고 또 고성에게만 물어본 것도 아니었다. 다만 오강이 혹독한 형벌에 견디다 못해, 고성은 나이 젊은 눈먼 여자이므로 지적하기가 조금 쉬었기 때문에 그를 끌어대어 형벌을 늦추었던 것인데, 저주의 옥사 가 이로 인해 하늘까지 닿게 되었다. 고성이 또 여자 무당과 늙은 여승을 많이 끌어들이고 나서 그들이 거처하는 곳과 나이를 죄다 들어 공초하였으므로 이들을 붙잡느라 시끄러웠는데, 억울하게 걸려든 자들이 많았다." 『광해군일기』 권67, 광해군 5년(계축년, 1613) 5월 9일(병신).

504 종(終)도 없이: 끝도 없이. 즉 수없이 많은 거짓말을 일러주었음을 말함.

505 대군 곁이오: 대군을 가까이에서 시중을 드는 내인. 곁 내인(內人).

506 큰 각시: 우두머리의 젊은 여자. 본문에서는 영창대군의 보모상궁을 말함.

507 갑신생(甲申生): 필사본에는 갑진생(甲辰生)으로 되어 있으나 문맥상 인목대비(갑신년, 1584년 생)를 지칭함으로 오기로 생각되어 바로 잡음. 〈서궁일기〉에도 갑신생으로 필사되어 있음.

508 병오생(丙午生): 영창대군을 가리킴. 영창대군은 병오년(1606) 생이다.

509 을해생(乙亥生): 광해군을 가리킴. 광해군은 을해년(1575) 생이다.

510 무술생(戊戌生): 광해군의 아들 질(祬)을 가리킴. 폐세자 질은 무술년(1598) 생이다.

511 즘생: '짐승'의 옛말. 고성은 방정에 사용된 "짐승을 쥐, 강아지, 두꺼비, 비둘기 등을

"이리이리 하노라."

하고 아모 날로 하더니,

"길흉(吉凶)이 어떠하니."

하며,

"이것이 대군 곁 하처[512]요, 나는 대군 유모이로라."

하여, 이를 잊지 아니케 닉이[513] 귀에 들려 뒀다가 잡아들여 섬겨가며 물으니, 마치 전에 제 듣던 바라 대답한데, 고성(高成)이 복초(服招)하였다 하며 고성이더러,

"오윤남[514]이 네게 가 문복[515]하더냐?"

"오윤남이는 듣도 못하고 임 별패[516]라."

하고,

"대군 팔자가 어떠하니 문복하더이다."

"네 그릇 알았다. 임 별좌[517] 아냐? 오윤남이를 별패라 하니 오 별패렸다."

하니,

"업사외[518] 오가(吳哥)가 아녀 임 별패라 하옵데."

통째로 찍어 갈기갈기 찢기도 하고, 눈을 빼고 다리를 자르기도 하여 저주하는 데 사용했다"고 공초했다. 『광해군일기』 권67, 광해군 5년(계축년, 1613년) 6월 9일(병신) 참조.

512 하처(下處): '사처'의 원말. 고귀한 손님이 길을 가다가 묵는 집. 또는 웃어른 침실을 높인 말. 본문에서는 영창대군 침실이 있는 곳을 가리킴.

513 닉이: 문맥상 〈서궁일기〉의 '니기'로 생각됨. '니기'의 원형은 '니기다'로 '익히다'의 옛말.

514 오윤남(吳允男): 인목대비의 부친 연흥부원군(延興府院君) 김제남의 종.

515 문복(問卜): 점쟁이에게 길흉을 묻는 것.

516 별패(別牌): 상전을 모시는 머슴.

517 별좌(別坐): 조선시대 교서관(校書館), 상의원(尙衣院), 군기시(軍器寺), 예빈시(禮賓寺) 등 각 관아에 딸린 정 5품, 또는 종 5품의 벼슬.

다시금 우기되,

“임 별좌는 없느리라. 네 모라지 오 별패이니라.”

우겨, 오윤남이 무복 아니 하고 당하519에 죽으니 아들520 열두 살 먹은 것을 압사521하되,

“몰래라.”

하는 것을,

“문복하더라 말만 하면 살오마522.”

하고 달래어 섬겨523 물으니,

“과연 문복하더이다.”

하니, 오윤남의 아들 복초하였다 말 내니 실로 복초하였으면 죽일 것

518 업사외: 아닙니다.

519 당하(堂下): 중죄인을 심문하기 위해 임시로 설치 한 국청(鞠廳)에서 국문(鞠問, 죄인을 심문함)하는 당청(當廳, 대청 또는 집) 아래.

520 아들: 오윤남의 아들 오강(吳講)을 말함.

521 압사(押唆): 위력(威力)으로 선동하여 못된 일을 하게 함. 『광해군일기』에는 당시 '오강에게 압슬형을 가하였다'라고 기록되어 있다. 압슬형(壓膝刑)은 조선시대에 죄인을 자백시키기 위하여 행하던 고문, 죄인을 기둥에 묶어 사금파리를 깔아 놓은 자리에 무릎을 꿇게 하고 그 위에 압슬기나 무거운 돌을 얹어서 자백을 강요하였다. 오윤남의 아들에게 가한 압슬형에 대하여 사관은 다음과 같이 기술하여 당시의 정황을 알게 한다. “압슬형은 사람이 견딜 수 있는 것이 아니다. 무겁게 누르면 사람이 갑자기 기절하고 입을 다물어 인사불성이 되고, 가볍게 누르면 아우성을 치므로 용이하게 실없는 말을 자복받을 수 있다. 그렇기 때문에 반드시 가볍게 누르도록 하여 마치 형벌을 신중히 쓰는 것처럼 한다. 조종조에 비록 이 형벌이 있기는 하였으나, 반드시 큰 옥사가 났을 때 괴수 한두 사람에게만 사용하였다. 그렇지만 두 번은 사용하지 않았다. 그런데 지금은 사람마다 이 형벌을 사용하는가 하면 심지어는 네 번이나 다섯 번을 사용하기도 하고, 또 곤장을 사용하지 않고 곧바로 압슬형을 사용하기도 하였다. 오강 같은 어린아이가 압슬형을 받았으니, 그가 실없는 말로 거짓 자복하는 것은 당연한 것이다.”라는 사관의 기록은 당시의 정황을 짐작하게 한다. 『광해군일기』 권67, 광해조 5년(계축년, 1618) 5월 9일(병신) 참조.

522 살오마: 원형은 '살오다'. '살려주마'의 옛말.

523 섬겨: 섬기다. 복종하여 마음에 맞도록 받들다. 본문에서는 갖가지로 꾀여 마음을 바뀌게 했음을 말함.

이어늘, 살오마 언약(言約)하였더라.

내인 거의 적 죽인 김씨 은덕이며, 글란 들은 체도 아니하고 수괴안서[524] 하고 비록 미천한 내인인들 인명중시[525]이어늘 아마도 방정을 옳은 일로 내려하여 준충[526]의 것을 다 쳐 죽이더라.

대개 살인 도적 나며, 이 설심(設心)을 내어 쌀(米)을 잘내[527] 넣어 메오고 사태부[528]의 집들에 돌며,

"대비전(大妃殿)에서 대전·동궁 죽이랴 방정함이 석 달째니 하 민망하니 영(靈)한 무당 얻어 문사(問事)하려 하니 여기 무당이 있는가?"

하고 두로 다니더라.

그리 하는 때는 일정 저러할 새 민망하여 문사하려 하는도다. 이리 알아서야 이 옥사(獄事)를 옳다 여기게 할 일이러라.

센 가아지 배 타 드리기는 유자신 아내 하야 동고리[529]에 담아 들이더라.

살인 도적의 일[530]로 부원군 나수[531]하오시다 듣자오시고 뜰에 박석[532] 돌에 마리를 브드잇자오시고[533],

---

524 수괴안서(首魁安舒): 본문에는 '슈리안서'로 표기되었으나 문맥이 통하지 않아 〈서궁일기〉에 '수괴안서'로 된 것을 차용함. 악당의 우두머리들은 마음이 편안하고 조용함.

525 인명중시(人命重視): 목숨을 중하게 여김.

526 준충(蠢虫): 본문에는 '듕튱'으로 표기되었으나 문맥이 통하지 않아 〈서궁일기〉에 '쥰튱'으로 표기된 것을 차용함. 꾸물거리는 벌레. 살아 움직이는 것. 본문에서는 방정의 죄를 뒤집어 씌워 살아남은 내인들을 꾸물거리는 벌레 죽이 듯이 다 죽이려 한다는 뜻임.

527 잘내: '자루(袋)에', '포대(包袋)에'의 옛말.

528 사태부(士太夫): 문벌이 높은 집안의 사람.

529 동고리: 둥글납작한 작은 버들고리 고리짝.

530 살인 도적의 일: 박응서 등이 저지른 조령(鳥嶺)의 은(銀)상인 타살사건을 가리킴. 일명 '박응서 옥사'를 말함.

531 나수(拏囚): 죄인을 잡아 가두는 일.

532 박석(薄石): 얇고 넓적한 돌. 집채의 앞뒤에 오르내리기 위하여 만든 돌층계. 댓돌.

"대군으로 이런 화(禍)가 부모 동생에게 미치니 어찌 차마 들으리이까. 내 머리털을 버혀[534] 표하니 대군을 데려다가 아마리나[535] 처치하고 아버님과 동생을 놓으소서."

하시며,

"자식으로 하여 어버의게 화가 밋는 일을 차마 살아서 못 볼소이다."

하오시니 그 대답에,

"어찌 이런 말을 하옵시는고. 임해군은 좋이 대답하여 듣는 것을 제병하여 죽었더니, 살형(殺兄)이란 말과 선왕 약밥에 치독[536]하여 승하(昇遐) 하오시고, 선조(先祖) 궁인을 알기나 아는 것을 시부살형[537] 음증[538]

533 브드잇자오시고: '부딪치시고'의 옛말.

534 버혀: '베다'의 옛말. 자르다.

535 아마리나: '아무렇게나'의 옛말.

536 치독(置毒): 독약을 음식에 넣는 것. 본문에서는 광해군 측에서 음식(약밥)에 독을 넣어 선조를 승하하게 했다는 의혹을 말한 것이다. 당시의 상황이 『광해군일기』에는 "점심으로 찰밥을 진어하시고 별안간 기색하여 위급해졌다"라고 짧게 기록되었으나 『연려실기술』에는 좀 더 자세하게 전한다. "선왕의 오랜 병환이 처음 나았을 때 모든 백성이 좋아하였는데 잠간 동안에 돌아가시게 되니 온 나라 사람들이 이미 의심이 없지 않았으니 곧 약밥의 말이 항간에 돌아다닌 것입니다." 『연려실기술』 권23, 인조조 고사본말, 양곡집. "광해가 시역에 직접 간여하였는지 비록 알 수 없으나 이첨이 〈시역의〉 음모를 실행한 것은 불을 보듯이 밝은 일이었는데." "또 광해가 비록 시역에 간여한 자취가 없다 하더라도 약밥이 이미 동궁에서 나왔으니 장오가 어째 죄가 없다 할 수 있는가. 춘추의 법대로 할 것 같으면, 마침내 약을 맛보지 않은 죄를 면하기 어려울 것이다." 『광해군일기』 권1, 광해군 즉위년(무신년, 1608) 2월 참조. 『연려실기술』 권23, 인조조 고사본말, 청야만집.

537 시부살형(弑父殺兄): 아버지를 시해하고 형을 죽임. 본문에서는 아버지(선조)와 형(임해군)을 죽인 것을 말함.

538 음증(淫烝): 왕가에서 윗 항렬(行列)의 여인과 간통하는 일. 본문에서 광해군이 부왕인 선조의 사랑을 받은 김 상궁(개시)과 간통했음을 말함. 당시의 상황이 정사와 야사에 다음과 같이 기록되었다. "김상궁은 이름이 개시(介屎)로 나이가 차서도 용모가 피지 않았는데, 흉악하고 약았으며 계교가 많았다. 춘궁의 옛 시녀로서 왕비를 통하여 나아가 잠자리를 모실 수 있었는데, 인하여 비방(秘方)으로 갑자기 사랑을 얻었

이란 말을 겟 궁중[539]에서 내었으니 이 원수는 불공대천[540]이로소이다. 글월 말으소서. 어린 대군이야 알리이까?"

하고, 유자신 안해게 비오시니 회답(回答)하되,

"서양갑(徐羊甲)의 아비[541]며 박응서(朴應犀)의 아비[542] 다 서인[543]이니 연흥[544]과 한편 사람이니 어이 몰래라 하옵시나니이까. 애매치 아니하오니 다시 말 붙이지 마옵소서."

두 곳에서 다 이리하니 시부(弑父)·음증(淫烝)은 우리 게서는 듣지 못하였다가 이 말 듣고 깨치니, 그날 약매[545] 고물인지 잡사오시고 즉시 구역[546]하오시고 위급하오시니, 근시인(近侍人) 다 제 심복이니 치독하기 고이치[547] 아니하고, 일변 적신(賊臣) 정인홍(鄭仁弘)의 상소로 위급

으므로 후궁들도 더불어 무리가 되는 이가 없었으며, 드디어 왕비와 틈이 생겼다." 『광해군일기』 권69, 광해군 5년(계축년, 1613) 8월 11일(병신). 사신은 논한다. 궁첩의 폐해가 어느 시대인들 없었을까마는 폐조 때처럼 심한 적은 없었다. "김씨는 곧 이른바 김 상궁인데 일찍이 선조의 후궁으로 있다가 뒤에 폐주의 사랑을 받게 되었다. 무신년 선조의 승하 당시 밥에다 독약을 넣었다는 말도 있었다." 『인조실록』 권3, 인조 1년(1623) 9월 14일(신축). "개똥이는 전 선조 때의 늙은 궁인이었다. 선조의 사랑을 입었는데 사람됨이 흉악하고 교활하였다." 『연려실기술』 권23, 인조조 고사본말, 포저집. "선왕이 관계했던 후궁 김씨와 간통하고 그의 말만 들으니……" 『연려실기술』 권23, 인조조 고사본말, 남계집.

539 겟 궁중: 거기에 있는 궁중, 그 곳에 있는 궁중. 본문에서는 광해군 측의 궁중(궁궐)을 말함.

540 불공대천(不共戴天): 이 세상에서는 함께 할 수 없을 만큼 원한이 큼.

541 서양갑(徐羊甲)의 아비: 서양갑의 부친 서익(徐益, 1542년~1587년)을 말함. 조선 중기의 문신. 부록 등장인물 참조.

542 박응서(朴應犀)의 아비: 박응서의 부친 박순(朴淳, 1523년~1589년)을 말함. 조선 중기의 문신. 부록 등장인물 참조.

543 서인(西人): 조선 선조 때 심의겸(沈義謙)을 중심으로 하여 동인(東人)과 대립한 당파(黨派)의 하나, 또한 그 당파에 속한 사람을 말함. 부록 '서인' 참조.

544 연흥(延興): 연흥부원군 김제남을 가리킴..

545 약매: '약밥(藥食)'의 옛말.

546 구역(嘔逆): 욕지기, 구역질.

히 되오시니 긋하여548 칼로 지라며549 매로 쳐야 죽이다 하리, 아녀 설워 그만하면 시부(弑父)라 할 것이오. 음증도 선묘(先廟) 근시(近侍)하던 숙진이 가희(介屎) 권당550이니 매양 은근이 하더라 하니, 그리할 제 음증하기 고이치 아니하고, 살형(殺兄)도 형을 하늘도 못 보게 가새성551 안에 넣어 두고 장덩이와 보리밥을 드리더니, 당장(唐將) 온다 하니 제 심복 의원 보내여 주찬(酒饌)을 가져다가 다잡고552 독주(毒酒)를 먹여 온돌(溫突)을 달오고 넣어 잠으고 오니 가슴을 허위여553 피 흐른 자최 있더라 하고, 그 시에는 자비하인554들도 금(禁)치 아녀 니라매 뉘 모라리오. 게 겨오셔555 말내옵시다 하댔더라. 비록 말 내옵시다 일정 그른 일 하야 두고 말 낸 사람과 불공대천지수가(不共戴天之讎) 되리오.

이리 말을 내고 오월 초오일 자비문556에 만병(萬兵)을 포설557하고 위립558하여 주야에 목탁지성559이 진동하였으니560, 갓득 주야에 구으

547 고이치: '괴이(怪異)하다', '이상야릇하다'의 옛말.
548 긋하여: '구태여'의 옛말.
549 지라며: '찌르다'의 옛말.
550 권당(眷黨): 일가친척, 집안 식구.
551 가새성: 가시로 만든 성(城). 죄인을 배소(配所)에서 달아나지 못하도록 가시로 울타리를 만들고 그 안에 가두어 두는 위리안치(圍籬安置)를 가리킴.
552 다잡고: 다그쳐 붙들어 잡다.
553 허위여: 허위적 거려. 파헤쳐.
554 자비하인(差備下人): 각 관아의 하인의 하나. 특별사무를 맡기기 위하여 임시로 임명하는 직책이다.
555 게 겨오셔: '게'는 '우리'. '너희'. '자네' 등의 아래에 쓰이어 살고 있는 곳을 뜻하는 말. '겨오셔'는 '~께서'의 옛말. 본문에서는 문맥상 '우리(대비전) 쪽에서'라고 해석됨. 〈서궁일기〉에도 이부분에 '우리 게서'라고 되어 있음.
556 자비문(差備門): 편전(便殿). 즉, 임금이 평상시에 거처하는 곳의 앞문.
557 포설(布設): 벌려서 정렬하여 놓음.
558 위립(圍立): 쭉 둘러싸고 서있음.
559 목탁지성(木鐸之聲): 불경을 외우며 목탁을 치는 소리
560 진동하였으니: 당시의 상황이 『광해군일기』에는 다음과 같이 기록되었다. "왕이 서

러[561] 물고기 뭇태[562] 나니같이 뛰노라 것머질 듯[563] 설워하시는데, 목탁지성이 진동하여 들이쳤으니 곤하야 직조오닷[564] 하오신 적도 놀라 오시더라.

이리 닫은 후는 반쪽 말도 자명[565]하옵실 일은 굳이 닫고 온갖 일을 짐짓 일로 내노라. 어린 놈 응벽[566]이를 극형하여 섬겨 물으니, 그런 방정 제 다 하였다 하니,

"목릉[567]의 흙도 파오이다. 궁중에도 제 들어오되 밤이면 수문장(守門

양갑의 공초를 듣고는 크게 놀란 나머지 도감의 군사들을 동원하여 궁성을 에워싸게 하고 조두(刁斗, 옛날에 군에서 냄비와 징의 겸용으로 쓰던 기구. 낮에는 취사할 때, 밤에는 진지의 경계를 위하여 두드리는 데에 썼다)를 두드리면서 밤낮으로 방위하게 하였다." 『광해군일기』 권66, 광해군 5년(계축, 1613), 5월 6일(계해) 참조.

561 구으러: 원형은 '구을다.' '굴러'. '굴리어'의 옛말.

562 뭇태: '뭍(陸)에.' '땅 위에'의 옛말

563 것머질 듯: '졸도(卒倒)할 듯'의 옛말.

564 직조오닷: 원형은 '딕됴오다'. '수그려 졸다'의 옛말. 본문에서는 목탁소리가 진동하여 여러 날 잠을 이루지 못해 피곤하여 졸다가도 목탁소리에 다시 놀라는 고통의 나날이 계속됨을 말함.

565 자명(自明): 자명소(自明疏). 죄가 없음을 스스로 변명하여 올리는 글.

566 응벽(應壁): 김응벽(金應壁). 나인 덕복(德福)이의 조카. 이이첨이 지었다는 응벽의 죄목이 『광해군일기』에는 다음과 같이 기록되었다. "저주에 관한 모의를 전적으로 주관하여 요망스런 일을 많이 행하였다. 붉은 닭에게 주사를 먹여가지고 어침에 몰아넣기도 하고 금고양이의 눈을 꿰매어 내침의 굴뚝에 장치하기도 하였다. 종이에다 사람의 모습을 그려서 능침에 흉사를 행하기도 하고 개를 찢어서 후원에 두어 재앙을 짓기도 하였다. 붉은 비단에 부적을 그려서 고성과 더불어 지휘를 하였고 금산사에 경문을 외우는 일은 민희건과 함께 경영하였다. 여인이 칸막이를 치고 가리는 일을 모두 제가 직접 담당하였다. 더러운 물건이 대궐 안에 낭자하니 난적의 흉계를 모를 리가 없다. 6월 21일에는 김응벽을 능지 처참시켰다." 『광해군일기』 권68, 광해군 5년(계축, 1613), 7월 15일(신미).

567 목릉(穆陵): 현재 경기도 구리시 인창동에 있는 동구릉의 하나로 선조와 그의 비 의인왕후, 계비 인목왕후의 능이다. 당시의 상황이 『광해군일기』에는 다음과 같이 기록되었다. "당초 선조(宣祖)가 병으로 자리에 눕게 되었을 때 대군 궁방의 노비들이 무격(巫覡)의 망언을 듣고는 병환이 나게 된 빌미가 공빈(恭嬪)에게 있다고 하면서 마침내 묘소에 저주할 음모를 꾸몄는데, 그 말이 상당히 누설되자 임해군이 듣고는 궁

將)더러는 니라고 드더니이다."

한대, 그런 중한 죄수를 좇아 거나려 목릉(穆陵)에 가서 제(祭)도 아니 하고, 상돌568 밑을 석 자히나 파니 아모것도 없으매, 두어 곳만 파 보고 또 유릉(裕陵)에 올라가 파댔더라.

지극(至極) 무지(無知)한 하인이라도 어버이 무덤의 흙을 거우랴569 하면 고묘570하고 상심하거늘 재천지령571을 놀래옵고, 그 중형(重刑)한 피덩이를 끄어572 담아 나장(羅將)이며 군사(軍士)가 메어 궁중에 들여 침천(寢殿) 기슭에 놓으니, 내인은 노소(老少) 없이 하 두려 마로 아래 숨으며 저해 잡으라 왔는가 여겨서 헤지라는573 형상 어찌 얼골 하여 기록(記錄)하리오.

내전에서 연하여 날마다 글월 보내어 저히오며574 홀혀575 보채되,

"너희 내인들이 다 알 것이로되, 내어 죽였으니 변 상궁(卞尙宮)·문 상궁(文尙宮)이 일정(一定) 알 일이니 변과 문이 다 갑자생(甲子生)이니

노(宮奴)로 하여금 공빈의 능을 지키게 하여 결국은 아무 일이 없게 되었다. 이것이 비록 미련하게 미혹된 노비들에 의해 꾀해진 지극히 사소한 일이기는 하였지만, 목표는 어디까지나 빈릉(嬪陵)이었지 유릉(裕陵)은 아니었던 것이다. 궁가의 노복들이 서로 투기하고 미워한 나머지 나온 이런 말들은 대개 의거할 가치가 없는 것임에도 불구하고 옥사(獄事)가 처음 일어났을 때 척리(戚里)의 집에서 많이들 빗대어 말하곤 하였는데, 동량이 마침내 헛소문을 가지고 부연해 말한 것이었다. 그러나 이것이 어찌 대비(大妃)와 상관이 있는 일이겠는가."『광해군일기』 권66, 광해군 5년(계축, 1613), 5월 16일(계유) 참조.

568 상돌: 상석(床石). 무덤 앞에 제물(祭物)을 차려놓기 위하여 넓적하게 돌로 만든 상.

569 거우랴: 원형은 '거우로다'. '기울이다'의 옛말.

570 고묘(告廟): 나라나 왕실 또는 집안에 큰 일이 있을 때 이를 조상의 신주(神主)를 모셔 놓은 종묘(宗廟)나 사당(祠堂)에 고하는 일.

571 재천지령(在天之靈): 하늘에 있는 영혼.

572 끄어: 원형은 '끗다'. '끌어'의 옛말

573 헤지라는: 원형은 '헤디라다'. '날뛰다'의 옛말.

574 저히오며: 원형은 '저히다'. '두렵게 하다', '위협하다'의 옛말.

575 홀혀: 원형은 '홀이다'. '후리다'의 옛말. 휘몰아 치거나 쫓다.

두 갑자생 중의 하나를 수이 내어 달 라."
보채나, 한 일을 번드시[576] 하여서 끗 감기[577] 어려워 갑자생 하나를 달라 한들 눌을 의지하여 내여 주웁시리.

대답하오시되,

"인간의 사람 살며 어진 일을 하여도 복을 못 얻을까 두려하는데, 하물며 사특[578]한 일을 하여 어찌 복이 올까 믿으리오. 이 또한 천수[579]이니 설움이 태산 같으되 죽지 못함을 고이히 여기나이다. 주야 안전[580]에 떠나지 아니턴 종을 잡아내어 가고, 행여 남았는 종을 마자 내라 하니 갑자생 중의 하나를 내여든 묻고 죽여지라 하니, 나는 한 일이 없으니 어찌 살게하여 내리이까. 여편네[581] 들어 앉아서 대전 낯에 하 똥 바르지 마라소서."
하니, 이후는 갑자생 달란 말 아니터라.

또 하되, 박자흥(朴自興)[582]이 갓 사돈 되어신 제 진상[583]하여늘 우리 전(殿)에서 대답(對答)의 벼개 주어 계오시더니, 이 적에 닐오되, 벼개 속에 방정하였으니 그 벼개를 베니 벼개 속에서 병알의 소래 나거늘 보니, 잡뼈와 배또린[584] 널조각[585]이 들었다 하니 이 할 일인가.

576 번드시: '드러나게', '뚜렷이'의 옛말.
577 끗 감기: '끗'은 '끝'의 옛말. '감기'는 '아득하다', '어둡다', '아득하다'의 옛말. 본문에서는 고통의 끝이 보이지 않을 만큼 아득함을 나타냄.
578 사특(邪慝): 요사스럽고 간사하고 악하다.
579 천수(天數): 하늘이 정한 운명.
580 안전(案前): 하급 관리가 상급 관리를 일컫던 존칭 대명사.
581 여편네: 결혼한 여자를 낮추어 하는 말. 본문에서는 당시 중전인 광해군의 아내 유자신의 딸을 말함.
582 박자흥(朴自興): 선조 14년(1581)~인조 1년(1623). 영의정 박승종의 아들. 광해군 2년(1610) 별시문과에 병과로 급제하여 벼슬은 참판에 이르렀고 이이첨의 사위가 되었다. 인조반정 때 경기도 관찰사로 있다가 아버지와 함께 자결. 보록 등장인물 참조.
583 진상(進上): 지방에서 나는 물건을 임금이나 고관에게 바침.

아리고[586] 갑자생이나 침실 갑자생 중에 하였다 하니, 이런 못 생각할 꾀를 하여 내인들을 마자 죽이랴 하니, 천지간(天地間)에 이런 사흉[587]한 사람이 어데 있으리오.

대군이 궐내에 계오신 일을 민망하여 만대(萬代)에 기롱[588]을 들을까 하여 가장 어진 체하여 가로되,

"조정이 대군을 수이 내라 날마다 보채되 어린아이 알랴 하여 듣지 아니하거니와, 도적 사괴여 역모하기와 방정하여 대란(大亂)이 났으니, 이제 뉘 탓이라 하나니?"

하더라.

이리한 후 오라지 아녀서 내관을 전언(傳言)하되,

"대군을 하 내여달라 보채니 아니 들으랴 견집[589]하니 조정의 노(怒)를 저기[590] 풀랴 잔 졸와[591] 보려 하니, 잠간 문밖에 내어든 노를 풀게 하여지이다."

말이 가장 흉하매 우흔 차마 듣지 못하오셔 시위인(侍衛人)이며 마음이 새로이 산란하여 간장(肝腸)이 졸고[592] 애[593] 떨어지더라.

---

584 배또린: 원형은 '배또리다'. '부셔 깨치다'의 옛말.

585 널 조각: 널은 시신을 넣는 관(棺)이나 곽(槨)을 말함. 본문에서는 인목대비 측에서 박자홍의 진상 답례품으로 보낸 베개 속에 부서진 관 조각을 넣어 방정했다는 뜻임.

586 아리고(阿里庫): 아랫고(下庫). 상궁으로 부제조(副提調) 상궁을 말함. 내전의 살림을 맡아봄. 부록 '조선조 궁녀 제도' 참조.

587 사흉(邪兇): 간사하고 흉악한.

588 기롱(譏弄): 빗대어 놓고 실없는 말로 희롱함.

589 견집(堅執): 마음을 굳게 먹음.

590 저기: 적이, 조금, 얼마.

591 잔 졸와: 필사본에는 '잔치예 와'로 표기되었으나 문맥상 이해가 되지 않음. 〈서궁일기〉의 '잔조롸'가 옳을 것 같아 차용하여 고침. '졸와'의 원형은 '졸오다'. '조르다'의 옛말. 문맥상 '잔 졸와'는 '거듭 조르다'로 해석됨. 간절히 조르다, 간절히 달래다, 간절히 타이르다.

592 졸고: 졸아들다, 줄어들다, 작아진다.

아니 대답지 못하오셔 대답하오시되,

"천지간에 없은 대변(大變)을 만나 아바님과 만 동생을 죽였으니[594], 내 자식의 일로 어버이게 큰 불효(不孝)가 되었으니 천지간에 용납지 못할 줄 알되, 대군이 자란 것이면 자식을 내어주고 어버이 동생을 살와지라 함이 옳을 것이로되, 당시 슬하를 떠나지 아냐 칠팔 세 아해 동서(東西)도 불분[595]하니 이러매 당초에 대군으란 다려다가 종 삼아 제 나흘 맛게[596] 하시고, 아바님과 동생을 살와지라 하고 내 머리털을 친히 버혀 친히 글월 써 보내니 받지 아니하고 어찌 이런 말을 하시나이까? 어린 아해 알 배 아니니 어른의 죄 아해게 당하리이까."

하시니 답하되,

"선왕이 어엿비 여기라 하오신 유교(遺敎)도 겨오시니 대군으란 의심도 마라소서. 머리털은 두지 못할 것이라 도로 드리나이다."

하여늘,

"아버님 없으신 일은 간장이 베이는 듯하나 나라 법이 중하여 마음으로 살오지 못하나, 이 아해는 선왕의 유자(遺子)이니 그러나 생각함이 계실까 하더니 새로이 그런 말을 하시니 선후(先後) 말이 다름을 설워하나이다. 어린 아해를 어데 가두리이까? 내 안고 한가지로 죽을 뿐이언정 내어 보내기는 차마 못할소이다."

하오시니, 또 글월 써 보내되,

---

593 애: '창자'의 옛말. 간장(肝腸).

594 아바님과 만 동생을 죽였으니: 인목대비의 부친 김제남이 6월 1일 사약을 내려 서소문(西小門)안에서 죽게 하였다. 김제남의 세 아들(김래-金琜, 김규-金珪, 김선-金瑄)과 사위 한 명이 모두 곤장 아래에서 죽었다. 인목대비는 부친이 사사된지 3일째 되는 날 오시에 소식을 들었다. 『광해군일기』 권67, 광해군 5년(계축, 1613) 6월 1일(무자); 6월 4일(신묘) 참조.

595 불분(不分): 구분하지 못함.

596 나흘 맛게: 나이를 마치게. 즉 목숨이 다하도록.

"아모라타 아해 안다 하오며 문밖에 피접[597]나는 일도 예부터 있으니, 이도 그만 여기오셔 내어 보내오소서. 조정이 하 보채니 마음을 적이 눅이옵게 하는 일이옵지 해로운 일이 있사올까 근심 마라소서."

하였거늘, 대답하오시되,

"날을 보오실 거시 아냐 대전도 선왕 아다님이옵시고 대군도 아달이니, 정(情)에 차마 해(害)하미 계시리이까. 다만 대군이 열 살이 못 하여서 대전이 아라시다시 한 번 밖에 피접냄도 없으니 어린 것을 어데다가 두리이까? 대전이 누라오실[598] 탓이니 선왕을 생각하오샤 인정을 살펴보소서."

하니 또 대답하되,

"문밖에 내옵소서 하다 생심이나 멀리 보내여 두리이까? 이 서문[599] 밖에 궐내 가까온 데 벌써 집을 잡았으니, 오히려 궐내에 두고서는 조정이 마양[600] 보채어 업시하여지라[601] 날마다 서너 달을 아니 보챌 날이 없으니, 내 비록 아니 듣고자 하나 조정이 요란하니 문밖에 내어 그 마음을 싀원케 함이 좋은 일이오니 어련히 대군을 끌이리이까[602]? 거짓말이 아니 되리이다. 백 번 믿어 내어 보내소서. 좋도록 하리이다."

하거늘, 또 대답하오시되,

"여러 번 이리 하옵시니 설운 중에도 더욱 망극하고, 선왕을 생각하고 옛날 국모(國母)라 하시던 일을 생각하시니 감격하거니와, 다시옴[603]

597 피접(避接): 병중(病中)에 자리를 옮기어서 요양함.
598 누라오실: 누르실. 본문에서는 대신들의 여론도 왕이 누르고 결정할 수 있음을 말함.
599 서문(西門): 서소문(西小門)을 가리킴. 죄인이나 송장을 내보내던 문이다.
600 마양: '번번히'. '매양'의 옛말.
601 업시하여지라: '없이하면 좋겠다'의 옛말.
602 끌이리이까: 원형은 '끄리다'. '좋도록 감싸다'의 옛말.
603 다시옴: '다시금'의 옛말.

대전도 생각하여 보소서. 사람이 자식을 하 두고도[604] 하나만치 귀히 여기거늘, 나는 두 어린 아이를 두고 선왕이 없아시니, 기시[605] 죽을 일이로되 살았음은 어린아이를 정(情)에 차마 버리고 죽지 못하여 명이 붙어 있다가, 오늘날 또 이런 일을 보오니 대왕을 위하야 죽지 아니하고 살아삽던 죄로소이다. 죽을 분[606]이언정 차마 혼자 내어보내고 살리이까? 날을 쫓아 보내어든 한가지로 나가리이다."

하옵시니, 또 하되,

"이 말씀은 그르옵시니이다. 대군이 안에 있으면 오히려 조정이 노(怒)하여 죽여지라 할 것이니, 나는 전[607]을 보오나 대군을 보오나 좋은 일을 보고자 하옵더니, 마침내 이리 듣지 아니하옵시면 나도 내 마음으로 못하여 조정이 하는 대로 하올소이다. 이제 내여 보내옵시면 살게 하려니와 이리 막고 아니 내어 보내옵시면 살지 못하오리다."

하 저혓거늘[608] 시위인이며 모다 여짜오되,

"처음부터 흉한 마음을 내어 각색(各色) 말을 받아 여러 번 니라오니 마침내 이기오실 줄이 아니오니 좋을대로 대답하소서."

하오니,

"내 차마 어린 아해를 내어보내리. 당초의 이런 일이 있을까 하여 내 먼저 죽으려 하였더니, 늙은 내인들이 하 설워하며 나 곧 죽으면 내인을 하나도 살와 아니 둘 것이니 오래 산 내인도 어엿비 여기라 하거늘 설음을 참아 살았다가, 아바님과 동생을 죽였단 말을 듣고 지금 살

604 하 두고도: '하'의 원형은 '하다'. '많다'의 옛말. 많이 두고도. 여럿을 두고도.

605 기시: 그때. 그 당시에. 본문에서는 선조가 승하한 때를 말함.

606 분(分): 분수(分數)의 줄인 말. 사람으로서 일정하게 이룰 수 있는 한계. 본문에서는 '아들(영창대군)이 죽을 운명이라면'으로 해석됨.

607 전(殿): 대비전. 즉 대비(인목왕후)를 가리킴.

608 저혔거늘: 원형은 '저히다'. '두렵게 하다', '위협하다'의 옛말.

았으니, 또 어찌 대군을 내어주고 눌을 믿어 살 길이 있으리. 빌어도 들을 길이 없고 내어 보내자 하니 차마 못할 일이니 천지간에 이 설움이 어떠하랴. 나는 결단할 말을 차마 못 할노라."

하오시니, 사이의 내인에게 글월 써 보내되,

"너희 전을 시위하여 각색 모책(謀策)을 다 하다가 일이 나타났거늘, 뉘 탓이라 하고 이제 대군을 아니 내어주나니."

하였거늘 사람이 산긔하여609 우히 여짜오되,

"각색 흉한 마음을 해포610 장(藏)하였다가 이제 대란(大亂)을 지어내어 내외(內外) 가문611이며 내인을 다 내여 죽였삽고, 또 대군을 내라 하오니 망극 가이없삽기야 어데다가 니라오리이까마는, 하늘이 무슨 허물을 보사 이런 애매한 일을 만나게 하오되 돌아봄이 없어 날로 망극한 말이 오오니 이기지 못하올실 것이오니, '문밖에만 내어 주어지라.' 하올 제 내어 주오소서. 범은 만나되 하올 법 있거니와 이 범은 피키 어렵사오니 수이 허하오셔 사람의 목숨을 잇자오소서."

하오니, 우히 더욱 애통망극함을 이기지 못 하오심이 비길 데 있으리오. 또 내관으로 전어(傳語)하되,

"어서 내라. 더대 내면 죄 크리라."

하여늘, 그제야 이기지 못할 줄 아오시고 대답하오시되,

"대군을 좋이 있게 하마 여러 날 말 부리오시고 내전에서 속이지 말라 극진이 적어 계시니 나의 설움을 어대 어흘하여612 말을 하리이까마는, 대군을 선왕(先王)의 유자(遺子)라 혜사613 천생(天生) 제 나흘 안

609 산긔(喪氣)하여: 기운을 잃음.
610 해포: 한 해가 조금 넘는 동안.
611 내외(內外) 가문(家門): 본가(本家)와 외가(外家).
612 어흘하여: 원형은 '어흘하다'. '잡다'의 옛말.
613 혜사: 원형은 '혜다'. '생각하다', '계산하다'의 옛말.

보[614]하여 살게 하마 재재[615] 하오시니 이 말을 표[616]삼아 내어보내려니와, 아바님과 동생을 죽였으니 섧다 하여 측량(測量)하여 니라리이까. 이제 둘째 동생과 어린 동생이 살았다 하니, 마침내 이 두 동생이나 살와[617] 주시면 대군을 내어보내리이다. 설니[618] 죽은 중에 절사[619]나 아니하게 비나이다."

하오시니, 그제야 깃거[620] 대답하되,

"이 두 동생으란 좋이 살게 하리이다. 대군을 수이 내어보내소서. 종이며 기용(器用)이며 궐내에 있던 대로 갖추어 보내시고, 생심(生心)도 다른 길로 나가지게 말고 저 살던 것을 덜어 보내지 말으소서. 피접 나가니 도곤[621] 편코 좋으시리이다. 날마다 안부 사람도 통케 하리이다. 먹을 것도 보내소서. 하시는 대로 보내오시고, 하고자 하시는 일도 다 하리이다."

하더라.

이러한 후 이튿날 장정내관[622] 여라믄 다 안으로서 사잇문 열고 장정 내인 둘, 감찰상궁(監察尙宮) 애옥[623]이·꽃향이·은덕이·갑이, 색장

---

614 안보(安保): 안전보장(安全保障)의 줄인 말. 외부의 침략이나 공격으로부터 안전을 지키는 일.

615 재재(再再): 거듭해서. 여러 번 당부함.

616 표(標): 표본의 약칭, 증거로 삼는 것.

617 살와: 원형은 '살오다'. '살리다'의 옛말.

618 설니: 원형은 '셜다'. '섧다'의 옛말.

619 절사(絶嗣): 후세가 끊겨 대를 잇지 못함.

620 깃거: 원형은 '깃거하다'. '기뻐하다'의 옛말.

621 도곤: '~보다'. '~보다도'의 옛말.

622 장정내관(壯丁內官): 나이가 젊고 기운이 좋은 내관.

623 애옥: 인조반정 직후 대비는 수난시절 악행을 행한 내인 40여 인을 죄 줄 것을 하교했다. 실록에는 '애옥'이 직접 거명되지 않았으나 『연려실기술』에는 중도부처(中途付處, 한 곳을 지정하여 머물게 하는 형벌)한 내인들 중에 이름이 있다. 『인조실록』 권1, 인조 원년(계해, 1623) 3월 25일(을묘). 『연려실기술』 권23, '중도부처된 사람들'

하인[624] 셋, 무수리 둘, 저믄[625] 내인 예닐곱이 넘어오니, 우리 게 내인들은 하 두려 구석구석 들었더니, 그년들이 와서 침실에 올라앉으며 닐오되,

"무엇이 못 차며 무엇이 나빠 이런 일을 하신고? 대군 곁에 천 없던가, 명례궁[626]에 천 없던가? 대비도 바치시고 대군을 살오시던들 어찌 하여 이런 역모(逆謀)를 하실고? 아해 알가마는 저즈렀거든 뉘 탓이라 할꼬? 어서 내어보내소."

하고, 말이 하 흉악 포악하니 사람이 차마 어이 들으리오. 말이 나지 아녀 잠잠코 있으니 저희 또 꾸짖고 닐오되

"고지[627] 말로 들었으니 입 있어 대답할 말이 있는 것이라 대답 할까. 여러 말 없어 하시니 더욱 옳다. 너희 내인들이 대군을 수이 나시게 하여야망정 행여 더대 내어 주오시면 너희 내인네 겨레[628] 아오라[629] 죽을 것이니 알라."

하더라.

우히 것마라[630] 죽어 계오시다가 인사를 차리오셔 겟내인[631] 우두자[632] 너덧 사람을 들어오라 하오셔 닐오시되,

참조.

624 색장하인(色掌下人): 궐내에서 편지를 전하는 내인. 부록 '조선조 궁녀 제도' 참조.
625 저믄: '젊은'의 옛말.
626 명례궁(明禮宮): 당시 경운궁에 있던 왕비의 토지를 관리하는 궁방(宮房)을 말함.
627 고지: '곧은', '바른'의 옛말.
628 겨레: '즉시(卽時)'의 옛말.
629 아오라: '아울러'의 옛말
630 것마라: '까무라치다', '기절하다'의 옛말.
631 겟내인: '게'는 '거기'의 준말. '겟내인'은 '거기의 내인'이다. 본문에서는 '광해군 측의 내인'을 말함.
632 우두자: '우두'는 '머리'의 옛말. '우두자'는 단체나 조직의 장 또는 수령. 두목. 보스.

"너희도 사람이니 현마 나의 애매코 설워하는 줄을 모를다. 내 무신년(戊申年)에 죽지 아니코 살았기는 대전 선왕 자[633]이신가 하여 두 어린아이를 의탁하여 평안히 살릴까 하더니, 여려 해를 두고 하루도 편할 날이 없이 백 가지로 근심하여 사더니, 흉적(凶賊)을 만나 천지간에 용납 못할 대역(大逆)의 말을 내게로 미뤄오니, 하늘이 무지(無知)하사 이리 애매할 줄을 말 아니하니 무슨 말을 하리오. 이제 날을 다 하다[634] 하고 밖으로는 아바님과 동생을 없이하였고 안으로는 근시내인(近侍內人)을 다 내어 죽였으니, 이 어린 것의 몸에는 죄 미칠 일이 아니로되, 또 대군을 내라 하니 내 너희 알패[635]서 고대 죽어 뵈야 찰히 이런 망극하고 설운 말을 듣지 말고저 싶으되, 대전 말과 내전 말이 내 귀에 있고, 내인이 증인이 되었으니 인군(仁君)이 현마[636] 국모를 속이며, 범인(凡人)에 비길 배 아니라. 여러 번 정녕[637] 한 말이 있으니 백 번 믿고 대군을 내어보내려니와 두 저믄 동생을 놓아 주셔든 어마님을 뫼셔 선조(先祖)의 제사나 잇게 하고 대군을 내어보내려 하노라. 이 말대로 대전과 내전께 전하라."

하오시고 애통하오시니 사람이 어이 차마 들으리오마는 그년들은 므흔[638] 말을 쾌히 하되,

"이대도록 아니하오시다 대전이야 어련히 하오시리까? 수이 내어보내오소서."

---

633 선왕 자: 선왕의 아들. 본문에서는 대비(仁穆王后)가 남편(선조)이 승하했을 때 죽지 않고 살았음은 지금의 임금이 선왕(선조)의 아들(광해군)이라고 믿었기 때문이라는 뜻임.

634 날을 다 하다: 날이 다하다. 끝이 나다. 남은 날이 없다.

635 알패: 원형은 '앒(前)'. '앞에'의 옛말.

636 현마: '설마'의 옛말.

637 정녕(叮嚀): 정말로. 틀림없이.

638 므흔: 원형은 '므흐다'. '기구(崎嶇)하다', '험(險)하다'의 옛말.

하더라.

내어 보내오시기를 참아 못하오샤 무한(無限) 통곡하오시더니 두 아기시는 곁에서 우옵시고 우히 하옵시되,

"하늘아! 내 무슨 죄를 지었관대 하늘이 이리 쉽게 하시는고."

하오사 하 설워 우옵시니, 비록 철석(鐵石) 같은 마음인들 어찌 눈물이 나지 아니하리오마는 장정내인들이 낌낌이[639] 앉아서,

"너희 울어 들리오면 대군을 아니 내어 주오실 것이니 좋은 낯으로 어서어서 들어가 여짜와야망정, 행여 설운 낯으로 가면 다 죽게 하리라."

저히니, 각각 눈물을 감초고 들어가 여짜오되,

"벌써 범에게 등을 벗지 못하게 되었사오니, 병 드오신 본겯[640]이 지금 살아 계오심은 우흘 전혀 믿어 살아 계오시니 부원군 뼈도 잘 못 간사하여 계오실 것이오. 두 오라바님이나 살려 주셔든 제사나 잇게 하오시고 쉽사오심을 져근덧 참사오셔 내어 보내오소서."

날은 늦어가고 어서 내라 곰배님배[641] 재촉하고 또 안으로서 내인이 나와 재촉하니, 하늘을 깨칠 힘이 있다 어찌 그 때에 이기리오. 져근덧 늦어가니 우리 시위인을 각각 꾸지자며,

"너희가 이리하야 못할 것이니 우리 들어가 대군을 아사[642] 다려오리라. 너희가 하나히나 살까보자."

하고, 들이다라려 한데, 어른 변 상궁이 다시 들어가 여짜오되,

"안팎이 장정을 보내었고 밖에는 금부[643]하인이 쇠사슬을 들고 위

639 낌낌이: '틈틈이'의 옛말.
640 본겯: 왕비의 친정. 본문에서는 인목대비의 어머니를 가리킴.
641 곰배님배: '자꾸자꾸', '앞 뒤 계속해서'의 옛말.
642 아사: 원형은 '앗다'. '빼앗다'의 옛말. 빼앗거나 가로채다.
643 금부(禁府): 의금부(義禁府). 왕명으로 죄인을 추국하고 정사(政事)를 관장하는 관아.

립644(圍立)하였고, 내인 다려가려 의녀대(醫女隊) 대령하였으니 우리 죽음은 쉽지 아니하오되, 우히 믿자오실 이 없이 이 늙은 것을 믿어 계오시고 소신(小臣)도 우흘 믿자와 실 같자오신 옥체(玉體)를 행여 불행한 일을 보아도 소인이 살아삽다가 정으로 하옵고저 바라와 죽지 아니코 살아삽더니, 대군 아기시를 저리 아니 내어주오시니 이제야 죽을 곳을 아올소이다."

우히 니라오시되,

"너희는 내인인 전차로 자식의 정을 모르는도다. 정에 차마 내어 주기를 못할노라."

하오시더라.

일변(一邊)으로 대군 뫼온 내인들이 대군 아기시를 달래되,

"사나흘만 피접 났다가 올 것이니 보선 신고 웃옷 입고 날 좇아 나가옵사이다."

하니 니라시되,

"죄인이라 하고 죄인 나드는 문으로 내어가라 하니, 죄인이 보선 신고 웃옷 입어 쓸데없다."

하셔늘,

"뉘셔 그리 니라옵더니이까?"

대답하시되,

"남이 일러 알까, 내 다 알았네. 서소문(西小門)은 죄인 나드는 문이니 나도 죄인이라 하고 그 문밖에다 가두려 한다."

하고,

"나와 누우님 조차 가면 가려니와 내 혼자는 못 갈노라."

644 위립(圍立): 빙 둘러섬.

하시니, 우흔 더욱 천지 망극히 우오시더라. 어서 내라 재촉하며,

"아니 내어주거든 내인을 다 잡아내라."

발발[645] 사람 부리더라. 대군 뫼온 김 상궁을 겟내인이 잡아내어,

"더욱 울고 아니 뫼셔 내니 하옥하라."

하신다 하니,

"아모리 달래어 나가사이다 이대도록 하되 저리 우라시고, 죄인 나드는 소서문으로 나가라 하시니 아모리 아기시낸들 이렇듯 하거든 어찌 이리 핍박[646]하야 보채는고? 내 뫼셔 나갈 것이니 져근덧 물러서라."

하니라.

날은 늦어가고 하 민망하여 힐우다가[647] 못하여 우흔 정 상궁이 업삽고, 공주 아기시는 주 상궁이 업삽고 대군 아기시는 김 상궁이 업사왔으니 대군이 하시되,

"웃전과 누으님과 먼저 서시고 나는 뒤에 서지라."

하셔늘,

"어찌 그리 서라 하시는고?"

하니,

"내 먼저 서면 날만 내고 다 아니 나오실 것이니 나 보는 데서 가압사이다."

하시더라.

우흔 짓 의대[648]에 짓보[649] 덮삽고 두 아기시는 남보(藍褓)를 덮사와

---

645 발발: '겹겹이'의 옛말.

646 핍박(逼迫): 형세가 매우 절박하도록 바싹 닥쳐 옴.

647 힐우다가: 원형은 '힐우다'. '힐난(詰難)하다'의 옛말. 트집을 잡아 거북할 만큼 따지고 듦.

648 짓 의대: '짓 의대'는 '거상의(居喪衣)'의 옛말. '거상'은 상(喪)중에 있음을 말함. '거

각각 업사와 자비문에 다다라더니, 내관이 십여 인이나 엎대여[650],

"어서 내옵소서."

바야더니,[651] 우히 내관더러 니라오시되,

"너희도 선왕 녹(先王祿)을 오래 먹고 살았으니 현마 어이 참측(慘惻)한 마음이 없으랴. 사십여 년을 정위[652]에 자식을 못 보아 계오시다가 병오년(丙午年)에 처음으로 대군을 보오시고 기쁘고 사랑하오심이 가이 업사오시나, 당시 강보에 싸인 것을 무슨 뜻을 두어 계옵시리. 한갓 자라는 이름만 듣고자 하오시다가 귀천(歸天)하오시니 내 기시(其時)에 재궁[653]을 좇아 죽던들 오늘날 이 설운 일을 보랴. 이것이 내 죽지 아니코 살았던 죄라. 어린아이 동서도 알지 못하는 것을 마자 잡아내니 조정이나 대간[654]이나 선왕을 생각하오면 이리 쉽게 하랴."

하오시고 하 애통하오시니, 내관이 눈물을 씻으며 입을 열어 말을 못하고 한갓,

"어서 내옵소서. 우리가 모르리이까마는 이럴 일이 아니라."

하더라.

저집 내인 연갑이는 우 업사온 내인의 다리를 붙들었고, 은덕이는 공주 업사온 주 상궁 다리를 붙들어 옮겨 드대지 못하게 하고, 대군 업사온 사람을 앞으로서 끄어 내고 뒤으로서 밀쳐 문밖에 내고, 우리만 다 밀어 들이고 자비문짝을 닫으니 그 망극함이 어떠하리오. 대군 아

상의'는 상중에 있는 옷으로 굵은 삼베로 지으며 바느질을 곱게 하지 않는다.

649 짓보: 생무명으로 만든 보자기.

650 엎대여: 원형은 '업대다'. '엎드리다'의 옛말.

651 바야더니: 원형은 '바야다'. '재촉하다'의 옛말.

652 정위(正位): 적당한 지위. 본문에서는 임금의 정실(正室) 비(妃)를 가리킴.

653 재궁(梓宮): 임금, 왕대비, 왕비, 왕세자들의 유해를 모시는 관(棺). 옛날 중국에서 가래나무로 만들어 썼으므로 이렇게 일컬음.

654 대간(臺諫): 사헌부(司憲府), 사간원(司諫院)의 벼슬.

기시만 문밖에 업혀 나서서 업은 사람의 등에 머리를 부딪쳐 울으시며,

"마마 보세."

하다가 못하여,

"누오님이나 보세."

하시고, 하 애를 타 설워하오시니, 곡성이 내외에 천지진동(天地振動)하여 눈물이 땅에 가득하니 사람들이 눈이 어두워 길을 모르러라.

아기시를 문밖에 내어 호위하여 환도(環刀)·화살 찬 군장(軍將)이 위립(圍立)하여 가니, 그제야 울기를 그치고 머리를 숙여 자는 듯이 업혀 가시더라.

우흔 도로 들어와 계오사 하늘을 웨여[655] 애통하오서 여러 번 기절하오시고, 사람 없은 때에 결항[656]도 하오시며, 자경[657]도 하려 하오셔 사람을 퇴(退)라 하오시니, 변 상궁이 아옵고 주야(晝夜)를 떠나지 아녀 서로 체번[658]하야 앉아서 각색으로 위로하야 여짜오되,

"본곁이오시나 우히오시나 본데 적선(積善)의 뜻을 먹사오셔 사람을 하나도 해 하오심이 없아오시니, 하늘이 무삼 허물을 보오신지 이런 설운 일을 보게 하시니, 이 설움을 반다시 벗자오실 것이오. 대군이 당시 열 살도 못하오시니 현마 이제 죽이오리이까? 문을 열면 자로 안부나 아니 듣자오시며, 우히 살아 계오셔야 본곁 제사(祭祀)며 우리 아니 거느리오시리이까? 늙삽신 본곁이 눌을 믿고 살아 계시리이까? 아드님 위하야 고히 죽고져 하오시나 부모께 차차[659] 불효(不孝)가 되니 어마님

655 웨여: 원형은 '웨다'. '외치다'의 옛말. 큰소리로 외쳐.
656 결항(結項): 목숨을 끊기 위하여 목을 매어 다는 일.
657 자경(自剄): 자문(自刎). 스스로 목을 찔러 목숨을 끊음.
658 체번(替番): 순번을 서로 번갈아 교대함.
659 차차(次次): 어떤 상태가 조금씩 일정한 방향으로 진행되는 모양.

을 돌아보오셔, 손조 죽고저 하오심을 풀어 먹사오사 저근덧 견데여 문이나 열거든 본곁을 만나오사 애매코 설운 말삼도 통하오시고, 공주 아기시도 일변 자손이오시니 비록 따님이오시나 버리고 죽사오시면 어데 가 눌을 의지하야 살으시며, 이제 척[660]에게 가 붙여 의지하야 살으시면 당신이 자라신들 그 쉷기를 어데 가알하시며[661], 어린 사람이라도 동생의 살울 일을 잘못하거든, 하믈며 우흘 잡아 없이하옵고 대군을 죽이옵고, 누우님을 언제 좋이 살게 할까 싶으니이까. 이제 반다시 사특(邪慝)한 일로 잡아 마자 없이할 것이니 우히 국모가 되어 계오사 두 자손을 두어 계오시던 일은 묻히이고, 가슴 사이에 방정과 역모하오시다가 발각하여 죽사오시다 사책(史冊)에 쓰이올 것이니, 인간의 견대기 어렵사온 추추[662](啾啾) 쉷사온 일이 다시 없아오나 훗 이름이나 아니 생각하오시리이까. 이 어리고[663] 미혹(迷惑)한 즘생 같자온 소견에도 이러하오니 애통을 참사오셔 적이 눅여 생각하오소서."

하니,

"낸들 무슨 혬이 없으며 더러운 이름을 씻고저 아니랴마는 하 설워 애를 써 타난 듯 간장이 졸고 심간(心肝)에 불이 붙는 듯하니, 후일 생각 없고 이 인간을 어서 여희고져[664] 하야 손조 죽고저 하노라."

하오시고 촌각(寸刻)도 곡읍[665]을 그치지 아니하오며, 식음을 나으디[666]

660 척(戚): 고종(姑從), 이종(姨從), 외종(外從) 등 성(性)이 다른 겨레붙이의 관계.

661 알하시며: '알외다', '아뢰다', '고하다', '사뢰다', '웃어른께 말씀을 올리다'. 본문에서는 "공주가 혼자 살아가는 동안 서러운 일들을 어디에 가 말할 수 있겠는가"라는 뜻임.

662 추추(啾啾): 벌레 새 등이 처량하고 구슬프게 우는 소리. 구슬프고 처량함.

663 어리고: 원형은 '어리다'. '어리석다'의 옛말.

664 여희고져: 원형은 '여희다'. '여의다', '이별하다'의 옛말. 이별하고자.

665 곡읍(哭泣): 소리 내어 슬피 욺.

666 나으디: 원형은 '나으다'. '바치다'의 옛말.

아니하오샤 한갓 냉수와 어름 뿐 마시오시고, 날마다 어마님 안부와 대군 안부를 문 여러 주거든 아라디라[667] 보채오시되, 대군은 좋은 말로 하 달래여 내어 가시매 하루 한 번씩 내수사(內需司)로 문안만 알아 자로 니라라 하고, 자실 음식이나 내어주면 금군[668] 군사 아오라[669] 낱낱이 펴 뒤적여 보고 대전 내전이 가져다가 쉬문[670]을 본 후라야 대군께로 가져가더라.

이리한 한 달 만에 대군을 강화(江華)로 옮기되, 니라도 아니하고 늦도록 안부 사람도 오지 아니하거늘, 가장 수상히 여겨 새로이 근심하고 아기시께 보낼 실과(實果)며 고기를 싸고 담아 침실에 놓고 즐기던 실과란 죠희 자루에 넣어 곁에 놓아두고,

"어찌 오늘은 지금 안부도 아니 오는고? 필연 연고(緣故) 있도다. 아모려나 높은 데 올라 길이나 알고 오라."

하오셔늘, 전(殿)의 침실 하였던 다락에 서서 다히[671]로 바라보니 사람이 새문성[672]을 둘렀고, 성 위에 올라 굿보는 자[673]가 수를 모르게 섰고, 화살 차고 햇빛 같은 창·환도 가진 이 수 없고 길가는 거동으로 말 탄 사람이 많더라.

바라보고 하 가이없어 눈물을 나는 줄을 몰라, 마침내 보려하되 종적을 알지 못하였더니, 이윽고 검은 발로 덩[674] 같은 것을 메고 내인

667 아라디라: '디라'는 '것이라'의 옛말. 알고 싶다. '~지라'는 '~하고 싶다'의 뜻임.
668 금군(禁軍): 고려와 조선 시대에 궁중을 지키며 임금을 호위하고 경비하던 군대.
669 아오라: 아울러, 여럿이.
670 쉬문(搜問): 수소문(搜所聞). 세상에 떠도는 소문을 두루 찾아 살피는 것.
671 다히: 근처(近處). 편, 한 쪽.
672 새문성: 돈의문(敦義門)의 속칭. 서울 서쪽의 정문(正門)으로 사대문(四大門)의 하나. 사궐(四闕) 앞 조금 서쪽의 마루턱에 있었으나 지금은 헐리고 없음. 서대문. 새문이라고 통칭함.
673 굿보는 자: 구경하는 사람.

두엇이 말 타고 무릅쓰고[675], 오는 소리가 전에 듣던 소리여늘, 그제야 일정 죽이옵도다 여기고 나려와,

"아모데온동 종적을 아지 못 하올너이다."

이리 여짜오나 설운 사색을 차마 참지 못 할러라.

밧 사람[676] 통로(通路)하는 데 있더니 게[677] 가 가만히 들으니,

"대군을 강화(江華)로 옮기니 불상하더라."

하거늘, 그제야 강화로 옮긴 줄 아니라. 수일이 지나되 안부도 오지 아니하고 강화로 옮기단 말도 니라지 아니하더라.

우흔 내인을 무한 보채오셔,

"어서 안부나 얻어 니라라."

하오신들 어데 가 들으리오. 내관더러 니라오시되,

"안부는 염려 말고 들으랴 하더니, 이제 수일이로되 안부를 모르니 어데 갔으며 어찌 언약(言約)과 다르니이까? 먹을 것을랑 마음 족족 보내라 하시거늘 들었더니, 인주[678]가 되어 현마 속이랴 믿었더니 이제야 속였으니 간 곳이나 니라라."

하오시되, 대답도 아니터라.

대군이 아니 가신 제 뫼신 김 상궁께 업혀계셔 슬픔을 이기지 못하야 울으시고,

"내 발 씻기라, 목욕 감아지라."

하셔늘,

674 덩: 공주(公主)나 옹주(翁主)가 타던 가마.

675 무릅쓰고: 해독이 어려운 부분이다. 이 부분이 〈서궁일기〉에는 '무릅고'로 되어 있다. 명쾌하지는 않지만 전후 문맥으로 보아 '물렀거라'라고 소리치는 것이 아닐까 생각됨.

676 밧 사람: 궁궐 밖의 사람.

677 게: 거기에, 그 곳에.

678 인주(人主): 군왕, 나랏님.

"아기네도 목욕 감삽는가. 못하옵나니 무슨 일 하랴 목욕을 감으랴."
하시며,

"무사 일로 저리 설워 울으시는고."

느껴 가장 설워 울으시다가 육월 스므 할리니,

"언제뇨?"

하셔늘,

"날 알아 무엇하랴 하시는고?"

"알 일 있어 묻노라."

하시고 더욱 설워 울으시거늘 좌우(左右)가 수상히 여기더니, 과연 육월 스므 하로날 내어가니라. 정신이 기특하여 알으시듯더라.

우흔 더욱 쉽사오샤 낫물[679]을 그치오시고 주야 애곡(哀哭)으로 지내오시더니, 하 권하매 콩가루를 하여 냉수에 풀어 지령 종자[680]에 잡사오면, 그도 하라 한 번씩도 아니 잡사오면, 변 상궁이 울고 간절이 알외와,

"목마름을 적시오시고 우오소서."

하와야 두어 번씩 마시오시더라.

계축[681] · 갑인[682] · 을묘[683]년 까지는 콩미시[684] 좋으니 만날 올아오라 한 번씩 잡삽더니,

"대군 기별 아라디라."

문안 오는 내관더러 아모리 일러도 들은 체를 아니터라.

679 낫물: 낟알 물. 곡기(穀氣).
680 지령 종자: '간장 종지'의 옛말.
681 계축(癸丑): 광해군 5년(1613).
682 갑인(甲寅): 광해군 6년(1614).
683 을묘(乙卯): 광해군 7년(1615).
684 콩미시: 콩미싯 가루. 콩을 볶아서 만든 가루.

대개 안으로 장정내인 십여 인과 밖으로 장정내관들 보내기는 우히 대군을 다리오시고 밖에 나가오실까 여겨, 내외에 쌓아서 밀치고 쫓아 내치고 문을 다 밀어 닫고 사이문을 탱탱 닫고 구불가도(口不可道)의 말로 꾸짖고 가니라.

내인 아희들이 우는 이 있으면 은덕이 · 갑이 꾸짖으며,

"요년들, 대군 죽으나 사나 네 무슨 아랑곳가[685]. 네 어미 네 아비네 죽거든 울고 대군 생각그란[686] 우지 마라. 우는 눈에 재 넣자."

하고 꾸짖고 치니 사람이 나다니지 못하더라.

달이 포 되데[687] 강화(江華) 옮기닷 말을 아니 하거늘, 기별 들을 길이 없어 더욱 망극히 여겨 설워하더라. 본곁이 죽어 계오신동 사라 계오신동 알지 못하여 문안 내관더러,

"문 열어 노모의 죽사리[688] 기별이나 듣고 죽게 하라."

비오시니 백 번이나 하여도 대답도 아니 하다가, 여러 번 하니 내관을 꾸짖으되,

"역적의 집이라 하는 것은 족멸(族滅)하고 그 집을 못 파고 못 살게 하는 것을, 내 견집[689]하여 그저 있고 내수사(需司)에 양식 · 나모[690] 들여 지내게 하였지, 이리 어자러이[691] 문 열어 기별 들어지라 하시게 하

---

685 아랑곳가: 아랑곳 할 것인가, 남의 일에 나서서 간섭이나 알려고 할 것인가.

686 그란: '~으란'의 옛말. '~은', '~을랑'.

687 달이 포 되데: 한 달이 조금 넘는 기간.

688 죽사리: '죽살이'의 옛말. 생사(生死). 김제남이 사사당한 날에 그의 아내 노씨(盧氏)가 맨발로 대비가 거처하는 궁궐 담 밖에서 대비의 어린 시절 이름을 부르면서 '아비를 죽이는데 구해주지 않는가' 하며 울부짖었다. 그러자 상이 그의 집에 가두라고 명하였다. 그후 광해군 8년(병신, 1616) 최기의 옥에 연루되어 김제남을 추형하고, 노씨는 제주도에서 8년 동안 안치되었었다. 부록 등장인물 '최기' 참조. 『광해군일기』 권67, 광해군 5년(계축, 1613) 6월 1일(무자) 참조.

689 견집(堅執): 굳게 지니는 일. 고집함.

690 나모: '나무'의 옛말.

나니. 너희 내인들 국국히[692] 앉아서, '어버이 기별 들어지라.' 전(殿)을 보채오니 이리 하는도다. 다시 이런 말하면 너희를 다 죽일 것이니 이르지 말라."
하더라.

또 이해 가을에 문 열어 달라 날마다 내관에게 일러 보채오시니, 천 번에 한 번도 대답지 아니하다가 내관으로 전어(傳語)하되,

"그렇다 한 해 두 해 닫아 두며, 삼 년을 닫아두랴. 못 잡은 죄인 박치의(朴致毅)[693]를 마자 잡고 문을 열마."
하였더라.

탄일(誕日)이 다다라 내전에서 별문안(別問安) 내관을 부렸거늘 대답하오시되,

"옛날 양자[694] 보옵던 일을 생각하옵시니 감격하거니와 나도 사람이오 전도 사람이니 인정은 다 한가지니이다. 온가지 일을 다 탈을 하다 하고 어버이 동생이며 다 내어 죽이었고, 대군을 마자 내어다가 아모데 갔다 말도 듣지 못하연지 하마 해 되었으니 설움이 비길 곳이 없으되, 목숨이 죽지 못하여 살아서 노모의 안부나 듣고저 주야(晝夜) 바라니 문을 열어 안부나 듣고 죽게 주선하여[695] 잠근 문을 열어 주셔든 지

691 어자러이: 원형은 '어즈럽다'. '어지러이', '번거롭게'의 옛말. 전일 선조는 영창대군을 사랑하여 재산을 많이 주었다. 대비가 김제남에게 관리하도록 하였는데 그가 패하자, 나졸과 간사한 백성들이 다투어 재물을 가져갔으며 관청에서도 그의 집을 몰수하였다. 어머니 노씨는 노비 하나만을 데리고 집을 부수어 밥을 해 먹고, 도성사람들 중엔 이를 불쌍히 여겨 밤에 몰래 쌀과 간장을 주었기에 살아갈 수 있었다 한다. 『광해군일기』 권67, 광해군 5년(계축, 1613) 6월 1일(무자); 『연려실기술』 권21, 최기(崔沂)의 '해주옥사' 참조.

692 국국(鞠鞠)히: 존경하는 뜻으로 몸을 굽힘.

693 박치의(朴致毅): 조령에서 은상인(銀商人) 타살사건을 일으킨 도적의 한 사람. 부록 등장인물 참조.

694 양자(樣子): 얼굴의 생긴 모양.

하(地下)에 가도 잊지 못하고 죽어도 눈을 감아 죽으리이다."

하오시니, 대답도 아니하더라.

이 해 정초(正初) 다다랐더니 문안내관에게 또 이렇듯 니라오시되 대답도 아니 하더라.

내인이란 것은 본대 이 구윗[696] 일만 하고 밖에 어버이 동생이 제 세사(世事)는 돌아보는 것이라, 해 거의 지나 대문 열 그음을 몰라 답답 민망하여 저희 입성[697]의 것도 당초에 죽을동 살동 알지 못하여, 행여 불행한 일이 있어도 저희 거사로나[698] 주검을 싸게 하려하고, 우히 대군과 한가지로 죽으랴 하오시매 사생을 알지 못하야 행여 입을 것 외에 다 내여 보내였더니, 사태(事態)를 헤아리니 상하에 손조 죽음이 가(可)치 아녀 일시에 다 살았으니, 해 포 되어 가매 하 민망하여 자비내관에게 모든 내인이 아모리 빌어도 들은 체 아니 하고 들어 줄 데 없어 내인들이 구석구석에서 울거늘, 나라해서 내인을 입을 것을 주오시고,

"설움을 저근덧 견데라. 나는 나라히 되어서 남에게 잡힌 배 되어 하루 두 번씩 본곁 안부를 알고, 일시를 떠나지 아니코 주야 내 곁에 있던 대군을 내어 주었으니, 저근덧 너희도 답답함을 견대고 어자러이 내관다려 통치 말라. 행여 알 길이 있으면, 이리 철통같이[699] 한번 기별도 통치 못하니 설워하는 줄은 모르고 상하(上下)에 기별이나 듣고 좋이 있는가 여겨 범의 위엄을 더욱 낼 것이니, 조심하여 살고 틈집하

695 주선(周旋)하여: 원형은 '쥬선하다'. 일이 잘되도록 여러 가지 방법으로 두루 힘을 써줌.

696 구윗: 원형은 '구위'. '관청'의 옛말. 본문에서는 궁궐에서 자신에게 맡겨진 소임을 말함.

697 입성: '옷'의 옛말.

698 저희 거사로나: '저희'는 '자기들'의 옛말. 자기들 것으로나.

699 철통(鐵桶)같이: 쇠로 만든 통과 같이 조금도 빈틈이 없이 튼튼하다. 본문에서는 인목대비 측을 철저하게 외부와 단절시켰음을 말함.

야[700] 기별 들어지라 말라."

백 번 당보하오시니,

"아니 하리이다."

하더라.

그래도 견대지 못하야 외행낭(外行廊)의 큰 대문이 있어 본디 다든 문이라 대 군사가(大軍士) 지키어서 빙청[701] 뜰에 사뭇 보는 데러니 혹 아비[702] 구실[703] 다니는 양을 보되 전할 길이 없어 세월을 지내더라.

당초의 환난을 념(念)밖에 만나 정전(正殿)에 계오시지 못 하여 후궁·정빙 입궁처 한 가이러니[704] 올마[705] 거적을 깔고 본곁 상중(喪中)이라 망극함을 지내오시더라.

내인 중환[706]이와 경춘[707]이란 하인은 예부터 입궐(入闕)하야 살더니

700 틈집하야: 기회(機會)를 엿보아서.

701 빙청(賓廳): 궁중어 아음(牙音)에 의하여 '빈청'을 '빙청'으로 발음함. 빈청은 조선 시대에 궁중에 있던 비변사(備邊司)의 회의실. 조선 시대에 영의정 좌의정. 우의정이 집무하던 곳.

702 아비(衙婢): 조선 시대에 각 고을 맡아 다스리던 수령(守令 관찰사. 목사. 부사 군수 등)이 사사로이 부리던 계집종.

703 구실: 문맥상 수령의 노비인 아비가 자신이 맡은 심부름을 하기 위해 궁궐 안에서 다니는 모습으로 해석함이 옳을 것 같음.

704 후궁(後宮)·정빙(靜嬪) 입궁처(入宮處) 한 가이러니: 이 부분은 필사 상태가 나빠 해독에 어려움이 있는 곳이다. 〈서궁일기〉에 '후궁의 방 입접처 한 가이러니'로 되어 있어 해독이 가능했다. 선조는 2명의 왕후와 6명의 후궁 중 2명의 정빈(靜嬪 閔氏[2남 3녀], 貞嬪 洪氏[1남 1녀])이 있었는데 그 중, 정빈 민씨에 대한 기록은 알 수 없고 정빈 홍씨는 병자호란 중에 죽었다는 기록이 있다. 본문에서 '정빈 입궁처'는 정빈 민씨나 정빈 홍씨의 처소를 가리키는 것으로 생각됨.

705 올마: 올미 풀.

706 중환(中還): 의인왕후의 시인(侍人)이었으나 의인왕후 승하 후 대비전에서 시위했다. 그녀는 인목대비가 대전(광해군)과 동궁을 저주하기 위해 기도하고, 영창대군을 구하기 위해 편지를 보냈다고 고하여 많은 사람이 희생되었다. 『광해군일기』 권74, 광해군 6년(갑인, 1614), 1월 21일(갑술) 참조.

707 경춘: 선조의 초비 의인왕후가 입궁 때에 본가에서 데려온 종으로 의인왕후 승하 후

경춘이는 의인왕후(懿仁王后) 본곁 종[708]이매 혼전(魂殿) 삼 년 후에 침실 상궁이 용타 여쭙고 드렸더니 늙은 내인들은 하되,

"본곁 종이니 이제 근측(近側)한 소임 맡기 가(可)치 아니타."

하니, 우히 듣자오시고,

"무식한 말이로다. 나라히 되여서 내 종 전 종을 달리 혜랴. 의인(懿人)본곁이 본대 용하시다[709] 들었고 의인(懿人)이 어디라심을 들었으니, 항거시[710] 용한 즉 종조차 용타 들었노라. 비록 하인이나 순직함이 제일이니 네와 이제를 차리지 말고 부리라."

하오셔늘, 침간(寢間)에 불 때는 소임을 시켰더니, 중환이는 각사[711] 사람으로서 아해 제 대궐에 들어서 뜻이 용치 못하매[712] 여러 번 영출[713] 하였더니 도로 경춘이와 한 소임을 하였으나, 중환이는 옛 하인이라 불 때는 소임을 하였고, 덕복이는 시지[714] 본곁 하인이라 도상직방[715]

영창대군 처소로 옮겼다. 박동량에 의하면 정미년 10월 선조의 병환이 위독했을 때 경춘이가 박동언(朴東彦)의 집에 와 그의 처에게 대군 궁방의 사람들은 선조 병환의 원인을 의인황후에게 돌려 유릉에 저주한 사실을 구체적으로 전하였다. 그 후 일명 '박동량 초사'라 하는 큰 옥사를 일으키게 했다. 『광해군일기』 권66, 광해군 5년(계축, 1613) 5월 16일(계유) 참조. 『광해군일기』에는 그 후 옥사가 진행되는 과정이 다음과 같이 기록되었다. "왕이 친히 국문하여 나인 경춘(景春)을 나문하였다. 전교하기를, '경춘은 곧 박동량이 끌어 댄, 유릉(裕陵)의 저주를 알고 고해준 자이다. 그 무당의 이름을 물어 보도록 하라.' 하였는데, 공초에 알지 못한다고 하였다. 왕이 경춘은 저주를 처음 고해준 자라 하여 수갑이나 칼도 씌우지 않고 하옥시키지도 않았다." 『광해군일기』 권68, 광해군 5년(계축, 1613), 7월 3일(기미).

708 본곁 종: 비(妃)나 빈(嬪)이 입궐할 때에 본가(친정)에서 데리고 들어오는 종.

709 용(庸)하시다: 성질이 어질고 순하다.

710 항거시: 원형은 '항것', '주인', '상전(上典)'의 옛말.

711 각사(各司): 경각사(京各司)의 준말. 서울에 있던 관아(官衙)의 총칭.

712 용치 못하매: 재주가 뛰어나거나 특이하지 않다.

713 영출(令出): 명령으로 나가다.

714 시지(時只): 현재, 지금.

715 도상직방(都常直房): 도제조조방(都提調朝房). 도상은 도제조(都提調)의 다른 이름

불 때는 소임을 정하였으매 옛 내인들은 하되,

"너모 사람을 믿어 저러하오시니, 어지오시기는 오히려 넘사오시나 예부터 아니 하는 일이라."

하더라.

아직 보매 흉한 일은 안 있는가 여기오시더니, 중환이 제 오라비 인위조[716]에 들어 여러 해 형추[717]하매, 대전을 원(怨)함이 날로 심하야 원악[718]을 이기지 못하야 공연히 원망의 말 곧 하면, 듣는 자가 번거타[719] 하여 생심도 그런 말 말라 하더니, 원망하는 일을 가히(介屎)라서[720] 알고 들여가 울히며[721] 달래여 가장 은근히 말하고 정을 내게 한 후에,

"너도 내 니라는 말을 들으면 나도 네 오라비를 살와 주마."

언약한 후 진상 수라 은바리[722]를 도적하야 가히(介屎)를 주었더라.

임자[723] 유월 십 팔일이 왕자(王子) 경평군[724] 생일이러니 소주방[725] 하인이 진지 받으러 간 사이를 타 중환이는 망보거든 경춘이 자문 문골희[726]를 뚫고 바리를 내여다가 가히(介屎)를 주다. 오래 사람들이 수

임. 조방(朝房)은 조신(朝臣)들이 조회(朝會) 때를 기다리느라고 모여 있는 집으로 궁궐 밖에 있음.

716 인위조(印僞造): 인장을 위조하는 일.

717 형추(刑推): 형장(刑杖)으로 정강이를 때려 가면서 신문하는 일.

718 원악(元惡): 악한 일을 꾸미는 우두머리. 매우 악한 사람.

719 번거타: 번거롭다.

720 가히라서: '~라서'는 '~이란 것이'라는 뜻임. 가히란 것이.

721 울히며: 원형은 '우리다'. 달래거나 위협하여 원하는 것을 얻음.

722 은바리: 왕이나 왕비의 은(銀)밥그릇. '바리'란 주발보다 위쪽이 좁고 우묵한 모양이며 뚜껑에 꼭지가 있음.

723 임자(壬子): 광해군 4년(1612).

724 경평군(慶平君): 선조의 11남(?~1673년). 온빈한씨(溫嬪韓氏)의 소생. 삭녕 최씨 윤조의 딸에게 장가들어 아들 1명을 얻었고, 첩에게서 3남 2녀를 두었다.

725 소주방(燒廚房): 대궐의 음식을 만드는 곳. 부록 '조선조 궁녀 제도' 참조.

근더러,

"경춘이 중환이 한 배[727]라."

하되, 침실 상궁들은 의심을 아니니 뉘라서 말을 내리오. 본디 제 동생의 일로 원(怨)하는 사람이오, 경춘이는 더욱 상궁을 보아도 꿀어 뵈고[728] 고개를 추들어[729] 말을 아니코 밖에 소리를 내지 아니매 뉘 저를 의심하리오.

복자(卜者)에게 잃은 것을 물으니,

"양자(樣子) 밤 발기하고[730] 남과 말도 아니 하는 사람이 품어다가 잠은 곳에 주었으니 얻기 가장 어렵다."

하거늘, 모다 닐오되,

"경춘이 낫치 저라니 그가 가져가다."

하되, 모다 고지듣지 아냐,

"경춘이 애꿎다[731]."

하더라.

저희는 무릇 일을 즐겨 밤마다 사이문을 열고 가서 우히 오시며[732] 아기시네 오시며 내인들 밥 떠 먹는 일을 다 가히(介屎)더러 일일이 이른 후에야 제 오라비를 놓아주니라.

우리는 저리 사귀는 줄을 몰랐더니 계축년(癸丑年) 변(變)이 나매 저희는 저리될 줄을 미리 알고 가히 복심[733]이 되었으니, 우리 보는 데는

726 골회: '고리'의 옛말.
727 한 배: 한통속. 한편.
728 꿀어 뵈고: '꿀어'는 '꿇다'의 옛말. 본문에서 경춘이는 평소에 상궁만 보아도 무릎을 구부려 바닥에 대듯이 인사하였기에 매우 순진한 것으로 생각하였음을 말함.
729 추들어: 추켜들다. 위로 들다. 들어올리다.
730 밤 발기하고: 빰이 발갛고.
731 애꿎다: '애매하다', '억울하다'의 옛말.
732 오시며: 옷을 입으신 모습 등 시시콜콜하게 말함.

남의 유(類)의 더욱 설워 따흘 허위고[734] 설워하는 형상을 하매 파벌의대[735]를 다 주고 상궁이 울고 닐오되,

"너희 둘을 우리 각별이 어엿비 여김은 의인(懿仁)마노라 종이요, 중환이는 아해 제부터 보던 것이니 너희는 살 것이니, 우리 없어도 아기시 즐기시던 실과나 명일(名日)이어든 생각하야 놓자와라"

하니 둘이 울고,

"이리 아니 하옵시다 어련히 생각 하리이까."

하더라. 속에는 칼 찬 마음을 품었어도 밖으로 설워하는 체 하니 정(正) 마음인가 믿어하더라.

임자 사월의 내인들이 모다 잔채하야 먹으며 그 전(殿) 상궁들을 청하니, 두엇은 순히 오고 가히(介屎) 병탈하고 아니 오거늘 재삼 청하되,

"중병(重病) 하였노라."

하고 마침내 아니 오더라.

삼경은 하여 혼자 가만히 침실 곁에 소주방에 왔으되, 낡은 견막이[736] 입고 족도리[737] 그어 쓰고[738] 소리 없은 것 신고 소주방에 들어서 가만히 나서 침실로 들어가려 할 마대에[739], 마침 침실 상궁이 소변 보러 나와서 침실 다히[740] 하 고요하거늘, 놀라 타전(他殿) 사람도 많이

---

733 복심(腹心): 심복지인(心腹之人)의 준말. 마음 놓고 믿을 수 있는 부하.

734 따흘 허위고: '따'는 '땅'의 옛말. '허위다'는 '후뷔다'의 옛말. 땅을 후비다.

735 파벌의대: '파(擺)'는 '벌려놓음', '진열함'의 뜻이 있고 '벌'은 옷, 그릇 등이 짝을 이루거나 여러 가지 한데 모여 갖추어진 한 덩이를 말하다. '의대(衣帶)'는 '옷과 띠'라는 뜻으로 갖추어 입는 옷차림을 말함. 문맥상 '파벌의대'는 '입고 있는 옷 외에 진열해 두었던 여러 벌의 옷을 다 주었다'고 해석할 수 있음.

736 견막이: 여자가 예복으로 입는 저고리의 한 가지. 초록이나 노랑 바탕에 자주 겨드랑이, 자주 깃, 자주 고름, 자주 끝동을 단 옷. 견마기. 당의(唐衣)보다 격이 낮음.

737 족도리(簇頭里): 부인네가 예복을 입을 때 머리에 쓰는 관(冠).

738 그어 쓰고: '끌어 쓰고'의 옛말.

739 마대에: 찰라, 경우, 때.

왔으니 행혀 잡하인(雜下人)이 들어 갈까 여겨 침실로 들어 가 보려 하니, 가히(介屎)라서 김 상궁을 보고 놀라 피하랴 애를 쓰되, 문 안에 들어가 근측(近側)한데 매피[741]할 곳을 모르고 가만히 고개를 숙이고 지게[742] 뒤으로 낯을 향하야 부드드 떨고 섰거늘, 김 상궁이 하 무서워 나와 들지 못하되, 그러나 당돌한 마음을 머금고 들어가,

"자네 뉘신고?"

하여 여러 번 물으되 대답도 아니 하고 하 떨거늘, 벌써 가히(介屎) 소작(所作)인 줄 알건마는 날이 어두오니 행여 아닌가 드립더[743] 손을 잡으며,

"자네 뉘신고?"

하 여러번 물으니 그제야,

"내로쇠"

하여늘,

"상궁이신가?"

"에, 내로세."

하여늘,

"어찌 와 계시던고?"

"데와[744] 굿보러 왔더니."

하더라.

잡아도 고(告)할 곳이 없고, 두 전[745] 사이에 어자러워올 뿐이로다 하

---

740 침실 다히: '다히'는 '~편'의 옛말. 침실 편에. 침실 쪽에.
741 매피(埋避): 숨어서 그 거취(去就)를 감추는 일.
742 지게: '지게문'의 준말. 밖에서 방으로 드나드는 외짝 문.
743 드립더: 드립다. 냅다. 몹시 빠르고 세찬 모양.
744 데와: '저기'의 옛말. 저곳. 이곳에 와서.
745 두 전(兩殿): 본문에서는 광해군과 인목대비 측을 말함.

고 짐짓 놓아 보내며,

"알과 못 가노라 하여늘 섭섭하여 보고 가시니 기꺼하네."

하고 놓아 보내니라.

손목 잡았을 제 산 고기 날뛰듯 하더라.

이 말을 김 상궁이 일절(一切) 입 밖에 내지 아니하고 남모르는 근심을 하되, 대군 나시며부터 더욱 끠리다가[746] 무신년 이후의 임해군 일 나며부터는 더욱 헛말을 지어내니, 주야 상하에 근심으로 지내더니 임자년 괘방[747] 일로 대군 미워함이 더욱 심하더라.

두 대궐 사이문을 잠가 두고 열제면 내관이 열어야 조석 문안(朝夕問安) 상궁이 다니더라. 그러하매 틈을 타서 대군을 자객[748]하려 하다가 대군이 침실에서 자시매 못하고 방정을 하고 가닸더라.

이 후부터는 소주방 마로 아래서 아희 소래로 높이 울고 한숨 소래하 나니, 저녁때는 차마 그 다히[749] 사람이 들어가지 못하야 무서워 한다 하되, 가히(介屎)왔던 말이 날까하여 일절(一切) 들은 양 아니 하여 못들은 체 하고, 아희들이 무서워한다 하여도 돗갑이[750] 나 있도다 하고 서기고[751] 사더라. 중환이 경춘이와 한 마음으로 하여 와 그리하닸더라.

제 집에서 방정을 하여 놓아두고 우리를 향하야 대란(大亂)을 지어내어, 저희는 중환이 경춘이와 둘은 은혜를 많이 끼쳐두고 각색 노릇을

746 끠리다가: 원형은 '끠다'. '꺼리다', '시기하다'의 옛말.
747 괘방(掛榜): 명령이나 법령을 붙여 일반에게 보이는 것. 이름을 숨기고 글을 써 붙이는 것.
748 자객(刺客): 사람을 몰래 찔러 죽이려는 사람.
749 그 다히: '그 쪽에'. '그 계신 곳'의 옛말. 본문에서는 영창대군이 계신 곳을 말함.
750 돗갑이: '도깨비'의 옛말.
751 서기고: 원형은 '서기다'. '속이다'의 옛말. 속이고.

다 하였거니와, 우리는 남 해할 뜻 없고 전후의 사정을 알리도 없고 그 전(殿) 침실 기슭도 알지 못 하더니라.

계축 동짓달에 중환이 하되,

"내 오라비 중죄(重罪)에 들었을 제 어떤 중이 니라되, 사자경[752]과 다라파축[753]을 읽으면 가도[754]인 일도 풀어지고 잠은 문도 수이 열리고 대소액[755]이 벗어난다 하거늘, 옥중(獄中)에서도 마양 읽으니 그 덕을 입은지 이제 살아나서 놓였으니, 이 일과는 다르나 대군이나 살아나시고 닫은 문이나 수이 여라셔도 가만히 손들고 앉았느니 정성하고 긔나[756] 하여 보옵소."

하거늘, 들으매 우이[757] 여기더니 그 중의 김 상궁이 과연이 여겨,

"이 경(經)을 읽어지라."

하니, 우히 말리오시되,

"경이란 것은 가장 공순하고 정성하여야 덕(德)을 입는다 하는데, 모든 사람이 산란(散亂)하고 내 마양 주야(晝夜) 곡읍(哭泣)에 잠겨서 마음

752 사자경(師子經): 중앙함경의 제18경. 부처님이 니건(尼乾) 즉 니간타의 제자인 사자에게 사람들의 근기와 상황에 따라 법을 설치하기 때문에 불법을 불가작(不可作), 단멸(斷滅), 가오(可惡), 법률(法律), 고행(苦行), 불입어태(不入於胎), 안온(安穩) 등의 표현으로 비방할 수 없다고 설한 경전임. 잡아함경에도 파이피만이라는 악마가 비방하려고 하자 부처님의 게송(偈頌)으로 악마가 물러났다고 한 것으로 보아 비방을 물리치는 경전인 것 같음.

753 다라파축: 다라니 파축으로 생각됨. 다라니(dharani)라는 말은 부처가 가르친 법문을 번역하지 아니하고 음(音) 그대로 외는 일, 자체에 무궁한 뜻이 있어 이를 외는 사람은 한없는 기억력을 얻고, 모든 재액에서 벗어나는 등 많은 공덕을 받는 다 하여 조선시대에 널리 유통된 밀교 계총의 경전.

754 가도: 원형은 '가도다'. '가두다', '간히다'의 옛말. 본문에서는 일들이 순조롭게 풀리지 않음을 말함.

755 대소액(大小厄): 크고 작은 모질고 사나운 운수.

756 긔나: 원형은 '긔다'. '기다'의 옛말. '기다'는 '그것이다'의 준말. 그것이나.

757 우이: 원형은 '우이다'. '우습다'의 옛말. 우습게.

이 버히난닷[758] 설워하거늘, 뉘 마음에 다려 경을 읽으리, 말라."
하오시니,
"전교는 마땅하옵거니와 덕을 입어 문을 수이 열고 본곁과 아기시 기별을 수이 얻어 듣자오셔도 앉아 괴로이 노나니 읽어지라."
여러번 청하오니,
"너희까지 하라."
하오시다.
들어계신 데는 자비[759] 가까오니 더럽고 요란하매, 대군 들어 계오시던 집이 정결(貞潔)하고 인적(人迹)이 없는 곳이라 중환의 입을 받아 언서(諺書) 써 가지고 게 가[760] 이 경을 읽더니, 도리어 흉한 마음을 내어 고(告)할 뜻을 품어서 틈을 못 얻어하더니, 제 오라비 세자궁(世子宮) 등촉 빛[761]이라 마양 다든 문 밖에 와 제 누의 기별을 들으려 지나쳐 다니는 양을 틈으로 여어보고[762] 밤에 군사를 많이 주고 사괴여 제 오라비를 불러다가 각색 말 다 하고 글월 써 가히(介屎)게 보내되,
"사이문으로 오거든 하던 말 다 니라마."
하닸더라.
기별 못 들어 민망하여 하다가 밤중만 문을 열고 와서 가히(介屎) 중환(中還)이를 달래되,
"하는 일을 자시 니라면 너를 먼저 나가게 하리라."

---

758 버히난닷: 원형은 '버히다'. '베다'의 옛말. 베는 듯.
759 자비: '차비(差備)'의 변한 말. '차비'는 임금이 평소에 거처하는 편전(便殿)을 말함. 본문에서는 '편전의 앞문' 즉 '차비문'을 말함.
760 게 가: 영창대군 처소가 조용하므로 그곳에 경을 읽으러 감.
761 등촉 빛(燈燭色): 대궐의 등촉을 도맡은 내인. '색(色)'은 '빛'이라 발음하고 임무를 담당한 사람을 의미함.
762 여어보고: '엿보다'의 옛말.

하니, 요공[763]하려 하되 할 일이 없어 하다가 제 가르쳐 경(經) 읽는 말을 니라고,

"시지 대비마노라 친히 가 천제(天祭)하야 대전을 죽으라고 비라신다."

이리 하닸더라.

할고저[764] 가히 · 은덕이 동궁(東宮) 무수리 업관이를 다려다가 그 경 읽는 데를 가르쳐 뵈되, 우히 친히 나가오신 일이 없고 행여 경 읽는 일에 잡아다가 죽이기를 못하야 아모 말이나 얻어 남아 있는 내인을 마자 없이하고, 우흘 혼자 두오와 애쓰샤 승하 하오시게 하려 하였으나, 잡을 말란 못 얻어 애쓰더라.

763 요공(要功): 자기의 공을 스스로 드러내어 남이 창찬해주기를 바람.

764 할고저: '참소(讒訴)하고저'의 옛말. 남을 헐뜯어 없는 죄를 있는 것처럼 꾸며서 고해바침.

계축일기 권지이

차년[1] 납월[2]에 중환(中還)이 문 상궁더러 닐오되,

"가만히 오라비를 불러 어미[3]의 안부를 들었더니 행여 동생의 안부나 알고저 하실까 하여 이리하니 통한다 소문내면 쓰올가[4] 상궁만 알고 글월하야 주옵소."

하니, 그 상궁은 본데 남을 믿더니 중환이와 평일(平日)적부터 어엿비 여기매 제 오라비 옥중에 들었을실 제 양찬[5]이며 입을 것을 주니 은혜 중하매 중환이 닐오되,

"상궁 은혜는 죽어 지하(地下)에 가도 잊지 못할 은혜니 어찌 갚사올꼬"

하는 사이러니, 의심치 아니하고 오라비 문득람[6]에게 글월을 써 주니

---

1 차년(此年): 이 해. 계축년(1613)을 가리킴.

2 납월(臘月): 음력 12월의 다른 이름. 동지 뒤의 셋째 미일(未日)에 조정에서는 종묘와 사직에 제사를 드리고, 백성들은 한 해 동안의 농사 형편과 그 밖의 일을 여러 신에게 제사를 지내는 납향제(臘享祭), 납평제(臘平祭)가 있는 달에서 유래됨.

3 어미: '어머니'의 옛말.

4 쓰올가: 원형은 '쓰다(用)'. '쓰겠습니까'.

5 양찬(糧饌): 양식과 반찬.

6 문득람(文得覽): 문 상궁의 오빠. 대비 측에서 강화의 영창대군에게 보낸 편지 사건에

즉시 답장 받아다가 주더라.

본전(本殿) 감찰상궁(監察尙宮)의 종 부전(富田)이와 천복의 종 음덕이와 중환의 심복이 되어 한가지로 공을 일워 나가려고 작[7]하야 주야(晝夜)에 한가지로 하며, 아모 일이라도 보았다가 고하면 중환이는 듣고 밤으로 담 넘어가 통하더라.

들어계오신 데는 동(東)녁 모[8]히오, 중환이 들었는 데는 서남(西南) 행랑(行廊)이오, 남의 전으로 통하는 데는 서녘 모히리니, 동서가(東西) 서로 아오라[9] 할 사람이 여럿이 나가 죽었으니 궁중이 비어 밤이면 인적(人跡)이 그쳐 만군(萬軍)이 들어와 나다라도[10] 알 길이 없더니, 중환의 행지[11]를 보니 점점 수상하고 나라할[12] 향하여도 원망하고 하옥(下獄)하여 갔는 내인 향하여도 생각 말라 꾸짖으되,

"좋이 살았지 못하여 이런 큰일을 하여 설운 일을 보다 뉘 타신고." 하더라.

이리하고서는 문 상궁과 자약[13]히 들어다니는데 그 상궁은 의심을 아니하고 남이 중환이를 불패[14]에 뜻 먹는다 이르면,

"그 사람이 그런 뜻을 먹을 리 없을데 남이 믜여[15] 저리 이른다."

연루되어 여러 차례 형벌을 받았으나 자복하지 않은 채 사사됨.

7 작: 짝. 한패.

8 모: '구석', '모퉁이'의 옛말.

9 아오라: 원형은 '아오다'. '아울다'의 옛말. 아울러.

10 나다라도: '날뛰어도'의 옛말.

11 행지(行止): 행동거지(行動擧止)의 준말. 몸을 움직여 하는 모든 것.

12 나라할: 나랏님을. 본문에서는 인목대비를 가리킴.

13 자약(自若): 큰일을 당하여도 당황함이 없이 기색이 평상시와 같고 침착함.

14 불패(不怕): '불패천불외지(不怕天不畏地)'의 뜻. 즉, 하늘과 땅을 두려워하지 않음. 두려운 것이 없이 방자함.

15 믜여: 원형은 '믜다'. '미워하다'의 옛말.

하더라.

중환이 또 문 상궁(文尙宮)을 달래되,

"시녀 방씨[16]는 전(殿)에 나가서 좋이 살았고 제 오라비[17] 대전별감[18] 하였으니 대군 가 계신 데도 간다 하니, 기별(奇別) 듣기 아니 쉽사올까."

하니, 상궁이 하되,

"뉘 그 다히 일을 무서워 통하리."

하니,

"내 오라비로 통하마."

하거늘, 아기시 안부 알아지라 하고 글월 써 주고 여짜오되,

"가장 밋브고[19] 용한[20] 길로 아기시 안부를 알라 가시니 오리이다."

하니,

"뉘 그리 하였나니?"

하오시니,

"중환의 오라비 가져가 시녀 애일(愛日)에게로 가삽나이다."

우히 놀라오샤,

"생심(生心)도 말라. 기별 알아 이르는 은혜 하늘같이 여기거니와 통하는 줄 알면 권세(權勢)를 얻어 노(怒)를 더 낼까 저허하노라. 이 후란

---

16 방씨(方氏): 본문의 '애일'을 가리킴. 『광해군일기』에는 '의일(義一)'로 되어 있음.

17 제 오라비: 방신원(方信元)을 가리킴. 문 상궁이 쓴 편지 사건에 연루되어 여동생 의일(義一)과 남동생 선원(善元), 어머니 춘환(春還)이 여러 차례 형벌을 받은 후 사사됨. 『광해군일기』 권74, 광해군 6년(1614) 1월 7일(경신), 1월 8일(신유); 권75, 2월 14일(병신) 등 참조.

18 대전별감(大殿別監): 별감은 대궐 안 액정서(掖庭署. 조선 시대에 왕명 전달. 임금이 쓰는 붓과 벼루 공급. 대궐 열쇠 보관. 대궐 뜰의 설비 등에 관한 일들을 맡아보던 관청.)에 속한 벼슬 이름. 대전별감. 중궁전별감. 세자궁별감. 처소별감 등이 있다.

19 밋브고: '믿다(信)'의 옛말.

20 용한: 착하다, 재주가 있다, 익숙하게 잘하다.

생심도 말라. 설움은 가이없거니와 서로 살았으면 자연 알고 들을 길이 있을 것이니 위태한 일을 전치 못 하리라."

하오시니 대답하되,

"이 하인이 예부터 순직(順直)하고 소인으로 은혜 중하오매 해(害)하올 뜻이 없사오리이다. 믿자오소서."

하더라.

그 후에 매양 글월을 받아다가 주되 제 더욱 당부하더라.

애일의 글월에 하였으되,

"소인이 죽지 못하와 밖에 와 평안히 앉았으니 나라와 상궁네를 생각하니 망극하고 설워이다. 비록 여인의 몸이나 나라를 위하여 갚사올 일을 없어 하더니, 아기시 안부를 몰라 하오실새 죽을 힘을 다하여 동생이 별감으로 아기시께 막혀[21]가옵더니 글월 하여 주오시면 갔는 상궁을 가만히 주고 글월 받아오라 하리이다."

하였거늘, 문 상궁이 반갑고 기쁨이 가이없어 우히 상상[22] 기별 몰라 설워하오시니 한번 시원하여 하오시게 하자하고 글월을 가져 변 상궁더러 이르니 변씨(卞氏) 가장 놀라며 심상[23]내어 닐오되,

"문(文) 금함이 철석(鐵石)같고 미워함이 적국(敵國)에서 심하거늘, 밖과 통하여 글월 받아 옴도 큰일이어든 어데 가 아기시 안부를 알아와 계신고. 이리함은 정성이 지극하거니와 들려나면 안부키 어려오니 여짭지 말라."

---

21 동생이 별감으로 아기시께 막혀: '막혀'의 원형은 '막히다'. '정하다', '일을 결정하다'. 본문의 '동생이 별감'은 앞 문장의 '제 오라비 대전별감'과 일치되지 않는다. 『광해군일기』에는 '누의 동생 의일'로 기록되었다. 『광해군일기』 권74, 광해군 6년(1614) 1월 7일(경신) 참조.

22 상상(常常): 평시(平時). 항상. 늘.

23 심상(心傷): 마음이 상하는 것.

문씨(文氏) 노색[24]으로 대답하되,

"어찌 이런 말을 하시는고. 행여 사람을 불러왔는 것이 아니라 밋븐[25] 길로 알았으니 생심도 의심 마옵소."

하고, 다아다[26] 들어가 여짜오니 우히 구을며[27] 애통하오시며,

"강화(江華) 섬에 아해를 옮기는 줄 생각 못 하였더니, 인사(人事) 모르는 아해를 섬에 보내었으니 이 설음이야 어디다가 비길 곳이 있으리오. 혼자 안부를 몰라 주야 설워하거든 차마 안부를 아니 알고저 하랴. 알아오려 하니 기쁨이 가이없거니와 요공(要功)하려 하는가 싶으니, 나는 글월 못 하여 줄노다."

하오시니, 문씨 다시 여짜오되,

"내외(內外)에 밋븐 사람이 이만한 이 없삽고 나라해도 정성저온 사람이오니, 요공하려 하는 사람이오면 소인이 이리 하오리가. 그러면 소인을 못 믿어 아니 써 주오시는소이다."

변 상궁이 여짜오되,

"밋브지 아니하나이다. 중환이 흉한 마음을 먹고, 죽은 내인이며 나라를 원망하고 아모 일이나 얻어 고하려 설심[28]을 먹었고, 제 유(類)가 많아 주야(晝夜)를 한데서[29] 발을 고쳐 디대여 조그만 허물이나 얻고자 하거늘, 일을 얻어 무릅쓰이려[30] 권하는가 하옵나니 우히 저근덧[31] 참

24 노색(怒色): 화가 난 기색. 성난 얼굴 빛.
25 밋븐: 원형은 '밋브다'. '믿다(信)'의 옛말.
26 다아다: 원형은 '다왇다'. '다그치다'의 옛말.
27 구을며: 원형은 '구을다'. '구르다'의 옛말.
28 설심(設心): '설심경의(設心儆意)'의 준말. 간사한 꾀로 남을 속이려고 먹는 마음.
29 한데서: '한데(露天)'의 옛말. 하늘이 가려지지 않은 곳.
30 무릅쓰이려: 원형 '무릅쓰다'. '뒤집어쓰다'의 옛말.
31 저근덧: '잠시 동안'의 옛말.

사오셔 아기시 기별을 알려 마오소서."

못내 여짜오니,

"나도 그리 여기노라. 반갑고 설운 정으로야 즉시 아니하야 주랴마는 무서워 못 하노라."

하오셔늘 변씨 다시 여짜오되,

"생심(生心)도 마오소서."

하다.

문씨 다시금 여짜와,

"글월 하여 주오소서."

하니, 변씨 하되,

"내 자비에 가 소리 질러 니라리라. 가만히 들었지 어찌 이런 일을 하랴 하시나뇨."

하니, 문씨 대노(大怒)하여 니라되,

"상궁이 시위(侍衛)하여 위를 위하와 정성이 자극하신가 여겼더니, 이 일로 보니는 실로 정성 없도쇠. 주야 곡읍(哭泣)에 잠기오사 물만 마시오시고 본결과 아기시 안부를 알려 하오시되 틈 없어 하오시다가, 이리 용한 사람을 얻어 만나기 쉽사올까?. 아모 일이라도 내 알것이니 더져[32] 두소."

하고, 성내어 방에 들어가 글월을 써다가 변씨를 뵈더라. 하였으되,

"우히 아기시를 여해오시고 기별 몰라 하오시더니 밋븐 사람 갈 새 아기시 안부 알고저 글월 써 가니 보고 병이나 아니 계시게 뫼셔시라."

하고,

---

32 더져: 원형은 '더지다'. '던지다'의 옛말. 버려.

"아모 것이나 잡삽고저 하시거든 가져간 것을 아끼지 말고 물 긷는 하인이나 주어 사서 잡삽게 하고, 아모려나 잘 견디어 뫼셔지라. 문 곧 열면 기별을 아니 들으랴."
하였더라.

중환이 담 넘어가 통하고 제 것을 다 서러저[33] 가히에게 보내고 빈 몸만 있더라.

문씨더러 글월을 썼거든 달라 하니, 글월을 봉하여 주며 회화[34] 받아 달라 하다. 중환이 흉한 마음을 먹었는 줄 알고 변씨 문씨더러,

"글월 보내지 말고 도로 가져오소. 이리이리 하듯 말이 있으니 주지 마옵소."
하니,

"남이 미워 그리 니라거니와 그럴 리 없느니라."
하여늘,

"고하면 큰일이 날 것이니 어서 가 찾아오라."
하니,

"종을 브린대[35] 틈으로 오라비 왔거늘 주고 없다."
하여늘, 또 가 달라 하니 꾸짖고 아니 주더라. 글월을 떠혀[36] 보고 감초고 없다 하고 아니 주더라.

변이 문에게 사람 부리되 마침 내주지 아니코 틈으로 제 오라비 차충용이 주어 가히게 드리니 그제야 장물[37]을 잡거라 하여 새로이 내외 사람을 선달 그믐날 하옥하고, 갑인[38] 초하룻날 추국[39]시작하다. 문 상

33 서러저: 원형은 '서렷다'. '털어서'의 옛말.
34 회화(回華): '답장(答狀)'의 옛말.
35 브린대: 사람을 시켜 일을 하게 하되.
36 떠혀: 원형은 '떠히다'. '떼다'의 옛말. 떼어. 뜯어내다.
37 장물(贓物): 부정한 수단으로 얻은 돈 또는 물건.

궁 머리지어[40] 틈으로 제 집의 안부 통하던 이는 다 잡아내다[41].

문씨 중환이더러 니라되,

"은혜를 입어 추위 더위를 날로 하여 벗고, 배고프고 목마름을 날로 하여 모르고, 네 오라비 갇히어 죽게 되어신 끠[42] 내 어엿비 여겨 음식이며 입을 것 주어 살아나서, 이제 나를 달래어 글월 하여 달라 보채거늘, 나도 사람이라 나라히 설워하오심이 짝이 없아오시니 한번 깃기옵고져[43] 하더니, 네 나라를 배반하나 어찌 나를 저바리난다?"

중환이 구을며 울고 가슴을 두드리며 손뼉 쳐 맹세하되,

"내 고하였으면 갓[44] 죽은 어미의 죽음을 헤쳐 회(膾)를 먹으려 하노라."

하고 하 구을며 우니, 모다 보는 이 다 애매한 말을 듣는가 여기더라.

중환이 문 사이로 세간을 서러저 새도록 다닐 제 색장[45] 시종이 보았더니, 말낼까 매양 벼르더니, 더욱 죄 없이 이 중에 잡아내다.

중환이부터 음덕이·부전이 셋을 잡아내어 갈 제, 중환이는 희색(喜色)이 나타나고 두 하인은 어서 오라 하니 울고 셋이 나가니라

---

38 갑인(甲寅): 광해군 6년(1614).

39 추국(推鞫): 의금부에서 특지(特旨)에 의하여 중죄인을 장(杖)으로 치면서 캐어 물어 자백시키는 일. 의금부(義禁府)에서 특지(特旨)로 중죄인(重罪人)을 신문하는 것을 가리킴.

40 머리지어: 선두(先頭)로.

41 다 잡아내다: 이 부분과 관련되어 『광해군일기』에는 다음과 같이 기록되었다. "당시에 대비(大妃)가 문안에 금고되어 있었으므로 수종하며 모시는 나인들이 괴롭게 여겼다. 혹은 벽 틈을 통하여 부모에게 서찰을 보내어 안부를 묻기도 하였는데, 왕이 염탐하여 봉서(封書) 한 통을 입수하자, 마침내 큰 옥사를 일으켰다." 『광해군일기』 권74, 광해군 6년(1614) 1월 7일(경신).

42 끠: '~때에'의 옛말.

43 깃기옵고져: 원형은 '깃기다'. '기뻐하다'의 옛말. 기쁘시옵게 하고져.

44 갓: '처음', '막', '겨우'의 옛말.

45 색장(色掌): 문안편지를 전달하는 소임을 맡은 내인.

중환이는 고(告)하다 하고 어엿비 여겨 죄인 예(例)로 아녀 말 태와서 추국청(推鞫廳)에 다려다가 앉혀 두고[46], 이전에 맛춘 말로 물으며 빗[47] 관원을 다 알게 하다. 종적 없는 거짓말을 다 써 문씨(文氏) 애일(愛一)에게며 강화며 한 글월을 고쳐 더 써 무형무상[48]한 말을 지어 당장(唐將)에게 고하여 우리 문을 수이 열게 하라 하며, 강화의 글월에는 '잘 길러 두었다가 당장이 와 문 열거든 좋이 돌아오시게 하라.' 무상불측[49]의 말을 마음을 가장 써 추국청에 내어뵈며 중환이더러,

"이 말이 옳으냐?"

무라니,

"다 옳으니이다. 대군이 들었던 집에 가 긔도지사[50]를 다 하더라."

하니,

"옳으냐, 네 아난다?"

"아나이다."

"눌을 위하야 비더니?"

"대전을 죽으라 비더이다."

"어찌하야 비더니?"

"향로[51] 향합[52]하고 과잘·떡·실과하고 꽃 짓고[53] 목욕 정성하고 비

---

46 추국청(推鞫廳)에 다려다가 앉혀 두고: 이와 같은 내용이 『광해군일기』에는 다음과 같이 기록되어 있다. "왕이 이르기를, '중환은 구박하지 말고 서서히 궐정에 들여와라. 그리고 산장(散杖)도 하지 말고 지난해에 저주(咀呪)한 곡절과 대비전이 기도(祈禱)한 사실을 하나하나 공초를 받으라.' 하였다." 『광해군일기』 권74, 광해군 6년(1614) 1월 21일(갑술).

47 빗: 사무의 한 분장(分掌). 관청의 과(課) 또는 계(係) 따위. 빗아치의 준말. 관아의 어떤 빗에서 일하는 사람.

48 무형무상(無形無常): 형체가 없고 일정하지 않음.

49 무상불측(無常不測): 일정하지 않아 전혀 예측할 수 없음.

50 긔도지사(祈禱之事): '긔도하다'는 '기도하다'의 옛말. '기도하는 일'. 본문에서는 대비측에서 광해군을 저주하는 기도를 했다는 뜻임.

더이다."

"네 본다?"

"내 보이다."

하더라. 각색 일을 제 본 다시 다 하더라[54].

안에서 추국하는 일을 바조[55] 밑에 가 듣는 줄을 알매 측량없은 거짓말을 하노라 소래를 가만히 하여 문사낭청(問事郎廳)이 겨우 알아듣게 하더라.

이전에 조그만 혐의 있던 사람들을 다 니라니, 이름 거드는[56] 사람은 몸에 땀이 흐르고 앉으며 서매 기운을 이기지 못하야 떨고 발을 옮겨 디대지 못하니, 곁에 섰는 이 남의 일 같지 아니터라. 그 틈에 가 앉아

51 향로(香爐): 향을 피우는 조그마한 화로.

52 향합(香盒): 제사 때에 피우는 향을 담는 합. 놋쇠나 사기 등으로 만듦.

53 짓고: '만들고'의 옛말.

54 각색 일을 제 본 다시 다 하더라: 이와 같은 내용이 『광해군일기』에는 다음과 같이 기록되어 있다. "중환이 공초하기를, '대비와 김 상궁(金尙宮)·문 상궁(文尙宮)이 역변이 있은 뒤부터 안팎 차비문을 다 막았습니다. 하루는 대비께서 다른 방으로 옮겨가서 여러 나인들과 큰소리로 말하기를 '천조(天朝)가 모르는 대비인가, 조정이 모르는 대비인가? 대군 또한 조정이 모르는 대군인가, 내관이 모르는 대군인가?' 하기에 제가 '이것이 무슨 일이십니까?' 하니, 대비가 '나의 친속이 죄다 수금되었고 또 문호를 폐색시켰다. 하늘이 어찌 모르겠는가.' 하고, 이어 손 모아 원통함을 호소하면서 '내가 살아서 이런 일을 보아야 하는가.'라고 했습니다. 그리고 대비께서 11월 10일에 천제(天祭)를 행했는데 이른바 기도했다는 일이 어떤 모양으로 한 것인지는 모르겠습니다. 문 상궁이 저에게 말하기를 '다만 대군이 도로 들어올 수 있도록 축원한 것이지 어찌 감히 주상(主上)과 동궁을 모해하기 위하여 기도를 했겠는가.' 했습니다. 강화도와 서로 교통했다는 일은 무슨 곡절인지는 모르겠지만 8월 그믐에 예옥(禮玉)·문 상궁 무리가 서로 문안에서 서성이고 있었을 따름이며, 문서를 내어 주었는지에 대해서는 비록 그 전말은 알지 못하겠으나 권 상궁이 문틈으로 내어주니 박방실·최충흡이 받아 갔습니다.'" 『광해군일기』 권74, 광해군 6년(1614) 1월 21일(갑술).

55 바조: 울타리를 만드는 데에 쓰이는 대, 갈대, 수수깡, 싸리 따위로 발처럼 엮은 가리개.

56 거드는: 어떤 일에 끼워 넣다. 본문에서는 사건에 관련된 사람을 끼워 넣음을 말함.

귀를 기우려 듣더니 그 때에 제 성명이 아니면 져기[57] 살리라 여기더라.

온 궁중이 새로이 요란하여 내인들은 자비문(差備門)에 가 대령(待令)하였더니 밖으로 문상궁 오라비와 아츤아달[58]과 종 남녀 병하여[59] 넷과 어미 아아[60]라 극형(極刑)하고 애일(愛一)은 사약(賜藥)하여 죽이다.

문틈으로 통하던 시녀 최씨(崔氏)와 최씨 아비 최수일[61]이와 중환의 오라비 통할 제 본 놈 서응상[62]의 부처[63]와 문 밑에 와 앉았던 서리[64]를 다시 다 새로이 옥사를 일워 사람 죽임이 더욱 심하더니, 갑인[65] 이월(二月) 망후[66]에 문 상궁과 자비 영홰와 색장(色掌) 시종이 와서 다 잡아내고, 이십 일 후에 공주 보모상궁 권씨(權氏)와 시녀 최씨와 또 시녀 최씨와 자비 춘향[67]이, 대군 곁 하인 춘단이·청금이 잡아내다 옷을 갈

57 져기: '적이'의 옛말. 조금. 적게.
58 아츤아달: '조카(甥)'의 옛말.
59 병(竝)하여: 함께 아울러.
60 아아: '아우'의 옛말.
61 최수일: 『광해군일기』에는 서찰 사건과 관련된 옥사에서 '최수인(崔守仁)'이 여러 차례 거명되었다. 이로 보아 '최수일'은 오기로 '최수인'을 가리킨 것이 아닐까 생각됨.
62 서응상(徐應祥): 광해군 5년(계축, 1613) 12월에 대비 측의 문 상궁이 쓴 서찰이 발각되어 광해군 6년(갑인, 1614) 1월 초부터 옥사가 시작되었다. 병조판서리(兵曹判書吏) 서응상은 이 사건에 연루되어 아내 문세(文世)와 함께 여러 차례 형벌을 받았으나 끝내 자복하지 않고 사사됨. 『광해군일기』 권74, 광해군 6년(갑인, 1614) 1월 7일(경신), 25일(무인); 권75, 2월 14일(병신) 참조. 『연려실기술』 권20, 폐주 광해군 고사본말, 한강집 참조.
63 부처(夫妻): 부부. 본문에서는 서응상과 그의 처 문세(文世)를 가리킴. 『광해군일기』 권74, 광해군 6년(1614) 1월 7일(경신) 참조.
64 서리(書吏): 아전(衙前)의 하나. 문서의 기록 및 발송·접수 등을 맡아 보았다.
65 갑인(甲寅): 광해군 6년(1614).
66 망후(望後): 음력 보름 이후.
67 춘향(春香): 영창대군의 종으로 계축년 옥사에서 죽은 순창의 딸로 여러 가지 형벌로 문초하였으나 자복하지 않음. 『광해군일기』 권74, 광해군 6년(1614) 1월 28일(신사) 참조.

아입으랴 하나 저는 어린것 같이 섰거늘 남이 얻어 입혀 보내더니,

"때 늦어 가면 발발[68] 내관 내어 수이 잡아내라. 더대면 잡아내어 하옥하리라."

하며, 사람이 발이 따해 붙지 아녀 헤지라며[69] 곡성이 천지진동하더니 의녀(醫女) 대여섯 침실의 들어와,

"어서 내라."

보채고, 자비문 안에는 내관이 들어와,

"어서 내라."

보채니, 궁중이 불평하여 어찌 존비[70] 있으리오.

색장내인(色掌內人)을 다 잡아내다.

"어찌 죄인을 더대 잡아내나니?"

하 죄이니, 뛰어 달아나다가 가측[71]에도 숨으며 마로 아래 가 숨었으니 내관은,

"감찰상궁, 색장을 다 잡아내라."

하더라.

내인들이,

"죽으라 가옵나이다. 마지막 죽을 땅에 감히이옵고 나 니거디이다."

의녀에게 빌 사이에,

"어서 내라."

하니, 의녀도 두립고,

"어데를 올라가나뇨."

---

68 발발: '거듭'의 옛말.
69 헤지라며: 원형은 '헤디라다'. '날뛰다'의 옛말.
70 존비(尊卑): 신분과 지위 따위의 높음과 낮음.
71 가측(家厠): 집안에 있는 화장실.

하고, 뒤에서 머리를 끌어당기니 고개가 져자지고[72] 소리 질러 울며,

"어찌 이리 쉽게 하느뇨. 우흘 시위한 시녀라 의녀에게 머리 잡힐 줄을 어이 생각하리오."

모다 의녀를 꾸짖으니,

"우리를 죽이려 하거든 수이 아니 잡아낼까."

하더라.

이렇듯 핍박[73]하고 수욕[74](羞辱)함이 한 두 번이랴.

"지식 없는 아녀(兒女)의 몸이나 우히 애매하오신 일을 만나 계오시매 비록 극형하야 만가지로 달화[75] 보채나 현마 무복[76]을 아니하리이다. 살고저 아니 하리이까마는 나라히 설운 일을 보와 계오사 종에게 애매한 일이 미쳤으니 이 설음은 하늘이 반드시 아오실 것이니, 죽기를 좋은 데 돌아감 같이 죽으러 가옵나이다."

하고, 의녀에게 몰리어 자비문에 나가니, 나장(羅將)이며 도사[77]가 와서 대후[78]하였다가 몰아가더라.

사람 잡아낼 적이면 위엄이 더욱 성(盛)하여 내관이며 내인부터 죄이고 잡아내더라.

시녀 최씨 여옥[79]이란 것이 경술년[80]에 시녀로 들어, 용모(容貌)가 곱

72 져자지고: '자쳐지다'. '젖혀지다', '~으로 뒤로 기울어지다'. 본문에서는 머리를 끌어당겨서 고개가 뒤로 젖혀졌음을 말함.

73 핍박(逼迫): 형세가 매우 절박하도록 바싹 닥쳐 옴.

74 수욕(羞辱): 부끄럽고 욕됨.

75 달화: '다루다', '다스리다'의 옛말. 문맥상 본문에서는 죄 줄 명분을 잡으려고 '윽박질러서 혼을 냄'을 뜻하는 '닦달하다'로 해석함이 어떨까 생각됨.

76 무복(誣服): 죄는 없으나 할 수 없이 심문에 승복하는 것.

77 도사(都事): 의금부의 종 5품 또는 종 9품의 벼슬.

78 대후(待候): 어른의 명령을 기다리고 있다는 존경어.

79 최씨(崔氏) 여옥: 인조반정 후 대비의 하교로 내인 40여 인을 국문하였는데 여옥은 그때 죽임을 당했다. 『인조실록』 권1, 인조원년(계해, 1623) 3월 25일(을묘) 참조.

지 아니하나 순직(純直)함으로 침실에 사더니, 정성도 남의 유에 더하고, 본대 용한 아해라 본결과 대군 아기시 향하야 설워하며 상시(常時) 닐오되,

"내 날개를 돋혀 날아가 기별을 들어다가엿잡나니 삽삽고져[81]."

또 닐오되,

"아모 틈이나 있으면 내 비자(婢子)의 맨다리하고[82] 나가서 두 곳의 안부를 알아 아니 오랴만, 담이며 문이 쇠로 싼 듯하고 굼기[83] 없으니 내 정을 펴지 못함을 설워하노라."

하더니, 나가는 날을 더욱 설워하며 제 다리를 만지며 울며 닐오되,

"아해 적부터 어버의게 허튀[84]도 아니 맞아 보았더니, 중한 매를 어이 맞으려뇨. 애매하오신 일이오시니 무복은 아니 하려니와 맞을 일 생각하니 더욱 망극하여라."

하더니, 듣나니 불쌍히 여기며 정성이 지극한 사람이라 조금도 무복할까 아니 여기더라.

제 나갈 적에,

"날난 조금도 의심 말으소서. 몸이 갈니[85] 되여도 나라히 애매하오심을 아오니 무복은 아니 하리이다."

하더니 추국청에 가 첫 원정[86]에 울고 왈(曰),

"나라히 애매한 일을 만나 계오사 어린 대군과 본결 죽사리를 알지

80 경술년(庚戌年): 광해군 2년(1610).

81 엿잡나니 삽삽고져: '엿잡나니'의 원형은 '엿잡다'. '여쭙다'의 옛말. '삽고져'의 원형은 '삷다'. '사뢰다', '여쭈다'의 옛말. '삽'은 '~삽'. '~사옵'의 높임말. 여쭈어드리고 싶구나.

82 맨다리하고: 차림을 하고.

83 굼기: '구멍'의 옛말.

84 허튀: '종아리'의 옛말.

85 갈니: '가루'의 옛말.

86 원정(寃情): 억울한 사정을 하소연함.

못 하오사 주야에 설워하오시고, 방정지사는 애매타는 알았삽거니와 아모 일이나 듣고 본 일이 있으면 무서운 땅에 와 죽고저 하리이까. 살고저 할 일이오되 보며 들은 일이 터럭 끝도 없어이다. 중한 형벌을 저허 어찌 애매한 말을 하리이까."

이리 하노라 엿새 만의 내수사[87]에다가 가두고 제 아비 어미 달래다.

대전 유모(乳母)의 오라비 계집이 여옥의 종이러니 그 유모가 어엿비 여겨 매양 다려다가 보고,

"어찌 못 온다. 복이 적어 우리게 못 온다."

하더니, 이때에 중환이를 촉[88]하여 이 시녀를 잡아내어다가 별옥[89]에 가두어서 달래어,

"이리이리 대답하면 너를 살게 하마."

하니, 여옥이 울고 수일(數日)을 허(許)치 아녔더니 아비 어미를 주야 한데서 달래게 하되,

"너 곳 이제 모르노라 하면 우리를 다 죽일 것이니, 나라해는 은정(恩情)이 중커니와 어버이를 생각지 아니 하난다. 네 이제 무복을 하라 하여야만정 못 할다 하면 네 앞에서 죽으리라."

온 가지로 하여 허락을 받아들인 후에야 추국청에 들여 새로이 원정을 받으니, 그 원정은 전일과 달라 흉한 말로 대답하되,

"기도 할 시 다 옳사오니이다."

"어찌 안다."

"내 보고 들었나이다."

87 내수사(內需司): 대궐의 곡물, 포목(布木), 잡물과 노비에 관한 일을 관장하던 관위(官衛).

88 촉(促): 재촉.

89 별옥(別獄): 다른 감옥.

방사[90] 즉시(卽時) 하다.

이 후에 변 상궁이 병(病)하야 죽어 가거늘 내어 보내였더니 여옥이 놓여 좋이 살며 뵈러 와서 이 곡절을 가만히 니라매,

"아니라. 어버의게 보채이어 무복을 하였으나 타일(他日)의 멸족할 화를 저즐고 살았으니, 내 죄 태산 같으니 죽고저 하되, 모진 목숨이 죽지 못하여 나라흘 속여 거짓말로 살외였으니 어내 낯으로 남을 뵈리이까. 마음에 없은 말로 무복하였으니 죽이오셔도 한(恨)치 아니하오리이다."

하고 우더라.

상궁 난이[91]라 하 리[92] 임진년[93]에 시녀로 들어 의인(懿仁) 적 침실에 들어 사더니, 제 인품(人品)이 용치 못하여 남의 유(類)의 상궁도 못 하였으매, 매양 선왕 마노라부터 원망하더니 무신[94] 후에 상궁하다.

이 사람이 가장 간사하고 교만하여 나라히 평안하오실 적은 양 아기[95] 향하여 남의 유에 별 정성을 다 하더니, 계축년(癸丑年)을 만나 나라 향하와 불측한 원망을 하고, 제 동생이며 족하가 다 시녀로 동궁이며 내전에 들어 내권(內權)이 중하니, 난이 세(勢)를 얻어 희색(喜色)이 날로 성하고 즐겨함이 공연이 나타나니, 보는 이는 통분(痛憤)함이 가이 없으나 게를 두려 말을 못하더니 난이 널오되,

---

90 방사(放赦): 죄인을 풀어줌.

91 난이: 인조반정 직후 대비는 수난시절 악행을 행한 내인 40여 인을 죄 줄 것을 하교했다. 실록에는 '난이'가 직접 거명되지는 않았으나 『연려실기술』에는 복주(伏誅, 형벌을 받아 죽임을 당하는 것)된 내인들 중에 이름이 있다. 『인조실록』 권1, 인조원년(계해, 1623) 3월 25일(을묘); 『연려실기술』 권23, '복주된 사람들' 참조.

92 하 리: 할 이. ~하는 사람.

93 임진년(壬辰年): 선조 25년(1592).

94 무신(戊申): 선조 41년(1608).

95 양 아기: 두 아기. 즉 인목대비 소생의 정명공주와 영창대군.

"대전을 쇠[96]를 많이 주오시던들 이런 일을 만나랴. 세자 가례[97]할 적 세간을 많이 주어 계오시거니와 상궁 시녀를 다 주오신던들 이런 일이 있을까. 대전 내전이, 매양 쇠를 시녀 상궁 상급(賞給) 많이 아니 주신 일을, 공주 대군 데리고 좋이 길러 살으실까 보자 벼르더니 이런 일이 있느니라."

또 닐오되,

"의인마노라 계오실 제도 세자가 효성이 없고 불인(不仁)하니라. '정유년 난[98]에 수안[99] 가오실 제 세자가 수가[100]하여 물 건너게 되었더니, 배를 재촉하여 빙(嬪)이며 저는 먼저 물을 건너 의막[101]에 가 앉고, 날난 돌아보지 아냐 시위한 내관이 아모리 웨여[102] 배 가져오라 하되 오지 아니코, 위엄 가진 세자만 위하고 날난 생각도 아니 하고, 저는 초경(初更)[103]에 건너고 나는 삼경(三更)[104]에야 건네니, 날이 추운데 야심(夜深)하여 이슬이며 서리김의 추움이 심하더니, 세자 효성이 지극하면 어찌 적모[105]를 향하여 그리 대접하며, 하물며 제 어머님이 일찍 죽으

96 쇠: 돈. 재물을 속되게 이르는 말.

97 가례(嘉禮): 왕과 왕세자의 결혼을 말함. 본문에서는 광해군 2년(1610)에 왕세자 지(祬)가 이이첨의 사위인 박자홍의 딸과 혼례한 것을 말함.

98 정유년(丁酉年) 난(亂): 선조 30년(1597), 임진란의 화의교섭이 결렬되자 왜병이 재침했던 전란.

99 수안(遂安): 황해도 북쪽에 있는 군청 소재지. 산간 분지로 피난처로 적격임. 본문에는 '수원'으로 필사되었으나 오기이므로 바로 잡음. 〈서궁일기〉에도 '수안'으로 되어있고 『선조실록』에도 정유재란 당시 세자가 의인왕후를 모시고 '수안'으로 피난갔으며 왕후가 병으로 고생하는 내용이 여러 곳에 기록되었다.

100 수가(隨駕): 임금이 거둥 때 수레를 좇아 따라다님.

101 의막(依幕): 임시로 거처하게 만든 곳. 막사(幕舍)로 쓰이는 천막이나 장막.

102 웨여: 원형은 '웨다'. '외치다'의 옛말.

103 초경(初更): 오후 7시부터 9시 사이.

104 삼경(三更): 밤 11시부터 다음날 새벽 1시 사이.

105 적모(嫡母): 서자(庶子)가 아버지의 정실(正室)을 일컫는 말. 본문에서는 의인왕후

니 내 길러 긔자[106]를 삼았더니 정이 바졋[107] 없으랴마는, 이 사람이 효(孝)며 정성이 적은 사람이니 가히 알리로다.' 하오시더니, 이제 저리 모진 양을 하니 사오납기[108] 심치 아니하리오."

못쓸 흉을 아뢰되 아당하여[109] 중환이와 한가지로 하야, 나라 기물(器物)을 주야 방자히[110] 가져가며 대군 피접소(避接所)의 것을 더욱 서러저다가 제 종과 중환이와 일심하여 잠은 문을 열고 세간을 서러저 밤에 가져다가 난의 아아 꽃향에게로 가져가니 형을 책하야 닐오되,

"나라히 서로 좋지 못하오신들 종의 도리에 항거살[111] 배반함이 소견(所見)의 못할 일이오, 남도 이소대[112] 통하는 일이 없을데 하물며 나라 세간을 서러저 내게 보내니 가치 아니타. 이 후로란 보내지 말라."

형이 노하여 갈오되,

"동생(同生)이 동생을 구치 아니하면 남을 어찌 니라리. 나라흔 대군과 본곁을 위하여 주야 울으시고 죽으랴 하오시니 세간하야 쓸데없사오시고, 하물며 대군 세간은 두어 쓸데 없으니 종들을 다 난화 주오시니, 잔말 말고 받아 두었다가 날을 내여 가 살게 하라."

하며 필백[113]이며 은기(銀器)며 진수히[114] 다 서러다가, 대군보모 김 상궁 사괴여,

를 가리킴.

106 긔자(己子): 내 아들.
107 바졋: 빠듯이. 겨우. 전혀.
108 사오납기: '사납기'의 옛말. 성질이나 생김새가 험하고 악함.
109 아당하여: '아첨(阿諂)하여'의 옛말.
110 방자(放恣)히: 거리낌 없이. 교만스럽게. 삼가는 태도가 없이 건방지다.
111 항거살: '항거'는 '주인', '상전(上典)'의 옛말. 주인을.
112 이소대: '있으되'의 옛말.
113 필백(疋帛): 비단 피륙. 명주.
114 진수(盡數)히: 수가 다하도록. 전부.

"아니 죽이게 할 것이니 쇠를 많이 주어든 동생더러 닐러 살오마."
하니, 살기를 탐하여 온갖 것을 다 주다. 사잇문으로 통하거늘 통분함을 참지 못하여 사람을 모도와 순경[115] 하더니, 하루는 넘어가다가 모다 잡은데 중환이 대언(大言)으로 꾸짖으되,

"뉘서 우리를 잡으라 하더니. 너해 우리를 금하다가 멸족지화(滅族之禍)를 보게 하리라."
하고, 큰 열쇠를 두로메고 치니 하 무서워 구드러[116] 나가니라.

이시를 당하야 중환이와 난의 세(勢) 중함이 못 미처뵐까 두려하더라. 난이는 시녀 상궁을 달래고 중환이는 하인 등을 달래되,

"이 해 동지달 택일(擇日)하였으니 그 전(殿) 내인·상궁·하인 다 데려가고 대비 마노라난 새로 아해를 두엇만 주어 물이나 떠드리게 하다가 자진[117]하시게 하려 한다."
하니, 모다 듣고 울고 설워하며,

"그러나 좋은데 가 살게 하리로다."
하 리도[118] 있으며,

"내 항것 여희고 남의 곳에 가 차마 어이 살리. 가지 말고 죽고저 하되 죽으면 어버이 침노[119]할 것이니 어찌 하리."
하고, 울 이도 있더라.

대군 낼 적같이 핍박하여 다려가면 하직(下直)도 못 하고 내 것도 찰혀[120] 못 갈 것이니 미리 찰혀 두자, 머리 에우고[121] 옷 곁에 놓고 동지

115 순경(巡更): 밤에 도둑, 화재 등을 경계하기 위하여 돌아다니는 일.
116 구드러: '굳어져'의 옛말.
117 자진(自盡): 식음(食飮)을 끊어 저절로 죽어지게 함.
118 하 리도: 말하는 사람도.
119 침노(侵擄): 침범하여 빼앗음. 본문에서는 부모님께 화가 미치게 됨을 말함.
120 찰혀: '챙기어', '찾아내어'의 옛말.

달 보름날을 기다리고 있더니라.

대개 거짓말이 아니라 계교[122]할 시는 일정 옳탓더라마는 아니 다려 가니라. 또 닐오되,

"죽은 내인들 세간은 죄인의 것이니 다 가져가라 하였으나 아모도 움직이지 말고 넣어두라."

하니, 혹 제 종이 추워도 내여 입지 못하더라.

나라해서 내인들 불러 니라오시되,

"전후(前後) 내인이 나라흘 위하여 원사[123]하였으니 그 참혹(慘酷)함을 이기지 못하여라. 저해 머나 가까오나 친척은 남았을 것이오, 간사[124]할 사람이 있을 것이니 타일의 문을 열면 무엇을 갚으리, 저해 것을 다 두었다가 주게 다 헤여 치부[125]하고 잠가 간사하라."

하오셔늘 간사하더니 중환이 닐아되,

"그래도 살려 하오시고 죽은 사람의 세간 간사하라 하오시는가."

하고, 세간 보는 사람 미워함이 심하더라.

대군 것을 난이 다 가져가고 나중에 제 몸을 도모[126]하야 나가더라.

어찌 한지 계축 동절(冬節)이로되 내어가지 아니한대 난이 나날 꾸짖어 닐오되,

"나를 중전 침실상궁 삼으려 하더니 어찌 지금 아니 다려가니. 그러므로 상감을 소(牛)같다 하고 의인마노라 사람이 아니라 효성 없다 하오시더니 그러므로 그러 아니랴."

121 에우고: 둘레머리를 하다. 빗어 올리고.
122 계교(計巧): 요리저리 헤아려보고 생각해 낸 꾀.
123 원사(寃死): 원통하게 죽음. 원한을 품고 죽음.
124 간사할: '간수하다'의 옛말. 잘 거두어 보호 함.
125 치부(置簿): 장부에 기록함. 돈 물건의 드나드는 것을 책에 적음.
126 도모(圖謀): 앞으로 할 일에 대하여 수단과 방법을 꾀하는 것.

하며,

"대비는 별대비 양 하여[127] 대군을 낳아서 지니지 못하야 이런 설운 일을 보아도 당신 탓이어니와, 나는 무슨 일로 이리 졸리고 살고, 동생 족하는 저희만 좋이 살고 날난 똥구듸[128] 빠지워 두고 아니 내여가는고. 하나히나 아자미[129]를 헤는가."

하고 하 악을 쓰거늘, 혹이 듣다가 못하야 갈오되,

"아니 내여 감은 그라거니와[130] 상궁이 예셔 살은 지 삼십 년이오. 이런 시절에 대군 나심은 백번 그라거니와 당신(當身) 설리 되어지다 하시며 우흰들 남의게 잡혀지라 하오실까마는, 원수를 만났으니 내인이야 죽으나 사나 무엇이 귀하야 나라흘 원(怨)하시는고."

난이 대로하여 꾸지자되,

"너희는 나라 은혜 중하여 원(怨)치 아니하나 나는 은혜 없다."

하고 악을 더 쓰더라.

죽은 김 상궁을 앉으나 니나[131] 주야 꾸지자되,

"임진년의 선왕마노라 호종이로라 하고 삼십도 못 하야 저해 먼저 상궁한 체하고 날난 호종 아니라 하고 상궁도 아니 여짜와 하이더니 죽으라 갈 제는 착한 양하더냐. 잘도 죽을사."

하고, 침간(寢間) 창 밑에 앉아서 대언으로 꾸지자되,

"김 상궁만 사람인가 여기오셔 각색 일을 다 하다가 저리 되었으니 이제도 김 상궁 어엿븐 마음을 두어계오실까."

하여늘, 혹이 대답하되,

127 양 하여: 인체 하여.
128 똥구듸: '똥구덩이'의 옛말.
129 아자미: '아주머니'의 옛말.
130 그라거니와: '잘못이거나와'의 옛말.
131 니나: 원형은 '니다'. '가다(行)'의 옛말.

"김씨 본데 뜻이 맑고 충성되여 나라 일을 힘써 하며 양전(兩殿) 사이를 화목(和睦)코저 하다가 사이에 간인(奸人)이 성하여 이런 일을 붙여내어 나라히 설리되여 계오시니와 자네 상궁 아니 된 일로 그 상궁이 그리 죽었을까. 자네 나라흘 위하야 불측의 말을 하니 상하지분[132]이 없느냐. 입이 있다 말을 다 할까. 참는 일이 많으되 자네 세(勢) 태산 같으니 무서워 말을 뉘 할꼬. 똥구듸 있지 말고 중전 상궁 되여 수이 나가소."

한대,

"아모리타 다리라 오면 싀틋도[133] 아녀 뒤 돌안들 보며 붙잡다 있을까."

하더니 갑인년(甲寅年) 춘(春)에 내여 가니라.

갈 제 분 바라고 자지[134] 장옷[135] 입고 나가거늘 남이 니라오되,

"오래 사다가 하직도 아니코 감이 종의 도리 아니로다."

하되, 실컷마는 하고, 그 옷 입은 재[136] 왔거늘,

"장옷으란 벗어라. 어전(御前)에 장옷 입을까."

하니,

"무삼 어전고. 이제 어전이라 하랴. 언제 벗고 가리."

하고, 입은 재 들어가더라.

상시도 그 전 내인은 다 수색[137]으로 낯만 씻고 낡은 옷을 입고 부

---

132 상하지분(上下之分): 윗사람과 아랫사람을 구분하는 일.

133 싀틋도: 원형은 '싀틋다'. '시틋하다'의 옛말. '시틋하다'는 '시뜻하다'의 거센 말. 마음이 내키지 않아 시들하다. 어떤 일에 물리거나 지리해져서 싫증나다.

134 자지: '자주(紫)'의 옛말.

135 장옷: 여자가 나들이 할 때 얼굴을 가리기 위하여 머리에서부터 길게 내리쓰던 옷.

136 입은 재: 입은 그대로.

137 수색(水色): 물빛. 본문에서는 당시 대비의 생부인 연흥부원군 김제남의 상중이라 대비전 내인들이 근신하는 뜻으로 물로 세수만하고 화장을 하지 않았다는 뜻임.

원군(府院君) 거상[138] 입었더니, 난이는,

"나는 대비종 아니로다."

하고 분 바라고 다니거늘 남이 니로되,

"내 동생이 동궁 침실에 있으니 내관이 보아도 아모의 동생이라 하고 편잔 될 것이니, 아뫼 보아도 고이하고[139] 뵈노라."

하더라.

난이란 교자[140] 태우고 종으란 말 태와 다려다가 대궐의 가 살리니,

대군 없아시다 소문 없이서 혹이 꿈을 꾸니 대군 아기시면 드시와 계오샤 울으시며,

"나는 인간을 흐뭇거이[141] 버렸거니와 저는 나를 죽여도 나는 좋은 데 왔으니 죽은 일이 시원하여라. 아자바님[142]네도 인간에서 설리 죽었으나 내 다 보노라. 나는 여동빈[143], 문천상[144], 백낙천[145], 최치원[146] 거

138 거상(居喪): 상중(喪中)에 있음. 본문에서는 인목대비의 부친인 연흥부원군(延興府院君) 김제남(金悌男)의 상중임을 말함.

139 고이하고: 삼가 조심하고, 정성을 다하고.

140 교자(轎子): 평교자(平轎子)의 준말. 종 1품 이상의 벼슬아치 또는 기로소(耆老所, 조선시대에 나이가 많은 정 2품 이상의 문신을 예우하기 위하여 설치한 기구. 왕 및 조정 원로의 친목. 연회 등을 주관하였음)의 당상관(堂上官)이 타던 남녀(藍輿, 의자 비슷하고 뚜껑이 없는 작은 가마).

141 흐뭇거이: '흐뭇하게'의 옛말. 마음이 흡족하여 불만이 없음.

142 아자바님: '아저씨'의 옛말. 본문에서는 큰 형인 임해군을 말함.

143 여동빈(呂洞賓): 당나라 때 사람으로, 팔선(八仙)의 한 사람으로 전함.

144 문천상(文天祥): 중국 남송(南宋) 때의 충신(1236년~1282년). 공제(恭帝) 때 원나라 군사가 침입함에 근왕의 군사를 일으켜 막았으나 성공하지 못하고 사로 잡혔다. 원나라 세조는 변절을 권하였으나 듣지 않음.

145 백낙천(白樂天): 백거이(白居易, 772년~846년). 중국 당나라 때의 시인. 자는 낙천(樂天), 취음선생(醉吟先生)·향산거사(香山居士). 대표작은 ≪비파행≫, ≪장한가≫ 등 있다.

146 최치원(崔致遠): 자는 해운(海雲), 또 고운(孤雲). 신라말 대문장가로서 명성이 높았던 사람. 일찍이 당에 유학하여 18세에 과거에 합격, 말년에 직을 내놓고 명승지를 유

복사주[147]와 노노라."

하셔늘,

"자계도 그 유(類) 사람이신가. 나 있는 곳은 부처 곳이요, 그는 신선 곳이니 행여 벗으로 노지 한데는 아니 있노라."

하오시고,

"하 설워 마옵소서 여짜와라."

하오셔늘,

"어찌 친히 들어가 여짭지 아니하옵시는고?"

"날을 그리워 설워 매양 우옵시니, 내 들어가면 더욱 설워하옵실 것이니 아니 들어가노라."

하고, 울고 가옵시더라.

갑인(甲寅) 삼월에 내관 보내어 변 상궁께 닐오되,

"너희들이 전(殿)으로 뫼셔 평안이 살 일이로되 대군을 임군을 삼으려 도적 사괴여 안으로 방정지사를 하다가 명으로 안보(安保)치 못하였으니, 이제 남은 내인이 고요히 들어 일정 내 말을 좇아야 만정 그를 일[148] 곳 있으면 명시(明示) 정형[149]할 것이니 알아시라. 대군을 처음에 경성(京城)에 두었더니 죄인을 성중(城中)에 둠이 불가타 하여 조정이 하 보채니 두지 못하야 강화(江華) 지(地)에 좋이 옮겼더니 제 명이 박하여[150] 감한 하연 지[151] 오래지 아니하여서 죽으니[152], 죄인의 죽음은

람하다가 승천하였다는 전설이 있음.

147 거복(벽)사주(巨擘四柱): 문맥상 거유사주(巨儒四柱)가 옳을 것, 큰 어른 네 분, 학식이 많은 네 사람, 네 분의 거유(巨儒). 본문에서는 여동빈, 문천상, 백낙천, 최치원을 가리킴.

148 그를 일: 그릇될 일.

149 정형(正刑): 죄인을 사형에 처하는 형벌.

150 박하여: '기박하여'의 준말. 팔자가 사납고 복이 없다.

151 감(減)한 하연 지: 감(減)은 분량·수 등을 줄이는 것을 말함. 본문에서는 영창대군

찾지 아니하는 법이라 하고 조정은 버려두라 하되, 동기(同氣)라 버리지 못 할 것이라 의(義)를 헤어 해사[153]로 비단 요자리 관곽[154]을 갖추어 극진이 영장[155]하였으니 전(殿)이 아오셔도 섧지 아니려니와, 그러나 경성(京城)의 두고 외방(外方)에 옮길 제 알지 못하오시니 제명에는 죽었건마는 날을 죽이다 할 것이니 느작이 아라시게 하고, 즉시 여짜오면 너해 등을 나수[156]하고 멸족할 것이니, 너희만 알았다가 아모 제나[157] 무던히 여겨 들으시게 하면 환(患)이 없으리라. 틈틈이 앉아서 한숨 지며 설워한단 말 곳 있으면 내 법을 다할 것이니 듣고만 있으라." 하여늘 변이 대답하되,

"전교(傳敎)대로 하오려니와 상시도 곡읍을 그치지 아니 하오시고 자

의 수명이 보통 사람들과는 달리 수명이 감하여 태어났다는 뜻으로 쓰임. 박명(薄命)하였는지.

152 오래지 아니하여서 죽으니: 『광해군일기』에는 다음과 같이 기록되어 있다. "정항(鄭沆)을 강화 부사로 삼았다. 정항은 무인(武人)이다. 임해군(臨海君)이 귀양가자 이정표(李廷彪)가 살해했고, 영창 대군(永昌大君)이 귀양가자 정항이 살해했다. 그러므로 총행이 비할 데 없었다. 그 뒤에 두 사람이 잇따라 죽자 사람들이 모두 하늘이 내린 앙화라고 하였다. 대군이 죽을 때의 나이가 9세였다. 정항이 강화 부사로 도임한 뒤에 대군에게 양식을 주지 않았고, 주는 밥에는 모래와 흙을 섞어 주어서 목에 넘어갈 수 없도록 하였다. 읍 안의 한 작은 관리로서 영창 대군의 위리(圍籬)를 수직한 자가 있었는데 불쌍히 여겨 몰래 밥을 품고 가서 먹였는데 정항이 그것을 알고는 곤장을 쳐서 내쫓았다. 그러므로 대군이 이때부터 밥을 얻어먹지 못하여 기력이 다하여 죽었다. 〈어떤 사람이 말하기를〉 '정항은 그가 빨리 죽지 않을까 걱정하여 그 온돌에 불을 때서 아주 뜨겁게 해서 태워 죽였다. 대군이 종일 문지방을 붙잡고 서 있다가 힘이 다하여 떨어지니 옆구리의 뼈가 다 탔다.' 하였다. 지금도 강화도 사람들은 그 말을 하면서 눈물을 흘리지 않는 사람이 없다." 『광해군일기』 권74, 광해군 6년(1614) 1월 13일(병인).

153 해사(該司): 그 일을 관장하는 관청.

154 관곽(棺槨): 시체를 넣는 속 널과 겉 널.

155 영장(永葬): 안장(安葬). 편안하게 장사 지냄.

156 나수(拿囚): 죄인을 잡아 가둠.

157 아모 제나: '아무 때나'의 옛말.

로 결항(結項)도 하오시며 자결(自決)도 하려 시위인 없음을 기다리오시니 아해와 늙은 근시는 다 죽삽고 짐생 같은 것이 조그만 아해들만 다리고 있어 주야에 떠나지 아녀 시위하였으나, 사람의 장단은 존비[158] 없으니, 한 해 지나 두 해 봄이 되도록 죽음[159]을 마시지 아니 하오시니, 만일 귀천(歸天)하오시다 어찌 종의 탓이리이까. 시위하야사오나 두립사오미 두 녁히[160] 다 어렵사오니 찰히[161] 죽어야 좋은 넋이 될까 하나이다."

하니라.

이틑날 또 와 닐오되,

"비록 죽어지라 하나 죄 없어 아니 죽이랴. 전을 뫼왔으매[162] 아니 죽였으니 수라[163] 자로 권하야 잡삽게 하고 설워 우오시게 말라."

하여늘 답하되,

"속담(俗談)에 서너 살 먹은 아해도 제 하고저 하는 일 거사로면[164] 좋아 아니 하고 부대 뜻대로 하여야 울음을 그치옵나니, 하물며 우흔 남에 없은 설음을 만나 주야에 애통지성(哀痛之聲)이 끝지 아니하오시고, 두 해 되도록 어마님 아기시 생사를 아지 못하오셔 불이 붙는 듯하여 산 고기 양지(陽地)에 놓은 듯 헤떠[165] 주야 우오시고, 냉수와 어름

---

158 존비(尊卑): 본문에서는 사람 목숨의 길고 짧음은 신분의 높고 낮음과는 관계가 없다는 뜻이다.

159 죽음(粥飮): 묽은 죽. 미음.

160 두 녁히: '녁'은 '녘'의 옛말. 두 방향. 본문에서는 대전(광해군)과 대비전(인목왕후) 두 처소를 말함.

161 찰히: 차라리.

162 뫼왔으매: 모셨기에. 받들다. 어른을 따르다.

163 수라(水刺): '밥'의 궁중어. 진지. 임금께 올리는 밥.

164 거사로면: '거스르면'의 옛말. 하지 못하게 해방을 놓으면.

165 헤떠: 원형은 '헤뜨다'. '허둥거리다'의 옛말. 허둥대며.

뿐 마시오시니 수라야 더옥 권하올 길이 잇아오며 이따금 위로하야 여자오되, 대전에서 죽음(粥飮)이나 자로 권하야 잡사오라 전교 자로 오시니, 망극 중에도 또한 모자정(母子情)을 차리오시니 어찌 감동치 아니하리이까. 부유[166] 같자온 종의 몸이나 마침내 안보함을 입사와지이다."

권하오니,

"대전이 오시다, 나를 어미라 하오시며, 내라 국모(國母)라 하랴. 너해 다 예라[167] 내 혼자서 우다가 명이 진(盡)하리라. 권하는 말이 더욱 듣기 싫다."

하오시니, 권키를 못하옵더라.

대군 졸(卒)하시다 말을 듣고 시위인들이 설움이 가이없으나 날마다 와 죄히니 어찌 우람을 내리오. 가슴을 두다리고 원할 따름이러라.

사월이 되도록 여짧지 아녔더니 먼저 우히 꿈을 꾸오시니, 두 젖이 흐르고 모든 사람들이 아기시를 안아다가 우희 안기오니 우히 우오시며 반겨 젖을 먹이오시다가 깨달으사,

"마음이 새로이 놀랍고 살이 떨리어 지금 정치 못하니 어떠하여 이러하노."

하오셔늘, 근시(近侍) 대답하오되,

"젖이라 하는 것은 아해 식줄이니 아기시 장수(長壽)하오셔 대전 마음을 자연 프라샤[168] 서로 만나오실 상서(祥瑞)로소이다."

하였더니, 그 후 또 몽(夢)에 아기시 우희와 안기시며 니라시되,

"머리 빗을 사이에 하늘의 옥[169]을 보니 인간의 복갑의 속의 오곡[170]

166 부유(蜉蝣): 하루살이. 흔히 천하고 보잘 것 없는 존재를 비유함.

167 예라: 원형은 '예다'. '가다'의 옛말.

168 프라샤: '프르셔서'의 옛말.

만들었고 날을 설리 하였으나 나는 옥황[171]을 보니."

하고 울거늘 붙들어,

"어대를 갔던다? 나는 너를 여희고 설워 죽고저 하되 너는 어찌 간 곳도 아니 니라난다?"

하오시니,

"아오셔 쓸데없다."

하고 가니, 이 어찌 상시 몽(夢)이리오.

"죽여 두고 날을 기(欺)이는가 싶으니 바로 니라면 하려니와 이 설움을 참지 못하여 고대 죽어 한데 가고져 하노라."

하고 하 보채시니, 상궁이 설움을 참지 못하여,

"눈물이 흘러 옷이 젖으니 어찌 섧기를 참으며 철석(鐵石)인들 차마 기(欺)이리오. 하다가 못하여 이리 와 닐오니 우리 기이옵고저 하오나 아기시 영(靈)하오셔[172] 자로 뵈오시니 인간은 속이오나 신령은 못 속이옵게 하였나이다."

하오니, 것마라죽어[173] 계오시다가 가까스로 냉수로 깨와 여짜오되,

"아기시 벌써 범의 입에 들물 면치 못하오셔 이제 아모리 간장(肝腸)을 슬워하오셔도 살아오실 줄이 없삽고, 병드오신 본결 동생님네 어린

169 옥: 옥황상제가 산다는 가상의 서울인 옥경(玉京).

170 복갑의 속의 오곡: 이 부분은 해독에 어려움이 있다. 본문의 '복갑의 속의 오곡'이 〈서궁일기〉에는 '독갑의 속의 옥곡'으로 되어 있다. 앞뒤 문맥으로 보아 '독경(讀經) 속의 옥곡(玉谷)'으로, 즉 '인간이 불경을 소리내어 읽는 가운데 옥황상제가 사는 곳으로 인도되었다'고 해석함이 어떨까 생각됨.

171 옥황(玉皇): 옥황상제(玉皇上帝)의 준말. 도가(道家)에서 말하는 천신(天神)의 우두머리.

172 영(靈)하오서: 영험(靈驗)의 줄임말. 사람의 기원(祈願)에 대하여 신령과 부처의 영묘한 감응. 본문에서는 '영창대군의 기원을 신령이 들어주어서'로 해석됨.

173 것마라죽어: 원형은 '것마라죽다'. '까무러치다'의 옛말.

자손들 다리오시고 의지할 데 없어 우흘 다시 만나 보옵고저 살아 계오시니이다. 아기시를 위하여 옥체(玉體)를 바리오시면 제 더욱 기꺼 마음 가장 모진 일을 하여 방정지사를 하다가 나타나 자진하오시다 사기(史記)에 쓰일 것이요, 악명(惡名)을 씻고 우히 몬저 없아오시면 각색 일을 다 하오시다 니라올 것이니, 섧사오심을 참사오사 져근덧 견대여 보오소서. 종인들 위연[174](喟然) 어엿브고[175] 잔잉하니이까. 평시에 좋은 시절에는 존귀(尊貴)히 시위하와 사옵다가, 이제는 내인이 초야(草野)의 기음[176]매는 하인만도 못하여 해골(骸骨)이 거리거리 구을고 금부나장[177]에게 뒤몰려 선왕마노라 근시하던 사람이나 의인 가례(嘉禮)적 사람이 다 중형으로 죽었으니 불상코 잔잉하여이다. 찰히 싀여뎌[178] 듣지 말고져 하오나 우흘 생각삽고 살았는데 이제 죽사오시면 우리를 살려 두리이까. 새로 옥사(獄事)를 이룰 것이니 한 아기시를 위하오샤 깃친[179] 사람을 다 설리 죽게 마오소서."

하오니,

"낸들 무슨 일을 아니 헤리오마는 동서도 모르는 아희 슬하[180]에서 자라는 양이나 보려 하더니, 위력(威力)으로 앗아다가 갔는 곳도 니라지 아니하다가 죽였으니, 애를 끊는 듯 살을 베이는듯 하니 설움을 참지 못하며, 어마님이시며 내 일로 설리 죽은 동생들을 생각하니, 이제 죽으면 천하[181]에 가도 부형(父兄)에게도 반가이 뵈지 못하여 부끄러운

174 위연(喟然): 위연탄식(喟然歎息)의 준말. 한숨을 쉬며 크게 탄식하는 일.
175 어엿브고: '불쌍하다', '가엾고 애처롭다'의 옛말.
176 기음: '김'의 옛말. 논밭에 나는 잡풀. 본문에서는 내인들이 들에서 일하는 하인의 신세가 되었음을 한탄하는 말.
177 금부나장(禁府羅將): 의금부(義禁府)의 하예 군위(下隷 郡衛)에 사령(使令)의 하나.
178 싀여뎌: 원형은 '싀여디다'. '잦아없어지다', '죽다'의 옛말. 죽어서.
179 깃친: 원형은 '깃티다'. '끼치다'의 옛말. 영향, 해, 은혜 따위를 당하거나 입게 하다.
180 슬하(膝下): 무릎 아래. 거느리는 곁이나 품안. 부모의 보호를 받아야하는 어린 아이.

넋이 외로이 돌 것이니 참는 일이 많아 죽지 못하나, 무슨 원수로 이런 설운 일을 보거뇨. 잡은 죄 없으니, 설움은 내 받으나 선왕께 하는 배니 한갓 날을 미워하는 일이랴. 선왕이 사랑치 아니시던 일을 원을 내게 와 푸니 이 원을 내 듬은[182] 카니와 내 가문(家門)과 어린 대군을 다 죽였으니 어찌 한갓 섧다 하리오[183]. 세세생생[184]에 소리 듣는 땅에도 나지 말아지라. 문 열어 주거든 노모의 안부를 들어지라."

문안내관더러 하되 들은 체도 아니하더라.

봄이 지나 여름이 가고 가을이 되였더니 내인들이 당도악이[185] 하여 앓으니,

"약이나 하여 먹여지라."

하되, 들은 체도 아니하더라.

변 상궁만 남았으니 모든 내인들이 어미 믿듯 하고 우도 그만 믿어 계오시더니. 변이 조차 알파 누으니 우히 더욱 망극히 여기오사 아모려나 살와내려 각색 약으로 구병(救病)하오시되, 나이 많고 용심(用心) 많이 한 사람이라 열이 중하여 살 길이 없어지거늘, 하다가 못하여,

"내인 병(病)하니 내어 보내여지라. 살 길이 없겠다."

여러 번 간청하되, 들은 체도 아니하거늘 다시금 청하니,

"무슨 일 하려고 거짓 병탈하고 내인 내어 보내어지라 하나니."

181 천하(泉下): 저승의 아래. 사람이 죽은 뒤에 그 혼이 가서 산다고 하는 세상.

182 듬은: 들다. 받다. 받음은.

183 어찌 한갓 섧다 하리오: 본문에서는 선조가 생전에 광해군을 사랑하지 않았음에 대한 원망으로 내가(인목대비) 고초를 받음은 감수하겠지만 그 화(禍)가 영창대군과 친정에까지 미치는 것을 한탄함.

184 세세생생(世世生生): 불교에서 말하는 윤회(輪回). 몇 번이고 다시 환생하는 일. 현세(現世)와 미래(未來)와 그 어느 세상에서도.

185 당도악이: 당도역. '뜨리'의 옛말. '뜨리'의 한자말은 수두(水痘)로 북한에서는 지금도 '수두'를 '뜨리'라고 함.

하여늘, 무서워 못하였더니 그 병세(病勢) 수상하여 좋을 기약이 없거늘 다시금 비니 그제야 내어 보내되, 별장(別將)·내금위(內禁衛)·대전 내관이며, 다 자비문 안에 서서 의녀(醫女)로 상궁 속치마 바지 디패여[186] 보고 욕이 비경[187]하여, 옷 사이에 무엇 들었는가 햇빛에 들어보고 신은 것을 다 떨어보고 머리 디패여 보며 내관이 닐오되,

"대전 전교(傳敎)가 없으니 별장(別將) 내금위장(內禁衛將) 다 들이밀어 보고 행여 글월을 품어 가거나 품에 있는가 하여 우흘 믿지 아녀 별장들을 지키웠으니 데면이 보고[188] 일내지 말고 드리미러 보라."

하니, 고자[189]며 모든 놈들이 상궁을 껴서 드리미러 보고,

"아모것도 없다."

하니 그제야,

"동생이 들어와 다려가라."

하더라.

병을 들어 인사를 모를새망정 욕이 비경(非輕)하여 데면한 병이면 차마 못 나갈너라.

모든 내인이 울며 바라되,

"병이 중하여 구(求)치 못할 것이 나가 무엇을 가져갈 것이라 저리 심히 뒤나뇨. 죽으라 가는 내인이라 뒤여보고 병하여 나가나니라. 의녀 하야 뒤여보고 수욕(羞辱)이 비경하니, 내인은 상인(常人)이어니와 우흘 조금이나 혜오랴[190]."

하니, 내관이 대답하되,

186 디패여: 원형은 '디패다'. '뒤지다'의 옛말. 샅샅이 들추어 찾다.
187 비경(非輕): 가볍지 않음.
188 데면이 보고: 데면데면하게 보고. 성질이 꼼꼼하지 않아 조심성이 없이 보고.
189 고자(鼓子): 생식기가 불완전한 사내. 엄인(閹人). 화자(火者).
190 혜오랴: 생각하랴.

"우리더러 닐러 속절없으니 우리도 죽을 일을 두려 이리하노라." 하더라.

변 상궁 나간지 오란 후에 우히 좋았거든 들여 달라 하오시되 대답도 아니 하더라.

변씨는 구월에 나가고 전에 감찰상궁으로 다니던 천복이 내전 더듸[191] 잡아낸다 하고 하옥하였더니, 시월 이십일에 드리다 은덕의 족하를 이 사람의 시양[192]을 만들어 두고 내외에 말을 서로 통하더니 들여 두고 무슨 요괴[193]를 하려하며, 달래어 이때에 들여보내였더라.

이 사람이 본데 불통(不通)하여 생세(生世) 육십이로되 지식이 전혀 없고 얼굴이 괴이하며[194], 양자(養子) 등유(燈油) 칠 한 이 같고 언서(諺書) 한 자(字)도 잘 못쓰며, 의인 적부터 쓰이지 못함을 앙앙[195]하여 하더니, 이 적도[196] 소임 못하여 하 설워한다 하오시고,

"제 행실 용치 못한 줄은 모르고 나이많도록 고초(苦楚)히 지내니 그도 사람이라 불쌍타."

하오시고 감찰(監察)하였더니, 양전(兩殿)에 서로 문안 다니며 아침의 문안가서 낫만[197]오듯 하고 또 나죄[198] 오듯도 하며, 은덕이・가히와 날이 늦어 가는 줄을 모르고 쫓아하닷더라.

천복이 닐오되,

---

191 더듸: 원형은 '더듸다'. '더디다'의 옛말. 늦게.

192 시양: '시양자(侍養子)'의 준말. 대를 이을 목적이 아니라 동성(同姓)・이성(異姓)을 가리지 않고, 세 살 넘어서 수양(收養)하는 양자.

193 요괴(妖怪): 요사스럽고 괴상함.

194 괴이하며: '괴상하다'의 옛말.

195 앙앙(怏怏): 불평불만을 하다.

196 이 적도: 이 때에도.

197 낫만: '낫'은 '낮'의 옛말.

198 나죄: '저녁'의 옛말.

"대군이 남과 달라 자라면 큰 사람이 되리라."

하니, 은덕이 니라오되,

"아모리 슬겁다[199] 사는가 보자."

하더라.

이런 사람을 들여보내되 아모 일도 모르니 마음이 무궁히 활하더니[200] 들어와 앉도 아니하고 물으되,

"마노라 어데 계오신고, 올라 니거지라."

"아모데 계오시거니와 져근덧 머무러 가소."

하니, 대답하되,

"날을 대전에서 부러 보내어 변(卞)이 병하여 나갔으니 네 들어가 시위하라 하셔늘 왔으니 수이 드러니거디라."

하여늘,

"무엇이 바쁠고? 아조 들어왔으면 더욱 든든하니 물러가 쉬라."

한대 노(怒)하여 닐오되,

"내 즐겨 왔을까? 슬흐니[201] 마다하니 대전 내전이 네 들어가야 시위를 잘 하리라, 아니 들어가면 중죄(重罪)를 주리라 하오셔늘 왔지 슬히 여길 줄 알면 올까."

말이 가장 해악[202]하니 처음에 쓸믜더라.[203] 즉시 들어가 침실 지게[204] 열고 바로 들어가 앉으며 여짜오되,

---

199 슬겁다: '슬기롭다'. '재능이 있다'의 옛말.

200 활(闊)하더니: 풀이하면 '너그럽더니'로 앞뒤의 문맥에 맞지 않다. 〈서궁일기〉에는 이 부분이 '황황(遑遑)'으로 되어 있다. '황황'은 '황황망조(遑遑罔措)'의 준말로 '마음이 급하여 어찌할 줄을 모르고 허둥지둥함'이므로 문맥상 옳을 것 같다.

201 슬흐니: 원형은 '슬희다'. '싫어하다'의 옛말.

202 해악(駭愕): 몹시 놀라는 것.

203 쓸믜더라: 원형은 '쓸믜다'. '싫어 미워하다'의 옛말. 싫어 미워하더라.

204 지게: 지게문의 준말. 마루에서 방으로 드나드는 곳에 안팎을 두꺼운 종이로 바른

"대전 내전이 부러 불러다가 네 친히 시위하되 옥체(玉體)를 만지오며 잘 시위하라 하오셔늘 가져왔나이다."[205]
하니, 우히 하 괘심히 여기오사 대답 아니 하오시니, 앉았다가 못하여 나와 모든 하인더러 닐오되,
"온가[206] 미워 말라. 마음으로 아니 왔으니 모다 슬히 여기지 말라."
하여늘, 대답하되,
"괴로이 들어서 우흔 매양 곡읍만 하오시거든 변 상궁이 들어계서 위로하여 모든 아해들을 거느리옵시더니 나가시니 원망함이 가이없거든, 무사 일 상궁 오셔든 슬히 여기올꼬. 즐겨 문 연듯 시훤하여 하옵네."
대답하되,
"대전 내전이 보내어 시위하라 하시매 왔으니 날을 제 대답을 못하리라. '나라 사람 하여 밥 지어 먹고 옷 지어 줄 이 없거든 시녀하야 지어 입고, 가암[207]이 없거든 대비 마노라께 여짜와 주소서 하여 입고, 조금이나 네 말 아니 듣거든 문안 내관하여 조금 서계[208]하라. 그를 일이 있으면 내수사(內需司)로 잡아 내어 죄 줄 것이니 보경이[209]하고 병(病)하니 있거든 즉시 내어 보내라.' 하시더라."
하여늘, 모든 내인이 실색(失色)하더라.

외짝문.
205 가져왔나이다: 무엇을 가져왔는지 이해가 가지 않는다. 〈서궁일기〉에는 '가져왔나이다' 앞에 '전지(傳旨) 써 주셔늘'이라는 문장이 있어 이해가 가능하다. '전지'는 임금의 명령을 전하는 것을 말함.
206 온가: 왔는가 해서.
207 가암: '감'의 옛말. 물건을 만드는 바탕이 되는 재료. 본문에서는 옷을 지어 입을 천을 말함.
208 서계(書啓): 왕에게 명령을 받은 자가 올리는 봉명서(奉命書).
209 보경이: 월경(月經)이 있는 사람.

한 내인이 닐오되,

"그리면 가장 좋거니와, 병하니 내어 보내며 말미야 우히 하오시지 마음으로 내어보내어지라 할꼬."

하니, 잠자코 있더라.

여러 날이 지나되 우히 불러 아니 보오시니 노하여 닐오되

"부리며 아니 부리오시는 일을 서계(書啓)하라 하오시더니 하렸노라."

하고,

"이리 설리 되어 계시나 대전을 저허 하오시는가 내 부대 서계하리라."

하 벼르거늘 시위인이 여짜오되,

"천복이 들어옴이 불행한 일이옵고, 첫날 들어와 앉도 아녀서 처음으로 지어, '침실에 누고[210] 다니나니.' 하거늘, '우리 둘이 사노라.' 하니 눈 흘기어 닐오되, '대전이 즉시 소명하였고 정씨는 당초에 사설(辭說)하고 우다 하여 내어다가 죽이렸노라 하오시더라.' 하고, 들어와 하는 행지[211]도 괘심하기 측량없아오나, 들어 온지 여러 날이오되 한번 감하오시지 아니하오시니 감하이옴을 청하옵나이다."

하오니,

"제 얼골이 더랍고 행지(行止)와 언사가(言辭) 극히 괘씸하니 보기 싫거니와 한번 오라 하여 제 말을 들어 보리라."

하오시고 불러 보오시니, 평일 제도 시위 아녔던 사람이오 곱지 아니 양자에 취여들고[212] 바로 앉아 감해옵기 어렵고 젓사온[213] 일이로되,

---

210 누고: '누구'의 옛말.

211 행지(行止): '행동거지(行動擧止)'의 약어(略語).

212 취여들고: '추켜들고'의 옛말. 치올려들다.

213 젓사온: '두려운'의 옛말.

가장 좋은 양하여 툭 취여 들고 번드시 나아 앉거늘, 우히 묻자오시되,

"네 어찌 드러온다?"

"친히 시위하라 왔삽나이다. 전지(傳旨)도 가져왔삽나이다."

"전지란 것이 무엇고? 뉘 내게 전지라 하나니?"

"소인을 들어가 옥체도 잘 간사하오며 요샤(妖邪)의 일 하거든 금(禁)하고, 서계하라 하오시더이다."

"그는 어내[214] 용한 말이로다. 내 아모리 파려하다[215] 종 부리기조차 남이 거걸하랴.[216] 시어버이를 며나리라서 거걸할 나라히 있나냐. 나는 하는 일이 없으니 네 들어와 살펴보라. 부모 동생이며 어린 아기 없이 하고, 이제 무엇이 나빠 넣어 두어 용납지 못하게 하나니. 너희가 만일 그른 죄책(罪責) 입을 제 눌과 어우러 입으랴 하더뇨. 필부(匹夫)를 구하여도 믿지 못할 것이니 날을 쉽게 하여 선왕 아들이라 하고 이름 더러일가[217] 아껴하노라. 내전이 정권을 참예하니 잘 거걸하여[218] 죄 아니 길을 뜻을 계규[219]하면 아니 드라랴마는, 여편이 들어앉아서 대전을 좇는도다."

하오신되, 복[220]이 여짜오되,

"문을 열고저 하오되 전계(傳啓)를 못 얻어 하오시나니 양전[221]에며

214 어내: '참으로'의 옛말.
215 파려하다: '고달프다'의 옛말.
216 거걸하랴: 타이르랴.
217 더러일가: '더럽힐까'의 옛말.
218 거걸하여: 타이르랴.
219 계규: '계규'는 문맥상 이해가 어렵다. '계구(戒懼, 조심하고 두려워함)'의 오기로 보거나 아니면 〈서궁일기〉의 '개유(開諭, 사리를 알아 듣도록 타이르는 것)'의 오기로 보면 뜻이 통함.
220 복: 문맥상 '텬복'의 '텬'이 누락된 것으로 봄.
221 양전(兩殿): 본문에서는 당시 왕이던 광해군과 왕비 유씨를 가리킴.

세자께 친히 글월하여 소인을 주오시면 내관하여 전하오면 필연(必然) 반겨 들으시리이다."

"전일도 여러 번 간측(懇惻)히 적으되 한쪽 대답이 없으니, 비록 설우나 또 빌기는 못할 것이니 물러가라."

하오시니, 나와 앉아서,

"아모리 된 체 하오셔 어버이로라 빌지 아니하오신들, 대전 내전이 어버이라 하오시는가. 아니 헤나니."

하여늘 혹이 대답하되,

"선왕마노라 친영[222] 중궁[223]이오시고 공주·대군을 낳아 계오시거늘, 모진 법을 하여 아니라 함으로 갈까."

천복이 대답하되,

"대전의 어마님 공성왕후[224]를 강남가봉[225]하여 왔고, 대군을 죽였으

222 친영(親迎): '친영'은 옛 혼례식의 여섯 절차의 하나. 혼인날 신랑이 신부집에 직접 데리러 옴. 여기서는 '정실(正室)부인'이란 뜻.

223 중궁(中宮): 왕후의 대칭, 중궁전, 중전, 곤전(坤殿).

224 공성왕후(恭聖王后): 광해군의 생모인 공빈 김씨(恭嬪金氏)를 지칭함. 광해군은 즉위 2년에 생모를 공성왕후라 추존하고 릉을 성릉(成陵)이라 했다. 당시 이항복, 이덕형 등 많은 대신들이 예에 어긋남을 들어 반대하였다. 아래 지돈령부사 허성의 상소한 대목은 반대의 이유를 알게 한다. "예에는 두 사람의 높은 이가 없고 가정에는 두 사람의 적자(嫡子)가 없는 것입니다. 의인 왕후(懿仁王后)는 이미 모후(母后)의 높은 이로 선왕(先王)의 배위가 되어 곤위[坤極]에 올랐고 우리 성상은 선왕이 아들로 삼는다는 명을 받들어 임금의 적통(嫡統)에 올랐으니, 성모(聖母)가 비록 낳아서 기른 은혜가 있으나 분수와 의리에는 분명한 한계가 있으니, 감히 왕후와 아울러 적통을 견주지 못하는 것이 명백합니다. 또 적통(嫡統)을 계승하였으면 그 사친(私親)을 돌아보지 못하는 것은 예(禮)의 큰 법[大經]입니다. 사대부 집안도 감히 어기지 못하는데 더구나 막중한 임금이겠습니까?" 『광해군일기』 권26, 광해군 2년(경술, 1610) 3월 14일(경안).

225 강남가봉(江南加封): 훈민정음 언해(訓民正音諺解)에 "중국은 우리나랏 상담(常談)에 강남이라 하나니라"고 한 것으로 보아 '강남'은 중국을 가리키며, '가봉'은 작호를 올려 준다는 뜻이다. 본문에서는 광해군이 생모를 공성왕후로 추존하여 중국의 승인을 받으려 했음을 말한다.

니 뉘 헤며, 선왕마노라 제 아바님으로 헤는가. 살아 계오신 제 세자라 하고 사랑치 아니시고 가르치지 않으시며, 이제 왕으로서 계셔도 아모 일도 아지 못하니 더욱 애달와 원(怨)을 대군에게 풀거든 헬세 없다."
하여늘,

"아바님 어마님을 다 헤지 아니하면 어데로서 좇아 나신고?"
하고[226], 죄인 응벽이를 담산[227]에 담아 목릉·유릉 위에 올려다가 방정한 곳 가리키라 하니 그 놈이 올라가서,

"내 아자미[228] 한 곳 있다더냐? 내 못 견디어 저근덧 쉬랴 하고 거짓말 하였더니라."
하고 나려가 죽으니라.

응벽이는 대군 보모상궁 족하러니라.

사람이 놀라 닐오되,

"아버님 무덤을 파다 하는 이 있는가?"
하니,

"그런 줄은 다 알건마는 뉘 두려 말을 낼꼬? 침실에 부리시면 물으란 먹게 함세."

"어찌 하여 먹게 할꼬?"
하니,

"가히(介屎)의 권(權)이 중하니 가히 형과 가희를 쇠를 많이 주면 천하에 못 될 일이 없을 것이니 문 열기는 평지첩경[229]이라."

---

226 하고: 앞뒤 문맥에 맞지 않다. 〈서궁일기〉에는 '하고' 앞에 '내 법이 법이라.'라는 문장이 있다. 차용하여야 이해가 된다.

227 담산: 들것. 나무나 또는 가마니로 만든 여와 같은 것.

228 내 아자미: '아자미'는 '아주미'의 방언으로 '아주머니'의 낮춤말. 본문에서는 영창대군 보모상궁 김덕복(金德福)을 가리킴.

229 평지첩경(平地捷徑): 바닥이 펀펀한 땅에서 지름길, 가장 쉬운 일.

하더라.

우해 이 뜻을 여짜오니,

"세 곳의 글월을 써 문 열어 달라 빌어 보려니와 나라히 되어 어인 천인(賤人)에게 청하기는 가(可)치 아닌 일이오, 년흐[230]의 마음을 먹어 나를 죽과저 잠가 넣었으니 청할 배 아니니 두 가(可)치 아님이오, 제 어미를 봉하여 두고[231] 날을 용납지 못하게 잠가 넣었는데 섬서히[232] 청하여 빌미 세 가치 아닌 일이오, 늙은 미련한 내인의 말을 듣고 막중(莫重)한 청 줌이 네 가치 아닌 일이니, 나를 이리 넣어둠이 심상한 일이 아녀 반다시 제중의 말을 입으랴 한 일이라 청으로 갈 일이 아니니, 다섯 가지 가치 아닌 일이라. 답답하고 설움은 가이없으나 천복에게 의지하야 가만히 빌기는 죽을지언정 못할 일이로다. 너희 인선우지[233] 하여 좋이 대답하라."

하오시더라.

이러 할 사이에 동짓달이 거의 되었더니 천복이 입을 것 없어라 앙설[234]하거늘, 초록과 백주[235]와 소음[236]이며 신이며 주오시고 닐오시되,

"너를 심상한 내인으로 대답 아녀 계축년(癸丑年)에 나간 내인 내라 보채어 두 감찰을 잡아내니 옥중에 가 굿겨시니[237] 치워[238]한다 할새

230 년흐: 원형은 '녀느'. '어느', '다른'의 옛말.
231 제 어미를 봉하여 두고: 광해군이 자신의 생모인 공빈 김씨를 공성왕후로 추존한 사실을 말함.
232 섬서히: '소홀하게'의 옛말.
233 인선우지(人選爲之): 사람을 가려서 처리함.
234 앙설: 엄살. 엄살을 피우며 반항하는 일.
235 초록과 백주(白紬): 초록색과 백색 비단.
236 소음: 원형은 '소옴'. '솜'의 옛말.
237 굿겨시니: 원형은 '굿기다'. '죽다'의 옛말.
238 치워: 원형은 '치위'. '추위'의 옛말.

입을 것 주니, 먹을 것 자로 주라."
하오시니, 불 때일 남기며 음식을 주오신다 하고 보내면, 천복이 엄연히 누워서 대답하되,
"주오시니 상덕(上德)은 가이없거니와 나는 귀치 아녀 하노라. 이년조차 나라 것 슬흐여하노라."
하니, 가져갔던 사람이 차마 듣지 못하여 수이 나오니라.
우히 친히 글월을 써 양전(兩殿)과 세자궁에 문 열어 달라 비오시니, 이튿날 내관 보내어 천복이를 외다[239] 하다. 천복이 듣고 용심하여 누어서 닐오되,
"나를 달래어 들여 보내어신들 침실의 사는 것이라 시킨 일을 할까, 나도 살리실까 여겼더니, 아니 부리시니 제서는[240] 아니 한다 하고 미워하시니 죄 입을까 두려워하노라."
하고, 근심하여 피소변(血尿)을 보더라.
행지(行止) 오존하면[241] 그러나 아니 어엿브랴마는, 말이 하 괘심코 미오니 조금도 어엿브지 아니되, 입을 두려 미운 매를 아니코 좋은 체하더니 하루는 공주를 보옵고 닐오되,
"어마님 같다마는 서방 마잘 데 없고, 옷 입은 태 저 같으니 보기 싫다."
하더라.
공주가 역질[242]하오시니 천복이 기꺼 이제야 뜻을 엇괘라[243] 하되 할 일이 없어 하더니, 침실 문을 닫고 조심하니 천복이 알파 누었다가 그

239 외다: '그르다'의 옛말.
240 제서는: 그쪽에서는. 본문에서는 대전(광해군) 측을 말함.
241 오존하면: 원형은 '오존하다'. '똑똑하다'의 옛말. 똑똑하면.
242 역질(疫疾): 천연두(天然痘). 마마.
243 엇괘라: 얻었도다.

제야 일어나 와 두로 보고 역질인 줄 알고 들어 앉아서 부러 고기 저미고 술 먹거늘 남이 들어가 보니 닐오되,

"긔우[244]로 술 고기를 못 먹을 것이니 우리 가만히 먹자."

하고 먹더니, 침실에서는 먹는 줄 아지 못하되 자가[245]는 알으시고,

"천복이 남 몰래어 둘이 앉아서 고기 뜯고 술 먹으며 가만히 먹자 하니 괘심코 다랍다. 어서 아사라.[246]"

하오셔늘 사람 보내어 보니 과연 한 사람을 다리고 앉아서 먹더라. 저도 하 가이없어,

"진시[247] 듣지 아녀쓰니 먹노라."

하더라.

이 때를 타 천복이 섣달 십칠일 침실 기슭에 가만히 불을 놓으니, 불 놓을 때 이경(二更)이로되, 마침 늙은 문 상궁이 마음이 직순(直淳)한지라 나라흘 위하와 침실 나린 방[248]에 더우나 상직(常直) 자더니 불붙는 소리 급하거늘

"인정[249]은 벌써 쳐 이경이 진하였고 불 소리도 아니니 어쩐 소리뇨? 천복이 제 방에 혼자서 자더니 필연 요기(妖氣)에 일이 있도다."

급히 지게 열고 나가 보니 붉은 내광이 창천(漲天)하고 불 소리 가깝거늘 사잇문을 열고 나가 보니 침실 연(聯)한 익랑[250]이로되 처마도 촌

244 긔우(杞憂): 기휘(忌諱)의 변한 말. 꺼리어서 싫어하는 일. 신명(神明)에게 정성을 드리는 때에 부정(不淨)을 꺼리는 일.

245 자가: 아가씨, 공주, 웃어른을 높여 말할 때 쓰는 말.

246 아사라: 원형은 '앗다'. 빼앗거나 가로채다.

247 진(眞)시: 진실로.

248 나린 방: 이어진 방. 옆방.

249 인정(人定): 큰 도시에서 통행금지를 알리느라 밤마다 이경(二更)에 쇠북을 스무 번씩 치던 일.

250 익랑(翼廊): 정당(正堂) 좌우에 ㄱ 자로 꺾어 잇대어서 지은 집.

(寸)녘이매 침실에서는 아기시를 위하여 두로 닫고 앉았다가 잠간 잠을 들었으니 소리를 듣지 못하였더니, 놀라 닫은 문을 열치고 내닫는 소리를 듣고 쫓은 자가 황홀[251]하여 다람으로[252] 소리를 지르고,

"불이야! 불이야!"

웨거늘, 모든 내인은 다 와 보되 천복이 홀로 보지 아니하더라.

내인들이 옷을 벗어 물에 잠갔다 쳐 불을 끄다. 숯섬에 불을 놓았음에 섬을 잡아 내치며 처마가 초[253]에 벌써 내려졌더라 옷을 벗어 므스래하여[254] 다 끄다.

끈 후의 천복이 종 데리고 나와서 닐오되,

"숯섬에 불남은 고이치 아니하니라. 본대 숯섬이란 것은 오래 쌓아 두면 불이 나나니라."

모다 대답하되,

"숯에 불이 나면 선공[255] 숯을 쌓아 두었으며, 시방 여러 곳 쌓았으되 불나는 데 없더니 이 불이 극히 고이하다."

하니,

"그렇다 같이 불을 놓았으랴?"

하더라.

역질을 시방 하오시는데 놀래어 타죽게 하려 하는 거동이러라.

시위인이며 우히 놀라 아모리 할 줄을 몰라 자계[256]를 다리오시고

---

251 황홀(恍惚): 어른어른하는 광채에 눈이 부셔서 잘 보이지 않음. 본문에서는 불길이 치솟아 눈이 부셔서 물체를 잘 분간할 수 없어 경황이 없음을 말함.

252 다람으로: 달음질로. 힘차게 달음질하다.

253 초(初): 처음. 본문에서는 처마의 첫머리. 즉, 처마 끝이 이미 불에 타 내려 앉았음을 말함. 〈서궁일기〉에도 이 부분이 '첨하 가측'이라고 되어 있음.

254 므스래하여: 무수리를 시켜서.

255 선공(繕工): 선공감(繕工監). 건축, 토목에 관한 사무를 맡아 보는 관청.

256 자계: 아가씨, 공주, 웃어른을 높여 말할 때 쓰는 말.

몸채에 불이 다래여 오나든[257] 나려 하오시더니, 내인이라 아이 늙은이 대엿이 나서 못 끌 불을 끄니 어찌 심상한 속인(俗人)이리오. 복이[258] 아모려나 역질을 심히 상히[259] 하오시고저 하여 종을 시켜 가만가만 칼질도 하며 온갖 음식을 다 시켜 먹더라.

하인 중에 여러 아이 있으매 그른 일을 시키면 늙은 내인이 쑤어리고[260] 친대, 그 아이가 노하여 대엿 아이를 달래어 다리고 도망하여 가서 가히(介屎)를 보아지라 하니, 즉시 나와 닐오되,

"대비는 어찌 계시며 공주는 어찌 있으며 내인들은 무사 일 하나니?"

그 아이가 대답하되,

"대비마노라는 주야 울으시고 공주 자가야 무슨 일을 하오시며 내인인들 무슨 일을 하올꼬. 아모 일도 아니 하옵나니."

시녀 정순[261]이 꾸짖어 닐오되,

"대비마노라는 무슨 일고. 그저 대비라 하여라. 공주 자가는 무슨 일고, 그저 공주라 하여라. 공주가 늙다 그저 늙게 하지 부마[262] 빼랴[263]. 죽다 그저 죽게 하지 내어오랴. 나라히 되였는 것이라 위하랴. 대비 사오납기 측량없어 우리 마노라를 죽이고 대군 세우랴 하다가 저리 들리

257 다래여 오나든: 달려들어 오거늘.
258 복이: 내인 '천복이'를 가리킴. '천복이'의 '천'자가 생략되었음.
259 상히: 매우 심하게.
260 쑤어리고: 원형은 '수으어리다'. '떠들어대다'의 옛말. 시끄럽게 지껄여대다.
261 정순(貞順): 인조반정 직후 대비는 수난시절 악행을 행한 내인 40여 인을 죄 줄 것을 하교했다. 실록에는 '정순'이 직접 거명되지 않았으나 『연려실기술』에는 중도부처(中途付處, 한 곳을 지정하여 머물게 하는 형벌)한 내인들 중에 이름이 있다. 『인조실록』 권1, 인조원년(계해, 1623) 3월 25일(을묘); 『연려실기술』 권23, '중도부처된 사람들' 참조.
262 부마(駙馬): 부마도위(駙馬都尉)의 준말. 공주 또는 옹주의 남편. 임금의 사위.
263 빼랴: 원형은 '빼이다'. 빼이랴.

고 갇혔나니라. 생심도 위치마라. 위하면 죽이리라. 벌써부터 손 헤어[264] 오라 하되 아니 오다가 어찌 이제야 온다?"

대답하되,

"어버이 기별 모르니 안부 얻어 들으러 왔삽네."

가히 닐오되,

"너희도 게서 하는 일을 다 니라면 안부도 듣게 하마."

대답하되,

"아모 일도 하오시는 일 없어 설워만 하오시나니."

정순이 꾸짖어 닐오되,

"너희가 하는 일 기(欺)이면 다 잡아 가도오실 것이니 바로 니라라."

대답하되,

"아는 일이 없으니 죽이오시다 모라는 일이야 할까."

정순이 꾸지자되,

"아니 니라니 가장 괘씸하다. 어버이를 수이 보고저 하거든 대비를 수이 죽이거나, 그리 못 하거든 불을 놓아라. 불 곳 놓으면 너희 다 양반(兩班)되고 나가기 쉬우리라. 너희가 오니 고기하고 술 먹이노라."

하고, 술 고기 주거늘 아니 먹으니,

"어이 아니 먹는다?"

"싫어서 아니 먹삽네"

"싫다고 저것 못 먹으리, 어서 먹어라."

"대비 꾸짖으니 설워 아니 먹는다."

"어찌 우는다?"

하되,

264 손 헤어: '손을 내젓다'의 옛말.

"들어 가도여서 쉽도 아녀 생각고 우는다."

"어서 먹어라."

"기우로 고기 아니 먹던 것이라 아니 먹삽네."

"무슨 기우고?"

"공주자가 역질 기우올쇠."

가히 놀라고 기꺼 물으되,

"무슨 역질고?"

"대역(大疫) 하옵시나니."

"고이 잘 하옵시나냐?"

"고이 잘 하옵시나니."

"얼마나 돋았나니?"

"작게 돋았다 하옵네."

"어드록[265] 하였나니?"

"거의 다 하여 계옵시니."

"천복이를 침실에 부리시게 하니 뉘라서 막어 아니 부리시게 하나니?"

"아이가 나라 일을 어이 아올꼬."

"현마 듣다 모라랴?"

정순이 또 꾸짖어 닐오되,

"나라히라 말라 하여도 또 어찌 나라히라 하나니?"

하니, 가히 정순을 눈개여[266] 꾸짖어,

"잡말 말라."

하니 정순이 또 닐오되,

---

265 어드록: '얼마나', '어디까지'의 옛말.
266 눈개여: 원형은 '눈긔다', '눈짓하다'의 옛말. 눈 흘겨서.

"무슨 일이 어엿버 꾸짖지 말라 하시는고. 마노라 죽이려 하던 일 고마워 아니 꾸짖을까."
하더라.

중환의 당(黨) 아이매 넘어가면 내어보낼까 여겨 넘어 갔더니 하 꾸짖고 우흘 욕하니, 행여 좇아갔던 아이들은 노(怒)홉고 애달아 도로 넘어오며 혼잣말로 닐오되, '이럴 줄 아던들 가지 말 것을, 나갈까 여겼더니 욕도 보건쟈[267]' 울고 온 아이도 있고, '우리들 다시 가자' 하는 아이도 있더라.

침실 상궁들은 기우로 들이시니 알길 하 없더니 사옥이란 아이가 침실 기슭에서 숙직(宿直) 자되 하루는 남의 유(類)에 늦도록 자거늘 수상히 여겼더니, 겟 내인들이 다 담 넘어와 조녀[268]가며 부엌에 불붙은 기슭에 불을 놓으니, 자는 사람이 가까스로 일어 물 길어다가 불을 끄되 아뫼[269] 한 줄 아지 못하나, 무서워 놓았단 말을 내지 못하고 아는 이까지는 참고 사더라.

이 아이들이 연하여 가고, 젓마암[270]을 먹어 궁중에 야경(夜警)을 하며 공동케 하고 불놓아 요란케 하고, 밖으로서는 납향제[271] 도다지[272] 많이 들매 내관이 자전께,

"어찌 하여 드리리이까?"

"패여 드리라."

267 보건쟈: 보았도다. 당했구나.
268 조녀: '좇아', '따라'의 옛말. 일이나 말을 허술하게 하지 못 하게 단속하는 일.
269 아뫼: '아무개가'. '누구가'의 옛말.
270 젓마암: '두려운 마음'의 옛말.
271 납향제(臘享祭): 음력 12월에 그 한 해 동안 지은 농사 형편과 그 밖의 일을 여러 신에게 고하는 제사.
272 도다지: '도야지'. '돼지'의 옛말.

하니, 자비문에서 도채[273]로 도다지며 녹장[274] 패는 소리가 침실에 들리고 그 고기를 장목(長木)에 꿰어 드리니,

"져근덧 있다가 '드리라' 하거든 드리라."

하되, 내관이 대언으로 꾸지자되,

"우린들 우리 마음일까. 전에도 그저 드리더니 올흔 어쩐지 패어 드리라 대전 전교이(傳敎)니 마지 못하여 드리니 잔말 말고 어서 드리라."

하더라.

사람이 못 미처 받으면 군사가(軍士) 드려다가 너뫼쳐 버리고 어서 문 닫으라 하더라.

역질하는 데는 칼과 도채질이 가장 흉한 줄 알고 부러 패어 드리라 하였더라.

그래도 신령(神靈)이 도우시고 잔잉히 여기신지 역질(疫疾)을 순히 지내시다.

넘어갔던 아이들이 공주는 역질을 넣어 두었으되 순히 잘 하고 내 손자는 어찌 죽었던고 지극 고이타 하더라.

게 내인들이 날마다 높은데 올라 망보며 게 갔던 아이를 보면 손 헤어 오라 하면 담 넘어가더라.

한 번은 이경(二更)에 담을 타고 넘어 가거늘 하루는 한 시녀의 종이 마쳐 나가다가 보고 제 항것더러 니라라 온 사이에 뛰어 내리다라 제 방에 가자는 체 하고 자거늘 아뫼 갔던 줄을 모르더라.

잡아도 처치(處置) 어려워 짐짓 모르는 체 하고 더뎌[275] 두었더라.

저희는 아모려나 나갈 꾀를 하여 형용 없는 계교를 다 하여 나가려

---

273 도채: '도끼'의 옛말.

274 녹장(鹿獐): 사슴과 노루.

275 더뎌: 원형은 '더뎌두다'. '던져두다'의 옛말. 돌아보지 않고 그대로 내버려두다.

하더라. 겟내인이 밤에 넘어와 버드나모 우해 앉아서 사람 곳 만나면 신은 것을 다 벗어 버리고 가더라.

다른 내인들은 혹 저 잡으러 왔는가 무서워, 혹 밤에 본전(本殿) 내인을 만나도 남의 전 내인인가 하여 혼비백산[276]하여 소리 나는 줄을 모르니, 눌인가 하여 저리 소리 하나니, '내로다' 하되, 무한(無限) 소리 지르고 달아날 곳을 아지 못하더라.

을묘년[277] 봄이 되였더니, 변 상궁 나간 후는 죽은동 산동 아지 못하여 말씀도 못하여 버려 두었더니 어찌 한지 니라도 아녀서 사월 회일[278]에 드려보내다. 드려보낼 제 상궁을 드러오라 하여 가히(介屎) 나와 보고 손뼉 치고 닐오되,

"우리를 죽이려 하다가 하늘이 잡아내었으니 대전이 뉘시관대 죽이려 하던고. 하늘이 앙얼[279]을 주었으니 뉘 탓이라 할꼬. 이제나 좋이 살지 아녀 천제(天祭)하여 죽으라 빌다가 그도 들려 났으니 거짓말인가?" 하고 손뼉 치고 소리 지르며 헤떠[280] 말을 하매 이 녘은 입이 있다 무슨 말을 하리오. 아모 말도 아니코 앉았으니 손사래[281]도 더디며[282] 오락가락 하더라.

하 잠잠코 있으니,

"분명하니 입이 아외여 무슨 말을 할다. 하 옳으니 말이 없이 한다." 하더라.

276 혼비백산(魂飛魄散): '혼백(넋)이 이리저리 흩어진다'는 뜻으로 몹시 놀라서 넋을 잃음.
277 을묘년(乙卯年): 광해군 7년(1615).
278 회일(晦日): 그믐날.
279 앙얼(殃孼): 앙화(殃禍). 지은 죄의 앙갚음으로 받는 재앙.
280 헤떠: 원형은 '헤뜨다'. '허둥거리다', '허둥대며 날뛰다'의 옛말.
281 손사래: 어떤 말을 부인할 때 손을 펴서 휘젓는 것.
282 더디며: 원형은 '더디다'. '던지다'의 옛말.

내전이 친히 보아 할 말 있다 하여늘 이윽이 기다리고 있더니, 무슨 꾀를 한지 다시 부르지 아니코 사람 부려 닐오되

"너를 당초에 죽일 것을 아니 죽였으니 상덕(上德)인줄 아난다. 칭병(稱病)하고 나옴은 기간에 꾀하여 병탈하고 나왔으니 너를 아니 드려보낼 것이로되 뫼시리 없다 하여 너를 드리노라. 이제는 요사(妖邪)의 일 말고 잘 시위하라."

하더라.

가히(介屎) 내달아,

"내 말 듣고 저리 설워하시니 어서 죽으시면 시원할쇠. 대군을 세우고 좋이 살랴 하다가 뒤쳐계시니[283] 부대 내 말 듣고 이제 죽삽시지. 공주야 내전 마노라 어련히 길러 성혼(成婚)하옵실까. 공주는 자라가고 문은 열쇠 없으니 도적의 당도 못 잡았고[284] 공성(恭聖王后) 마노라도 천조(天朝)의 주청(奏請)[285]가시니 이제 문을 여다 무슨 용납하실꼬. 어서 가시면 양전이 다 좋사올쇠."

하여늘, 하 분하니 죽다 무엇이 관계하리 하여 닐오되,

"죽사리[286]는 명에 달렸나니 어찌 마음으로 죽으소서 하리오. 벌써 죽어지라 주야 원이오시되 어쩐지 살아 계오니 더욱 설워라 하오시나니, 공주 아기시야 오련히 잘 기르옵실까마는 부모에 넘은 이 있을까."

하니, 가히(介屎) 웃고 닐오되,

"아까 말은 웃노라 말이어니와 살아 계오시다가 우리 되는 양 보렸

283 뒤쳐계시니: '뒤쳐났으니', '발각되었으니'의 옛말.

284 도적의 당도 못 잡았고: 계축년 봄에 일어난 '박응서 옥사' 사건의 범인 중 박치의가 도망하여 잡지 못한 것을 말함. 『광해군일기』나 『연려실기술』에는 현상금을 걸고 박치의를 잡으려 한 내용이 여러 차례 기술되었다.

285 주청(奏請): 광해군이 생모 '공빈'의 시호를 청조(淸朝)에 인준받으려던 일.

286 죽사리: 죽고 살고 하는 것. 생사(生死).

노라 하오신다 하니 옳은가?"

대답하되,

"사람의 마음은 다 한가지니 나는 듣지 못 하던 말이로쇠."

가히(介屎) 닐오되,

"대전이 죽으셔도 세자(世子) 계시니 잠은 문에서 썩다 열기 쉬울까. 이제도 세자께 나 죽은 후에도 나 살아신 적 같이 하라 하시나니, 좋은 일 보와 살으실까 여기지 마소. 상궁이 내 말 곧 들으면 이(利)한 일 있을 것이니 듣소. 자네 이 말 곧 내면 멸족지화(滅族之禍)를 볼 것이니 자내와 나와 맹세하여 보세."

하 무서워 대답하되,

"나는 말 참기를 못하니 듣지 마라지라."

가히(介屎) 나아들어 손목 쥐고 닐오되,

"우리 아이 적부터 한데 살아 위연히 절한가[287]. 대비마노라 시위하여 살기는 적으니 무슨 정이 그리 중하실꼬."

우으며 각색으로 달래며 위엄을 지어 닐오되,

"양전(兩殿)이 상궁을 보아 친히 니라고저 하오시더니 연고 있어 못 감(鑑)하오시니 날더러 니라라 하오셔늘 니라옵네. 이제 드러가서 부대 죽이옵고 살와 두면 종에 해만 설울 따름이오, 유익함이 없으리라. 이 말 곧 내면 보자. 죽은 어버의게 니라히[288] 화를 벗지 못하리라."

하더라.

참노라 하되 분함을 이기지 못하여 울고 대답하되,

"이 일은 종이 차마 못 할 일이니 드러가지 말아지라"

287 위연히 절(切)한가: 우연히 끊어지게 됨. 본문에서는 상궁 가희와 변 상궁이 우연히 대전(광해군)과 대비(인목대비) 처소에 근무하면서 서로 멀어지게 되었음을 말함.

288 니라히: 원형은 '니라다'. '이르다'의 옛말. 이르기까지.

가히 닐오되,

“상궁이 좋은 일로 니라니 내 말을 듣지 아니하니 내 알까 아모리나 하소.”

하더라.

갑인(甲寅) 사월의 내관 박충신이를 보내어 공주·대군 드러계시던 데를 두로 돌아보고, 이튿날 또 와,

“할 일 있으니 어서 서러저[289] 내라. 더대면 내인 다 죽이리라.”

발발 혹촉[290]하니, 내인은 아모리 할 줄 몰라 연고나 알고 서라지려 하되, 잠시도 늦추지 말고 서러지라 하여늘, 공주 피소(處所)부터 서렀노라 하니, 또 내관 보내어 ‘대군 세간을랑 다 밖으로 내어오라.’하고, 각색 세간과 솥가마 방측돌디이[291] 서러저다가 동가·서가·남가·북가·남정·양진당지이[292] 서렀고, 나라 고간지이 내관이 보고 다 앗아 술위[293]에 실려 가고 남정 고간은 내관이 문이며 지게며 둔테[294] 박고 문틈을 다 바르고 들어서 진수[295] 다 혜수[296]하여 발기[297]하여 가다.

내외 장(牆)을 더 높이 쌓고 가새[298]를 담 위에 얹고, 첩박[299]고 축[300]

---

289 서러저: ‘서러지다’는 ‘치우다’, ‘정리하다’의 뜻.

290 혹촉: 죽기를 재촉하다시피 하여 수명이 짧아지는 것.

291 방측돌디이: 방춧돌. 다듬잇돌.

292 양진당지이: ‘지이’는 ‘까지’의 옛말. 양진당까지. ‘양진당’은 양식과 진찬을 두는 곳을 가리킴.

293 술위: ‘수레’의 옛말.

294 둔테: ‘문둔테’의 준말. 널문짝 한쪽 가의 상하로 상투같이 내밀어 끼우는 구멍이 뚫린 나무. 문을 잠그기 위해 위아래로 가로 대는 나무.

295 진수(盡數): 몰수(沒數). 수량(數量)의 전부.

296 혜수: 수를 계산하다.

297 발기[件記]: 궁중에서 쓰는 물품 목록을 적은 문서.

298 가새: ‘가시’의 옛말.

299 첩박(疊縛): 출입을 금하기 위하여 문에 나무를 대고 못을 박아 못 열게 하는 일.

밖으로 담 쌓거늘, 늙은 내인이 울고 닐오되,

"내외 사모[301] 담을 다엿 자히나 더 놉히고 문마다 첩 박아 둔테 박으니, 우흔 죽사오시기를 날로 기다리오시거니와, 부모 자손 사이에 홋 이름이 불쌍하니 설워 어마님 안치[302]하시다 말은 벗지 못 하실쇠."

내관이 달아나며 닐오되,

"나라가 옳이 되야 이런가. 잔말 말고 설우나마 잘 시위하여 계옵소. 우리더러 닐너 쓸데없으시니 밥 먹는 사람이야 뉘 옳다 하올꼬."

하더라.

궁중을 조려[303] 겨요[304] 용납게 만들고 자비문(差備門)에 첩 박고 자비로 하루 두 번씩 출입하되, 아침도 삼뎐(三殿) 문안이 오되 겨우 엎드렸다가 문안 알아지라란 말도 아니코 그저 일어나 가더라.

아모 말이나 하려 하면,

"우리는 말 들라 오지 아녀 문안만 알려 왔노라."

하더라.

"문 여러 달라."

하오시면 더욱 수이 일어 가더라.

하루는 문안내관 나업이 왔거늘,

"글월 가져가라."

하니, 대답하되,

---

300 축(築): 축대(築臺)를 이르는 말. 높이 쌓아 올려 사방을 볼 수 있게 만든 대(臺)나 터.

301 사모: '사뭇'의 옛말.

302 안치(安置): 위리안치(圍籬安置)의 준말. 죄인을 배소(配所)에서 달아나지 못하도록 가시로 울타리를 만들고 그 안에 가두어 둠.

303 조려: '줄이다'의 옛말.

304 겨요: '겨우'의 옛말.

"손 없어 못 가져 가리이까. 발 없어 못 가져가며, 무거워 못 가져가며, 입 없어 못 전하리마는, 가져오지 말라 하니 못 가져가나이다."
하더라.

궁중에 외예지물[305] 버리는 틈이 없어 내관더러 니라면 알외되,
"대전에 드리오면 받아 버리지 말라 하오시고, 한데 모도와 두라 하시니 못 처내노라."
하니, 일년에 모은 것이 산 무으니[306] 같더라.

처지라 백번 애걸하면 내관이 꾸지자되,
"대전에 아무리 취품[307]하여도 치지 말라 하시니 못하노라."
하더라.

두어 해 지나니 악취(惡臭) 만실(滿室)하여 귀더기[308] 나, 방안과 밥 지어 먹는 솥 위에 끼이면 물로 씻어도 없지 아니하더라. 문안 대답하는 상궁이 울고 여러 번 일러야 어른 내관과 종사관[309] 보내어 첩 박은 문을 떼이고, 별장[310]·내금위[311]·병조낭청[312]·사소위장[313] 하인 보내어 거느려 와서 처 내더라.

집 위에도 가막갓치[314] 똥이 가득하여 회 바른 듯하니 별장들이 널

305 외예지물(汚穢之物): 오물. 쓰레기.
306 무으니: '쌓다'의 옛말. 쌓은 것.
307 취품(取稟): 웃어른께 여쭈어서 그 의견을 기다리는 것.
308 귀더기: '구더기'의 옛말.
309 종사관(從事官): 조선 시대 각 군영(軍營) 포도청(捕盜廳)의 종 6품 벼슬.
310 별장(別將): 조선 시대 각 영(營). 청(廳)에 소속되어 있던 정 3품 및 종 2품의 당상 군관(堂上軍官).
311 내금위(內禁衛): 조선 시대 임금을 호위하던 군대.
312 병조낭청(兵曹郎廳): 조선 시대 군사와 우역(郵驛)을 맡아보던 병조의 당하관(堂下官).
313 사소위장(司掃衛將): 조선시대 액정서(掖庭署)의 정 9품 잡직(雜織)의 하나.
314 가막갓치: 까마귀와 까치(烏鵲).

오되,

"내인들은 적고 짐생이 많아 더러온 것을 먹으니 집 위에 회 쓰산 듯 하고, 악취 궁중에 만실(滿室)하여 저근덧 맡아도 못 견대니 우히 어찌 견디오시는고. 선조(先朝) 제 이 궁중을 보왔더니 선왕이 승하(昇遐)하오신지 오래지 아니하고 자손이 이러탓 맨다라시니 차마 못 볼다."

하고, 눈을 가리우고 눈물지고 나가더라.

내인이 행여 나갈까 여겨 호위로 두로 싸고 별감[315] 보내어,

"수이 치고 나가라. 더대면 죽이리라."

하더라. 이러하기 두어 해에 한 번씩 삼년의 한 번씩 하 비니야 하더라.

할난 내인이 병하여 불 혀고[316] 다니더니, 이튿날 내관이 하인 데리고 연고 없이 사나이(男子)를 궁중의 행랑(行廊)집 위에 올라 두로 다니거늘, 내인이 하 무서워 들어 숨었더니, 내관이 닐오되,

"무슨 일 하노라 밤에 불 혀고 다니더니?"

하더라.

하인이 신을 것이 없어 발 벗고 다니다가 혹 다쳐 울 적이면 내관 보내어,

"무사 일노 우난다?"

뭇거늘,

"발 알파 운다."

하니, 또 와 닐오되,

"생심도 우지 말라. 울면 죽이리라."

하더라.

315 별감(別監): 조선시대 궁중의 액정서(掖庭署)에 달려 있던 관직. 예속(隷屬), 대전, 내전, 세자궁 처소 등 별감이 있음.

316 혀고: '키고'의 옛말.

내인 든 데며 침전이 옛 집이라 두로 새어 비 올 제면 몸 둘 데 없어 하 민망하여

"새는 데 니어지라"

비라되 듣지 아니하더라. 내인이 가까스로 올라 닌 즉[317] 내관이 꾸짖더라.

내인이 정순의 말과 천복의 지휘로 갑인(甲寅)·무오년(戊午年)까지 방화(放火)함을 아닐 적이 없어, 숯섬에도 놓으며, 소목(燒木) 놓은데며 거적[318]에도 싸놓으니 견대지 못하여 신시[319]부터 불기를 금하니, 미시[320]에 밥을 하여 먹고, 신시에 요령[321]을 흔들고 부엌 구석마다 은근처면[322] 두로 돌아봄을 한 경(更)에 두 번씩 하더니 넘어 갔던 다엿 하인 자 중에서 싸움이 나 싸워 고한되, 우히 통분이 여기오셔 각각 뫼여 앉히오시고 흉모(凶謀)를 묻자오시니 허뤼도 아니 쳐서 낱낱이 복초하더라.

"뉘서 방화(放火)하기를 가라치더니?"

"대전 시녀 정순이 가라치더이다. 너희 방화하여 대비 공주를 타 죽게 하려 하면 너희를 다 백성[323] 만들고 큰 상(賞)하고 우리 게 와 살게 하마 하더이다."

하더라.

여러 번 방화를 하여 집 위에 불이 올라 성화(盛火)가 급하거늘, 내인

---

317 내인이 가까스로 올라 닌 즉: 내인이 가까스로 지붕에 올라 비새는 곳을 이으니(고치니).

318 거적: '섬거적'의 준말. 짚으로 엮거나 새끼와 짚으로 걸어서 자리처럼 만든 물건.

319 신시(申時): 오후 3시부터 5시 사이.

320 미시(未時): 오후 1시부터 3시 사이.

321 요령(搖鈴): 놋쇠로 만든 큰 방울로 사람에게 알리는데 쓰임.

322 은근처면: 행동 따위가 함부로 드러나지 아니하고 은밀한 곳.

323 백성(百姓): 궁녀는 천인으로 노예 신분이므로 해방시켜 양인(良人)으로 만들어 준다는 뜻임.

이 노소 없이 헤질러[324] 멸화(滅火)함이 몇 번인 동 알리오.

자비문 내관이 하 민망이 여겨 대전에 고하니,

"끄지 말고 더져[325] 두라."

하더라.

내인이 순(瞬)마다 불을 다 끈대 내관 별장이 다 크게 기특이 여기더라.

내인이 신을 것이 없어 헌 옷을 뜯어 노를 꼬아 집신 처로도 하며 헌 신을 뜯어 신는 것을 기워 신으되 헤프니 견데지 못하여 살[326] 밑을 빠혀 송곳 맨다라 초혜[327]짓기를 시작하다.

겨울이면 눈 위에 신을 것이 없어 큰 신을 뜯어 녹피[328]로 큰 신 짓기를 시작하다. 봄에 절여 두었다가 겨울을 지내니 녹피 창이매 겨우 한 겨울을 지내더라.

십 년이 되어가니 각색 것이 다 진(盡)하여 신창 기울 노히 없어 베 옷을 풀어 꼬아 깁고, 지을 실이 없어 모시옷과 무명옷을 풀어 쓰더라.

내인이 발이 짓물러 울고 다니더니 한 내인 아해 발이 쯰여뎌[329] 급한 소리로 우니, 우히 듣자오시고 잔잉이 여기오사,

"아모조로나 발 간사하여 주라."

하오시니, 처음은 칼로 평격지[330]를 맨다라 주었더니 점점하여 굽격지[331]

324 헤질러: 헤지르다, 싸지르다, 분주히 돌아다니다.
325 더져: '버려'의 옛말.
326 살: '화살'의 준말.
327 초혜(草鞋): 짚신.
328 녹피(鹿皮): 사슴의 가죽.
329 쯰여뎌: 원형은 '쯰여디다'. '찢어지다'의 옛말.
330 평격지: '납작한 나막신'의 옛말.
331 굽격지: '굽이 달린 나막신'의 옛말.

를 맨다라 주다. 격지에 못을 진상(進上)드는 궤에 못을 빠혀 박더라[332].

칼 할 것이 없어 예 있던 환도(環刀)를 둘해 끗처[333] 칼흘 맨달고 가애[334]를 버리혀[335] 갈아 날을 만들고, 하인의 옷 할 것이 없거늘 낡은 야청[336] 옷을 뜯어 흰 것에 들여 입고, 웃사람은 치마 할 것이 없어 민망하여 하더니, 짐승의 똥에 족씨[337]가 들었음에 마처 한 퍼기[338] 났거늘 한 해 길러 두 해 째는 씨 많이 나더라. 이러구러 남(藍) 드리기를 시작하다.

쌀 일 박이 없어 소고리로 쌀을 일더니 가마개[339] 박씨를 물어왔거늘, 한 해 길러 두 해 째는 쪽박이러니, 새 해는 중박이 되고 네 해 째는 큰 박이 되더라.

소옴이 없어 겨울을 칠 팔년을 지내되 햇 소옴이 없어 너터더니[340] 면화(綿花)씨가 섞여 들었거늘 그를 심어 씨 내어 세 해 째는 많이 되어 글로 옷에 두다.

사절(四節)이 다 지나되 햇나믈 얻어먹을 길이 없더니 가지・외・동화[341] 씨가 짐승의 똥에 들었거늘 심으니 나물 상을 얻어보다.

---

332 궤에 못을 빠혀 박더라: '나막신을 만드는 데에 필요한 못은 진상 드는 궤에 있는 못을 뽑아서 사용하였다.'는 뜻임.

333 끗처: '끊어서'의 옛말.

334 가애: '가위'의 옛말.

335 버리혀: '벼려서'의 옛말. 무디어진 쇠붙이의 연장을 불에 달구어 날이나 끝을 두드려 날카롭게 만들다.

336 야청(鴉靑): 검은 빛을 띤 푸른빛.

337 족씨: 남빛의 염료로 썼던 식물의 씨앗.

338 퍼기: '포기'의 옛말.

339 가마개: 원형은 '가마귀'. '까마귀'의 옛말.

340 너터더니: 원형은 '너털다'. 덜덜 떨다. 추워서 벌벌 떨다.

341 동화: 동과(冬瓜). 동아. 박과의 한해살이 덩굴성 식물. 줄기가 굵으며 갈색 털이 있음. 잎은 어긋나며 5~7개로 얇게 갈라지고 여름에 노란 꽃이 핌. 인도 원산으로 긴 타원형의 호박 비슷한 열매가 가을에 익는데 맛이 좋으며, 과육(果肉)과 종자는 약용

생치[342] 목에 수수 씨 들었거늘 심으니 무성히 되니라. 가을에 뷔여 떠흐니[343] 찰수수더라.

부로씨[344] 짐승의 똥에 있거늘 심으다.

해포 가니 안 담이 무너지니 하 민망하여 뜰에 달고질[345] 하여 고치니라. 옛집이라 해포 버려두어 집 말니[346] 꺾어지고 기울어 사람이 치게 되었거늘 한 남글 얻어 괴오고 내관더러,

"대전께 고하라."

하고, 백번 빌되 들은 체도 아니하더라.

외장(外牆)이 또 무너지늘 쌓았더니 내관이 들어와 보고 닐오되,

"계집의 한 배 아녀 짐짓 장사(壯士)의 일 같다."

기특히 여기더라.

최여[347] 씨 없은 나물이 침실 뜰에 가지가지 나니 기특히 여겨 가꾸어 뜯어 삶아 먹으니 향기롭고 맛이 달거늘 모다 먹더니 꿈에 사람이 와서 닐오되,

"나물을 못 얻어 먹어 할 새 이 나물을 주노라."

하더라.

대초 남기 있느니 평일(平日)에 있던 것이로되 버레집이 되어 자고(自古)로 먹지 못하더니, 폐문중(閉門中)에 햇실과가 없으니 우히 부원군(府院君) 위하여 제사(祭祀) 하오시더니, 무오년[348]부터 이 남기 성하여 여

으로 사용됨.

342 생치(生雉): 말리거나 익히지 않은 꿩고기.

343 떠흐니: 달리거나 붙은 것을 떨어지게 하다. 본문에서는 수수를 베어 떨었음을 말함.

344 부로씨: '상치씨'의 옛말.

345 달고질: '달구질'의 옛말. 집 지을 터, 또는 그밖에 땅을 단단히 다지는 일.

346 집 말니: 원형은 '집마라'. '집마루', '대들보'의 옛말.

347 최여: '채소'의 옛말.

름[349]이 큰 밤 만치 열리되, 맛이 조차 비상하야 유(類) 다르고 거의 섬[350]이나 열었더라.

꿈에 닐오되,

"부러 맛 좋이 성(盛)히 열운 것이니 내인 중 도적하여 먹으면 도로 아니 열게 하리라."

하니, 사람이 지키였더라.

복성홰[351] 절노 행노(行路)에 나서 여름이 천도[352] 같고 맛이 비상 하더니 꿈에 닐오되,

"상시 실과는 세 해로 채와 여라되 이 남근 두 해만에 별로 열게 하였으니 잡 사람이 먹으면 열지 아니하고 즉시 죽게 하리라."

하더라. 나라해만 잡삽더니 꿈이라 믿지 아녀 모다 먹으니 그 해 겨울에 절로 죽으니라.

밤 남근 우히 시녀하여 심겨 계오시더니 여러 해 무성하다가 기미년[353]에 죽거늘 심상히 여겼더니 꿈에 닐오되,

"이 남기 죽었으나 고이히 여기지 말라. 다시 살리라. 이 나모 사는 일로 우히 다시 살아시리라."

하더니, 이듬해 한 가지(枝) 살고 또 이듬해 한 가지 살고 또 꿈의 닐오되,

"다 살면 좋은 일을 보시리라."

---

348 무오년(戊午年): 광해군 10년(1618).

349 여름: '열매(果)'의 옛말.

350 섬(石): 곡식, 액체의 용량을 나타내는 단위. 한 말의 열 곱절. 본문에서는 매우 많이 열렸음을 말함.

351 복성홰: '복숭아'의 옛말. 복숭화가.

352 천도(天桃): 선가(仙家)에서 하늘 위에 있다고 하는 복숭아.

353 기미년(己未年): 광해군 11년(1619).

하더니, 이듬 해에 큰 퍼기 마자 살아 녜라온닷[354] 하더라.

가을의 늦 피기를 봄 늦피듯 하거늘 수상히 여겼더니 꿈에 와 닐오되,

"근심 말라."

하더라.

하 가만이 드러시면 내관 보내어 가만히 살펴보고 내인 보내어 닐오되,

"가만히 드렸고 틈집내지[355] 말라."

하더라.

무오년(戊午年) 여름에 불이 일어나 정릉 골[356] 불이 들이붙어 오거늘, 문을 두드려 아모리 블러도 대답 아니 하거늘, 하 부르니야 대답하는지라.

"불이 붙어오니 문을 다다두고 태오려 하나냐? 이제야 문을 열어 불을 벗게 하라."

"대전이 자믄 재[357] 두고 열지 말라 하시니 못 여노라."

하더라.

내인이 하 민망하여 불 머리를 보러 집 위에 오른데 내관이 문밖에서,

"어서 나리라. 대전께서 아라시면 다 죽이리라."

하거늘, 아니 나리니 헤떠 꾸지자되,

---

354 녜라온닷: 옛 모양인들.

355 틈집내지: 겨를을 얻다, 기회를 얻다.

356 정릉(貞陵) 골: '정릉'은 지금의 정동(貞洞), 덕수궁 뒤편 일대. 당시엔 태조(太祖)의 계비(繼妃) 신덕왕후(神德王后) 강씨(康氏)의 릉(陵)이 정릉(貞陵)으로 지금의 서울 정동에 있었기에 정릉 골이라 함.

357 자믄 재: 잠가둔 그대로.

"가만히 들었지 못하여 불 보아 무엇하려 하난다. 내인의 머리 깨쳐 지라."

하더라. 내관이 대전에 하되,

"불이 들이 붙어오니 자전(慈殿)을 어찌 하리까?"

"바려 두라."

하더라.

문을 열 그음[358]이 없거늘 문안 내관더러 닐오되,

"우히 용태(容態) 중하오셔 토혈(吐血)하오시니 행여 아니 니라다 하오실까 여짭나이다."

하니, 즉시 내관 부려 닐오되,

"어데를 알파하시며, 무슨 연고로 토혈하시며, 하루 몇 번씩 하시나니? 내인이 밋브지 아니하니 의녀(醫女) 드려 진맥하라."

하거늘,

"행여 그러하옵시니 의녀란 마오시고 문을 여옵시면 백 병이 다 좋사올까 하옵나이다."

하니, 와 꾸지자되,

"부러 탈하여 두고 알파한다 하니 내인 다 죽이리라."

저히고,

"중히 알파 하옵시는 일을 수이 니라라. 고초(苦楚)히 있다 불평하옵시랴."

하니, 죽삽시고저 기꺼 날마다 묻는 일이러라.

정사년[359]부터는 조정이 정조[360] 탄일(誕日)의 문안도 아니하고 숙

358 그음: '기색'의 옛말.
359 정사년(丁巳年): 광해군 9년(1617)
360 정조(正朝): 음력 초하루.

배[361]도 아니하더라. 서궁[362]이라 하고 알까 하여 진상(進上) 단자[363](單子)에 쓴 것을 대전 내관이 긁어 없이하고 드리더라.

신유년[364] 칠월의 포수(砲手) 지주[365]하여 내장[366] 밑에 입딕(入直)한 포슈가 삼경(三更)에 야경(夜警)하니 만군이 끌어 드는 듯하더라.

내인들은 들어와 죽이라 하는가 하여 애 찢어지는 듯 헤매어 침실에 가 우흘 시위하야,

"한데 가 죽자."

하더라. 대전 사던 본궁에 가 해마다 매고 방포[367] 놓으니 귀신을 쫓아 우리 게로 오게 한 일이러라.

내인이 병하였으니 내어보내어지라 백번 빌어야 내되, 가히·은덕이·갑이 아는 사람이면 밖 어버이게 청 받고 아니 앓는 이조차 내어 가니 내인들이 울고 닐오되,

"집은 크고 사람은 적으니 밤이면 무서오니 아파하는 이만 내고 성한이란 내지 말라."

하면, 대전 내관이 닐오되,

"대군도 내어 갔으니 무엇만 여기시리. 잔말 말고 어서 내라"

이렇듯 함이 다엿 순이러라.

계해년[368] 정월 초삼일에 죽은 내인의 종을 다 잡아내라 하거늘 우

361 숙배(肅拜): 정숙하게 절함. 세배, 문안.
362 서궁(西宮): 광해군 10년(1618) 1월 폐모된 인목대비를 '대비' 대신 '서궁'이란 칭호를 사용하게 된 것을 말함.
363 단자(單子): 남에게 보내는 물목(物目)을 기록한 종이.
364 신유년(辛酉年): 광해군 13년(1621).
365 지주(指嗾): 달래고 꾀여서 부리는 것.
366 내장(內藏): 내장사(內藏司)를 가리킴. 임금의 사유재산을 관리하는 관청.
367 방포(放砲): 궁중의 호령으로 헛총을 놓는 것.
368 계해년(癸亥年): 광해군 15년(1623).

히 비오사되,

"죽과져 하여 싸 넣었으니 설운 일로는 벌써 죽을 듯 하되 나의 명은 하늘에 달렸으니 인의(人意)에 못하리다. 내인 삼십여 인을 다 주륙[369]하였으니 궁중이 뷔여 가막가치와 귀매[370]만 꾀었는데, 죽은 내인들 종조차 내면 혼자 무서워 살지 못할소이다."

하오시니, 들은 체도 아니하고 어서 내라 독촉만 하더라. 두어 내인의 종을 내어 주니 드려다가 가히 부리닷더라.

삼월 열 하루날 내관 보내어,

"알나 니 있거든 내라."

하더라.

열 이튿날, 가죽에 두억신[371] 그리고 붉은 작은 줌치[372]에 죽은 내인들 이름 써 넣고 산 내인들 이름 써 밖에 매고 내관 보내어,

"이 가죽으란 침실 문 안에 걸고, 줌치란 게 있는 내인들 이름 보여 채우라. 제(除하)면 외리라[373]."

하고 가니라.

보매 하 흉하고 무서워 즉시 파묻으니라.

계해년 삼월 십삼일 삼경(三更)에 문을 여니라.

오래 잠가 넣었으나 궁중에 기특(奇特) 거룩한 상서(祥瑞)의 일이 많으니, 늙은 내인들은 축수(祝壽)하고 져믄 것들은 더욱 두려 지향(志向)을 못하더니 이렇듯 한 만고성사[374]가 있더라.

---

369 주륙(誅戮): 죄에 대한 형벌로 죽이는 것.
370 귀매(鬼魅): 도깨비. 모질고 악한 귀신 따위를 이르는 말.
371 두억신: 두억시니, 야차(夜叉), 사람을 해치는 사나운 귀신.
372 줌치: '주머니'의 옛말.
373 외리라: 원형은 '외다'. '그르다'의 옛말. 그르니라.
374 만고성사(萬古聖事): 영원하고 성스러운 일. 본문에서는 인조반정으로 인목왕후의

신유・임술년[375]부터는 신인(神人)이 나려와 내인들 눈에 기특한 일이 많더라.

계축년(癸丑年)부터 설운 일이며, 상시 내관 보내여 저히며 꾸짖던 일이며, 박대・부도부효지사(不道不孝之事)를 니라[376] 기록지 못하야 만분의 한 말이나 기록하노라.

다 쓰려 하면 남산의 대랄 다 버히다[377] 어찌 다 니라 쓰며, 다 니라랴[378] 하면 선천지(先天地) 진(盡)하고 후천지(後天地) 니란들[379] 다 녜아기[380] 삼아 보랴. 내인들이 잠깐 기록 하노라.

복위를 말함.

375 신유(辛酉)・임술(壬戌)년: 신유년은 광해군 13년(1621), 임술년은 광해군 14년(1622)임.

376 니라: '이루', '능히'의 옛말.

377 버히다: '베다'의 옛말.

378 니라랴: 원형은 '니라다'. '이르다'의 옛말.

379 니란들: 원형은 '니다'. '가다'의 옛말.

380 녜아기: '이야기'의 옛말.

서궁일기

西宮日記

서궁일기 상

만력[1] 임인년[2] 겨울에 중전[3]이 아기 계시다 하다 하니 유가[4]가 낙태(落胎)하실 일 하노라 놀래오려, 궐내에 팔매질 하며, 액정[5] 사람 사괴여[6] 내인[7] 측간[8]에 구멍 뚧고 남그[9]로 쑤시며 여염도처[10]에 명화강도[11]

---

1 만력(萬曆): 중국 명(明)나라 제14대 임금인 신종(神宗)의 연호(年號. 군주 시대에 임금이 그 자리에 오른 해에 붙이던 이름. 大年號의 준말).

2 임인년(壬寅年): 선조(宣祖) 35년(1602).

3 중전(中殿): 중궁전(中宮殿)의 준말. 왕비(王妃)의 경칭(敬稱). 본문에서는 선조의 계비(繼妃)인 인목왕후(仁穆王后: 1584년~1632년)를 가리킴. 부록 등장인물 참조.

4 유가(柳哥): 광해군(光海君)의 장인인 문양부원군(文陽府院君) 유자신(柳自新: 1533년~1612년). 부록 등장인물 참조.

5 액정(掖庭): 조선시대 궐내의 총무(왕명전달, 임금이 쓰는 붓과 벼루 공급, 대궐 열쇠 보관, 대궐 뜰의 설비 및 정원 관리 등)를 맡은 부서를 말함.

6 사괴여: 원형은 'ᄉᆞ괴다'. '사귀어'의 옛말.

7 내인(內人): 나인의 원어(原語)로 궁중어(宮中語). 궁중의 여관(女官), 궁녀(宮女), 시녀(侍女) 등의 별칭도 있음. 부록 '조선조 궁녀 제도' 참조.

8 측간(厠間): 대소변을 배출하기 위한 시설로 오늘날의 화장실. 뒷간. 변소.

9 남그: '나무'의 옛말.

10 여염도처(閭閻到處): 여염은 백성의 살림집이 많이 모여 있는 곳. 본문에서는 '민가(民家)가 몰려 있는 여러 곳'을 말함.

11 명화강도(明火强盜): 횃불을 들고 밤중에 떼를 지어 돌아다니며 도적질하는 강도. 불한당(不汗黨). 화적(火賊)이라고도 함.

났다 소문(所聞)내니, 기시[12]에 궁중(宮中)에서도 유가를 의심하더라.

계묘년[13]에 공주[14] 탄생하오신 분발[15] 가져가니, 와전[16](訛傳)하여 대군(大君)이라 하고 그저 대답하다가, 공주 나시다 듣고 도로 불러 상(賞) 주더라 하니, 더불어 미워하기는 본데 아는 배라.

병오년[17]에 대군[18] 나시다 듣고 유자신 집에서 머리 싸 용심[19]하며, 적자[20]가 나시니 동궁[21]이 위태(危殆) 하리라 하며, 동궁 권신[22]과 정인홍[23]을 사괴여,

"아마려나 동궁 위하여 굿[24]을 술[25]을 하라"

하며, 일변 말을 내되,

"임해군[26] 자식(子息)이 없으니 임해군으로 세자를 삼아 대군[27]을 전

12 기시(其時): 그 때, 그 당시. 본문에서는 선조의 계비(인목왕후)가 처음 임신했을 때 광해군 측에서 낙태를 목적으로 음모하던 때를 말함.

13 계묘년(癸卯年): 선조 36년(1603).

14 공주(公主): 정실왕비(왕후)가 낳은 임금의 딸. 본문에서는 정명공주(貞明公主: 1603년~1685년)를 가리킴. 부록 등장인물 및 선조 가계도 참조.

15 분발(分撥): 긴요한 사항이 있을 때 조보(朝報)가 발행되기 전에 베껴 돌리는 일.

16 와전(訛傳): 그릇 전함. 잘못 전함.

17 병오년(丙午年): 선조 39년(1606).

18 대군(大君): 정실왕비(왕후)가 낳은 아들. 본문에서는 영창대군 의(永昌大君 㼁: 1606년~1614년)를 가리킴. 부록 등장인물 및 선조 가계도 참조.

19 용심(用心): 심술을 부려서 짓궂게 남을 시기하고 음해하는 마음.

20 적자(嫡子): 왕의 정실(正室) 부인인 왕비가 낳은 아들. 즉 대군을 말함.

21 동궁(東宮): '황태자'나 '왕세자'를 이르는 말. 동쪽은 태양이 떠오르는 곳으로 계절로는 봄에 해당한다. 봄은 사계절이 처음 시작하는 계절로 준비기이다. 장차 왕이 될 세자는 준비하고 기다리라는 의미로 궁궐의 동쪽에 거처하게 하였기에 동궁, 또는 춘궁(春宮)이라 했다. 본문에서는 선조 때의 왕세자 혼(琿, 후일 광해군)을 가리킴. 부록 등장인물 참조.

22 권신(眷臣): 권세 있는 신하. 본문에서는 동궁의 권세를 믿고 보좌(輔佐)하는 사람.

23 정인홍(鄭仁弘): 광해군 때 중신(重臣, 1535~1623). 부록 등장인물 참조.

24 굿: 무당이 노래하고 춤추며 귀신에게 치성을 드리는 의식.

25 술(術): 목적을 이루기 위해 수단과 방법을 가리지 않고 꾸미는 술책(術策).

(傳)케 하라하신다."

운풍[28] 내며

"션믁뎨 만믁뎨[29]"

란 동요(童謠)를 지어 내어 천조 주청[30]할 일 바야니[31], 갑진년[32]에 광해군을 봉세자[33] 할 일을 표문[34]을 각별(各別)히 간측[35]히 지어 올리니, 천조도 그적은 회뢰[36] 행(行)치 못하며 조정(朝廷)이 정답고 황세[37] 엄하신지라 성지(聖旨) 무한(無限) 엄하고 싁싁하사[38],

"대례[39]상 입차자[40]는 가국(家國)이 상망(相望)하는 일이니, 천조도 사

26 임해군(臨海君): 선조의 장자(長子). 광해군의 동복 형 진(同腹兄 珒: 1574년~1609년). 부록 등장인물 및 선조 가계도 참조.

27 대군(大君): 본문에서는 영창대군을 가리킴.

28 운풍(云風): 목적한 바를 달성하기 위하여 소문을 내어 풍자함.

29 션믁뎨(先目帝) 만믁뎨(晩目帝): 문맥상 '션믁뎨'는 임해군을, '만믁뎨'는 영창대군을 가리킨 것 같음. 즉 선조가 만년에 얻은 대군에게 왕위를 물려주기 위해 먼저 장자(長子)인 임해군을 세자로 하고, 임해군은 자식이 없으므로 자연스럽게 적자인 대군에게 왕위가 이어지도록 계획을 세운다는 것을 풍자한 내용으로 생각됨.

30 천조 주청(天朝 奏請): 천조는 제후의 나라에서 천자의 조정을 일컫는 것으로 조선조는 명나라를 천조로 섬겼기에 국가의 중대사는 반드시 명나라의 승인을 얻어야 했다. 선조는 임진란의 위급한 상황이 처하자 승인을 받지 못한 채 차자인 혼(琿, 광해군)을 세자로 삼았다. 그 후 세자 책봉에 대하여 명나라에 인준(認准)을 신청한 것을 말한다.

31 바야니: '보채다', 재촉하다'의 옛말.

32 갑진년(甲辰年): 선조 37년(1604).

33 봉세자(封世子): 왕세자로 정하여 세움.

34 표문(表文): 황제나 임금에게 마음에 품은 생각을 기록하여 올리는 글.

35 간측(懇惻): 지극히 간절하고 지성스러움.

36 회뢰(賄賂): 뇌물을 주거나 받는 행위.

37 황세(皇世): 황조의 세계(世系). 본문에서는 명나라 제14대 신종을 가리킴. 부록 주요 인물 참조.

38 싁싁하사: '정숙하다', '장엄하다', '엄중하다'의 옛말.

39 대례: 국가의 중요하고 엄숙한 예법.

40 입차자(立次子): 차자(次子)로 세자를 삼음을 말함. 봉건군주제에서는 적자(嫡子)를 후계자로 삼는 것이 원칙이나 적자가 없으면 장자(長子)를 후계자로 삼는다.

해[41]에 법을 펴고 한 조선을 위치 못 할 것이라."

엄지준절[42] 하시니, 그 후에 표[43]를 올리오면 경책[44]을 보옵고, 봉세 일사(一事)는 장래(將來)조차 막히올까 기시(其時)에 예부관[45]과 각로[46] 가라든[47] 다시 주청(奏請)하려 정침[48]하였더니, 유가의 당(黨)이 하되,

"적자(嫡子)가 나시니 봉세자를 아니신다"

요언[49]을 무한 전파[50]하니, 그적 수상[51] 유영경[52]이 죄는 봉세자를 못 하는 절목[53]을 아는 배라. 여짜와 청(請) 아니하고 다른 뜻이 있어라 니라더니[54], 정미년[55] 대왕[56] 불평시(不平時)에 유희분[57]이 정인홍 · 이이첨[58] 지주[59]하여 정인홍 등 다섯 사람이 상소 하되,

41 사해(四海): 천하(天下), 세계만방(世界萬邦).

42 엄지준절(嚴旨峻節): 매우 위엄 있고 엄숙한 임금의 교지(敎旨).

43 표(表): 생각한 바를 기록하여 임금에게 올리는 글. 본문에서는 세자 책봉을 승인 받기 위하여 명나라에 올리는 글.

44 경책(警責): 정신을 차리도록 꾸짖음.

45 예부관(禮部官): 명나라 중앙 행정관서인 6부(部) 중 예부(禮部)의 장관.

46 각로(閣老): 내각의 원로. 중국 명나라 때의 재상(宰相)을 가리킴.

47 가라든: '갈다(替)', '바꾸다'의 옛말.

48 정침(停寢): 하던 일을 중도(中途)에서 정지함.

49 요언(妖言): 제 잇속을 차리기 위한 말과 행동에서 기술이나 솜씨가 뛰어나 간사스러움.

50 전파(傳播): 전하여 널리 퍼뜨림.

51 수상(首相): 조선 정종 2년(1400)에 베푼 행정부의 최고 기관인 의정부(議政府)의 으뜸 벼슬인 영의정(領議政)의 다른 이름.

52 유영경(柳永慶): 조선 선조 때의 권신(1550년~1608년). 부록 등장인물 참조.

53 절목(節目): 조목(條目), 조항(條項). 법률이나 규정 따위의 낱낱의 조(條)나 항목(項目).

54 니라더니: 원형은 '니르다'. '이르다', '말하다'의 옛말.

55 정미년(丁未年): 선조 40년(1607).

56 대왕(大王): 선조대왕을 지칭함.

57 유희분(柳希奮): 조선 광해군 때의 문신(1564년~1623년). 광해군의 처남. 부록 등장인물 참조.

58 이이첨(李爾瞻): 조선 광해군 때의 권신(1550년~1608년). 부록 등장인물 참조.

"임해(臨海)를 위하여 봉세자 주청을 아니 하오니 수상 유영경의 머리를 조소서"

하여, 성의[60]에 내도한[61] 구불가도[62]의 말로 상소하오니, 해포[63] 미류[64] 하오신 병세(病勢)에 침식(寢食)을 못 하오시난 실 같자오신[65] 기운(氣運)에 이 상소를 보오셔 침식을 젼폐(全廢)하오시고

"인홍 등 정배[66] 하라"

겨요 전교[67]하시고 훙[68]하오셔늘, 촌시(寸時) 머물지 아니하고 세자와 빈[69]을 침전[70]에 들여 계자[71]와 새보[72]와 마패[73] 이렇듯 한 중대(重大)한 것들을 즉시 도라보내고[74], 세자와 제자[75]에게 하오신 유교[76]를 내니

59 지주(指嗾): 달래고 꾀어서 무엇을 하도록 부추김.
60 성의(聖意): 임금의 뜻.
61 내도한: 거슬리는, 다른, 반항하는, 판이(判異)한.
62 구불가도(口不可道): 차마 입에 올릴 수 없는 말.
63 해포: 일 년이 넘는 동안.
64 미류(彌留): 병이 오래도록 낫지 않아 위중해짐. 위독함.
65 같자오신: '같은, 같다'의 존댓말.
66 정배(定配): 죄인에게 내리던 형벌의 하나로 지방이나 섬으로 보내 일정한 기간 동안 정해진 지역 내에서 감시를 받으며 생활하게 함.
67 전교(傳敎): 임금이 내리는 명령.
68 훙(薨): 제후. 왕공(王公). 귀인(貴人)의 죽음을 높임. 천자(天子)의 죽음은 붕(崩)이라 함. 조선조는 제후국이므로 왕의 죽음을 말함. 본문에서는 선조의 죽음을 가리킴.
69 빈(嬪): 조선시대의 내명부(內命婦)의 하나, 임금의 제1부실(副室)로 정 2품의 품계를 가진 여관(女官), 왕세자의 정실부인. 본문에서는 광해군이 당시 세자였으므로 그의 부인인 유자신의 딸을 가리킴.
70 침전(寢殿): 임금의 침실이 있는 곳. 선조는 선조 41년(1608) 2월 1일에 정릉동 행궁 정침에서 승하했다.
71 계자(啓字): '계(啓)'자를 새긴 나무 도장. 임금의 재가를 맡은 서류에 찍음.
72 새보(璽寶): 옥새(玉璽, 옥으로 만든 도장)와 옥보(玉寶, 황금으로 만든 도장)로 임금의 존호(尊號)를 새긴 도장.
73 마패(馬牌): 출장 간 관원(官員)이 지방에서 역마(驛馬)를 동원할 때 증표로서 보이던 지름 10센티 쯤의 굵은 구리 패. 한쪽 면에는 자호(字號)와 연월일을 새기고 다른 한쪽에는 말을 새긴 것으로 어사(御使)가 이것을 도장으로 사용하기도 하였다.

후궁이 하되,

"대군(大君) 향하야 하오신 유교도 이 때에 내 오소서"

하거늘, 전[77]계오서[78]는 불성인사[79] 하오셔,

"그 유교는 이때 가(可)치 아니타."

하오시니, 세워 내되[80] 제자를 먼저 뵈고 조정에 내닫더라.

---

74 도라보내고: '돌려보내다'의 옛말. 본문에서는 선조 승하 후 인목왕후가 국사는 잠시도 비워서는 안 된다며 어보와 계자를 동궁에게 전한 것을 가리킴. 『광해군일기』 권1, 광해군 즉위년(무신, 1608) 2월 1일(무오) 참조.

75 제자(諸子): ① 여러 신하들. 선조의 임종이 가까워 오자 많은 신하들이 대기하고 있었는데 중전이 전호(傳呼)로 원임 대신과 상공, 육승지, 사관이 모두 중문(中門) 안에서 대기했다고 기록되었다. 이로 보면 '제자'는 '여러 신하들'로 생각할 수 있다. ② 여러 아들들. 본문에 '후궁'이 임종 시에 함께 했으므로 선조의 직계(아내와 자녀들)가 임종을 지키고 있었다고 생각된다. 선조는 2왕후 6후궁 사이에 14명의 아들(1대군, 13군)과 11명의 딸(1공주 10서녀)을 두었다. 그 당시 직계가 모두 있지는 않았더라도 많은 자녀들이 함께 했으리라 생각된다. 『광해군일기』 권1, 광해군 즉위년(무신, 1608) 2월 1일(무오) 참조.

76 유교(遺敎): 임금이나 부모님이 죽을 때에 남긴 말씀. 선조가 승하하기 전 겨울에 쓴 유서로 세자에게 주는 유서에는 "동기간을 대하기를 나 있을 때와 같이 하고, 사람의 참언(讒言)이 있더라도 듣지 말라, 나의 뜻을 유념하라"라는 내용이고, 겉봉에 '유(柳永慶)·한(韓應仁)·신(申欽)·허(許筬)·박(朴東亮)·서(徐渻)·한(韓浚謙)'이라고 쓰여진 것에는 "대군이 어려 미처 성장함을 보지 못하는 것이 잊혀지지 않고, 내가 죽은 후에 인심을 헤아리기 어려우니 만일 어떤 사설이 있더라도 제공(諸公)들은 애호하고 붙들어주시오. 감히 이를 부탁하오"라고 적혀 있었다. 이들은 모두 왕족과 인척 관계가 있는 자들이므로 대군을 보호하도록 부탁하였는데 일곱 신하의 화가 이로부터 시작되었다. 후일 '박응서 옥사'에서도 거론되어 김제남과 영창대군을 죽이는 한 이유로 이용되었다. 『연려실기술』 권18, 하담록 참조. 『광해군일기』 권1, 광해군 즉위년(무신, 1608) 2월 1일(무오); 2월 2일(기미) 참조.

77 전(殿): 중궁전(中宮殿)의 준말, 광해군이 즉위하기 전이므로 본문에서 중전은 선조의 계비(繼妃, 후일 인목왕후)를 가리킴.

78 계오서: 주격조사 '가'와 '이'의 높인 말인 '~께서'의 옛말.

79 불성인사(不省人事): 자신이 하는 일을 모를 정도로 정신이 혼미함. 인사불성(人事不省).

80 세워 내되: 고집을 세워 자신이 의도한 대로 행동함. 본문에서는 선조의 유교를 알리라는 후궁의 말을 듣지 않았음을 말함.

이러한 것을 이 유교 내다 하고 큰 허물을 삼으니, 실로 세라[81]하면 대권이 장중에 계신 제[82] 올리지. 새보를 내어 베풀 사이 없어. 세자전에 즉시 보내며 또 유교에,

"참뫼[83] 있어도 신참[84]치 말고 대군을 어엿비[85] 여기라."

하오신 말이어늘 어찌 유교대로 군(君) 세울 일이 있으리오.

정미년[86] 십월 불평시에 동궁이며 빈을 즉시 불러 시측(侍側)에서 시약(侍藥) 하옵게 하며, 불민[87]하여 성의(聖意)에 어긴 일이 있어도 내전[88]에서 좋도록 꾸리오시니 기시에는,

"내전 상덕[89]이 중하왜라."

깃거하더니[90], 점점 내외(內外) 표리[91]할 사람이 있어 임해부터 없이할 모책[92]을 내어 불의(不義) 일을 영흉[93]하여 마침내 소장[94]에서 그런 대

81 세라: 세우려, 서게 하다. 본문에서는 '인목왕후가 자신의 소생(영창대군)을 왕으로 세우려 하였으면'으로 해석됨.

82 대권이 장중(掌中)에 계신 제: 필사본에는 '대군'이라 필사되었으나 문맥상 '대권'의 오기로 생각되어 고침. 〈계축일기〉에도 '대권'으로 표기되었음. 본문에서는 '왕위를 수여하는 권한을 손에 쥐고 있을 때'라고 해석됨.

83 참뫼(讒謀): 꾀를 써서 남을 해하려고 헐뜯음.

84 신참(信讒): 참소(讒訴, 남을 헐뜯기 위해 거짓으로 없는 죄를 꾸며서 고해 바치는 것)를 믿음.

85 어엿비: '불쌍히'의 옛말.

86 정미년(丁未年): 선조 40년(1607).

87 불민(不敏): 어리석고 둔하여 민첩하지 못함.

88 내전(內殿): '왕비'의 높인 말. 본문에서는 선조가 생존해 있을 때이므로 왕비는 계비(繼妃) 김씨(후일 인목왕후)를 가리킴.

89 상덕(上德): 웃 어른에게 받는 은혜. 본문에서는 인목대비의 은혜를 말함.

90 깃거하더니: '기뻐하더니'의 옛말.

91 표리(表裏): 겉과 속. 겉으로 드러내는 언행과 속으로 가지는 생각. 본문에서는 속과 겉을 분리하듯이 광해군 측과 인목황후 측을 이간한다는 뜻임.

92 모책(謀策): 어떤 일을 처리하거나 위기를 벗어나기 위하여 꾀나 방법을 짜냄.

93 영흉(獰兇): 사납고 매우 흉악함.

94 소장(訴狀): 원하는 것이 있을 때 관청에 내는 서면(書面). 본문에서는 '광해군 즉위

환(大患)을 부쳐내니[95] 그런 간인(奸人)이 어데있으리.

대개 아시(兒時)부터 불민히 여기 오시나 임진왜란[96]에 졸연[97]히 정하오신지라 상시(常時) 훈회[98]에 전교나신 일이나 일절(一切) 승순[99]치 아니하고, 니라오신[100] 족족 원수(怨讐)로이 여기매,

"자식이 어버이 향하여 하는 도리(道理) 저렇듯 할 것이리오."

하오셔 외오[101] 여기오시며, 후궁(後宮)의 족하를 의인[102] 빙전[103] 적에 첩(妾) 삼아 다려가려 하거늘,

"못 하리라, 어찌 부덕(不德)의 일을 하난다?"

하오셔, 허(許)치 아니 하오시는 일을 깊이 한(恨) 하다가. 병오년에 대화(大禍)를 내어 한 힘을 얻고저 대욕[104]하여 기이옵고[105] 다려가려 후궁을 저히되[106]

"이리 하난 일을 여짭거나 아니 주거나 하면 멸족[107]하리라."

년(무신, 1608) 2월에 임해군이 선조가 병환 중에 있을 때부터 군사를 모으는 등 모반의 뜻을 두고 있으므로 죄 줄 것을 청하는 내용의 소장을 올린 것을 말함.

95 부쳐내니: 문맥상 '선동하다'의 옛말인 '부치다'로 해석함이 옳을 것 같음. 남을 이리저리 들쑤시어 어떤 일을 하도록 선동함.

96 임진왜란(壬辰倭亂): 선조 25년(1592)~선조 31년(1598), 7년 동안의 왜구(倭寇)의 침략. 부록 주요사건 참조.

97 졸연(猝然): 갑자기, 별안간, 창졸간.

98 훈회(訓誨): 타일러서 뉘우치게 함.

99 승순(承順): 웃어른의 명령에 순종함.

100 니라오신: 원형은 '니ᄅᆞ다'. '이르다', '말하다'의 옛말. 이르오시는.

101 외오: '잘못', '그릇'의 옛말.

102 의인: 의인왕후(懿仁王后), 선조의 초비(初妃)인 박씨를 가리킴. 부록 등장인물 참조.

103 빙전(殯殿): '빈전'을 궁중에서 통용되어 온 아음(牙音, 어금닛 소리)에 의하여 '빙전'이라 함. 대궐에서 장사 때까지 왕이나 왕비의 관을 모시던 곳.

104 대욕(大慾): 욕심이 많음, 큰 욕심.

105 기이옵고: 원형은 '긔이다'. 사실을 숨기고 바른대로 말하지 않음.

106 저히되: 원형은 '저히다'. '위협하다'의 옛말.

107 멸족(滅族): 일족(一族), 즉 부계(父系), 모계(母系), 처계(妻系)인 삼족(三族)을 남

이리 저히고 겁칙[108]하여 내인 보내여 아사[109]가니, 그를 듣자오시고 크게 사오나이[110] 여기오셔 니라오시되,

"옛 조종조[111]에 소현왕후[112]를 그 아바님[113]으로 태종[114]이 폐(廢)하려 하시니 '그리 하리이다.' 하시되, '여덟 대군이[115] 있으니 어찌 하리이까?' 그제야 태종이 '폐치 말라.'하시니, 한 어린 계집이 무엇이 귀하여 어버이를 기이고 다려가니 흉악(凶惡)한 뜻이로다."

하오시고, 이 후부터 마땅히 못 여기오시나 폐립[116] 할 뜻은 없아오시거늘 내외 요언(妖言)을 부쳐 내는 사람이 성(盛)하여 도도와[117] 마침내 득원[118] 흉노[119]를 일워내니라.

대개 대군 향하여는 병오년부터 화심 조장[120]하여 안중정[121]과 계

김없이 죽여 버림.

108 겁칙(劫飭): 원형은 '겁틱ᄒᆞ다'. 남의 물건을 위협하거나 폭력을 써서 빼앗음.

109 아사: 원형은 '앗다'. '빼앗다, 없이하다'의 옛말.

110 사오나이: '사납게'의 옛말.

111 조종조(祖宗朝): 임금의 조상, 본문에서는 3대 태종 때를 가리킴.

112 소현왕후(昭憲王后): 세종(世宗)의 비(妃)인 청송 심씨(沈氏, 1395년~1446년). 부록 등장인물 참조.

113 그 아바님: 소헌왕후의 아버지 청천부원군(靑川府院君) 심온(沈溫)이 역적으로 몰린 사건을 지칭함. 부록 등장인물 '심온' 참조.

114 태종(太宗): 조선 제3대 왕(1367년~1422년). 부록 등장인물 참조.

115 여덟 대군: 조선 제4대 왕 세종대왕(1397년~1450년)은 1왕비 5후궁 사이에 18남 4녀(정비 청송 심씨에서 8대군 2공주, 후궁 5명에서 10군 2옹주)를 두었다. 본문에서 여덟 대군은 정비 소생인 문종, 세조, 안평대군, 임영대군, 광평대군, 금성대군, 평원대군, 영응대군을 말함.

116 폐립(廢立): 임금을 폐하고 새로 다른 임금을 맞아 세움. 본문에서는 왕(선조)이 세자(광해군)가 못마땅하였지만 세자를 바꾸려 하지는 않았다는 뜻임.

117 도도와: 원형은 '도도다'이며 '돋우다'의 옛말. 의욕이나 흥미 따위를 더하게 하다.

118 득원(得寃): 원통하고 억울함.

119 흉노(兇怒): 흉악한 노여움.

120 화심조장(禍心助長): 남을 해하려는 마음이 점점 커지게 함.

121 안중정(眼中釘): 눈 안의 가시 같이 못마땅하게 여김.

자[122]같이 여기다가, 대군이 자라가니 큰 변을 일워 없이할 일을 유가(柳哥)와 날로 일워 인사(人事) 모르는 것이 위연이[123] 불상코 어엿브리오[124]마는, 상시(常時) 대소사(大小事) 반드시 쉬운 일도 순종(順從)치 아녀 뜻을 거쉷러[125] 박대함이 심하더라.

정인홍(鄭仁弘) 등은 적소[126]에 채 가지 아니 하여서 훙서(薨逝) 하오신 날에 즉시 궐하(闕下)에 불러 불차용지[127]하고, 빙천[128]하오신 칠일만에[129] 형(兄)을 외척[130]에서 지주[131] 대간[132]하여 논계[133]하게 하며 임해

---

122 계자(繼子): 양자(養子), 양아들, 의붓자식. 자기가 낳지 않은 아들.

123 위연이: 〈계축일기〉에는 이 대목에 '애연(哀然)'으로 되어 있음. 옳다고 생각되어서 바로 잡음.

124 어엿브리오: '불쌍하다'의 옛말.

125 거쉷러: 거슬러, 거스르다. 남의 뜻에 따르지 않고 어긋나는 행동을 함.

126 적소(謫所): 죄인을 귀양 보내던 곳. 본문에서는 왕(선조)과 세자(광해군) 사이를 이간시킨다는 죄목으로 정인홍은 영변(寧邊)으로, 이이첨은 갑산(甲山)으로 귀양 가게 한 것을 말함. 『연려실기술』 권18, 이효원의 행장 참조.

127 불차용지(不次用之): 단계를 밟지 아니하고 한꺼번에 벼슬을 올려서 씀.

128 빙천: 빈천(賓天)을 아음에 의하여 '빙천'으로 씀, 하늘의 손님이 되었다는 뜻으로 귀인의 죽음을 말함. 본문에서는 선조가 세상을 뜬 것을 가리킴.

129 칠일만에: 본문에서는 '칠일만에'라고 필사되었으나 '이칠일만에'의 오기라고 생각됨. 〈계축일기〉에는 '이칠일만에'라고 필사되어 있고, 『광해군일기』에도 선조 승하 후 14일만에 이와 관련된 상소가 시작되었음. 『광해군일기』 권1, 즉위년(무신년, 1608) 2월 14일(신미) 참조.

130 외척(外戚): 같은 본 이외의 친척, 외가 쪽의 친척.

131 지주(指嗾): 달래고 꾀어서 무엇을 하도록 부추김.

132 대간(臺諫): 사헌부(司憲府, 정치에 관하여 논하고 관리들의 비행을 조사 규탄하며, 풍속을 바로 잡던 관청)와 사간원(司諫院, 임금께 옳지 못하거나 잘못된 일을 고치도록 말하던 일을 맡아 보던 관청)을 가리킴. 양사(兩司)라고도 함. 사헌부(司憲府) 정4품 장령 윤양(尹讓), 정 5품 지평 민덕남(閔德男), 사간원(司諫院) 정 5품 헌납 윤효선(尹孝先), 정 6품 정언 이사경(李士慶) 등의 상소로 임해군 옥사가 시작되었다. 『연려실기술』 권19, 일월록 참조. 『광해군일기』 권1, 광해군 즉위년(무신, 1608) 2월 14일(신미) 참조.

133 논계(論啓): 신하가 임금에게 그 잘못을 간하여 논함. 본문에서는 임해군이 명장(名將)과 결탁하여 역모를 준비했다는 죄목으로 절도에 귀양 보내야 함을 논계한 것을

더러 계사[134] 뵈고,

"이제 나가면 죄를 면(免)코 궐중(闕中)에 있으면 죄를 더을[135] 것이니 내 몰라 이를가 수이 나가소."

하고 군병(軍兵)을 포열은복[136] 하였닷더라.

임해 꾀에 감겨 즉시 나가니, 일시에 내달아 두로 싸매어 비변사[137]에 구류(拘留) 하였다가 교동[138]에 보내어 우리안치[139] 하였더니, 어사당장[140]이 오니 임해더러 이르되,

---

말함. 『연려실기술』 권19, 일월록(日月錄) 참조. 『광해군일기』 권1, 광해군 즉위년(무신, 1608) 2월 14일(신미) 참조.

134 계사(啓辭): 논죄(論罪)에 관한 것을 임금에게 올리는 글.

135 더을: 원형은 '더으다'. '더하다'의 옛말. 더할.

136 포열은복(布列隱伏): 주위에 숨어서 진(陣)을 치게 함.

137 비변사(備邊司): 조선시대 군국(軍國)의 사무를 맡아서 처리하던 관청. 임진왜란·정유재란 이후 의정부를 대신하여 정치의 중추기관이 됨.

138 교동(喬桐): 경기도 광화군(江華郡) 교동면에 있는 섬 이름. 조선시대 귀양 장소로 자주 쓰임. 광해군도 폐위 된 후 처음에는 이곳에 귀양 갔다가 다시 제주도로 귀양 감. 임해군은 처음(2월 14일)엔 진도(珍島)로 유배되었다. 이덕형, 이항복 등이 진도는 멀어 안전을 보장하기 어려우므로 가까운 곳에 정하기를 청하였다(2월 15일). 20일 진도로 가는 도중에 왕명에 의하여 강화(江華)의 교동으로 옮겼다. 『광해군일기』 권1, 광해군 즉위년(무신, 1608) 2월 14일(신미); 2월 15일(임신); 2월 20일(정축) 참조.

139 우리안치(圍籬安置): 귀양 보낸 죄인이 배소(配所)에서 달아나지 못하도록 가시로 울타리를 둘러쳐서 외부와 차단시키는 벌. 본문에서는 임해군의 유배장소를 강화로 옮기면서 "진도(津渡)를 엄히 지키고 담장을 높게 쌓아 출입을 금하게 함으로써 외부 사람과 서로 접촉하지 못하게 하며 무장한 군인으로 지키게 했음"을 말함. 『광해군일기』 권1, 광해군 즉위년(무신, 1608) 2월 20일(정축) 참조.

140 어사당장(御使唐將): 임해군의 질병을 조사하기 위하여 조선에 온 명나라에의 차관(差官) 요동도사(遼東都司) 엄일괴(嚴一魁) 일행. 세자 승인을 받지 못한 채 왕위를 계승한 광해군은 이호민이 이끄는 사신을 명나라에 보내어 왕위 계승의 승인을 받아오도록 했다. 명에서 장자가 아닌 자가 왕이 된 이유를 묻자 '임해군은 중풍에 걸려 저위(儲位)를 감당할 수 없다'고 한 것을 의심하여 사실 확인을 위해 서울에 온 것이다. 『광해군일기』 권1, 광해군 즉위년(무신, 1608) 5월 15일(경오); 5월 20일(을사) 참조.

"전신불수[141] 하는 체하여야 처자(妻子)와 한데 두고 이른 대로 아니 하면 죽이리라."

하고, 공빙[142] 사촌 오라비 김예직[143]을 보내어 은근히 달래니 곧이 듣고 이른 대로 한대, 당장[144]이 회(回)하여 즉시 심복(心腹) 의원(醫員) 보내어 치독[145]하여 죽이니라.

임해 적에 대군을 함께 잡으라 한 번의 소계[146]에 얹으니 조정이 혹 시비(是非)하되,

"당시(當時) 강보[147]에 있고 신정[148]에 형제(兄弟) 둘을 함께 없애기 어렵다."

하니, 도로 대군을 거두지 아니탓더라.

상시 문안(問安)을 자로[149] 드는 체하더니 점점하여 삭망[150]으로 들며

---

141 전신불수(全身不遂): 중풍 등으로 말미암아 온몸을 마음대로 쓰지 못하는 상태.

142 공빙(恭嬪): 선조의 후궁. 임해군과 광해군의 생모(生母). 광해군 등극 후 공성왕후(恭聖王后)로 추존됨. 부록 등장인물 참조.

143 김예직(金禮直): 광해군의 외숙(外叔), 자는 문백(文伯). 임해군과 영창대군의 옥사 때 인목대비의 폐위를 반대하여 방축(放逐)되었다가 인조반정 후에 복권됨. 본문에서는 김예직이 임해군에게 차관을 만났을 때 답할 말을 잘 타일러 주게 한 것을 말한다. 『광해군일기』 권1, 광해군 즉위년(무신, 1608) 5월 16일(신미) 참조.

144 당장(唐將): 명나라에서 사신으로 온 요동도사 엄일괴(嚴一魁)를 가리킴. 엄일괴 일행이 서강(西江)에서 임해군을 만나 사실 확인을 하였다. 그때에 대신들이 미리 가르쳐준 대로 모두 긍정하였지만 반역을 도모한 죄에 대해서는 부인하였다. 다만 자신이 병으로 정신이 없을 때 노예들이 그런 뜻을 가졌던 것 같으나 자신은 몰랐다 하여 노예들에게 핑계대라는 대신의 말을 따랐다. 엄일괴 일행 등은 이러한 말을 사실대로 다 믿지는 않았지만 수만 냥의 은을 받고 돌아갔다. 『광해군일기』 권1, 광해군 즉위년(무신, 1608) 5월 20일(신미) 참조.

145 치독(置毒): 독약을 음식에 넣음.

146 소계(疏啓): 상소문(上疏文), 생각한 바를 조목별(條目別)로 써서 임금에게 올리는 글.

147 강보(襁褓): 포대기, 포대기에 싸인 어린 아이란 뜻으로 본문에서는 영창대군을 가리킴. 당시 영창대군은 4살이었음.

148 신정(新政): 왕이 새로 등극(登極)하여 베푸는 정치.

그도 연고 있으면 궐[151]하고, 든 때도 혹 옛 말씀이나 시세(時世) 말씀이나 일가의 은휘[152]치 아녀 하오시면 말씀을 찰혀[153] 듣도 아니하고,

"아모란 하여지라."

하오시는 일을 의논(議論)하시면, 손 내여 헤저으며 자교[154]란 듣지 아니하고 넓더[155] 일어나며, 오라서야 문안을 와서 머무도 아니 하고 앉는 듯 일어나더라. 무슨 쟁그라온[156] 화(和)한 일이 있으리오.

대왕(大王) 빙천(賓天)하오신 후 삼칠일[157]만에 처음으로 문안드니 상시 벗의 조상(弔喪)도 처음 만나면 예(禮)에 곡읍[158]하는 일이어늘, 우히[159] 애곡(哀哭)하오시니 드리다라며[160] 손을 헤저어[161] 시위인(侍衛人)더러,

"우지 마오시게 하라."

더두어리고[162] 곡(哭) 함은 카니와[163] 조금도 애척지용[164]이 없으니 인

149 자로: '자주'의 옛말. 여러 번 되풀이 하여.
150 삭망(朔望): 음력 초하룻날과 보름날.
151 궐(闕): 해야 할 일을 하지 않거나 모임에 빠짐.
152 은휘(隱諱): 꺼리어 감추거나 숨김.
153 찰혀: '차리다'의 옛말. 예절을 차리다. 본문에서는 주의 깊게 듣지 않아 공경하는 태도가 없음을 말함.
154 자교(慈敎): 자전(慈殿: 왕의 모친)의 말씀. 본문에서는 인목대비의 말씀.
155 넓더: '벌떡'의 옛말. 급하게 일어나는 모양.
156 쟁그라온: '재미있는', '아기자기한'의 옛말.
157 삼칠일(三七日): 세이레, 사람이 태어나거나 죽은 지 21일 째 되는 날.
158 곡읍(哭泣): 소리내어 슬피 움.
159 우히: 위(上)께서. 본문에서는 '인목대비가'를 가리킴.
160 드리다라며: '달려 들어가며'의 옛말.
161 헤저어: '휘저으며'의 옛말.
162 더두어리고: '더듬거리다'의 옛말.
163 카니와: '~커녕', '~도', '~이지만', '~물론이거니와'의 옛말.
164 애척지용(哀戚之容): 사람의 죽음을 슬퍼하는 모습.

자지정[165]은 없거니와, 척인(戚人)들 상가(喪家)에 그리 무심할 것이라. 크게 비인정(非人情)이러라.

대왕(大王) 묘호[166] 하올 적 우히 니라오시되,

"임진왜란의 중흥지공[167]은 이르옵지 말려니와, 조종망극[168] 피무[169] 개종지공[170]은 막대(莫大)하니 창업지주[171]에서 떨어시리이까 묘호(廟號)를 헤아려 심상[172]이 말으소서."

하오시니, 오래 생각다가 여짜오되,

"비록 공이 계시나 임진왜란으로 조종[173]이 평안(平安)이 못 지내여 겨시니 어이 공이 계시다 하리이까? 다시 의논을 못 할 소이다."

우히 의논 하오시고 다시옴[174] 개유[175] 하오셔 여러 번 니라오시되 마침내 듣지 아니 하고

"종자[176]를 가지셔도 낫지 아니 하니이다."

---

165 인자지정(人子之情): 자식으로서 부모에게 느끼는 정.

166 묘호(廟號): 왕의 시호. 왕이 죽은 뒤에 신주(神主)를 종묘(宗廟)에 들일 때 그 공덕을 기리어 주던 이름.

167 중흥지공(中興之功): 쇠퇴하여 가던 나라를 다시 일으킨 공(功).

168 조종망극(祖宗罔極): 역대 선왕께 송구스러움이 한이 없음을 이름.

169 피무(被誣): 속임을 당함.

170 개종지공(改宗之功): 조선 건국 후 명나라의 승인을 얻기 위해 보낸 서류에 이성계(李成桂)의 아버지 이자춘(李子春)이 이인임(李仁壬)으로 잘못 기재되었었다. 그 후 역대 임금들이 잘못된 것을 시정하려고 노력했으나 뜻을 이루지 못하다가 선조 때 역관(譯官) 홍순언(洪純彦)이 명나라 대신 석성(石星)의 도움으로 시정한 일을 가리킴.

171 창업지주(創業之主): 나라를 창업한 왕, 즉 태조 이성계(李成桂)를 가리킴.

172 심상(尋常): 대수롭지 않고 예사로움.

173 조종(祖宗): 창업 이후 여러 군주의 총칭. 본문에서는 종묘에 모셔진 역대 왕들의 위폐와 혼백을 가리킴.

174 다시옴: 거듭하여 강조를 나타내는 '다시금'의 옛말.

175 개유(開諭): 사물의 이치를 알아 듣도록 잘 타이름.

176 종자(宗子): 루얼쿠이(陸爾奎) 등이 편찬한 중국의 사전인 사원(辭源)에는 "묘호(廟

하니, 그 불효(不孝)함을 가히[177] 알지라.

자고(自古)로 자전(慈殿)이 초상(初喪)에 배릉[178]하오시는 예(禮) 있으매 그 뜻을 통하오시니 대답(對答)하되,

"가심이 불가(不可)하니이다. 폐(弊)로오니 가시다 무엇을 보시리이까? 하[179] 가고저 하시거든 소상[180]에나 가소서."

하거늘, 겨유 달을 기다려,

"니거지라[181]."

하오시니 또 탈 하되,

"조정(朝廷)이 하 막으니 못 가시리이다. 대상[182]에나 가소서."

또 그 시에 하되,

"이위[183]가심도 예(禮)에 일이 아니니이다. 폐로울 따름이오 보실 일이 없으니 결연[184]히 못 가시리이다."

하더라.

"혼전[185]에 나가지라."

하오시니 그도 여러 번 막거늘, 우히 내전[186]에 애긍[187]히 비오시니,

號) 중 가장 존귀한 임금을 가리켜 조(祖)라 하고, 그 다음을 종(宗)이라 한다. 조는 공이 있고, 종은 덕이 있다."라는 구절이 있다. 우리나라 역대 임금들의 묘호는 생전의 업적과 항상 일치되는 것은 아니다.

177 가히: 과연, 잘, 마땅히.

178 배릉(拜陵): 임금이나 왕후의 무덤을 찾아 절을 올림. 본문에서는 선조의 계비(繼妃) 인목왕후가 선조의 무덤에 가려 했음을 말함.

179 하: '많이', '크게'의 옛말.

180 소상(小祥): 사람이 죽은 지 한 돌 만에 지내는 제사.

181 니거지라: 원형은 '가다'의 옛말이 '니거다'이므로 '가고 싶다'로 해석됨.

182 대상(大祥): 사람이 죽은 지 두 돌 만에 지내는 제사.

183 이위: '이미'의 옛말.

184 결연(決然): 결심이 움직일 수 없을 만큼 확고함.

185 혼전(魂殿): 임금이나 왕비의 국장(國葬) 뒤에 3년 동안 신위(神位)를 모시던 전각(殿閣).

"본디 대전(大殿)이 변통[188]이 없어 그러하시니, 지극히 하여 가오시게 하리이다."

하더니, 내전 지휘[189]로 허(許)하니라.

날을 극박[190]히 택일(擇日)하니, 내인을 내어 보내어 유희분더러 날을 물리라 하다. 우리 전(殿)에서는 급급 제전[191]의 음식을 다 장만 하였더니, 내전은 심상이 여겨 제(祭)를 아니 하려 하였다가 불의(不意)에 생각하고 하노라 하니, 남의 폐(弊)를 보지 아니 하고 대사(大事)를 내해 좋은선정[192] 이렇듯이 한들 어대가 민망(憫惘)하여라 하리오, 숙설[193]한 후, 여러 날 물리매 우리 전에서는 장만한 것을 다 버리고 새로 장만하니라.

내전(內殿)에서 행여 진지를 하여도 공주란 받잡고 대군으란 아니 받잡더라.

대전이 니라되,

"옷 전 문안 가면 대군 소리 듣기 슬허라[194].

하며, 하루는 대군이,

"대전 형님 하 보아지라[195]."

---

186 내전(內殿): '왕비'의 높인 말. 본문에서는 광해군 비(妃) 유(柳)씨를 가리킴.
187 애긍(哀矜): 불쌍하게 여김.
188 변통(變通): 일의 형편에 따라 막힘이 없이 적절하게 잘 처리함.
189 지휘(指揮): 명령을 내려 알려 줌.
190 극박(極迫): 조금의 여유도 없이 어떤 일이나 때가 가까이 닥쳐서 몹시 급함.
191 제전(祭奠): 제사. 혹은 제사에 쓰이는 음식물(祭物).
192 좋은선정: '좋을망정', '좋을지언정'의 옛말.
193 숙설(熟設): 잔치나 큰일에 음식을 만들고 차리는 일.
194 슬허라: 원형은 '슬희다'이며 '싫어하다'의 옛말.
195 보아지라: '~지라'는 '~고 싶다', '~기를 바란다'의 옛말. '보아지라'는 '보고 싶다', '보기를 바란다'의 옛말임.

보채거늘, 공주 · 대군 두 아기시를 문안 온 때에 앉혀 뵈니,

"공주란 나아오라."

하여 만져 보고,

"하 영민[196]하니 어엿브이다."

하고, 대군으란 말도 아니 하고 본 체도 아니하니 어려워 하시거늘,

"너도 나아 니거라."

하오시니, 니러 가 대전 앞에 가 서시되 본 체도 아니하니 대군이 나가 울으시며,

"대전 형님이 누의님으란 어엿버 하고 날난 본 체도 아니하니, 나는 누의님이나 될 것을 무사일 사나희 되닷던고."

하시고 종일토록 우르시니, 보오매 불쌍하시더라.

대전이 상상[197]에 니라되,

"나 이신[198] 적은 열 대군이 있어도 두립지[199] 아니려니와, 세자는 대군께 족해니 조종조(祖宗朝)에도 족하를 해(害)하고 섰으니 이런 일이 있을까 저허하노라[200], 내 부대 대군을 없이 하고 세자를 편히 살게 하렸노라."

하더라.

이렇듯 일러 들렸으매 세자도 대군 보기를 무서운 것 보듯 슬희여[201] 하더라.

빙천(賓天) 하오신 석 달 만에 대전이 수라[202]를 못 자시거늘 우히 육

196 영민(穎敏): 슬기롭고 민첩하여 남보다 뛰어남.
197 상상(常常): 항상. 평소에 늘.
198 이신: 원형은 '이시다'. '있다'의 옛말.
199 두립지: 두렵지. 마음에 꺼려 무섭다.
200 저허하노라: '두려워하노라'의 옛말.
201 슬희여: '싫어하다'의 옛말.

선[203]을 권하오시니 권육(勸肉)하오신 두 번 만에 자시다. 양죽[204]을 하여 갔더니 자시고 물려 근시(近侍)를 당부하되,

"이 죽이 가장 좋으니 채와[205] 뒀다가 훗 때에 달라."

하니, 내인이 야븟그려[206]여겨 닐오되,

"하루 소선[207]도 못 하야 하오시다가 하절(夏節)에 서너 달을 하오시니, 그도 잘 하야 계오시더니, 웃전이 권하오시니 하 젓사와[208] 잡사오시매, 이도 웃전 계시매 뒀다가 달라 하오신다."

하니, 듣는 이는 불쌍히 여기고 웃더라.

정미년[209] 십월에 대왕이 불평(不平)하오시매 세자가(世子) 녀차[210]에 와 시약[211]하옵더니, 엄연[212]히 들어 앉았듯이 못하여 공사(公事)하오시던 청(廳)에 와 좌철[213] 놓고 앉았더니 후에 닐오되,

"겨울에 찬데 앉았던 일이야 죽다 잊으랴."

하고,

빙측[214]에도 한 달에 한 번씩 가락말락, 애척[215]이 아조 없어 상복중

---

202 수라(水剌): 임금에게 올리는 진지의 궁중어.
203 육선(肉饍): 고기를 재료로 하여 만든 반찬.
204 양죽: 양즙(羘汁). 소의 내장 양을 끓이거나 불에 볶아서 짜낸 물. 병자나 허약한 사람이 보신용으로 먹음.
205 채와: 차게 하다. 얼음이나 찬물에 채워 차게 하다.
206 야븟그려: '비웃어'의 옛말. 냉소(冷笑).
207 소선(素膳): 생선이나 육류를 쓰지 않은 간소한 반찬.
208 젓사와: '황송하여'의 옛말.
209 정미년(丁未年): 선조 40년(1607).
210 녀차(廬次): 빈전(殯殿) 주변에다 여막(廬幕)을 만들고 임금이 거처하는 곳.
211 시약(侍藥): 임금께서 병환이 계실 때에 약을 쓰는 행위.
212 엄연(儼然): 사람의 겉모습이나 언행이 엄숙하고 점잖음.
213 좌철(座鐵): 철로 만든 의자.
214 빙측(殯側): '빈측'을 '빙측'으로 발음함. 장사 때까지 왕의 관을 모셔 놓은 집(빈전) 곁여막.

(喪服中)에 희희[216] 함이 자약[217]하고, 대전상[218]에 감선[219] 하는 체하고, 입을 가리오고 우음[220]을 참지 못 하야 참는 체 하야도 하 우으니, 보나 니야 민망[221]하야 하더라.

우히 빙측에 와 곡읍(哭泣)을 그치지 아니 하오시니.

"이 우름 소래 어데서 나나니."

내관이 하되,

"자전(慈殿)이 우오시나이다."

"무사일 저리 설워 하오시나니 춘추가[222] 많아 없어 겨오시니 설워 하심이 우읍다[223]. 사람이 매양 살랴, 듣기 슬타[224]."

하니, 좌우가(左右) 어이없이 여겨 혹 가만히 웃더라.

공사를 하 못하여 한 장(張) 것도 친히 결치 못하니 내전이 혹 빙전에 나간 적이면 공사를 못하여 혼자 앉아서 두루매며[225] 조해[226]와 칼을 손에 놓지 못 하여 조해를 잘게 싸흐라[227] 바람에[228] 두루[229] 붙이고

---

215 애척(哀戚): 애도(哀悼). 사람의 죽음을 슬퍼함.
216 희희(嬉嬉): 즐겁게 웃는 모습이나 소리.
217 자약(自若): 큰일을 당하여도 놀라지 않고 평상시와 같이 침착함.
218 대전상(大殿床): 본문에서는 새로 된 왕(광해군)의 수라상.
219 감선(減膳): 나라에 변고가 있을 때 임금이 근심하는 뜻에서 수라상의 음식 가짓수를 줄임으로 삼가게 함.
220 우음: '웃음'의 옛말.
221 민망(憫惘): 딱하여 걱정스러움.
222 춘추(春秋): 어른의 나이를 높이어 부르는 말.
223 우읍다: '우습다'의 옛말.
224 슬타: '싫다', '싫어하다'의 옛말.
225 두루매며: '두루마리'의 옛말. 가로로 길게 이어 돌돌 둥글게 만 종이, 편지나 그 밖의 글을 쓸 때 쓴다.
226 조희(조해): '종이'의 옛말.
227 싸흐라: '썰어'의 옛말. 물건을 잘게 쪼갬.
228 바람에: 매우 빠름. 지체하지 않고 곧.

칼을 두루 버려[230] 세우고 있어 혹 중중 읍주어리니[231], 내관이 혹 소래나 하면 소래 질러 꾸짖으니 내관도 들어붙지 못 하여 밖에서 앙천(仰天)하고 애를 태오미러니, 혹 명종조[232] 늙은 내관이 있더니 당돌이 들어가 살오되[233]

"무사 일 심기(心氣)를 내옵시난고 형님[234]도 남의 말 듣고 벌써 없이 하시고, 이 공사도 아조 어렵지 아니 하니이다. 글 배호신지 오라니 슬긔[235]는 글에서 나는 일이오, 마노라가[236] 선왕(先王) 아드님이시오 들어계신 집도 선왕 집이오, 조해 필먹(筆墨) 다 선왕 것이니 이만 공사를 못 하셔 사람 없이하시고 고요히 안자계셔 칼과 조해를 가지고 무사일 하시난고."

하니, 븟그려[237] 잠잠하였더라.

이 말이 튓튓 나니[238] 이 내관을 미워하더니 대군란[239]에 죄 주니라.

내관을 한 번 일 시키매 열 번 고쳐 시키고, 한번 심부름 하매 열 번 고쳐 부리고, 잘한 일에 상(賞) 줄 줄 모르고 그른 일에 죄(罪) 줄줄 모르더라.

상시(常時)에 유가가 민망하여 날마다 때마다 가르쳐, 이제 아모개

---

229 두루: 다시, 돌이켜.
230 버려: 벌리다, 접혀있는 것을 펴다.
231 중중 읍주어리니: '중얼중얼 읊주리다'의 옛말.
232 명종조(明宗朝): 조선 제13대 왕(1534년~1567년). 부록 등장인물 참조.
233 살오되: '여쭈다'의 옛말.
234 형님: 광해군의 동복(同腹) 형인 임해군을 가리킴.
235 슬긔: '슬기'의 옛말. 사물의 이치를 빨리 깨닫고 사물을 정확하게 처리할 방도를 생각해 내는 재능.
236 마노라(摩樓下): 왕, 왕비, 기타 귀인(貴人)의 가장 높임말.
237 붓그려: '부끄러워'의 옛말.
238 튓튓 나니: '튀어서 나오다'의 옛말. 소문이 퍼지다.
239 대군란(大君亂): 광해군 5년의 영창대군 살해사건.

상소(上疏)하려 하니 이리 대답 하소. 이 때 아모개 계사(啓辭)하려 하니 이리 대답하소. 시시로 진서[240]로며 언서[241]로 써 광자리[242]이며 소코리[243]에 담아 다니며, 혹 문 닫은 때면 동산(東山) 측간(厠間) 다히[244] 외장[245]이 있으니 그리로 사람이 들게 싀공[246]을 내었으되, 하 크니 밖에서 번히[247] 못보게 안에만 가리와 두고 내외(內外)에 응(應)하여 출납(出納)하고, 하 자로 하매 담 밖에 종 울막[248] 지어 내도히[249] 살리며 밤이면 그로하여 유가에게 통(通)하여 알아 오더라.

침실에 노 낀 단[250] 광자리이며 보(褓) 싼 소코리 대글대글 하였으니, 한 시녀(侍女)가 마양(每樣) 맡아 공사 대답 알아 유가에게 보내더니, 날마다 공사든 족족 하 써 보내니 밥 먹을 에도[251] 없으니 괴롭고 설이여겨 한번은 혼자 말로 니라되.

"사나희로서 이만 공사 못 하여 마양 남에게 묻고 다니는가? 우리 침실에는 고리 광자리도 만타."

하고, 박차닷더라[252].

---

240 진서(眞書): 우리글을 언문(諺文)이라 낮춘데 대하여 한문을 높여 이르던 말.
241 언서(諺書): 언문(諺文)은 옛날에 한글을 속되게 이르던 말. 언서는 언문으로 쓴 책.
242 광자리: '광주리'의 옛말. 대·싸리·버들 등으로 엮어 만든 둥근 그릇.
243 소코리: 얇고 가늘게 쪼갠 대로 테가 있게 길게 엮어 만든 그릇.
244 다히: '근처(近處)', '편'의 옛말.
245 외장(外牆): 바깥 담.
246 싀공: 작은 구멍, 시궁창.
247 번히: '훤하다', '환하다'의 옛말.
248 울막: 울타리 막, 움막, 움집, 토막(土幕).
249 내도히: 은밀히, 형적이 나타나지 아니하다.
250 노 낀 단: '노'는 실, 삼, 종이 따위를 가늘게 비비거나 꼬아서 만든 끈을 말함. '노 낀 단'은 '노끈을 달은'으로 해석됨.
251 에도: 원형은 '에나다'. '틈나다'의 옛말. 틈도.
252 박차닷더라: 박차다, 걷어차다, 발을 들어 힘있게 차다.

대전이 듣고 영출[253]하고 소문내되 침실에 붙어 앉았지 아니하니 내치다 하더라.

본대 성(性)이 잔잉[254]하여, 녜 없던[255] 행실로 기동[256]에 매고 채[257]로 치거나 혹 적쇠[258]로 치니, 압패라[259] 하는 소래 진동(震動)하여 멀리 들리더라.

원래부터 웃전이 임양[260]으로 쓰오시는 것을 한 적[261],

"청밀[262]을 받아 아모만을[263] 웃전에 드리라."

하니, 차지내관[264] 이봉정이 하되,

"생심[265]이나 자하[266]로서 금 쳐[267] 드리리이까? 쓰오실 때에 쓰오시리이다."

하니, 아니 니라고 또 한 적은 하되,

"웃전이 드리라 하신 것을 날더러 니라고 드리라."

---

253 영출(令出): 명령으로 쫓아 냄.
254 잔잉(殘忍): 인정이 없고 몹시 모짐.
255 녜 없던: '예'의 옛말. 예로부터, 오래전, 아주 먼 과거.
256 기동: '기둥'의 옛말.
257 채: 사람을 때리거나 벌을 줄 때 쓰는 채찍의 준말.
258 적쇠: 불에 뜨겁게 달군 쇠.
259 압패라: '아파라'의 옛말.
260 임양(任量): 양대로, 양 그대로. 본문에서는 필요한 물건을 허락없이 쓸 수 있음을 말함.
261 한 적: '한 때', '한 동안'의 옛말.
262 청밀(淸蜜): 꿀, 벌꿀.
263 아모만을: 얼마큼, 어느 정도, 확실치 않음을 나타내는 형용사.
264 차지내관(次知內官): 궁궐 각 궁방의 총무 담당관.
265 생심(生心): 무슨 일 따위를 하려는 생각을 냄. 생의(生意).
266 자하(自下): 자하거행(自下擧行)의 준말. 윗사람의 결재나 승낙 없이 자기 맘대로 해나감.
267 금 쳐: 값을 쳐서. 평가하다. 값을 정하다.

하니, 그 후부터는 먼저 취품[268] 하는 버릇이 났더라.

마을[269] 것을 다른데 옮기니 타인은 하되,

"웃전이 못 쓰시게 그리 한다."

하고, 저는 니라되,

"행혀 불의지변[270]이 있어도 내종에 가 살렸니라."

하며, 이현궁[271]이라 일홈 짓고 각색 것을 그 궁으로 옮겨 두더라.

무신초[272]에는 가장 공경 하옵는 체하며 니라되,

"내 위하옵는 것은 자전(慈殿)이오시니 하고저 하오시는 일난 다 니라소서."

하니, 우히 더욱 감동코 고마이 여기오셔 대전이며 세자 향하여 친자같이 대접 하오시고 대왕 마노라 공사하오시던 일이며 어진 일흠을 얻고저 하오셔 일일마다 가르치오시더라.

세자가 영민하니 더욱 어엿비 여기오셔 문안 온 족족 사나희게 가한[273] 것을 주오시니 세자 보모상궁[274] 옥환(玉環)이 손 비비며 상덕(上德)을 축수하오며 니라되,

---

268 취품(取稟): 웃어른께 여쭈어서 그 결정을 기다리는 일.

269 마을: 관원이 모여 나라 일을 처리 하던 곳. 관부(官府). 관청(官廳). 관아(官衙).

270 불의지변(不意之變): 의리나 정의에 어긋나는 뜻밖의 변고.

271 이현궁(梨峴宮): 현재 서울특별시 종로구 인의동에 있는 옛 궁. 조선 광해군이 지은 궁으로, 인조 원년(1623)에는 계운궁(啓運宮), 숙종 때는 숙빈방(淑嬪房)이 되었다가 숙종 37년(1711)에는 연잉군(延礽君)의 집이 되었다. 영조 36년(1760)에 경희궁(慶熙宮)으로 이름이 바뀌었다. 정조 11년(1787)에는 장용위영(壯勇衛營)이 되었다가 순조 2년(1802)에 폐하여지고, 고종 25년(1888)에 통위영(統衛營)이 되어 동별영(東別營)이라고 불리었다. 현재는 '경희궁'이라고 함.

272 무신초(戊申初): 선조 41년(1608). 선조가 승하하던 해.

273 사나희게 가(可)한: 본문에서는 웃전(대비전)에서 사내 아이에게 필요한 물건을 자주 주었음을 말함.

274 보모상궁(保姆尙宮): 왕 자녀(王子女)의 양육을 맡은 궁녀 중 우두머리. 부록 '조선조 궁녀 제도' 참조.

"웃전 곧 아니오면 우리게 무엇이 있사올꼬. 온 족족 주오시니 이 상덕은 하늘 같자와이다. 아바님은 숙배지[275] 한 장도 아니 주시니 누를 닮아 계신고, 종의 말 아니 듣기는 술위 쇠[276]들 그리 질길까. 선왕(先王) 마노라 아드님이나 눈 똥이나 닮아 계실까. 똥 누실 적이면 아침부터 앉으면 겨울에는 오시[277]까지 누고 문안 들려 하실 적은 별로 뒤를 두세 번씩 누시노라 오고[278] 친 후야 드라시니 그런 애닯은[279] 일이 어데 있을꼬."

하더라.

아모 것이나 하려 하오시면 기별 하였거니 마오시고 쑥쑥 여러들 셔기옵고[280] 한번 들은 일은 본대 아니 들으시니.

"저 술위 소야."

하니, 모다.

"어찌 저런 말 하옵는고."

하니,

"소 같거든 소라 아니 하올까."

하더라.

처음은 말이나 순히 듣고 어진가 하더니 점점하여 박대하미 심하더

275 숙배지(肅拜紙): '숙배'는 '공손히 절하는 것'이므로 '숙배지'는 궁중에서 아침, 저녁으로 문안을 주고받는 종이로 해석함이 좋을 것 같음.

276 술위 쇠: '수레'의 옛말. '쇠'는 '소+의'로 '소(牛)'의 뜻을 나타내므로 수레를 끄는 소처럼 미련함을 의미함.

277 오시(午時): 하루를 열둘로 나누어 십이지(十二支)의 이름을 붙여 이르는 시간에서 일곱째 시(午時)를 가리킴. 곧 오전 11시에서 오후 1시까지.

278 오고(午鼓): 오시(午時)에 치는 북. 정오를 알리는 것.

279 애닯은: 원형은 '애닯다'. '애달프다'의 옛말. 애달플 정도로 마음이 쓰리고 아프다.

280 쑥쑥 여러들 셔기옵고: '쑥쑥'은 말을 거리낌 없이 해대거나 나서는 모양. '셔기옵고'의 원형은 '셔기다'로 '속이다'의 옛말. 그러므로 '거리낌 없이 여러 번(자주) 속인다'라고 해석됨.

라. 경술 · 신해년[281] 사이는 더욱 심하야 불공(不恭)함이 심하더라.

상궁[282] 가히[283]란 점점 친히하고 내전으란 소(疎)히 하더니 공사 결단(決斷) 하기는 내전을 불러다가 시키니, 내전도 노하여 역정[284]하여 가지 아니하면 친히 와 다려 가 묻고 혹 나려와도 물으니, 내전이 하되.

"이만 공사를 못 하실가. 이 후란 날더러 묻지 마소."

한다 하더라.

대군을 두고 각색으로 의심(疑心) 한 후에는 더욱 위엄을 내어 고기를 화기(火氣)만 들여 날고기란 많이 먹고 밥을 된 죽같이 하여 먹고 날 고기를 즐기니 눈이 점점 붉더라.

산채[285]란 더럽다 하고 아마도 날고기만 먹고 증광어[286]와 즌 여슬[287] 즐기더라.

수상[288]이 남과 달라 남이 하라 하는 일은 아니코 말라 하는 일은 하더라.

속으로 흉(兇)하고 밖으로 말이 실(實)치 아니 하니 위엄은 걸주[289]를

---

281 경술 · 신해년(庚戌 · 辛亥年): 광해군 2, 3년(1610, 1611).

282 상궁(尙宮): 조선시대 정 5품의 여관(女官). 궁인으로서는 최고의 벼슬임. 부록 '조선조 궁녀 제도' 참조.

283 가히(介屎): 성은 김(金)씨. 이름은 개시. 선조가 만년에 얻은 대군(인목왕후 소생. 영창대군)을 세자로 삼으려는 뜻이 있음을 광해군 측에 전하는 등 광해군 즉위에 일조하였다. 그 공이 인정되어 궁궐 내부의 일상사에서 막대한 권력을 휘둘러 이이첨과 함께 광해군의 난정(亂政)에 주도적인 역할을 하였다. 부록 등장인물 참조.

284 역정(逆情): 몹시 언짢거나 못마땅하게 여겨 내는 성.

285 산채(山菜): 산나물 채소.

286 증광어(蒸廣魚): '증'은 수증기 등으로 김이 올라가는 것을 말하고, '광어'는 생선 중 넙치를 말한다. 그러므로 '증광어'는 넙치 찜을 가리킴.

287 즌 여슬: '즌'은 '묽다'의 옛말. '여슬'은 '엿'의 옛말. 그러므로 '묽은 엿'을 일컬음.

288 수상(殊常): 유다른 모양, 기이한 현상.

289 걸주(桀紂): 중국 하(夏)나라의 걸 임금과 은(殷)나라의 주 임금. 천하고금의 포악한 임금의 대표자임.

본받고 행실(行實)은 양제[290]에 넘으니 우히 두려하오사 타일(他日)의 선묘(先廟)를 저바리[291]올가 여기오시더라.

과연 난(亂)을 일워 내니라.

내인을 청 하여 무신초(戊申初)에는 가장 후(厚)히 하는 체하야,

"우흘 잘 시위(侍衛) 하야 평안하오시기 하니, 너희 곧 아니면 어찌 잘 평안 하오시리."

하고, 침실(寢室) 상궁 간 족족 인사하고 상(賞)주더니, 신해년부터 가도 점점 소(疎)히 하여 본체도 아니 하고, 가면 밖에 세워 둠이 날이 기우도록 하며, 들어오라 하렸마는

"연고 있어 못 보니 가라."

하더라.

한 늙은 상궁이 하지, 선왕 마노라는 웃전 내인이 가면 마리[292]를 빗자 오시다가도 마리 털을 쥐오시고 상궁을 침실에 들어오라 하오며 웃문안 묻자오시던 말을 한 대, 꾸짖어 닐오되.

"나는 현마[293] 못 할노라. 한 달의 두 번씩 친히 문안 가는데 내인을 무사일 친히 보리. 내 마음으로 하되 그 조차 선왕을 본받으랴? 나는 내 법으로 할 것이니 다시 니라지 말라."

하니, 듣는 이는 어이없이 여기더라.

대전이 처음으로 배릉(拜陵)가니, 옛 재상(宰相)들은 동구(洞口)부터 통곡(痛哭)고저 하되, 갓가사로 참아 가서 상(上)이 우라셔든 실컷 우자

290 양제(煬帝): 중국 수(隋)나라 제2대 임금. 운하를 파고 방탕한 생활을 하였으며, 대군을 보내어 우리나라에 침입하였다가 을지문덕에게 대파됨.

291 저바리: '저버리다'의 옛말. 마음에 새겨 두어야 할 것을 잊거나 어기어 은혜를 배반함.

292 마리: '머리'의 옛말.

293 현마: '차마'의 옛말.

하고 이때저때 기다리고 있으니, 상능(上陵)하야 편안히 그저 나려오니 기간(期間)에 뉘 가라친지 나려온 후야 예조[294]에,

"울냐? 말나?"

의논 하니,

"울으셔야 옳다."

하니, 올 적에야 그 소래 듣고 유가는 실성통곡[295] 하였더니.

"너모 우다가 외오 여기오실까."

하더란 말이 있더라.

이렇듯 천성(天性)에 효성이 없어 완둔[296]함이 심하니 우리게 향하야 어떠리오.

또 내전은 상사[297]한 적에 문안 아니 와서 소상의[298] 버산[299] 후(後)나 올까 여기더니, 버산 후도 아니 와서 그 방정[300]을 시작 하니라. 종시(終是)히 와서 양자[301]를 아니 뵈옵고 내란(內亂)을 지어 내니라.

신해년(辛亥年)에 신궐[302]에 가 계오셔 후원(後苑) 구경 가 계오시더니 내전이 하되,

294 예조(禮曹): 육조(六曹)의 하나. 예악(禮樂)·제사(祭祀)·연향(宴享)·조빙(朝聘)·유학(儒學)·과거(科擧) 등의 일을 맡음.

295 실성통곡(失性痛哭): 정신을 잃을 정도로 소리 내어 슬피 움.

296 완둔(頑鈍): 머리가 완고하고 둔함.

297 상사(喪事): 필사본에는 '사상'으로 필사되었으나 문맥상 '상사'가 옳을 것 같아 바로잡음. 〈계축일기〉에도 '상사'로 표기되었음.

298 소상의(小祥衣): '소상'은 사후 만 1년이 되는 날 지내는 제사. '소상의'는 그 동안 입고 있었던 상복을 말함. 본문에서는 1년이 지나도록 문안 오지 않았음을 말함.

299 버산: 지난, 벗어나다.

300 방정(謗穽): 남이 못 되기를 빌고 바라는 마음에서 요사한 방법으로 귀신의 힘을 빌려 미운 사람에게 재앙을 내리게 하는 일.

301 양자(樣子): 얼굴의 생긴 모양. 꼴. 본문에서는 한 번도 문안을 오지 않았기에 얼굴도 못 보았다는 뜻임.

302 신궐(新闕): 광해군 3년에 중건한 창덕궁을 말함.

"나는 나이 많고 웃전은 나이 졈사오시니 내 현마 뒤에 못 설 것이니 나는 져근덧[303] 탈[304]하고 머물어든 웃전을 먼저 뫼셔 나가시게 하라."
하닷더라.

여러 번 유의(留意)하여 지내니 뒤 시위(侍衛) 하기를 아니 하더라.

이날 우히 드오시다가 연[305] 메온 하인이 엎더저 연이 기우러져 거의 나려디오실듯 하더니, 이런 줄을 내전이 들으되 '어찌 하오신고?' 묻도 아니하고 당신 궁으로 바로 가니라.

늙은 내인이 의인왕후(懿仁王后), 인순왕후[306] 섬기옵던 일 보다가 어이없이 여기더니, 이 말을 내전이 듣고 원(怨)하고 탄(歎)하야 타일에 보자 벼르더라.

그러나 내전은 말도 잘 알아 듣고 글도 잘 하매 혹 용코저[307]하는 일이 있어도, 대전과 종이 흉악(凶惡) 불통(不通)하야 종적[308]없은 거짓말을 다 하야, 무신(戊申) 빙천(賓天)에 웃전이 수없이 설워 곡읍(哭泣)을 주야(晝夜)에 그치지 아니하오시니,

"어데 그저 사람이야 저러할꼬. 대군을 세우려 하다가 못 일우시니 글로 하여 저리 설워 하시는가 싶으다."
하니, 대전이 곧이듣더라.

또 은덕[309]이 갑이란 내인이 닐오되,

303 져근덧: '잠깐 동안'의 옛말. 아주 짧은 시간을 가리킴.
304 탈(頉): 뜻밖에 일어난, 걱정될 만한 사고.
305 연(輦): 왕이나 왕비가 타는 가마. 덩 모양과 비슷하며 좌우와 앞에 구슬로 된 발(珠簾)이 있고 채가 썩 길게 되었음.
306 인순왕후(仁順王后): 이조 명종의 왕비 심씨(1532년~1575년). 부록 등장인물 참조.
307 용코져: 착하고, 기특하고.
308 종적(蹤迹): 사라지거나 떠난 뒤에 남아 있는 자취. 본문에서는 광해군과 그 편의 종들이 의심의 여지없이 거짓말을 꾸몄음을 말함.

"임진(壬辰) 이후의 선왕 마노라 모화[310]두어 겨오시던 세간을 우리 전에 주지 아니 하시니 대군을 주려 하시는 또 싀긔[311]할 일인가?"

"지녀[312] 살가 보자."

하며, 가히(介屎)라서 늙은 상궁을 만나보고 닐오되,

"대군 보모가 좋이 있는가 귀밑에 패 달 날[313] 있으리라."

한대, 듣는 사람이 흉악(凶惡)히 여겨 못들은 체 하고 오닷더라.

내전에서 진지를 하여도[314] 공주란 받잡고 대군은 아니 받자오며, 내전은 양반(兩班)이라 혹 잘하라 한 일이라도 종들은 박대 함이 심하여 길에 사람[315] 대접하듯 하더라.

신해년(辛亥年)에 대궐(大闕)에 이어(移御)하오실 제 세자 친영[316] 구살[317] 보려 하오시는 일이러니, 다른 이는 관광(觀光)에 족친(族親)이라도 홀로 된 이란[318] 금(禁)하니

"우도[319] 나지 마오소서."

309 은덕(恩德): 광해군 측의 내인. 인조반정 직후 대비의 하교로 국문한 내인이 40여 명이었는데 은덕이는 그때 죽임을 당했다. 『인조실록』 권1, 인조원년(계해, 1623) 3월 25일(을묘) 참조.

310 모화: 원형은 '모호다'. '모으다'의 옛말. 〈계축일기〉에는 '뫼와'('모시다'의 옛말)로 되어 있음.

311 싀긔(猜忌): '시기'의 옛말. 시샘하여 미워함.

312 지녀: 지니고, 계속하여 가지고.

313 귀밑에 패 달(貫耳令箭) 날: 전쟁에서 군율을 어긴 자의 두 귀에 화살을 꿰어 무리에게 보내는 일. 본문에서는 '죽을 날이 있으리라'는 뜻으로 쓰임.

314 진지를 하여도: 진지는 식사(食事)를 가리킴. 본문에서는 '음식을 하여 올림'을 말함.

315 길에 사람: 길거리의 사람처럼 무시함을 뜻함.

316 친영(親迎): 옛 혼례절차인 육례(六禮)의 하나로 신랑이 신부를 친히 맞이하는 의식.

317 구살: '굿'은 '구경'의 옛말. 구경을.

318 홀로 된 이란: 홀로 된 사람은. 본문에서는 인목왕후가 남편(선조)을 잃고 홀로 되어 상중이란 뜻임.

319 우도: 위도, 우이도, 웃어른. 본문에서는 인목왕후를 가리킴.

하여 사이에서[320] 후궁이 여짜온대,

"길사(吉事)에 미안할사 내 친영(親迎)하는 일을 두긋겨[321] 보고저 하더니 그러면 못 할노라."

하고 아니 보아 계오시더니, 그 후에 말을 지어내되

"정(情) 없어 아니 보오시다."

하며,

"풍정[322]도 탈상(脫喪)하연지 오라지 아니 하니 무엇이 바쁘리이까? 나토 져멋고[323]하니 날회소서[324]."

하니, 세워[325] 시작하여 두고 택일(擇日)을 마양 제 마음으로 진퇴(進退)하며, 지어[326] 음식을 다 숙설(熟設)한 후에도 제 슬흔[327] 때면 퇴정[328]하여 이리 조르신다하며, 조정(朝廷)에 지이[329] 외척(外戚)으로 통하여 험[330]하오실 대로 하며, 내인 은덕(恩德)이 가히(介屎) 등은 그적부터,

"할니나[331] 조히 사는가 보자."

하며,

320 사이에서: 중간에서.
321 두긋겨: '매우 기쁘게', '무척 즐겁게'의 옛말.
322 풍정(豊呈): '진풍정(進豊呈)'의 준말, 나라에 경사가 있을 때 궁중에서 베풀던 잔치인 진연(進宴)보다 의식이 더 정중한 잔치임.
323 나토 져멋고: 해도 저물고, 한 해가 다 지났다는 뜻임.
324 날회소서: 원형은 '날호다'. '천천히 하다, 더디다'의 옛말. 천천히 하소서, 늦추소서.
325 세워: '고집 세우다'의 옛말.
326 지어(至於): 심지어(甚至於)의 줄인 말. 심하다 못하여. 나중에는.
327 슬흔: '싫은', '싫어하다'의 옛말.
328 퇴정(退定): 본문에서는 광해군 측에서 모든 일들을 멋대로 정하고 심지어 부왕인 선조 신위(神位)에 제사하기 위해 제물을 다 장만 해 놓았음에도 싫으면 멋대로 날을 바꾸어 뜻을 이루지 못하였음을 말함.
329 지이(知委): 명령을 내려 알려 주는 것. 명령을 내려 거행하게 하다.
330 험(欠): '흠'의 옛말. 사물의 불안정하거나 잘못된 부분. 허물.
331 할니나: '하루나'의 옛말.

"대군 기물(器物)이며 수진궁[332]이 아니오라 우리게 돌아 오리라." 하여, 이테로 흉한 말을 하더라.

무신년(戊申年)에 대왕 빙천 하오신 후에 여염(閭閻)에서 하 요언을 전파하 리[333] 많으니 외척과 혼가(婚家)나 되면 요언이 침식[334]할가 헤오되[335],

"공주 대군 중(中) 상덕(上德)하니로 중전(中殿) 가문(家門)에 정(定)하사이다."

하오시니,

"호세[336]하되 백간인(百奸人)이 있다 신(臣)이 신참[337]하며, 선왕 유교(遺教)를 니저 어린 동생을 못 살게 하리이까 혼사(婚事)는 그리 하리이다."

하더라.

임자년[338] 김직재의 난[339]의 괘방[340] 일로 더욱 화심[341]을 조장(助長)하여서 그런 놈을 무복[342] 받을 제, 아해[343]라도 니라라 가라치니 그 옥

---

332 수진궁(壽進宮): 지금의 청진동에 있었던 궁. 왕대비의 사궁(私宮)으로 사용하던 궁. 본문에서는 수진궁에 있는 인목대비의 재산을 의미함.

333 전파(傳播)하 리: 전파하는 사람이.

334 침식(侵蝕): 서서히 파고들어 몹시 닳아짐. 본문에서는 외척과 혼인하게 되면 요사스러운 망언이 서서히 사라지게 되어 화를 면하게 되리라는 말.

335 헤오되: '헤아리다'의 옛말.

336 호세(怙勢): 권력과 세력을 믿는 것.

337 신참(信讒): 남을 헐뜯어 없는 죄를 있는 것처럼 꾸며서 고해 바치는 것을 믿음.

338 임자년(壬子年): 광해군 4년(1612).

339 김직재(金直哉)의 난(亂): 필사본에는 '김직자'로 되어있으나 오기이므로 바로 잡음. 광해군 4년(1612) 병조의 문서를 위조하다가 체포된 김경립의 자백으로, 김직재와 아들 백함이 반역을 꾸민다는 혐의로 투옥, 친국을 받고 이호문, 송상인 등 백여명의 소북파가 처벌당함. 대북이 소북을 제거하기 위해 조작한 옥사(獄事)였다.

340 괘방(掛榜): 익명으로 글을 써 붙이는 일.

341 화심(禍心): 남을 해치려는 마음.

사(獄事) 후에 조정 어루신내며 기중(其中)에 심희수[344]가 부원군[345]께 가 하되.

"'아해라도 니라라' 할 적은 등에 땀이 나닷더니 그 난에 면(免)하여 났으니 유복(有福) 하실사."

하더라.

이적 난(亂) 후부터 시기(猜忌) 심하여 밖에 팔도(八道) 복자[346] 일흠난 이는 다 불러 유가의 집에 앉혀 두고 제 뜻 일울 수다. 이녘[347] 액운(厄運)을 슬컷 확론(確論)하여 묻고, 또 유희량[348]이 신경달[349]이 더러 대군 팔자(八字)가 어떠하니 물으니 그 맹인(盲人)이 하되,

"대군 위[350] 가할 만 하더이다."

하니,

"남이 죽여도 아니 죽으랴."

하더라.

"아모려나 부대 죽이고 말랴."

342 무복(誣服): 죄가 없음에도 어쩔 수 없이 자신의 죄를 인정하고 형벌을 받음.

343 아해(兒孩): '아이'의 옛말.

344 심희수(沈喜壽): 명종 3년(1548)~광해군 14년(622). 자는 백구(伯懼), 호는 일송(一松). 도승지, 형조판서, 호조판서, 이조판서 등을 지냈고 광해군 즉위 후 사직을 청했으나, 오히려 우의정으로 전임되었다. 부록 등장인물 참조.

345 부원군(府院君): 조선 시대에 임금의 장인이나 정 1품 공신에게 주던 작호. 본문에서는 선조의 장인이며 인목왕후의 부친인 김제남(金悌男)을 가리킴. 부록 등장인물 참조.

346 복자(卜者): 점치는 사람.

347 이녘: 이쪽. 본문에서는 광해군 측의 반대편인 인목왕후 측을 말함.

348 유희량(柳希亮): 선조 8년(1575)~인조 6년(1628). 광해군 때의 문신. 부록 등장인물 참조.

349 신경달: 맹인 점쟁이.

350 대군 위(位): 위(位)는 분위(分位)를 말함. 본문에서는 영창대군이 왕이 될 수 있는 운수(運數)를 지니고 있다는 뜻임.

하더라.

임자년 겨울에 유자신(柳自新) 아내 들어와 딸과 사회와[351] 머리 마초고 년(連) 사흘을 삼경[352] 되도록 의논하여, 계축년[353] 정월(正月) 초사흗날부터 저축[354] 시작하되, 센 개야지[355] 배 타며[356], 사람 그려 쏘며 쑤시는 양 하여 외인(外人) 아니 다니는데, 전(殿) 자시는데 놓으며, 담 넘어 처(處)도[357] 놓으며, 대전 책상(冊床) 아래도 놓으며, 벼개 밑에도 놓아 이리 하기를 사월까지 하며, 말 내기는 임해·유영경 부인[358] 하는 일이라도 니라며, 온 가지로 니라기는,

"국무녀 수란개[359] 니라더라."

또 우리 거기 사람 아니 다니는 곳이매, 우리 향한 일인가 의심도 아니 하더니, 비록 의심 하다 어찌 할 것이 아니어니와, 말이 누설[360]하면 제 일이 그릇될가 한 일이랏더라.

351 딸과 사회와: 딸과 사위와. 딸은 광해군의 비인 유씨. '사회'는 '사위'의 옛말로 광해군을 가리킴.

352 삼경(三更): 하룻밤을 다섯으로 나눈 셋째의 시간. 밤 11시부터 새벽 1시까지의 동안을 가리킴.

353 계축년(癸丑年): 광해군 5년(1613).

354 저축(咀祝): 남에게 재앙이나 불행이 일어나도록 빌며 바라는 것.

355 센 개야지: 털빛이 흰 강아지. '센'은 '세다'의 옛말로 머리나 고양이 털 등이 하얗게 변함을 나타냄.

356 배 타며: 배(腹)를 가르다. 배를 양쪽으로 갈라서 째다.

357 담 넘어 처(處)도: 담장(牆) 넘은 곳(處)에도.

358 임해(臨海)·유영경(柳永慶) 부인: 인목왕후 측에서 대비하지 못하게 하기 위해 임해군 또는 유영경 부인이 한 것처럼 소문을 흘림.

359 국무녀 수란개(國巫女水蘭介): 수란개는 국무녀로 당시 70세였다. 김제남의 집에 드나들었기에 여자 무당들이 끌어들인 것이다. 자신은 무비(巫婢)로 의인왕후 상사 후에는 삼년상을 입었다. 박동량이 선조가 위독했을 때 유릉에 저주한 것으로 의심하여 체포되었을 때에도 죄가 없어 방면된 적이 있었으나 이번 사건은 아는 바가 없다고 진술함. 『광해군일기』 권67, 광해군 5년(계축, 1613) 6월 16일(계묘) 참조.

360 누설(漏泄): 비밀로 한 일이 알려짐.

사월로서 이이첨(李爾瞻) · 박승종[361] · 유가 신복 다 도모(圖謀) 하여 방정지사를 소계(疏啓)할 마대[362]에, 은 도적 박응서[363] 나 개개[364] 복주[365]하니, 결안[366] 다짐받아 결의 낼 거시로되, 유(柳) · 박(朴) · 이(李) 삼적(三賊)이 포도대장(捕盜大將) 지주하야 죽일 죄수(罪囚)를 도로 가도고 이리이리 하라 하니, 그 도적이 제 살 억탁[367]으로 일종 지휘(一種之揮)로 상소(上疏)한데, 사월 스므여셋날 상소든데 즉시 고변[368]이라 선성[369]내고, 적도(賊徒) 응서(應犀) 탑전[370]에 가르쳐 무라되,

"네 김부원군 집에 갔던다. 네로라 하야 살리라."

"살기는 중하나 부원군은 모라나이다."

대군도 니라라 하거늘,

"한 부원군이 무엇이 귀하여 아니 갔더라 하리이까? 내 그 집 문도

---

361 박승종(朴承宗): 명종 17년(1562)~인조 1년(1623). 호 퇴우당. 좌의정, 영의정 등을 지냈고 나중에 인목대비 폐모론이 제기되었을 때(1617년) 극력 반대함. 인조반정이 일어나자 손녀가 광해군의 세자빈으로 오랫동안 권세를 누린 사실을 자책하여 자결함. 시호는 숙연(肅然). 부록 등장인물 참조.

362 마대: 마디. 한 부분. 경우. 부닥친 형편이나 사정.

363 박응서(朴應犀): ?~인조 1년(1623). 조선 중기의 문사(文士). 문경 조령에서 은 도적질을 하다가 포도청에 잡혔을 때 포도대장(捕盜大將) 한희길(韓希吉)의 보고에서는 단순한 강도사건에 지나지 않았으나 후에 국구(國舅) 김제남(金悌男)과 몰래 통하여 영창대군을 받들어 임금으로 삼으려고 한 것이라는 거짓 자백으로 대옥사가 시작되었다. 일명 '박응서 옥사'라 하며 당시 광해군 측의 대북파가 소북파를 제거하기 위한 옥사였다. 이 사건으로 인목대비의 친정이 몰락하고 이어서 아들 영창대군이 죽게 된다. 『연려실기술』 제20권. 폐주 광해조 고사본말 하담록(荷擔錄) 일월록(日月錄) 참조. 부록 등장인물 참조.

364 개개(箇箇): '낱낱이', '하나하나'의 옛말.

365 복주(伏奏): 임금에게 아뢰는 것.

366 결안(結案): 사죄(死罪)를 결정한 문서.

367 억탁(臆度): 사실에 근거하지 않고 제멋대로 하는 짐작. 억측(臆測).

368 고변(告變): 정권을 뒤엎으려는 행위를 고발하는 것.

369 선성(先聲): 큰 일이 일어나기 전에 소문내는 일.

370 탑전(榻前): 왕의 용상 앞.

모라나이다. 아모리 사로려 하신들 모르는 사람을 거덜니이까[371]? 대군도 우리 부원군의 알배 아니이다. 남의 애매한 말을 하리이까?"

하되, 적(賊)의 어버이 잡아다가 극형(極刑)하니, 혹 어미 앉히고 아들 치고, 아들 앉히고 어미 동생 치듯 온갖 극형을 하여 서로 보며 치되, 그것들이 잔잉(殘忍)한 소래로 보며 니라되 어미,

"아들아 무복(巫服)하여 살와라."

하면,

"아모리 어버이 중하여 살고저 한들 거짓말을 하여 나도 쉽거든 남에게 미뤄 그 끝을 어데 다히리오.[372]"

하며,

"자식이 중타 언근(言根)없은 말을 내여 나종을 어이 갈므리[373]."

하닷, 이처로 생소로이 구다가 서양갑[374]이는 어미 극형 하여 죽은 후에 문사낭청[375]이 계하[376]로 자로 오르나려 말 하더니,

"술 먹이더이다."

"역모[377] 할시[378] 옳으니이다."

371 거덜니이까: '거들겠습니까?'의 옛말.

372 끝을 다히리오: 끝(末)을 닿게 하겠는가? 일이나 차례의 맨 나중으로 최후에 종착할 수 있는 것.

373 갈므리: '감추다'의 옛말. 들어내지 아니하다.

374 서양갑(徐羊甲): ?~1613년(광해군 5). 서익(徐益)의 서자(庶子). 박응서와 함께 조령에서 은(銀) 장수 타살사건을 일으킨 강변칠우(江邊七友)의 한 사람. 부록 등장인물 참조.

375 문사낭청(問事郎廳): 조선시대에 정국(庭鞫. 대궐 안에서 중죄인을 신문하는 것). 국청(鞫廳, 조선시대에 역적 등 중죄인을 신문하기 위하여 임시로 설치하였던 기구) 등에 차출되어 죄인을 신문(訊問)할 때 필기와 낭독을 맡은 임시직(臨時職) 관리.

376 계하(階下): 층계 아래. 오르내리기 위하여 만든 댓돌 아래.

377 역모(逆謀): 역적모의(逆賊謀議)의 줄인 말. 자기 나라나 임금에게 반역하려는 사람들이 의논하는 것.

378 할시: '하였다'의 옛말.

하니, 저는 정형[379]하나 제 아비 무덤 파기 아니하고 아들을 살리니, 그 언약(言約) 하노라 그리 귀혀[380] 무복 받았더라.

이 후는 더욱 아해 어른 없이 극형하여 무복 받으니 무복받는 일만 힘써 하매, 큰 옥사[381]를 일웠으나 내인 죽일 일을 어려이 여겨 방정을 내고저 하되, 마라[382]없어 못하여 하로 마대에[383] 박동량[384]이 요공[385]하려 거짓 유릉[386] 방정을 거들어,

"대군 숙노[387] 순창[388]이 선왕 불평시에 한닷 말 듣고 매양 설워하되, 고(告) 할 곳 없어 언제 원수를 갚으려뇨 하더이다."

하니, 대개 유릉 방정이 난지 정미년(丁未年) 불평시에 어내 궁인(宮人)인지 유릉 기슭에 굿 하다 들었더니, 무신년[389] 여름에 법사가[390] 국무

379 정형(正刑): 죄인을 사형(死刑)에 처하는 형벌. 정법(正法).
380 귀혀: '귀에 다혀'의 줄임말. 귀에 대고. 〈계축일기〉에도 '귀에 다혀'로 되어 있음.
381 옥사(獄事): 역적(逆賊). 살인범 등의 중대한 범죄를 다스리는 일, 또는 사건을 말함. 본문에서는 영창대군을 없애기에 앞서 대군의 외할아버지 김제남에게 역모의 죄를 씌우고 대북파가 소북파를 제거하는 과정에 큰 옥사를 일으킨 것을 말함.
382 마라: 의(義)로움. 없어서는 안 될 만큼 꼭 필요한 조건, 혹은 명목.
383 하로 마대에: '하로'는 '하루'의 옛말. '마대'는 '마디'의 옛말. 즉 하루 사이에. 본문에서는 하루 사이에 내인들에게 방정하였다는 죄목으로 다스렸음을 말함.
384 박동량(朴東亮): 선조 2년(1569)~인조 13년(1635). 조선시대 선조·광해군 때의 신하. 선조의 초비 의인왕후가 고모임. 부록 등장인물 참조.
385 요공(要功): 자기가 베푼 공을 내놓고 남이 칭찬하여 주기를 바람.
386 유릉(裕陵): 선조의 초비(初妃)인 의인왕후(懿仁王后) 박(朴)씨의 능. 지금은 선조와 선조의 계비 인목왕후와 함께 목릉(穆陵)에 안치되었음.
387 숙노(稤奴): 궁방의 일을 맡아보던 서리, 숙궁(稤宮)이라고도 함. 필사본에는 '쉬로'로 되어 있으나 당시 사건을 기록한 「광해군일기」를 참조하여 고침. 『광해군일기』 권66, 광해군 5년(계축년 1613) 5월 16일(계유) 참조.
388 순창(順昌): 순창은 박동량의 숙부인 박응인의 집 여종의 남편으로, 임진년에 수고하며 일행을 호위해 준 공로가 있어 특별히 숙노로 차임되었다. 『광해군일기』 권66, 광해군 5년(계축년, 1613) 5월 16일(계유) 참조. 박응인은 부록 등장인물 참조.
389 무신년(戊申年): 선조 41년(1608).
390 법사(法司): 형조(刑曹)와 한성부(漢城府)를 일컬음.

녀(國巫女) 수란개 착수[391]하였다가 도로 애매타 하고 놓다 하더라.

나라[392]흔 수란개 밖에 잡무녀(雜巫女) 아니 부리는 일은 만목[393]이 다 아는배라 들었더니, 유가가 박동량(朴東亮)에게 이리이리 하면 살오마 달래니, 일종 유가의 뜻대로 일을 온 가지 거짓말로 꾸며, 우리게서 순창이 시켜하시다 하여, 일정[394] 본 체로 모식모해[395] 하니 이런 말을 듣고저 하다가 작히[396] 기꺼하리오. 그제야 끗찰 엇괘라[397] 하여 유릉 방정도 하였으니 우리 게 방정도 이리이리하였다 하고, 오월 십팔일의 침실상궁 김씨(金氏)와 대군 보모(保姆) 상궁과 침실 시녀 오씨(吳氏)와 대군 큰 각시[398] 환이[399]를 소명[400] 써 와서,

---

391 수란개 착수(捉囚): '착수'는 죄인을 잡아서 가둔다는 뜻임. 수란개가 당시 70세의 국무녀로 전일(선조 40년, 1607)에 선조가 위독할 때 박동량이 유릉을 저주한 것으로 의심하여 관청에 가두었으나 혐의가 없어 풀려났었다. 박동량 초사로 다시 옥사가 시작되어 중요한 죄수로 지목되자 죽었다. 『광해군일기』 권67, 광해군 5년 6월 16일(계묘) 참조.

392 나라: 나라님, 본문에서는 인목대비를 가리킴.

393 만목(萬目): 많은 사람들의 눈. 본문에서는 인목왕후가 국무녀가 아닌 잡무녀는 부리지 않았음을 많은 사람들이 다 알고 있다는 뜻임.

394 일정(一定): '꼭'의 옛말. 어떤 기준이나 모양이 꼭 하나로 정해져 있음.

395 모식모해(謀識謀害): 어떤 목적을 이루기 위해 사실을 왜곡하거나 속임수를 써서 남을 어려움에 빠뜨림.

396 작히: 주로 의문문에 쓰여 '어찌 조금만큼만', '얼마나'의 뜻으로 희망이나 추측을 나타내는 말. 본문에서는 '얼마나 기뻐하겠는가'로 쓰임.

397 끗찰 엇괘라: '끗찰'은 '단서(端緖)'의 옛말. 어떤 일의 실마리를 얻었다.

398 큰 각시: '각시'는 '계집아이'의 옛말. 큰 각시는 큰 계집종을 말함. 본문에서는 대군궁(大君宮) 소속의 생각시를 말함, 관례(冠禮) 전에는 내인이라 안함. 부록 '조선조 궁녀 제도' 참조.

399 환이(還伊): 대군 궁방의 여종. 일찍이 세자를 돌보아 기르다가 뒤에 밖으로 나와 집에 있었는데 도로 대군의 궁방에 들어가 천연두를 치료하였다. 당시 국문에서 "대내(大內)에서 저주한 정상과 김제남이 들어와 직숙(直宿)한 일 등은 내관(內官)이 모두 증거해 줄 수 있는데 단연코 그럴 수가 없습니다."라고 함. 궁인(宮人)의 공초는 대개가 이런 식이었다고 사관은 당시의 정황을 전한다. 『광해군일기』 권66, 광해군 5년(계축, 1613) 5월 23일(경진) 참조.

"박동량 초사[401]이니 내소서"

한대, 그 내인들이 하늘흘 부르며 따흘[402] 두다려 궁중이 경동[403]하여 곡성(哭聲)이 창천[404]하고 혹,

"박동량 이 도적놈아! 우리네 일흠을 알기나 아더냐! 너라 우리 나라와 무삼 원수(怨讐)러니!"

400 소명(召命): 왕이 신하를 부르는 명령.

401 박동량 초사(招辭): '초사'는 죄인이 죄를 상세하게 자백한 말을 뜻함. 박동량은 당시 금계군(錦溪君)으로 왕명에 따라 범인을 다루던 판의금부사(判義禁府事)를 겸하고 있다가 파직되었는데 초사에서 "정미년 10월에 선왕의 병환이 위독해진 뒤로 신의 숙부인 반성(潘城) 집안의 여종 경춘(景春)이 의인 왕후를 모셨다가 경자년 이후로는 대군의 궁방으로 옮겨가 있었는데, 하루는 신의 종형 박동언(朴東彦)의 처에게 와서 말하기를 '대군 궁방의 사람들은 선왕께서 병환에 시달리게 된 이유를 의인 왕후에게 돌리고 있다. 그리하여 수십여 명이 요망한 무당들과 함께 잇따라 유릉(裕陵)에 가서 저주(咀呪)하는 일을 대대적으로 벌였다.' 하였습니다. 그런데 의인 왕후의 가상(假像)을 만들어 놓고 대군 궁방의 하인인 거마송(巨馬松)과 순창(順昌) 등에게 의인 왕후의 어휘(御諱)를 쓰게 했더니, 거마송은 당초 은덕을 받은 일도 없는 사람인데 한사코 피해 달아났고, 순창은 숙부 박응인의 집 여종의 남편으로서 임진년에 수고하며 일행을 호위해 준 공로가 있다 하여 특별히 숙노(稤奴)로 차임해 준 망극한 은덕을 받았는데도 도리어 팔뚝을 걷어붙이고 어휘를 쓴 뒤 필경에는 활을 쏘아 차마 듣지도 말하지도 못할 흉악한 짓을 저질렀다고 하였습니다. 신의 문중 전체가 이 말을 듣고는 절치부심하였는데, 이 세상에 같이 살 수 없는 원수에 대해 조금이라도 복수해 보고 싶은 마음이 없는 것은 아니었으나, 이 일이 감히 말할 수 없는 곳과 관련이 되어 있기 때문에 감히 김제남과 드러내놓고 서로 따지지는 못하였습니다."라고 진술하였다. 사관은 당시의 상황을 아래와 같이 서술하였다. "박동량은 재변(才辯)도 있고 기백도 있는 인물이다. 그런데 죽고 사는 일이 논해지는 마당에 바른 자세를 견지하여 통쾌하게 해명하려 노력하지는 않고 마침내 노복들 사이에서 일어난 어설픈 자취와 잘못 전해진 소문을 대옥(大獄)이 벌어진 상황에서 발설하고 말았다. 그 결과 간신들이 온갖 계책으로 일을 꾸며 만들면서 모두 대비(大妃)와 김제남의 소행으로 돌렸는데, 저주(咀呪)의 옥사는 바로 이로 말미암아 일어나게 된 것이었다. 그런데 박동량 역시 결국은 면하지 못한 채 신흠(申欽) 등과 함께 유배를 가게 되었으므로 식자들이 탄식하며 통분스럽게 여겼다." 『광해군일기』 권66, 광해군 5년(계축년, 1613) 5월 16일(계유).

402 따흘: 땅(地)을.

403 경동(驚動): 몹시 놀라 움직임.

404 창천(漲天): 하늘에 퍼져 가득함.

하는 소래 진동(震動)하며,

"또 제 가 모진 형벌(刑罰)을 어이 입으리 목매여 죽으리라."

하고, 김 상궁과 오씨[405]는 목매여 달았거늘 모다 그라니[406] 죽지 못 하니라.

"예서 죽으면 저즐고[407] 죽다 할 것이니 나가라."

이리 할 제 그 설움이 어떠하리오. 천지(天地) 쯰여질듯[408]하며,

"마노라 죽으라 가나이다. 우리게서 무사 일을 하시던고 지하(地下)에 가 다시 감[409]해올가."

할 제, 그 안이[410] 어떠하리오.

박동량은 임진(壬辰) 호종[411] 공신(功臣)이오 또 나라에 인친[412]이 되어 선조(先朝)의 수릉역장[413]을 입사온 은혜 하늘같고, 우리 전에도 수

---

405 김 상궁과 오씨: 본문에는 '김 상궁', '오씨' 두 사람을 가리켰으나 당시의 상황을 기록한 『광해군일기』에는 "대비전 상궁 응희(應希)를 잡아 가두었다. 응희는 선묘(宣廟)의 시비(侍婢)였는데 대비가 가장 총애하였기 때문에 맨 먼저 나국(拿鞫)을 받게 된 것이었다. 응희가 소주(燒酒)를 마시고 후원(後苑)에서 목을 매었는데 내시가 구출하여 관리에게 넘겼다"라는 기록으로 보아 김 상궁의 이름이 응희이므로 '김 상궁과 오씨'는 '김 상궁 응희'의 오기가 아닐까 생각됨. 『광해군일기』 권66, 광해군 5(계축년, 1613) 5월 18일(을해) 참조.

406 그라니: '끄르니'의 옛말. 끈을 푸니.

407 저즐고: '저지르고'의 옛말. 본문에서는 목을 매고 죽으면 방정하는 죄를 짓고 죽었다는 누명을 쓰게 된다는 뜻임.

408 쯰여질듯: 찢어지다, 찢어서 둘 이상으로 갈라진다.

409 감(鑑): '보다'의 궁중어.

410 그 안이: 그 마음속이.

411 호종(扈從): 임금이 출타하거나 피난하실 때 가마를 모시고 따름. 또는 그 사람. 본문에서는 임진왜란 때에 김 상궁이 선조를 모시고 의주로 피난간 것을 말함.

412 인친(姻親): 사돈(査頓). 혼인한 두 집안의 부모들끼리, 또는 같은 항렬이 되는 사람끼리 서로 부르는 말. 박동량은 의인왕후가 고모이고, 아들 미(瀰)가 선조의 서 5녀 정안옹주(貞安翁主)의 남편으로 금양위(錦陽尉)다. 부록 등장인물 '박미' 참조.

413 수릉역장(守陵役將): 국장(國葬) 때에 왕릉을 관리하는 임시 벼슬. 본문에서는 박동량이 선조의 국상 때 수릉관(守陵官)이 되어 국상을 무사히 마쳤던 일을 일컬음.

릉 산(山)일로 제 신 중(諸臣中) 각별이 위대(優待)하오시더니, 평일에는 상덕(上德)이야 하며 부원군께도 각별 절하더니, 흉참[414]한 꾀를 내여 그런 지원극통[415]의 환난[416]을 내도[417]한 일로 닿여주니[418], 짐즛[419] 붙는 불에 섶 안아 나감 같으니[420] 어찌 혈육지인[421]의 할 일이리오. 그런 죽은 내인은,

"박동량아! 우리 네 이름이나 아더냐?"

하고 웨여[422] 꾸지자며, 이 한(恨)이야 죽다 니자랴. 외군식록 영작지은[423]을 바리며[424] 초야(草野) 무지지인[425]이라 이리 심하랴.

기 중(其 中)의 김 상궁은 열네 살에 호종(扈從)하여 촌시(寸時)도 떠나옵지 못 하고 환조[426] 하오시니, 간고[427]히 시위(侍衛)한 일로도 큰 공신(功臣)을 하렸마는, 내인 전차로[428] 못하고 결제위장[429] 하오시고 궁인

414 흉참(凶慘): 흉악하고 비참할 정도로 딱하고 한심하다.
415 지원극통(至冤極痛): 매우 원통하고 한이 됨.
416 환난(患亂): 근심과 재난.
417 내도(來到): 어떤 일이나 지점에 와서 닿음. 본문에서는 화(禍)가 이르게 했음을 말함.
418 닿여주니: 본문에서는 박동량의 흉참한 말로 수많은 고통이 이르게 되었음을 말함.
419 짐즛: 짐짓. 일부러. 고의(故意)로.
420 섶(薪) 안아 나감 같으니: '섶'은 '섶나무'의 준말. 섶나무는 땔 나무임. 본문에서는 땔 나무를 안고 불속으로 뛰어 드는 것과 같이 화(禍)가 불붙듯이 일어났음을 말함.
421 혈육지인(血肉之人): 피와 살을 나눈 사람. 본문에서는 친척을 이름.
422 웨여: 원형은 '웨다'. '외치다'의 옛말.
423 외군식록 영작지은(外君食祿 靈莽之恩): 나라의 외척으로 녹을 먹은 것과 영예로운 작위를 받은 은혜.
424 바리며: '바리미'는 '버리다'의 옛말. 은혜를 저버리며.
425 무지지인(無知之人): 아는 것이 없어 무식한 사람.
426 환조(還朝): 임금이 조정(朝廷)으로 돌아 옴. 본문에서는 임진왜란이 끝나 한양 궁궐로 돌아 왔음을 말함.
427 간고(艱苦): 몹시 힘들고 어려움.
428 전차로: '까닭으로'의 옛말. 일이 생기는 조건이나 원인.
429 결제위장(闋制衛將): 3년 상 동안 모든 제사의 책임을 맡은 궁녀. 본문에는 '겨레위

중에도 위대(優待) 하오시더니, 이 적의 머리 지어[430] 잡아내니 그 사람이 나가는 서소문(西小門) 안에 앉아 니라되.

"아모 나라힌들 아비 첩[431]을 나장[432]의 손에 잡아내니, 님군도 사오납거니와[433] 신하(臣下)도 하나도 사람이 없도다. 예 앉은 이덕형[434] 이항복[435] 머리지어 임진(壬辰) 호종(扈從) 공신(功臣)은 내 일흠 모라리 업사리이다. 평양(平壤) 함성[436]하야 깊이 들어갈 제 내인을 내지 아니하니, 대로(大路)에서 길에 머므오시며 선전관[437] 보내여 우리 차자오실

량'으로 되어있으나 문맥상 오기로 생각되어 바로 잡음.

430 머리 지어: 우두머리(首領)를 만들어서.

431 아비 첩(妾): 김 상궁은 자신이 선조의 승은을 입었기에 아비의 첩이라 했다. 이에 대해 광해군은 다음과 같이 말했다. "이 궁인(宮人)들은 의인 왕후(懿仁王后)의 능에 저주하는 못된 짓을 대대적으로 자행했으니 그 죄악이 넘쳐 흐른다 하겠다. 그리고 역적이 격서(檄書) 속에서 나를 극악한 이름으로 지칭한 것도 모두 이 자들의 소행 때문이니 이치상 당연히 엄하게 국문하여 사실을 밝혀내야 할 것이다. 그런데 응희(應希)가 스스로 죄가 중하다는 것을 알고는 일찍이 선왕의 총애를 받았노라고 핑계 대고 있다. 참으로 가까이 총애를 받은 일정 수의 후궁(後宮)에 대해서는 내가 어찌 모르고 있겠는가마는, 그래도 혹 한두 번 총애를 받았는지에 대해서는 역시 단정하기가 어려운데, 그럴 경우 그대로 국문한다면 의리에 손상됨이 어찌 없겠는가. 미안한 점이 있으니 이 죄목으로 사사(賜死)하는 것이 좋겠는데, 경들이 십분 의논해 아뢰라." 대신이 그렇게 하는 것이 온당하다고 하여 마침내 사사하였다.『광해군일기』권 66, 광해군 5년(계축년, 1613) 5월 24일(신사).

432 나장(羅將): 조선시대 의금부(義禁府)의 하급 무예(武隸). 죄인을 문초할 때에 매를 때리는 역을 맡았다.

433 사오납거니와: '사납다'의 옛말.

434 이덕형(李德馨): 명종 16년(1561)~광해군 5년(1613). 조선 선조·광해군 때의 명신. 부록 등장인물 참조.

435 이항복(李恒福): 명종 11년(1556)~광해군 10년(1618). 조선 선조 때의 명신. 부록 등장인물 참조.

436 함성(陷城): 성이 함락하는 것. 임진왜란 당시, 1592년 6월 13일에 평양성이 함락된 것을 말함. 선조 일행은 그 후 평안북도 의주로 피란하여 임시수도로 정함.

437 선전관(宣傳官): 조선시대 형명(刑名). 계라(啓螺). 시위(侍衛). 전령(傳令) 부신(符信)의 출납 등을 맡아 보던 선전관청(宣傳官廳)에 달린 무관(武官) 벼슬. 정 3품부터 종 9품까지 있었음.

제는, 비록 창황[438] 중이나 몸이 커 가라어치 리[439]도 없더니, 그 마노라 아들이 서 계서[440] 오늘날 이런 욕(辱)볼 줄 아던들 무신년[441] 재궁[442] 밑에서 죽을소이다. 당장[443]이 평양 보통문(普通門) 깨쳐 왜적(倭賊) 몰아내친 기별[444] 니라오실 제, 우리 다 낣드며,[445] '이제야 살리로다. 환조(還朝)하오실 일이로다.' 모다 줄겨 하던 이리 어제로온듯 하더니, 그적 난(亂)에 벗어나 종내 시위(侍衛)하여 파군 입궁[446]에 드오시니, 인심이 진정치 못 하여 고름 글러[447] 잠 못 자며, 할난(一日) 하인이 닭 잡으라 집 우해 오르니 우소를에[448] 내당(內堂) 엿볼 적인가 여겨 우히 오시며, 후궁이 놀라 나와 시위하였다가 우흔[449] 내관(內官)에게 가오시고, 소환도[450] 주오시며, '급한 일이 있거든 자사(自死)하라.' 하오시니, 각각 날흘 쥐오시고 도곤도곤[451] 기다리더니, 그 시절 다 지내고 내 마노라

438 창황(愴惶): 슬프고 두려워함.
439 가라어치 리: 가르쳐 드릴 사람.
440 그 마노라 아들이 서 계서: '그 마노라'는 선조, '아들'은 광해군을 가리킴. 즉 '선조의 아들인 광해군이 왕이 되어서'라는 뜻임.
441 무신년(戊申年): 1608년 선조가 승하한 때를 가리킴.
442 재궁(梓宮): 임금, 왕대비, 왕비, 왕세자들의 유해를 모시는 관(棺). 옛날 중국에서 가래나무로 만들어 썼으므로 이렇게 일컬음.
443 당장(唐將): 당나라 장수. 본문에서는 중국 명나라의 장수인 이여송(李如松)을 가리킴.
444 기별(奇別): 조선 시대에 승정원(承政院)에서 생긴 일을 매일 아침 글로 적어서 반포하던 일. 본문에서는 이여송이 끄는 군사가 평양에 주둔 해 있던 왜장(倭將) 고시니 유키나와(小西行長)의 군사를 물리쳤다는 기별을 말함.
445 낣드며: '날뛰다', '날고뛰다'의 옛말.
446 파군 입궁(罷軍入宮): 군대의 진영(陣營)을 풀고 대궐로 돌아 옴. 본문에서는 임진왜란 당시 의주로 피난 가 있다가 한양 궁궐로 돌아옴을 말함.
447 고름 글러: 고름을 끄르다. 본문에서는 임진왜란 후 인심이 흉흉하여 밤에도 고름을 끄르고 잠을 자지 못할 정도로 불안했음을 말함.
448 우소를에: 으슴푸레함에, 으스름에.
449 우흔: 본문에서는 왕(선조)을 가리킴.
450 소환도(小還刀): 작은 환도. 환도는 군복을 입고서 차는 군도(軍刀)를 말함.

아들이 서 계서 오늘 욕볼 줄 어이 알리리까. 의녀[452]로나 내지 아니하고 나장(羅將)으로 잡아내니 이 욕은 내 몸에 당치 아녀, 대왕(大王)이 보오시는 각시니 녹(祿) 자시나니는 다 알으소서. 인제 할 일이리이까? 도리(道理)로 임군을 속이면 상망(喪亡)할 망조[453]로 소이다."

이터로 하여 긴 해를 저무도록 대언(大言)을 하니 원정[454] 받으려 하다가 아니하고 이 말 듣고 의녀 정하니라[455].

"옥중(獄中)에서 이터로 말을 바로 할까[456]?"

하야 즉시 내어 사약하고[457], 그 이하 대왕 근시인(近侍人)은 사약하고,

451 도곤도곤: '두근두근'의 옛말. 본문에서는 가슴이 두근거릴 정도로 불안했음을 말함.

452 의녀(醫女): 본래 신분은 기생으로 의술을 배워 내의원. 혜민서에서 심부름하는 여자. 부록 '조선조 궁녀 제도' 참조.

453 상망(喪亡)할 망조(亡兆): 없어지고 망할 조짐.

454 원정(原情): 사정(事情)을 말하여 하소연 함.

455 의녀(醫女) 정하니라: 이 부분에 대하여 『광해군일기』에는 다음과 같이 기록되었다. "영의정 이덕형이 아뢰기를, '평상시에 사대부들 집에서 사람을 붙잡아 올 경우 더러 의녀(醫女)들로 하여금 들어가 염탐해 보게 하였는데, 지금도 이 관례에 따라 의녀로 하여금 대비전의 궁녀를 찾아보게 하는 게 어떻겠습니까?' 하니, 왕이 승지에게 명하기를, '영상의 말에 따라 수문장과 선전관을 많이 정하여 잡인들이 드나들지 못하도록 엄히 금한 뒤에 의녀로 하여금 들어가 찾아서 잡아 오도록 하라.' 하였다. 이미 자전이라 불러 놓고 마치 여염집에서 수색하듯이 궁인들을 찾아냈으니, 대신이 옳은 일과 그른 일을 가려 말씀드려야 하는 의리가 과연 이렇단 말인가." 『광해군일기』 권67, 광해군 5년(계축년, 1613) 6월 13일(경자) 참조.

456 말을 바로 할까: 당시의 상황이 『광해군일기』에 다음과 같이 기록되었다. 응희가 큰 소리를 지르며 욕설을 퍼붓기를, "나는 그 동안 선왕을 모셔온 몸이다. 임진년 난리 때에는 김빈(金嬪) 등 여섯 사람과 함께 늘 대가(大駕) 앞에서 시중을 들었었다. 당시의 대신 윤두수(尹斗壽) · 유성룡(柳成龍) · 이항복(李恒福) · 이산보(李山甫) 등은 지금 어디에 있느냐. 너희들이 어찌 지금 임금의 녹(祿)만 먹고 선왕의 녹은 받아먹지 않았겠느냐. 그런데 어찌하여 나를 이렇게 속박하여 모욕을 준단 말이냐." 하였는데, 듣는 자들이 귀를 가렸다. 『광해군일기』 권66, 광해군 5년(계축년, 1613) 5월 18일(을해) 참조.

457 사약(賜藥)하고: 전교하기를, "이 궁인(宮人)들은 의인 왕후(懿仁王后)의 능에 저주하는 못된 짓을 대대적으로 자행했으니 그 죄악이 넘쳐 흐른다 하겠다. 그리고 역적이 격서(檄書) 속에서 나를 극악한 이름으로 지칭한 것도 모두 이 자들의 소행 때문

그 남은 이는 상궁의 니라히[458] 중형(重刑)을 베퍼 박동량 초사(招辭)라 하고, 육월 십삼일에 열세 사람을 소명(召命) 써 내다.

시녀 예환(禮還)이, 수사[459] 학천이[460]. 천합(千合)이, 수모[461] 언금이[462]. 덕복이[463] 춘이가히. 표금이[464], 보모상궁(保姆尙宮) 아아[465] 복이[466]. 종 도섭이[467]. 고으니[468], 김상궁 종 보롬이[469]. 보삭이, 대군 겻 웃 각시 예환이[470]. 수모 향가히[471] 등을 나장(羅將)반 내관 이덕챵(李德昌)이 와서,

---

이니 이치상 당연히 엄하게 국문하여 사실을 밝혀내야 할 것이다. 이 죄목으로 사사(賜死)하는 것이 좋겠는데, 경들이 십분 의논해 아뢰라." 하였는데, 대신이 그렇게 하는 것이 온당하다고 하여 마침내 사사하였다. 『광해군일기』 권66, 광해군 5년(계축년, 1613) 5월 24일(신사) 참조.

458 니라히: '이르기까지'의 옛말.

459 수사(水賜): 무수리. 궁궐 안에서 잡일을 맡은 하녀. 부록 '조선조 궁녀 제도' 참조.

460 학천(鶴千)이: 대비전의 나인, 당시 나이 72세. 『광해군일기』 권67, 광해군 5년(계축년, 1613) 6월 14일(신축) 참조.

461 수모(手母): 전통 혼례 때에 신부의 단장 및 그 밖의 일을 곁에서 도와주던 여자. 본문에서는 의복 단장을 도와주던 내인. 부록 '조선조 궁녀 제도' 참조.

462 언금(彦今)이: 국문하라는 왕의 전교에 처음에 기절하였다가 목을 메달아 죽음. 『광해군일기』 권67, 광해군 5년(계축년, 1613) 6월 13일(경자) 참조.

463 덕복이(德福): 영창대군의 보모상궁.

464 표금이: 나인 춘개(春介)의 어미. 『광해군일기』 권67, 광해군 5년(계축년, 1613) 6월 15일(임인) 참조.

465 아아: '아이'의 옛말.

466 복이: 복이내인(僕伊內人). 불 때고 물 긷는 일을 맡은 처소의 내인. 부록 '조선조 궁녀 제도' 참조.

467 도섭이(道西非): 영창대군의 보모상궁 덕복(德福)이의 여종. 공초를 받다가 곤장을 맞고 죽음. 『광해군일기』 권67, 광해군 5년(계축년, 1613) 6월 13일(경자) 참조.

468 고으니(古隱伊): 영창대군 보모상궁 덕복(德福)이의 여종. 『광해군일기』 권67, 광해군 5년(계축년, 1613) 6월 17일(갑진) 참조.

469 보롬이(甫老音伊): 김 상궁 응희(應希)의 여종. 압슬형을 가하였으나 자복하지 않음. 『광해군일기』에는 보로미(甫老未)와 보로음이(甫老音伊)로 되어 있음. 『광해군일기』 권67, 광해군 5년(계축년, 1613) 6월 13일(경자), 14일(신축) 참조.

470 대군 겻 웃 각시 예환(禮還)이: 본문대로 해석하면 '대군 처소의 관례전 내인 중 우두머리인 예환이'가 된다. 그러나 본문의 내용을 기록한 『광해군일기』에는 다음과 같

"어서 내라."

독촉(督促)하니 곡성(哭聲)이 천지진동(天地震動)하며 궁중이 새로이 망극(罔極)하여 침실로 다 끌허와 통곡(痛哭)하여,

"우리 박동량을 알기나 아더냐? 어찌 우리를 이리 쉽게 할꼬. 죽어 원혼[472]이 되여도 박동량은 잊지 못 할 소이다. 마노라 애매(曖昧)한 일로 남에게 잡혀 계오시니, 종이 석이 죽다 무삼 한(恨)이 있으리이까[473] 카니와, 우히 부대 사오시고 우리 설니 죽삽는 이 원수(怨讐)를 잊지 마오소서. 죽으라 가옵나이다."

기중(其中)의 향가히(香介)는 병(病)드러 나갔더니, 두고서 기이고[474] 아니 낸다 하고, 의녀 다여시 와 공주 대군 들어계신 침간(寢間) 지이[475] 뒤여 얻으되 없으니,

"어서 내라."

독촉하야 보채니 사람이 족불이지[476]하고,

"평일에 병하야 나갔나니라."

이 기록되어 있다. "정이(貞伊)의 여종과 자수궁의 예환, 가시도 잡아다 국문하도록 함", "가시와 예환 나인 정이의 여종이다", "가시와 예환에게 형추하였으나 자복하지 않았다."고 기록된 것으로 보아 '대군 겻 웃 각시 예환'은 정이의 종 '가시'와 '예환' 두 사람을 가리킨 것이 아닐까 생각됨. 『광해군일기』 권67, 광해군 5년(계축년, 1613) 6월 13일(경자), 6월 14일(신축) 참조.

471 향가히(香介): 영창대군 처소의 내인.

472 원혼(冤魂): 원통하게 죽은 사람의 혼령.

473 종이 석이 죽다 무삼 한(恨)이 있으리이까: '석이'는 '많이, 전부'의 뜻. 본문에서는 "인목대비가 억울하게 잡혀 계시는데 종이 헤아릴 수 없이 많이 죽더라도 무슨 한이 있겠는가"로 해석됨. 그러나 이 부분이 〈계축일기〉에는 '종시 설니 죽다 무삼 한이 있으리이까'로 되어 있음. 〈계축일기〉의 내용을 차용하면 '종이 서럽게 죽더라도 무슨 한이 있겠는가'로 해석됨.

474 기(忌)이고: 사실을 숨기고 바른대로 말하지 않음.

475 지이: ~까지, 동작이나 상태가 계속됨을 나타내는 조사.

476 족불이지(足不履地): 발이 땅에 닿지 않을 만큼 급히 달아남을 이르는 말.

하되, 무한 와서

"어서 내라. 아니 내면 감찰(監察) 상궁 하옥(下獄)하리라."

의녀 여닐곱이나 흩어 궁중에 엇고[477] 공주・대군 두 아기시는 하두려 우흔 거적의[478] 마의[479]를 입사오시고 엎드려 계오셔.

"없은 내인을 조차 일워[480]내라 대박히[481] 보채는고, 왔는 내관더러 내 친히 니라리라."

하오시고 니라오시니, 내관이 여짜오되.

"나가고 없다."

살오니[482],

"거짓말이니 어서 싸뒤여 얻으라."

하시니,

"마음으로 못 하나이다."

하더라.

의녀 니라되,

"침간(寢間)이라도 뒤여 얻으라. 하시니, 다 뒤여 얻어지어다."

하거늘, 내인이 주거리[483]로 머리를 쳐 물리치되,

"네 아모리 한들 어데 뉘 곳이라 이리 행실(行實)없이 구난다."

하니,

477 엇고: 얻고, 수중에 넣다, 붙잡다.

478 거적의(衣): 겉의 옷. '거적'은 '거죽'의 옛말. 본문에서는 대비(인목왕후)가 의관을 제대로 갖추지 못했음을 말함.

479 마의(麻衣): 삼베로 지은 옷.

480 일워: 행하다, 작정한 대로 하여 나가다.

481 대박(迫)히: 절박히, 박절(迫切)히, 인정없이. 〈계축일기〉에는 '핍박히'로 되어 있음.

482 살오니: '사뢰다'의 옛말. 말하다. 웃어른께 말씀을 드리다.

483 주거리: 문맥상 주먹으로 해석함이 옳을 것 같음. 〈계축일기〉에는 '주먹'으로 되어 있음.

"우리도 살려 하네."

하고 다아다[484] 들어가니, 두 아기시는 우흘 의지하여 한녘에 하나씩 짓보[485] 밑에 엎드려서 숨을 겨우 쉬고 우라시니, 보옵기 가슴이 찢어지는 듯 하여 차마 보옵기 참담[486]하더라.

이튿날 감찰 상궁[487] 둘을 잡아내다.

늒월 이십팔일의 대군 아지[488] 네히니 소명(召命) 써 와서,

"어서 이 수(數)로 다 내라."

하니.

"아기시 다 자라시매 유모(乳母)가 다 나가고 없다."

하니.

"기(欺)이지 말고 어서 내라."

보채더니 밖으로 가서 잡아가다.

칠월(七月)에 수사(水賜) 명환이. 수모(手母) 신옥이. 표금이 등 여 일곱 하인(下人)을 잡아 내다.

궁인(宮人) 설흔 나믄이[489] 한 점도[490] 무복[491] 아니하고 다 죽으니,

---

484 다아다: 원형은 '다왇다'. '다그치다'의 옛말. 닥치어.

485 짓보: 표백하지 않은 무명 또는 무명 포대기.

486 참담(慘憺): 비참하고 끔찍함.

487 감찰상궁: 본문에는 '감칠샹궁'으로 필사되었으나 문맥상 '감찰상궁'이 옳을 것 같아 고침. 부록 '조선조 궁녀 제도' 참조.

488 아지: 본문에는 '아기'로 필사되었으나 문맥상 '아지'가 옳을 것 같고 〈계축일기〉에도 '아지'로 되어 있어 고침. '아지'는 유모(乳母)의 궁중어. 본문에서는 영창대군의 유모를 말함.

489 설흔 나믄이: '설흔'은 '서른'의 옛말. 서른이 넘는 사람. 삼십 여명(三十餘名). 『광해군일기』에도 "나인들 중 국문을 받고 죽은 자가 30명이나 되었으나 끝내 한 마디도 자복하지 않았다"고 기록되었음. 『광해군일기』 권67, 광해군 5년(계축년, 1613) 6월 20일(정미) 참조.

490 한 점도: '한 마디도', '한 가지도'의 옛말.

491 무복(誣服): 강제를 당하여 없는 죄를 있다고 자복(自服)하고 형벌을 받음.

방정지사가 허사(虛事)가 될까 민망(憫惘)하야 내인의 종 나이 열 다섯 만한[492] 아해를 내여다가

"좋은 음식 먹이고 살을 것이니 일일히 하라"

다래니, 남의 죽는 일 보고 무삼 충성(忠誠)으로 살 길을 바리고 죽을 곳으로 가리오. 니란대로 대답하니, 이제야 방정지사가 복주(服奏)하였다 하고, 평일(平日)부터 유자신(柳自新) 집에서 사괴는 맹녀(盲女) 고성[493]이를 후(厚)히 사괴여 들여다가 온갖 말 일러두고, 제 종도 없이[494] 다려다가.

"이것이 대군 곁 큰 각시[495]로라. 대전(大殿) 동궁(東宮) 팔자(八字)와 대군 팔자 어떠며, 운수(運數)는 어떠며, 갑신생[496]이 병오생[497] 위하여 을해생[498]과 무술생[499]을 해(害)코저 하니 일우랴 못 일우랴."

492 열 다섯 만한: 본문에는 '열다사산한'으로 필사되었으나 문맥상 〈계축일기〉의 '열다섯 만한'이 옳을 것 같아 고침. 「광해군일기」에도 나이가 18세라고 명기되었음. 『광해군일기』 권67, 광해군 5년(계축년, 1613) 6월 9일(병신) 참조.

493 고성(高成): 여자 맹인 점쟁이로 18세다. 사관은 당시의 상황을 다음과 같이 적고 있다. "고성은 배천 사람이다. 막 시골에서 올라왔는데, 영험이 있다고 상당히 이름이 있었다. 그래서 대궐로부터 외척과 궁가들이 너나없이 그를 불러다 점을 쳤으니, 오윤남이 그를 불러다 운명을 물어본 것이 역시 이상한 일이 아니고 또 고성에게만 물어본 것도 아니었다. 다만 오강이 혹독한 형벌에 견디다 못해, 고성은 나이 젊은 눈먼 여자이므로 지적하기가 조금 쉬었기 때문에 그를 끌어대어 형벌을 늦추었던 것인데, 저주의 옥사가 이로 인해 하늘까지 닿게 되었다. 고성이 또 여자 무당과 늙은 여승을 많이 끌어들이고 나서 그들이 거처하는 곳과 나이를 죄다 들어 공초하였으므로 이들을 붙잡느라 시끄러웠는데, 억울하게 걸려든 자들이 많았다." 『광해군일기』 권67, 광해군 5년(계축년, 1613) 5월 9일(병신), 『광해군일기』 권68, 광해군 5년(계축년, 1613) 7월 15일(신미).

494 종(終)도 없이: 끝도 없이. 즉 수없는 거짓말을 일러 주었음을 말함.

495 큰 각시: 우두머리의 젊은 여자. 본문에서는 영창대군의 보모상궁을 말함.

496 갑신생(甲申生): 인목대비를 가리킴. 인목대비는 갑신년(1584) 생이다.

497 병오생(丙午生): 영창대군을 가리킴. 영창대군은 병오년(丙午年: 1606년) 생이다.

498 을해생(乙亥生): 광해군을 가리킴. 광해군은 을해년(乙亥年: 1575년) 생이다.

499 무술생(戊戌生): 광해군의 아들 지(祬)를 가리킴. 폐세자 질은 무술년(戊戌年, 1598

방정을 하더니,

"득(得)하랴 못 득(得)하랴."

온 가지 방정하는 즘생[500]을 일러 들이며,

"일일이 하노라."

하고 아모 날로 하더니.

"길흉(吉凶)이 어떠하뇨."

하며,

"이것이 대군 곁 하처[501]요. 나는 대군 유모(乳母)이로라."

하여, 이리 잊지 아니케 니기[502] 귀예 들려 둣다가 잡아드려 섬겨 무라니 마치 전(前)에 저 듣던대로 대답하되, 고성(高成)이 복주(服奏)하였다 하고, 또 고성이 더러,

"오윤남[503]이 네게 가 문복[504]하더냐."

"윤남이는 듣도 못하고 대군 팔자가 어떠하니 문복 하더이다."

하니,

"네 그릇 알았다. 님 별좌[505] 아니어 아녀, 오윤남이를 별좌(別坐)라 하니 오 별좌(別坐)랏다."

년) 생이다.

500 즘생: '짐승'의 옛말. 고성은 방정에 사용된 짐승을 "쥐, 강아지, 두꺼비, 비둘기 등을 통째로 찍어 갈기갈기 찢기도 하고, 눈을 빼고 다리를 자르기도 하여 저주하는 데 사용했다"고 공초했다. 『광해군일기』 권67, 광해군 5년(계축년, 1613년) 6월 9일(병신) 참조.

501 하처(下處): '사처'의 원말. 고귀한 손님이 길을 가다가 묵는 집. 또는 웃어른 침실을 높인 말. 본문에서는 영창대군 침실이 있는 곳을 가리킴.

502 니기: 원형은 '니기다'. '익히다'의 옛말. 익히.

503 오윤남(吳允男): 인목대비의 부친 연흥부원군(延興府院君) 김제남의 종.

504 문복(問卜): 점쟁이에게 길흉을 묻는 것.

505 별좌(別坐): 조선시대 교서관(校書館), 상의원(尙衣院), 군기시(軍器寺), 예빈시(禮賓寺) 등 각 관아에 딸린 정 5품, 또는 종 5품의 벼슬.

하니,

"업서이다. 오가 아녀 님 별좌라 하압데."

하니, 다시옴 우기되.

"님 별좌난 없나니라. 네 모라지 오별좌라."

우겨, 오윤남이는 무복 아니하고 당하[506]에서 죽으니 그 아들[507]이 열두 살의 것을 압시[508]하되,

"몰래라"

하는 것을.

"문복하면 살오마[509]."

하고 달래여 섬겨[510] 물으니.

506 당하(堂下): 중죄인을 심문하기 위해 임시로 설치 한 국청(鞫廳)에서 국문(鞫問, 죄인을 심문함)하는 당청(當廳, 대청 또는 집) 아래.

507 아들: 오윤남의 아들 오강(吳講)을 말함.

508 압사(押唆): 위력(威力)으로 선동하여 못된 일을 하게 함. 『광해군일기』에는 당시 '오강에게 압슬형을 가하였다'라고 기록되어 있다. 압슬형(壓膝刑)은 조선시대에 죄인을 자백시키기 위하여 행하던 고문. 죄인을 기둥에 묶어 사금파리를 깔아 놓은 자리에 무릎을 꿇게 하고 그 위에 압슬기나 무거운 돌을 얹어서 자백을 강요하였다. 오윤남의 아들에게 가한 압슬형에 대하여 사관은 다음과 같이 기술하여 당시의 정황을 알게 한다. "압슬형은 사람이 견딜 수 있는 것이 아니다. 무겁게 누르면 사람이 갑자기 기절하고 입을 다물어 인사불성이 되고, 가볍게 누르면 아우성을 치므로 용이하게 실없는 말을 자복받을 수 있다. 그렇기 때문에 반드시 가볍게 누르도록 하여 마치 형벌을 신중히 쓰는 것처럼 한다. 조종조에 비록 이 형벌이 있기는 하였으나, 반드시 큰 옥사가 났을 때 괴수 한두 사람에게만 사용하였다. 그렇지만 두 번은 사용하지 않았다. 그런데 지금은 사람마다 이 형벌을 사용하는가 하면 심지어는 네 번이나 다섯 번을 사용하기도 하고, 또 곤장을 사용하지 않고 곧바로 압슬형을 사용하기도 하였다. 오강 같은 어린아이가 압슬형을 받았으니, 그가 실없는 말로 거짓 자복하는 것은 당연한 것이다."라는 사관의 기록은 당시의 정황을 짐작하게 한다. 『광해군일기』 권67, 광해조 5년(계축년, 1618) 5월 9일(병신) 참조.

509 살오마: '살려주마'의 옛말. 원형은 '살오다'임.

510 섬겨: 섬기다. 복종하여 마음에 맞도록 받들다. 본문에서는 갖가지로 꾀여 마음을 바꾸게 했음을 말함.

"과연 문복 하더이다."

하니, '오윤남의 아들 복주(服奏)하였다' 말을 내니 실로 복주하였으면 죽일 것이어늘 살오마 언약(言約)하닷더라.

내인 거의 죽인 김씨 하며, 은덕 글난 들난 들은체도 아녀 수괴안서[511] 하고 미천 한 내인들 인명중시[512]여든 아마도 방정을 한 일로 내려하여 준충[513]의 것을 다 쳐 죽이닷더라.

대개 살인 도적 나서 이 설심(設心)을 내여 종하여 잘내[514] 쌀 넣어 메오고 사태부[515] 집에 돌며,

"대비전(大妃殿)에서 대전・동궁을 죽이려 방정하기 석 달째라 하 민망하니 영(靈)한 무당(巫堂) 얻어 문사(問事)하려 하니 예 무당 있는가?"

하고 두로 다니 닷더라.

그리 하는 때는 저리할 새 민망하여 문사하려 하는도다. 이리 알아서 이 옥사(獄事)를 옳다 하여 동고리에[516] 담아 드리다 하더라.

대개 센 개야지 배 타 드리기는 유자신 안해 하야 동고리에 담아 드리다 하더라.

살인 도적의 일[517]로 부원군 나수[518] 하시다 듣자오시고 뜰에 박석[519] 돌에 마리를 브드잇자 오시고[520],

511 수괴안서(首魁安舒): 악당의 우두머리들은 마음이 편안하고 조용함.
512 인명중시(人命重視): 목숨을 중하게 여기는 것.
513 준충(蠢虫): 꾸물거리는 벌레. 살아 움직이는 것. 본문에서는 방정의 죄를 뒤집어 씌워 살아남은 내인들을 꾸물거리는 벌레 죽이 듯이 다 죽이려 한다는 뜻임.
514 잘내: '자루(袋)에', '포대(包袋)에'의 옛말.
515 사태부(士太夫): 문벌이 높은 집안의 사람.
516 동고리: 둥글납작한 작은 버들고리 고리짝.
517 살인 도적의 일: 박응서 등이 저지른 조령(鳥嶺)의 은(銀)상인 타살사건을 가리킴. 일명 '박응서 옥사'를 말함.
518 나수(拿囚): 죄인을 잡아 가두는 일.
519 박석(薄石): 얇고 넓적한 돌. 집채의 앞뒤에 오르내리기 위하여 만든 돌층계. 댓돌.

"대군으로 이런 화(禍)가 부모 동생에게 미치니 어찌 차마 살아서 들으리이까. 내 머리털을 버혀 표(表)하오니 대군을 다려가 아마려나[521] 처치하시고 아바님과 동생을 놓으소서."
하고,
"자식(子息)으로 하여 어버의게 화(禍)가 밋는 일을 차마 살아 못 볼소이다."
하오시니 그 대답에,
"어찌 이런 말을 하오시는고. 임해군(臨海君)은 좋이 대답하여 두었는 것을 제 병드러 죽었는 것을, 살형(殺兄)이란 말과 선왕(先王)을 약밥에 치독[522]하여 훙서(薨世)하시고, 선조(先朝) 궁인을 알기나 안 것을 시부살형[523] 음증[524]이란 말을 겟 궁중[525]에서 내었으니 이 원수는 불공대

520 브드잇자오시고: '부딪치시고'의 옛말.
521 아마려나: '아무렇게나'의 옛말.
522 치독(置毒): 독약을 음식에 넣는 것. 본문에서는 광해군 측에서 음식(약밥)에 독을 넣어 선조를 승하하게 했다는 의혹을 말한 것이다. 당시의 상황이 『광해군일기』에는 "점심으로 찰밥을 진어하시고 별안간 기색하여 위급해졌다"라고 짧게 기록되었으나 『연려실기술』에는 좀 더 자세하게 전한다. "선왕의 오랜 병환이 처음 나았을 때 모든 백성이 좋아하였는데 잠간 동안에 돌아가시게 되니 온 나라 사람들이 이미 의심이 없지 않았으니 곧 약밥의 말이 항간에 돌아다닌 것입니다." 『연려실기술』 권23, 인조조 고사본말, 양곡집. "광해가 시역에 직접 간여하였는지 비록 알 수 없으나 이첨이 〈시역의〉 음모를 실행한 것은 불을 보듯이 밝은 일이었는데," "또 광해가 비록 시역에 간여한 자취가 없다 하더라도 약밥이 이미 동궁에서 나왔으니 장오가 어째 죄가 없다 할 수 있는가. 춘추의 법대로 할 것 같으면, 마침내 약을 맛보지 않은 죄를 면하기 어려울 것이다." 『광해군일기』 권1, 광해군 즉위년(무신년, 1608) 2월 참조. 『연려실기술』 권23, 인조조 고사본말, 청야만집.
523 시부살형(弑父殺兄): 아버지와 형을 죽임. 본문에서는 아버지(선조)와 형(임해군)을 죽인 것을 말함.
524 음증(淫烝): 왕가에서 윗 항렬(行列)의 여인과 간통하는 일. 본문에서 광해군이 부왕인 선조의 사랑을 받은 김 상궁(개시)과 간통했음을 말함. 당시의 상황이 정사와 야사에 다음과 같이 기록되었다. "김상궁은 이름이 개시(介屎)로 나이가 차서도 용모가 피지 않았는데, 흉악하고 약았으며 계교가 많았다. 춘궁의 옛 시녀로서 왕비를 통

천[526] 할소이다. 글월 말으소서. 어린 대군이야 어이 알리이까."

하고, 유자신 안해게 비오시니 대답하되,

"서양갑의 아비[527]며 박응서의 아비[528] 다 서인[529]이니 연흥[530]과 한 편 사람이어늘 어찌 몰래라 하시나니이까. 애매치 아니하니 다시 말 붙이지 마르소서."

두 곳에서 다 이리하니 시부(弑父)·음증(淫烝)은 우리게서는 듣지 못하였다가 이 말 듣고 끼다라니[531], 그 날 약매[532] 고믈인지 조곰 잡사오시고 즉시 귀역[533] 하오시고 위급 하오시니, 근시인도 제 심복(心腹)이니 치독(置毒)하기 고이치 아니하고, 일변은 적신(賊臣) 정인홍 상소(上

하여 나아가 잠자리를 모실 수 있었는데, 인하여 비방(秘方)으로 갑자기 사랑을 얻었으므로 후궁들도 더불어 무리가 되는 이가 없었으며, 드디어 왕비와 틈이 생겼다." 『광해군일기』 권69, 광해군 5년(계축년, 1613) 8월 11일(병신). 사신은 논한다. 궁첩의 폐해가 어느 시대인들 없었을까마는 폐조 때처럼 심한 적은 없었다. "김씨는 곧 이른바 김 상궁인데 일찍이 선조의 후궁으로 있다가 뒤에 폐주의 사랑을 받게 되었다. 무신년 선조의 승하 당시 밥에다 독약을 넣었다는 말도 있었다."『인조실록』 권3, 인조 1년(1623) 9월 14일(신축). "개똥이는 전 선조 때의 늙은 궁인이었다. 선조의 사랑을 입었는데 사람됨이 흉악하고 교활하였다."『연려실기술』 권23, 인조조 고사본말, 포저집. "선왕이 관계했던 후궁 김씨와 간통하고 그의 말만들으니…"『연려실기술』 권23, 인조조 고사본말, 남계집 참조.

525 졧 궁중: 거기에 있는 궁중, 그 곳에 있는 궁중. 본문에서는 광해군 측의 궁중(궁궐)을 말함.

526 불공대천(不共戴天): 한 하늘 아래서는 더불어 살 수 없는 원수.

527 서양갑(徐羊甲)의 아비: 서양갑의 부친 서익(徐益, 1542년~1587년)을 말함. 조선 중기의 문신. 부록 등장인물 참조.

528 박응서(朴應犀)의 아비: 박응서의 부친 박순(朴淳, 1523년~1589년)을 말함. 조선 중기의 문신. 부록 등장인물 참조.

529 서인(西人): 조선 선조 때 심의겸(沈義謙)을 중심으로 하여 동인(東人)과 대립한 당파(黨派)의 하나, 또한 그 당파에 속한 사람을 말함.

530 연흥(延興): 연흥부원군 김제남을 가리킴. 부록 등장인물 참조.

531 끼다라니: 깨다르니, 깨닫다, 알아차리다.

532 약매: '약밥'의 옛말.

533 귀역: 구역(嘔逆), 구역질, 욕지기.

疏)로 위급히 되오시니 구타여[534] 지라며[535] 쳐야 죽이다 하리오. 설워 그만하면 시뷔(弑父)라 할 것이오, 음증(淫烝)도 선묘(先廟) 근시(近侍)하던 숙진이 가희(介屎) 권당[536]이니 마양 은근이 가더라 하니, 그럴 제 음증하기 고이치[537] 아니하고, 살형도 형을 하늘도 못 보게 가새성[538] 안에 넣어두고 장(醬)덩이와 보리밥을 드리더니, 당장(唐將) 오다 하니 제 복심(腹心) 의원 보내여 주찬(酒饌) 가져가서 다잡고[539] 독주(毒酒)를 먹여 온돌(溫突)을 달오고 넣어 자마고[540] 오니 가슴을 허위여[541] 피 흐른 자최 있더라 하고, 기시(其時)는 자비하인[542]들도 금(禁)치 아녀 니라매뉘 모라리오. 우리 게서 말 내다 하닸더라. 비록 말을 내오시다 일정 그란 일 하여 두고 말 낸 사람과 불공대천지수(不恭戴天之讐)가 되리오.

이리 말 내고, 오월 초 다샛날 자비문[543] 선폐(先閉)하고 만병(萬兵)을 포설(布設)하여 위립[544]하고 주야에 목탁지성[545]이 진동하니[546], 갓득 주

534 구타여: '구태여'의 옛말.
535 지라며: '찌르다'의 옛말.
536 권당(眷黨): 집안 식구, 일가친척.
537 고이치: '괴이(怪異)하다', '이상야릇하다'의 옛말.
538 가새성: 가시로 만든 성(城). 죄인을 배소(配所)에서 달아나지 못하도록 가시로 울타리를 만들고 그 안에 가두어 두는 위리안치(圍籬安置)를 가리킴.
539 다잡고: 다그쳐 붙들어 잡다.
540 자마고: 잠그다.
541 허위여: 허위적 거려, 파헤쳐.
542 자비하인(差備下人): 각 관아의 하인의 하나. 특별사무를 맡기기 위하여 임시로 임명하는 직책이다.
543 자비문(差備門): 편전(便殿)의 앞문, 왕과 왕비가 거처하는 궁전의 앞문.
544 위립(圍立): 죽 둘러싸고 서있는 것.
545 목탁지성(木鐸之聲): 불경을 외우며 목탁을 치는 소리.
546 진동하니: 당시의 상황이 『광해군일기』에는 다음과 같이 기록되었다. "왕이 서양갑의 공초를 듣고는 크게 놀란 나머지 도감의 군사들을 동원하여 궁성을 에워싸게 하고 조두(刁斗, 옛날에 군에서 냄비와 징의 겸용으로 쓰던 기구. 낮에는 취사할 때, 밤에는 진지의 경계를 위하여 두드리는 데에 썼다)를 두드리면서 밤낮으로 방위하게

야에 구으러[547] 물고기 므태[548] 남같이 뛰노라 것거[549]지는 닷 설워 하오시는데, 목탁지성이 진동하며 드러 쳐시니 곤하여 직 조으닷[550] 하오신 적도 놀나오시더라.

이리 닫은 후는 반 쪽 말도 자명[551]하오실 일난 굳게 닫고 온 가지로 짐짓 일로 내노라 어린 놈 응벽[552]이를 극형(極刑)하여 섬겨 물으니 그런 방정을 제 다 하다 하니,

"목릉[553]의 흙도 파오이다. 궁중에도 제 드오되 밤이면 수문장 다려

하였다." 『광해군일기』 권66, 광해군 5년(계축, 1613), 5월 6일(계해) 참조.

547 구으러: 원형은 '구을다'. '굴러', '굴리어'의 옛말.

548 므태: '뭍(陸)에', '땅 위에'의 옛말.

549 것거: '꺾어지다'의 옛말.

550 직조으닷: 원형은 '딕됴오다'. '수그려 졸다'의 옛말. 본문에서는 목탁소리가 진동하여 여러 날 잠을 이루지 못해 피곤하여 졸다가도 목탁소리에 다시 놀라는 고통의 나날이 계속됨을 말함.

551 자명(自明): 자명소(自明疏). 죄가 없음을 스스로 변명하여 올리는 글.

552 응벽(應壁): 김응벽(金應壁). 나인 덕복(德福)이의 조카. 이이첨이 지었다는 응벽의 죄목이 『광해군일기』에는 다음과 같이 기록되었다. "저주에 관한 모의를 전적으로 주관하여 요망스런 일을 많이 행하였다. 붉은 닭에게 주사를 먹여가지고 어침에 몰아넣기도 하고 금고양이의 눈을 꿰매어 내침의 굴뚝에 장치하기도 하였다. 종이에다 사람의 모습을 그려서 능침에 흉사를 행하기도 하고 개를 찢어서 후원에 두어 재앙을 짓기도 하였다. 붉은 비단에 부적을 그려서 고성과 더불어 지휘를 하였고 금산사에 경문을 외우는 일은 민희건과 함께 경영하였다. 여인이 칸막이를 치고 가리는 일을 모두 제가 직접 담당하였다. 더러운 물건이 대궐 안에 낭자하니 난적의 흉계를 모를 리가 없다. 6월 21일에는 김응벽을 능지 처참시켰다." 『광해군일기』 권68, 광해군 5년(계축, 1613), 7월 15일(신미).

553 목릉(穆陵): 현재 경기도 구리시 인창동에 있는 동구릉의 하나로 선조와 그의 비 의인왕후, 계비 인목왕후의 능이다. 당시의 상황이 『광해군일기』에는 다음과 같이 기록되었다. "당초 선조(宣祖)가 병으로 자리에 눕게 되었을 때 대군 궁방의 노비들이 무격(巫覡)의 망언을 듣고는 병환이 나게 된 빌미가 공빈(恭嬪)에게 있다고 하면서 마침내 묘소에 저주할 음모를 꾸몄는데, 그 말이 상당히 누설되자 임해군이 듣고는 궁노(宮奴)로 하여금 공빈의 능을 지키게 하여 결국은 아무 일이 없게 되었다. 이것이 비록 미련하게 미혹된 노비들에 의해 꾀해진 지극히 사소한 일이기는 하였지만, 목표는 어디까지나 빈릉(嬪陵)이었지 유릉(裕陵)은 아니었던 것이다. 궁가의 노복들이 서

니라고 드러이다."
한대, 그런 중한 죄수(罪囚)를 좇아 거나려 목능에 가서 제(祭)도 아니 하고 상돌[554] 밑에 석자(三尺)이나 파니 아모것도 없사매, 두어 곳 파 흙 지으려[555] 이리하여 재천지령[556] 놀래옵고, 중형[557]한 피덩이를 담아 나장(羅將)이며 군사(軍士)가 메어 블의(不意)에 궁중에 들여 침전 기슭에 놓으니, 내인은 노소(老少) 없이 하 두려 마라[558] 아래 숨으며 저희 잡으러 왔는가 여겨 애써 헤지라는[559] 형상을 어찌 기록(記錄)하여 얼골 하리오.

연하여 날마다 글월 보내어 저히며[560] 우려[561] 보채되,

"너희 내인들이 다 알 것이로되, 아니 내어 죽였으니 이제 변 상궁(卞尙宮)·문 상궁(文尙宮)이 일정 알리니 변과 문이 갑자생(甲子生)이니 두 갑자생 중에 하나를 수이 내어 달라."
보채니, 한 일을 번득이[562] 하여서 긋 감기[563] 어려워 갑자생 하나를 달

로 투기하고 미워한 나머지 나온 이런 말들은 대개 의거할 가치가 없는 것임에도 불구하고 옥사(獄事)가 처음 일어났을 때 척리(戚里)의 집에서 많이들 빗대어 말하곤 하였는데, 동량이 마침내 헛소문을 가지고 부연해 말한 것이었다. 그러나 이것이 어찌 대비(大妃)와 상관이 있는 일이겠는가." 『광해군일기』 권66, 광해군 5년(계축, 1613), 5월 16일(계유) 참조.

554 상돌: 상석(床石). 무덤 앞에 제물(祭物)을 차려놓기 위하여 넓적하게 돌로 만든 상.
555 지으려: 밀어 없애다, 밀어서 없애버리다.
556 재천지령(在天之靈): 하늘에 있는 영혼.
557 중형(重刑): 무거운 형벌.
558 마라: '마루'의 옛말.
559 헤지라는: 원형은 '헤디라다'. '날뛰다'의 옛말.
560 저히며: 원형은 '저히다'. '두렵게 하다', '위협하다'의 옛말.
561 우려: 원형은 '우리다'. '후리다'의 잘못된 말. 휘몰아 채거나 쫓다.
562 번득이: '드러나게', '뚜렷이'의 옛말.
563 긋 감기: '긋'은 '끝'의 옛말. '감기'는 '아득하다', '어둡다', '아득하다'의 옛말. 본문에서는 고통의 끝이 보이지 않을 만큼 아득함을 나타냄.

라 한들 누를 의지하여 내여 주옵시리.

대답 하오시되,

"인간(人間)의 사람이 살며 어진 일을 하여도 복을 못 얻을까 두려하는데 하물며 사특[564] 한 일을 하여 어찌 복이 올까 믿으리오. 이 또한 천수[565]니 설움이 태산(泰山) 같으되 죽지 못함을 고이히[566] 여기나이다. 주야 안전[567]을 떠나지 아니턴 종잡아 내어 가고, 행여 남은 종 마자 내라하니 갑자생 중의 하나를 내여든 묻고 죽여지라 하니, 나는 할 일이 없으니 어찌 살게하여 알리오. 여편네[568] 들어 앉아계서 대전(大殿) 낯에 하 똥 바라지 마라소서."

하니, 이 후는 갑자생 달란 말 아니 하더라.

또 하되, 박자홍[569]이 갓 사돈 되어서 진상[570] 하여늘 우리 게서 벼개를 대답에 주어 겨오시더니, 이 적에 니라되 벼개 속에 방정하였으니 그 벼개를 베니 벼개 속에서 병아리 소래 나거늘 보니, 잡뼈와 따린[571] 널 조각[572]을 넣었다 하니 이 할리까? 아리고[573] 갑자생이나 침실 갑자

564 사특(邪慝): 요사스럽고 간사하고 악하다.
565 천수(天數): 하늘이 정한 운명.
566 고이히: 괴이히, 이상야릇하게.
567 안전(案前): 하급 관리가 상급 관리를 일컫던 존칭 대명사.
568 여편네: 결혼한 여자를 낮추어 하는 말. 본문에서는 당시 중전인 광해군의 아내 유자신의 딸을 말함.
569 박자홍(朴自興): 선조 14년(1581)~인조 1년(1623). 영의정 박승종의 아들. 광해군 2년(1610) 별시문과에 병과로 급제하여 벼슬은 참판에 이르렀고 이이첨의 사위가 되었다. 인조반정 때 경기도 관찰사로 있다가 아버지와 함께 자결. 부록 등장인물 참조.
570 진상(進上): 지방에서 나는 물건을 임금이나 고관에게 바침.
571 따린: 깨뜨러진, 깨진.
572 널 조각: 널은 시신을 넣는 관(棺)이나 곽(槨)을 말함. 본문에서는 인목대비 측에서 박자홍의 진상 답례품으로 보낸 베개 속에 부서진 관 조각을 넣어 방정했다는 뜻임.
573 아리고(阿里庫): 아랫고(下庫). 상궁으로 부제조(副提調) 상궁을 말함. 내전의 살림을 맡아봄. 부록 '조선조 궁녀 제도' 참조.

생이나 그중에 하였다 하니, 이런 사람의 못 생각할 일을 하여 내는 내인을 마자 죽이려 하니, 천지간(天地間)에 이렇듯 사흉[574]한 사람이 어디 있으리오.

대군이 궐내(闕內)에 계신 줄을 민망하여 만대(萬代)에 기롱[575]을 면(免)치 못할가 하여, 가장 어진 체하여 닐아되,

"조정(朝廷)이 대군을 수이 내라 날마다 보채되 어린 아해 알냐 하여 듣지 아니 하거늘, 도적(盜賊) 사괴여 역모(逆謀)하기와 방정하기로 대란(大亂)이 났으니 이제 뉘 탓이라 하나니."

하더라,

이리 하연지 오라지 아녀서 내관으로 전어(傳語)하되,

"대군을 하 내어달라 하니 아니 들으려 견집[576]하더니 조정이 노(怒)를 저기[577] 잔 졸와[578] 보려하니 잠간 궐문(闕門) 밖에 내여든 노(怒)를 풀게 하여지이다."

말을 가장 흉히 하매 우흔 차마 듣자오시지 못하오사 시위인(侍衛人)이며 마음이 새로이 산란(散亂)하여 간장(肝腸)이 졸고[579] 애[580] 떨어지더라.

아니 대답지 못하오사 대답하오시되,

"천지간에 없은 대변(大變)을 만나 아바님과 만 동생을 죽였으니[581],

574 사흉(邪兇): 간사하고 흉악한.
575 기롱(譏弄): 빗대어 놓고 실없는 말로 희롱함.
576 견집(堅執): 마음을 굳게 먹음.
577 저기: 적이, 조금, 얼마.
578 잔 졸와: '졸와'의 원형은 '졸오다'. '조로다'의 옛말. 문맥상 '잔 졸와'는 '거듭 조르다'로 해석됨. 간절히 조르다, 간절히 달래다, 간절히 타이르다.
579 졸고: 졸아들다, 줄어들다, 작아진다.
580 애: '창자'의 옛말. 간장(肝腸).
581 아바님과 만 동생을 죽였으니: 인목대비의 부친 김제남이 6월 1일 사약을 내려 서소

내 자식의 일로 어버의게 큰 불효(不孝)가 되였으니 천지간에 용납지 못 할 줄 알아되, 대군이 자란 것이면 자식을 내어주고 어버이와 동생을 사롸지라[582] 하련마는 일에 옳을 것이로되, 당시 슬하(膝下)에 떠나지 아녀 칠 팔세 아해 무삼 동서(東西)를 알리이까. 당초에 이렇듯 하매 대군으란 다려다가 종삼아 천년[583]으로 제 나흘 맛게[584] 하시고, 아바님과 동생을 사롸지라 하고 내 머리 털흘 버혀[585]친히 글월 써 보내니 받지 아니하고 어찌 이런 말을 하시 나니이까? 어린 아해 알배 아니니 어른의 죄 아해게 당 하리이까."

"선왕이 어엿비 여기라 하오신 유교가(遺教) 계시니 대군으란 의심(疑心) 마라소서 머리 털은 두지 못할 것이니 도로 드리나이다."

하거늘,

"아바님 없아오신 일은 설음이 간장(肝腸)이 바이는 듯하나 나라 법이 중(重)하여 마음으로 사뢰지 못하나, 이 아해는 선왕 유자(遺子)이니 그러나 생각 하시면 계실가 하더니 오늘날 새로이 이런 말을 하시니 전후 말이 다름을 설워 하나이다. 어린 아해를 어데다 가두리이까? 내 안고 한가지로 죽을 뿐이언정 차마 내여 보내든 못할소이다."

하오시니, 또 글월 써 보내되,

"아모리타 아해 안다 하오며 문 밖에 내여 두다 해로오미 있으리이까 궐내 아기가 본대 밖에 피접[586]나는 일도 있으니 이도 그만 여기올

문(西小門)안에서 죽게 하였다. 김제남의 세 아들(김래-金琜, 김규-金珪, 김선-金瑄)과 사위 한 명이 모두 곤장 아래에서 죽었다. 인목대비는 부친이 사사된지 3일 째 되는 날 오시에 소식을 들었다. 『광해군일기』 권67, 광해군 5년(계축, 1613) 6월 1일(무자); 6월 4일(신묘) 참조.

582 사롸지라: 살리다. 죽게 된 것을 살게 하다.

583 천년(天年): 천수(天壽), 수명을 다하는 것.

584 나흘 맛게: 나이를 마치게. 즉 목숨이 다하도록.

585 버혀: '베다'의 옛말. 자르다.

셔, 조정이 하 보채니 마음을 져기 누기게[587] 이리 하옵는 일이오니 해라온 일이 있을까 의심 마라소서."

하였거늘, 대답 하오시되,

"나를 보실 것 아녀 대전도 선왕 아드님이시고 대군도 아들이니 정(情)에 차마 해(害)하미 계시리이까. 다만 대군이 열 살도 차지 못 하여서 알아시다시 한 번도 밖에 피접 내여보낸 적이 없으니 어린 것을 어데다 가두리이까. 대전이 누를 탓이니[588] 선왕을 생각하사 인정(人情)을 살펴보소서"

하오시니, 또 대답하되,

"문밖에 궐내 가까온데 내옵소서 하라 생심(生心)이나 멀리 두리이까. 이 서문[589] 밖에 발서 집을 잡아시니, 오히려 궐내에 두고서는 조정이 마양 보채어 없이 하여지라[590] 날마다 서너 달을 아니 보채는 날이 없으니, 내 비록 아니 듣고저 하오나 조정이 요란(擾亂)하니 문 밖에 내어 그 마음을 시원케 함이 좋은 일이어든 어련이 대군을 끄리리이까[591]. 거짓말이 아니 되리이다. 백번(百番) 믿자오셔 내어 보내오소서. 좋도록 하오리이다."

하여늘, 또 대답 하오시되,

"여러 번 이리 하옵시니 설운 중에도 더욱 망극하고 선왕(先王)을 생각 하니 옛날에 나를 국모(國母)라 하시던 일을 생각하니 감격(感激)하

586 피접(避接): 병중(病中)에 자리를 옮기어서 요양함.

587 누기게: 원형은 '누기다'. '눅이다'의 옛말. (마음을)풀리게 함.

588 누를 탓이니: 본문에서는 대신들의 여론도 왕이 누르고 결정할 수 있음을 말함.

589 서문(西門): 서소문(西小門)을 가리킴. 죄인이나 시신을 내보내던 문.

590 보채어 없이 하여지라: 본문에는 '보채어 없이'로 되어 있다. 문맥상 뒤에 문장이 생략된 것 같아 〈계축일기〉의 같은 부분에 '업시하여지라'로 되어 있어 차용함이 옳을 것 같음.

591 끄리리이까: 원형은 '끄리다'. '좋도록 감싸다'의 옛말.

옵거니와, 다시옴[592] 대전도 생각하야 보소서. 사람이 자식(子息)을 두고도 하나 있나니 관귀(寬貴)히 여기거늘 두 어린 아린[593] 아해를 두고 선왕이 없아오시니, 그 때[594] 내 죽을 것이로되 살았음은 어린 아해를 정(情)에 바리고 죽지 못하야 붙어 있다가 오늘날 또 이런 일을 보니 대왕(大王)을 위하야 지금 죽지 아녔던 죄로소이다. 죽을 분[595]이언정 차마 혼자 내어보내고 살리이까. 날을 좇아 보내여든 한가지로 가리이다."
하옵시니, 또 하되,

"이 말씀이 그르옵시이다. 대군이 안에 있으면 오히려 조정이 노(怒)를 내어 죽여지라 할 것이니, 나는 전(殿)을 보오나 대군을 보나 하야도 좋은 일로 보고저 하옵더니, 마침내 듣지 아니 하오시니 나도 내 마음으로 못 하야 조정이 하는 대로 이제 내여 보내옵시면 살게 하오려니와 이리 막고 아니 내여 보내옵시면 사지 못 하오리이다."

시위인이며 모다 여짜오되,

"처음부터 흉한 마음을 내어 각색(各色) 마음으로 말을 내여 받아 여러 번 니라오니 마침내 이기오실 줄이 아니오니 좋을대로 대답하오소서."
하오니,

"내 차마 어찌 어린 아해를 내여 보낼꼬, 당초(當初)에 이런 일이 있을까 하야 내 먼저 죽으려 하였더니 늙은 내인들이 하 설워하며 나 곧 죽으면 내인을 하나도 살아 아니 둘것이니 오래 산 내인도 어엿비 여

---

592 다시옴: '다시금'의 옛말.
593 아린: 원형은 '아리다'. 상처나 살갗 따위가 찌르는 듯이 아프다.
594 그 때: 그 당시에. 본문에서는 선조가 승하한 때를 말함.
595 분: 본문에서는 '쁜'으로 필사되었으나 문맥상 〈계축일기〉의 '분'이 옳을 것 같아 고침. 분(分)은 분수(分數)의 줄인 말. 사람으로서 일정하게 이룰 수 있는 한계. 본문에서는 '아들(영창대군)이 죽을 운명이라면'으로 해석됨.

기라 하여늘 설음을 참아 살았다가, 아바님과 동생 죽이다 말 듣고 지금 살았으니, 또 어찌 대군을 내어주고 누를 믿어 살길이 있으리오. 빌어도 들을 길 없고, 내어 보내자니 차마 못 할 일이니, 천지간(天地間)에 이 설음이 어데 있으리오. 나는 차마 못 할노다."

하오시니, 사이의 내인에게 글월 써 보내되

"너희 전을 시위(侍衛)하야 각색(各色) 모책[596] 다 하다가 이리 나타나거든, 뉘 탓이라 하고 대군을 아니 내여 주나니"

하였거늘 사람이 산긔[597]하여 우해 여짜오되.

"각색 흉한 마음을 해포[598] 장(藏)하였다가 이제 대란(大亂)을 지어내어 내외 가문[599]과 내인을 다 내어 죽였삽고, 또 대군을 내라 하오니 망극(罔極)고 섧삽기야 어데다가 니라리이까마난, 하늘이 므삼 허물을 보셔 이런 애매(曖昧)한 일을 만나 오시게 하오되 돌아봄이 없아와 날로 망극한 말이 오니 이기지 못 하올 것이니, '문 밖에만 내어 주어지라.' 할 제 내어주오소서, 범은 만나 면할 법 있사오되 이 범은 면키 극히 어렵사오니 수이 허(許)하오사 모든 사람의 목숨을 잇자오소서."

하오니, 우히 더욱 애통망극(哀痛罔極) 하오심을 어데다가 비(比)길 곳이 있으리오. 또 내관으로 전어(傳語)하되,

"어서 내라 더대면 죄(罪) 오리라."

하여늘, 그제야 이기지 못 하오실줄 아오시고 대답하오시되,

"대군을 좋이 있게 하마 여러 번 말 부리시고 내전에서 속이지 말라 극진(極盡)이 저기 계시니 내해 설음을 어데 어흘[600]하여 말을 하리이까

596 모책(謀策): 교묘한 꾀, 계책(計策).
597 산긔(散氣): 의기가 없어짐, 힘이 없음, 기운을 잃음.
598 해포: 한 해가 조금 넘는 동안.
599 내외 가문(內外 家門): 본가(本家)와 외가(外家).
600 어흘: 원형은 '어흘하다'. '잡다'의 옛말.

마는, 대군을 선왕 유자(遺子)라 하사 천생[601] 제 나흘 안부[602]하여 살게 하마 하시니 이 말을 표[603]삼아 내어 보내려니와, 아바님과 동생을 죽였으니 설움을 측량하여 니라리이까. 이제 둘째 동생과 어린 동생이 살았다 하니, 마침내 이후 동생이나 살와주셔든 대군을 내어 보내리이다. 설이 죽인 중(中)에 절사[604]케나 마라소서 비나이다."

하오시니, 그제야 깃거[605] 대답하되,

"이후 동생으란 좋이 살게 하리이다. 대군을 수이 내어 보내소서. 종이며 기용(器用)이며 궐내(闕內)에 있던 대로 갖초아 보내시고, 생심(生心)도 다른 길로 나가다 하여 궐내에 있던 것을 덜어 보내지 마라소서. 더 정(定)하고 좋으리라. 날마다 안부(安否) 사람도 통(通)케 하리이다. 먹을 것도 보내고저 하시는 대로 보내오시고, 하고저 하시는 대로 일을 다 하오리이다."

하더라.

이리한 후의 이튿날 장정내관[606] 여라믄과 안으로서 사이문 열고 장정내인 둘·감찰 애옥[607]이·긋향이·은덕이·갑이 색장하인[608] 셋·무수리 둘·저믄[609] 내인 둘·예닐곱이 끌허오니[610] 우리 게 내인들은 하

601 천생(天生): 한 평생, 죽을 때까지.

602 안부(安扶): 평안히 부지하다, 편히 오래 사는 것.

603 표(標): 표본의 약칭, 증거로 삼는 것.

604 절사(絶嗣): 후세가 끊겨 대를 잇지 못함.

605 깃거: 원형은 '깃거하다'. '기뻐하다'의 옛말.

606 장정내관(壯丁內官): 힘이 센 젊은 내관.

607 애옥: 인조반정 직후 대비는 수난시절 악행을 행한 내인 40여 인을 죄 줄 것을 하교했다. 실록에는 '애옥'이 직접 거명되지 않았으나 『연려실기술』에는 중도부처(中途付處, 한 곳을 지정하여 머물게 하는 형벌)한 내인들 중에 이름이 있다. 『인조실록』 권1, 인조 원년(계해, 1623) 3월 25일(을묘). 『연려실기술』 권23, '중도부처된 사람들' 참조.

608 색장하인(色掌下人): 궐내에서 편지를 전하는 내인. 부록 '조선조 궁녀 제도' 참조.

두려 구석구석 들었더니, 그년들이 와서 침실에 올라앉으며 닐오되.

"무엇이 못 차며 무엇이 나빠 이런 일 하시는고. 대군곁에 천 없던가? 명례궁[611]에 천 없던가? 가만히 대비(大妃)로 대군 살았으면 어떠하여 이런 역모(逆謀)를 아해 알가마는 저즈렀거든 뉘 타시라 할꼬. 어서 내어 보내소."

하니, 말이 하 흉악하니 어찌 사람이 참아 들으리오. 말이 나지 아냐 잠잠코 있으니 또 저희 꾸짖고 닐오되,

"고지[612] 바로 들었으니 입이 아외여[613] 대답할 말이 있어야 아니 대답할까. 저리 답(答) 할 말이 없어 하시니 더욱 옳다. 이제 너희 내인들이 대군을 수이 나시게 하여야망정 행혀 더대 내어 주오시면 너희 내인의 겨레[614] 아오라[615] 죽일 거시니 알라."

하니, 우히 것마라[616] 죽어 우오시다가 인사를 찰히오셔 겟내인[617] 우두자[618] 너덧을 오라 하오사 니라오시되,

"너희도 사람이니 현마 나의 애매코 설워하는 줄을 모르다. 내 무신년(戊申年)에 죽지 아니코 살았기는 대전이 선왕 자[619]신가 하야 두 어

609 저믄: '젊은'의 옛말.

610 끌허오니: 몰려오니, 떼를 지어오다, 쏟아져 오다.

611 명례궁(明禮宮): 당시 경운궁에 있던 왕비의 토지를 관리하는 궁방(宮房)을 말함.

612 고지: '곧은', '바른'의 옛말.

613 아외여: 여럿이.

614 겨레: 겨레, '즉시(卽時)'의 옛말.

615 아오라: '아울러'의 옛말.

616 것마라: '까무라치다', '기절하다'의 옛말.

617 겟내인: '게'는 '거기'의 준말. '겟내인'은 '거기의 내인'이다. 본문에서는 '광해군 측의 내인'을 말함.

618 우두자: '우두'는 '머리'의 옛말. '우두자'는 단체나 조직의 장 또는 수령, 두목, 보스.

619 선왕 자: 선왕의 아들. 본문에서는 대비(仁穆王后)가 남편(선조)이 승하했을 때 죽지 않고 살았음은 지금의 임금이 선왕(선조)의 아들(광해군)이기에 믿었기 때문이라는 뜻임.

린 아해를 마침내 의탁(依託)하야 평안히 살릴까 하더니, 여러 해를 두고 하라도 평안 한 날이 없어 백가지로 근심하여 사더니, 흉적(凶賊)을 만나 천지간(天地間)에 용납(容納)지 못할 대악(大惡)의 말을 내게로 밀워 오니 하늘이 무지(無知)하사 이리 애매한 줄을 말을 아니시니 무슨 말을 하리오. 이위[620] 날을 다하다[621]하니 밖으로 아바님과 동생을 없이 하였고 안으로는 근시인(近侍人)을 다 내어 죽였으니, 이 어린 것의 몸에는 죄(罪) 미칠 일이 아니로되, 이제 또 대군을 내라 하니 내 네 알패[622]서 고대[623] 죽어 뵈야 차라리 이런 망극고 설운 일을 보지 말고저 싶으되, 대전이며 내전 말이 분명이 내 귀에 있고, 내인이 증인(證人)이 되였으니 현마 국모(國母)를 속이며, 범인(凡人)에게 다 살필 일이니 여러 번 정녕[624]한 말을 백번 믿고 대군을 내여 보내시니 두 저문 동생을 놓아 주시면 어마님을 뫼셔이셔 선조(先祖)의 제사(祭祀)를 잇게하야 대군을 내어 보내랴 하나니라. 이대로 대전과 내전의 내 말로 전하라."

하오시고, 따흘 허위여 애통하오시니 사람이 차마 어이 드라리오마는, 그년들은 무한[625] 말을 쾌(快)히 하되,

"이대도록 아니 하오시다 대전이야 얼현이 하오시리이까."

내어 보내기를 차마 못 하오셔 무한 애통 하오시되,

"하늘아 내 무삼 죄를 지었관대 이리 쉽게 하시는고."

하 우오시니, 비록 철석(鐵石)같은 마음인들 어찌 눈물이 아니 나리오

---

620 이위: 이미, 이왕, 이제.
621 날을 다하다: 날이 다하다, 끝이 나다, 남은 날이 없다.
622 알패: 원형은 '앒(前)'. '앞에'의 옛말.
623 고대: 즉시, 바로.
624 정녕(叮嚀): 정말로, 틀림없이.
625 무한(無限): 문맥상 〈계축일기〉의 '므흔'이 옳을 것 같음. '므흔'의 원형은 '므흐다'. '기구(崎嶇)하다', '험(險)하다'의 옛말.

마는 장정내인(壯丁內人)들이 낌낌이[626] 앉아서,

"너희가 울어 들리오면 대군을 아니 내어 보낼 것이니 좋은 낯으로 어서어서 들어 여짜와야만정, 행혀 설운 낯으로 가 여짜오면 다 죽게 하리라."

하니 눈물을 감초고 들어가 여짜오니,

"범의 입에 곁들었음[627]을 면(免)티 못하게 되였사오니 병(病) 드오신 본결이 지금 살아 계심은 우흘 전혀 믿어 계오셔 부원군(府院君) 뼈도 잘 못 간사하여 계오실 것이니, 두 오라버님이나 살와 주어든 제사(祭祀)나 잇게 하오시고, 설움을 저근듯[628] 참으샤 내어 보내소서."

하니, 날은 늦어가고 어서 내라 곰배님배[629] 재촉하니 안으로서 내인이 와 재촉하니, 하늘을 깨칠 힘이 있다 어찌 그 때 이기리오. 저근덧 늦어가니 그년들이 우리 시위인(侍衛人)을 꾸짖어,

"너희 이리하야 못 할 것이니 우리 들어가 대군을 아시[630] 가리라, 너희가 하나히나 살까 보자."

하고, 들이 다랄다시 하니, 어른 변 상궁(卞尙宮)이 다시 들어가 여짜오되,

"안밖이 장정(壯丁)을 보내었고 밖에는 금부[631] 하인(下人)이 쇠사슬을 들고 위립[632]하였고, 내인은 다려 가려하고 의녀(醫女) 지이[633] 대령(待令)

626 낌낌이: '틈틈이'의 옛말.

627 곁들었음: 한 자리에 덧붙여 어울리다. 본문에서는 이미 범의 입에 들은 것 같이 위험을 면할 수 없음을 말함.

628 저근듯: '잠깐', '잠시동안'의 옛말.

629 곰배님배: '자꾸자꾸', '앞 뒤 계속해서'의 옛말.

630 아사: 원형은 '앗다'. '빼앗다'의 옛말. 빼앗거나 가로채다.

631 금부(禁府): 의금부(義禁府), 왕명으로 죄인을 추국하고 정사(政事)를 관장하는 관아.

632 위립(圍立): 빙 둘러섬.

633 지이: 까지.

하였으니 우리 죽사옴은 쉽지 아니 하오되, 우히 믿으리 없이 이 한낱 늙은 것을 믿어 계오시고 소인(小人)도 우흘 믿자와 실 같자오신 옥체(玉體)를 행혀 불행(不幸)한 일을 보아도 소인이나 살았삽다가 정(情)으로 하옵고저 바라와 죽지 아니코 사랐삽더니, 대군 아기시를 저리 아니 내여 주오시니 이제야 죽을 곳을 아올소이다."

우히 니라오시되,

"너희는 내인인 고로 자식(子息)의 정을 모르는도다. 정에 차마 내어 주기를 못 할노다."

하시더라.

일변으로 대군 뫼신 내인이 달래되,

"사나흘만 피접(避接) 나갔다가 올 것이니 보선 신고, 웃 옷 입고, 날 좇아 가압세."

하니 니라시되,

"날을 죄인이라 하고 죄인 나드는 문(門)으로 내어 가려하니 죄인이 보선 신고 웃 옷 입어 쓸데없다."

하셔늘,

"뉘 니라옵던고[634]"

"남이 닐어 알까, 내 다 아네, 서문은 죄인 나드는 문이니 나도 죄인이라 하고 그 문 밖에다 가두랴 하신다."

하니,

"나와 누의님 조차 가면 가려니와 내 혼자는 못 갈노다."

하시니, 우흔 더욱 천지(天地) 망극(罔極)하야 우오시고, 어서 내라 재촉하며 사람 부려,

634 니라옵던고: 니르옵다, 알아듣거나 깨닫게 말하다.

"아니 내여 주시거든 내인을 다 잡아 내라."
발발[635] 재촉하야 보채더라. 대군 뫼신 김 상궁(金尙宮)은 겟내인이 잡아내며
"더욱 울고 아니 뫼셔나니 하옥(下獄)하라."
한다 하니,
"아모리 나가사이다. 이대도록 하되 저리 우라시고, 죄인의 문으로 나가라 하시니 아모리 아기내신들 내 이기지 못 하거든 어찌 이리 핍박[636]히 보채는고. 내 뫼셔 나갈 것이니 저근덧 물러서라."
하니, 날은 늦어가고 하 민망하야 힐난[637]하다가 못하야 우흔 정 상궁게 업삽고, 공주(公主) 아기시는 주 상궁이 업사왔고, 대군 아기시는 김 상궁이 업사왔으니 대군이 하시되,
"우과 누의님이 먼저 서시고 나난 뒤에 서거지라."
하셔늘,
"어찌 그리 하라 하시는고?"
하니,
"내 먼저 서면 날만 내고 다 아니 낼 것이니 나 보는 데서 나압사이다."
하시더라.

우흔 짓 의대[638]에 짓보[639] 덥삽고 두 아기시는 남보(藍褓) 덮어 각각 업사와 자비문(差備門)에 다다라더니 내관(內官) 십 여인이 문(門)에 엎

635 발발: '거듭'의 옛말. 한 것을 또 하는 것, 여러 번 반복.
636 핍박(逼迫): 형세가 매우 절박하도록 바싹 닥쳐 옴.
637 힐난(詰難): 트집을 잡아 거북할 만큼 따지고 듦.
638 짓 의대: '짓 의대'는 '거상의(居喪衣)'의 옛말. '거상'은 상(喪)중에 있음을 말함. '거상의'는 상중에 있는 옷으로 굵은 삼베로 지으며 바느질을 곱게 하지 않는다.
639 짓보: 생무명으로 만든 보자기.

대였다가[640]

"어서 내소서."

바야더니,[641] 우히 내관더러 니라시되,

"너희는 선왕의 녹(祿)을 오래 먹었으니 현마 어찌 참측[642]의 마음이 없을다. 사십여 년(四十餘年)을 정위[643]에 자식(子息)을 못 보아 계오시다가 병오년(丙午年)에 처음으로 대군을 보오시니 기쁘고 사랑하오심이 가이 없아시나, 당시(當時) 강보(襁褓)에 있으니 무삼 뜻을 두어 계오시리. 한갓 자라는 일만 듣고저 하오시다가 재천(在天)하오시니 내 기시(其時)에 재궁[644]으로 죽던들 오늘날 이 설음을 보랴. 이것이 내 죽지 아냐 살았던 죄(罪)라, 어린 아이 동서(東西)를 아지 못 하는 것을 잡아내니 조정(朝廷)이나 대간[645]이 선왕을 생각하면 이리 쉽게 하랴."

하시고 하 애통(哀痛)하오시니, 내관도 눈물을 씻으며 입을 열어 말을 못하고 한갓

"어서 내옵소서 우리라 모르리이까마는 이길 일이 아니라."

하더라.

공주 아기시 업사온 주 상궁의 다리를 은덕이 붙들고, 갑이는 우 업사온 내인의 다리를 붙들려 옮겨 드대게 하고, 대군(大君) 업사온 사람을 앞으로서 끄어내고 등을 밀쳐 문 밖에 내치고, 우리만 다 밀어 들이고 자비문짝을 닫으니 그 망극기 어떠하리오.

---

640 엎대였다가: 원형은 '업대다'. '엎드리다'의 옛말.
641 바야더니: 원형은 '바야다'. '재촉하다'의 옛말.
642 참측(慘惻): 몹시 슬퍼하는 것. 또는 그러한 모양.
643 정위(正位): 적당한 지위. 본문에서는 임금의 정실(正室) 비(妃)를 가리킴.
644 재궁(梓宮): 임금, 왕대비, 왕비, 왕세자들의 유해를 모시는 관(棺). 옛날 중국에서 가래나무로 만들어 썼으므로 이렇게 일컬음.
645 대간(臺諫): 사헌부(司憲府), 사간원(司諫院)의 벼슬.

대군 아기시는 문밖에 업혀 나셔서 업은 사람에게 머리를 브드이저 우르시며

"마마 보세."

하시다가 못 하야,

"누의님이나 보세."

하시고, 하 애를 써 설워 우라시니, 곡성(哭聲)이 천지진동(天地震動)하야 눈물이 따에 가득하니 사람이 눈 어두어 길을 모르너라.

아기시를 문밖에 내여다가 호위(護衛)며 화살·환도 찬 별장(別將)들이 위립(圍立)하야 가니, 그제야 울기를 그치고 머리를 숙여 자는다시 업혀 가시더라.

우흔 도로 들어와 계오셔 하늘을 웨여646 애통하오셔 여러번 기절(氣絶)하시고, 사람 없는 때 결항647도 하시며, 자결648도 하려 하샤 사람을 치우라 하시니, 변 상궁이 알고 주야(晝夜) 떠나지 아냐 서로 체번649하여 각색으로 위로하여 여짜오되,

"본곁이오나 우히오시나 본데 적선(積善)의 뜻을 먹사오사 사람 하나도 해(害)하시 니 없아온대 하늘이 무삼 허물을 보신지 이런 설운 일을 보오시니, 이 설움을 반다시 벗자 오실 것이오. 대군이 당시 열 살도 못 하시니 현마 이제 죽이오시이까? 문을 열면 자로 안부(安否)나 아니 듣자오시며, 우히 살아 계오셔야 본 곁 제사(祭祀)나 아니 거나리시나니이까? 늙삽신 본곁이 눌을 믿고 살아 계오시니이까? 아드님 위하야 고대 죽고저 하시나 부모에 불효가(不孝)되오시니 어마님을 보오사 손

646 웨여: 원형은 '웨다'. '외치다'의 옛말. 큰소리로 외쳐.
647 결항(結項): 목숨을 끊기 위하여 목을 매어 다는 일.
648 자결(自決): 자기가 자기 손으로 생명을 끊는 것. 자진(自盡), 자살(自殺).
649 체번(替番): 순번을 서로 번갈아 교대함.

조 죽고저 하심을 저기 풀어 먹사오사 저근덧 견데여 문이나 열거든 본곁을 만나 보오사 애매코 설운 말삼을 통하시고, 공주(公主) 자가[650] 도 일번 자손(子孫)이오시니 비록 따님이시나 이제 바리고 죽사오시면 어데가 눌을 의지(依支)하야 살으시며. 이제 지척[651]에 가 살으시면 당신(當身)이 자라신들 그 쉽기를 어데 그음[652]하시며 우흘 잡아 없이하옵고 누의님을 언제 조히 살게 하리이까, 이제 반다시 사특(邪慝)한 일을 하야 마자 없이 할 것이니, 우히 국모(國母)되야 계오사 두 자손(子孫) 두어 계오시던 일이 묻히고 방정역모(謗穽逆謀)를 하다가 발각(發覺)하여 일시(一時)에 죽으시다 하여 사책(史冊)에 쓰이올 것이니, 인간의 설운 일 견대기만 추추[653] 쉽사오시나 홋 일흠인들 아니 생각하시리이까. 이 어리고[654] 미욱한[655] 즘생 같은 소견(所見)에도 이러 하오니 상의(上意)에 애통을 참사오사 저기 누겨[656] 생각하야 보소서."

하오니,

"내라 무삼 혬이 없으며 악명(惡名)을 씻고저 아니랴마는 하 설워 애를 써 타는 듯 간장(肝臟)이 졸고 심간(心肝)에 불이 붙는 듯하니, 후일 생각이 없어서 이 인간을 여히고저[657]하야 손조 죽고저 하노라."

650 자가: 어원은 알 수 없으나 귀한 신분의 여성들에 대한 존칭. 『석보상절(釋譜詳節)』 등에는 보살이나 왕비를 가리키는 자기(自己)의 대명사로 쓰이기도 했으나 대체로 공주나 옹주, 후궁에게 바치는 '마누라' 다음의 존칭어로 쓰임. 본문에서는 공주를 가리킴. 〈계축일기〉에도 '공주 아기시'로 되어 있음.

651 지척(知戚): 고종(姑從), 이종(姨從), 외종(外從) 등 성(性)이 다른 겨레붙이의 관계.

652 그음: '한정(限定)'의 옛말. 본문에서는 '공주가 당할 설움이 끝이 없으며 어디에 가 말할 수 있겠는가'로 해석됨.

653 추추(啾啾): 벌레나 새 등이 처량하고 구슬프게 우는 소리. 구슬프고 처량함.

654 어리고: 원형은 '어리다'. '어리석다'의 옛말.

655 미욱한: 아둔하다, 사리에 밝지 못하다.

656 누겨: 눅다. 누그럽게, 마음을 너그럽게.

657 여히고저: 원형은 '여희다'. '여의다', '이별하다'의 옛말. 이별하고자.

하오시고, 촌각(寸刻)도 곡읍(哭泣)을 그치지 아니시며, 한때 식음(食飮)을 마시지 아니사 한갓 냉수(冷水)와 어름 뿐 마시시고, 날마다 어마님 안부 대군 안부를 문 여러 주어든 아라디라[658] 보채시되, 대군은 좋은 말로 달래여 가시매 하라 한 번식 내수사[659]로 안부만 니라라 하고, 자실 음식이나 내어 주면 금군[660] 군사 아오라[661] 낱낱이 펴 뒤여 보고 대전이 가져다가 쉬문[662]으로 들여보낸 후에야 대군께로 가져가더라.

이리 한 달 반만에 강화(江華)로 옮기되 니라도 아니코 늦도록 안부 사람도 아니 오거늘, 가장 수상이 여겨 새로이 근심하고 아기시께 보낼 실과(實果)며 고기를 싸고 담아 침실(寢室)에 놓고, 즐기시던 실과는 죠희 자루에 넣어 곁에 놓아두고,

"어찌 오늘은 지금 안부(安否)가 아니 오나니? 필연(必然) 연고(緣故)가 있도다. 아모려나 높은 데 올라 길이나 알고 오라."

하오셔늘, 전(殿)의 침실(寢室) 다락에 가 서서 다히를[663] 바라보니 사람이 새문성[664]을 둘렀고, 성(城) 우해 굿 볼재[665] 수(數)를 모르게 섰고, 화살차고 창(槍)·환도(還刀) 가진 이 무수(無數)하고 말 탄 사람도 무궁(無窮)히 많더라.

바라보되 종적(蹤迹)을 아지 못 하더니, 이윽고 검은 발로 덩[666]같은

658 아라디라: '디라'는 '것이라'의 옛말. 알고 싶다. '~지라'는 '~하고 싶다'의 뜻임.
659 내수사(內需司): 대궐의 곡물, 포목(布木), 잡물과 노비에 관한 일을 관장하던 관위(官衛).
660 금군(禁軍): 고려와 조선 시대에 궁중을 지키며 임금을 호위하고 경비하던 군대.
661 아오라: 아울러, 여럿이.
662 쉬문(搜問): 수소문(搜所聞). 세상에 떠도는 소문을 두루 찾아 살피는 것.
663 다히: 근처(近處). 편, 한 쪽.
664 새문성: 돈의문(敦義門)의 속칭. 서울 서쪽의 정문(正門)으로 사대문(四大門)의 하나. 사궐(四闕) 앞 조금 서쪽의 마루턱에 있었으나 지금은 헐리고 없음. 서대문. 새문이라고 통칭함.
665 굿 볼재: 구경하는 사람.

것을 메고 내인 두어히 말 타고 무롭고[667] 소래 이전(以前) 듣던 소래어늘 그제야 일정 죽이도다 여겨 나려와 여짜오되.

"아뫼동[668] 종적을 아지 못 하올너이다."

이리 여짜오나 설운 색(索)을 참지 못 할러라.

행낭(行廊)에 밧[669] 사람 통로(通路)하는 데 있더니 가만이 게[670] 가서 들으니,

"대군을 강화(江華)로 옮기니 불상타."

하거늘, 그제야 강화(江華)로 옮긴 줄 아니라 수일(數日) 지나되 안부가 오지 아니하고 강화(江華) 옮기다 말을 아니 하더니 우흔 내인을 보채오셔,

"어서 안부나 얻어 니라라."

하오신들 어데 가 얻어 들을 길 있으리오. 내관더러 니라시되,

"안부는 념(念) 아니하고 들으리라 하시더니, 이제 수일이오되 안부를 모르니 어데 가시며 어찌 언약(言約)과 다라니이꼬? 먹을 것으란 든 족족 보내라 하셔늘 인주[671]가 되야 속이시라 믿었더니 이제야 속이시니 갔는 곳이나 니라라."

하오시되, 대답도 아니터라.

대군이 아니 가 겨신 제 뫼신 김 상궁에게 업혀계셔 슬픔을 이기지 못 하여 울으시고.

---

666 덩: 공주(公主)나 옹주(翁主)가 타던 가마.

667 무롭고: 해독이 어려운 부분이다. 명쾌하지는 않지만 전후 문맥으로 보아 '물렀거라'라고 소리치는 것이 아닐까 생각됨.

668 아뫼동: 이 부분이 〈계축일기〉에는 '아모데온동'으로 되어 있어 문맥상 '어디인지', '어느 곳인지'로 해석함이 옳을 것 같음.

669 밧: 밖에, 궁외(宮外)를 말함.

670 게: 거기에, 그곳에.

671 인주(人主): 군왕, 나랏님.

"내 발 씻기나 목욕(沐浴) 감기나 하야지라."

하셔늘,

"아기시네도 목욕 감삽는가 못 하옵나니, 무사일 하랴 목욕 감아지라."

하시고,

"이리 설워 울으시는고."

하니, 느껴 가장 설워 울으시다가

"육월 스므 할리 언제뇨?"

하셔늘,

"날 알아 무엇 아올고."

"알 일 있어 묻노라."

하시고 더욱 설워 울으시거늘 좌우가 수상이 여겼더니 과연 육월 스므 하로날 내여 가니라, 정신이 기특하여 미리 알으시더라.

우흔 더욱 섧사오사 낫물[672]을 그치시고 주야 곡읍(哭泣)을 그치지 아니시더니, 하 권하오매 콩가루를하야 냉수에 풀어 지령종자[673]에 잡사오면, 그도 하루 한 번도 아니 잡사오니, 변 상궁이

"우람[674] 목 마르심을 적시고 우르소서."

하여야 두 번을 마시시더라.

계축년[675]부터 병진년[676]까지는 콩미시[677] 물에 프니만[678] 잡사 오시

672 낫물: 낟알 물. 곡기(穀氣).

673 지령종자: '간장종지'의 옛말.

674 우람: 울음.

675 계축년(癸丑年): 광해군 5년(1613).

676 병진년(丙辰年): 광해군 8년(1616).

677 콩미시: 콩미싯 가루, 콩을 볶아서 만든 가루.

678 프니만: 풀은 것만, 즉 콩 미싯가루 푼 것만.

니라.

"대군 기별을 알아지라."

문안(問安)오는 내관더러 아마리 닐너도 들은 체도 아니 하더라.

대개 안으로 장정내인(壯丁內人) 십 여인과 밖으로 장정내관(壯丁內官) 많이 보내기는 우히 대군을 다리시고 밖에 나가오실까 여겨, 내외(內外)에 쌓아서 밀어 들이치고 쫓아 내치고 문을 다 밀어 닫고 사잇문을 탱탱 닫고 구불가도의 말로 꾸짖고 가니라.

내인 아희들이 우나니 있으면 은덕이·갑이 꾸지자되,

"요년들아, 대군이 죽으나 사나 네 아롱곳가[679]. 네 아비 어미 죽거든 울고 대군 생각고란 우지마라. 우는 눈에 재 넣자"

하 꾸짖고 치니 사람이 다니지 못 하더라.

달이 되데 강화(江華) 옮기다 말을 아니 하거늘, 기별 들을 길 없어 더욱 망극(罔極)히 여겨 설워 하오시더라. 본곁이 죽어 계신동 사라 계신동 아지 못 하오셔 문안(問安) 내관더러,

"문(門) 열어 노모(老母)의 죽사리[680] 기별이나 듣고 죽게 하라."

비오시니 천 백 번(千 百 番) 하여도 대답 아니 하다가, 하 여러 번 하니 내관으로 와 꾸지자되,

"역적(逆賊)의 집이라 하는 것은 족멸(族滅)하고 못 파고 그 집을 못 살게 하는 것을, 내 견집(堅執)하여 집도 그저 있고 내수사(內需司)로서

679 아롱곳가: 아랑곳 할 것인가, 남의 일에 나서서 간섭이나 알려고 할 것인가.

680 죽사리: '죽살이'의 옛말. 생사(生死). 김제남이 사사당한 날에 그의 아내 노씨(盧氏)가 맨발로 대비가 거처하는 궁궐 담 밖에서 대비의 어린 시절 이름을 부르면서 '아비를 죽이는데 구해주지 않는가' 하며 울부짖었다. 그러자 상이 그의 집에 가두라고 명하였다. 그후 광해군 8년(병신, 1616) 최기의 옥에 연루되어 김제남을 다시 추형하고, 노씨는 제주도에서 8년 동안 안치되었었다. 부록 등장인물 '최기' 참조. 『광해군일기』 권67, 광해군 5년(계축, 1613) 6월 1일(무자) 참조.

양식(糧食) 숯 남글 드리거든, 어디 어즈러이681 문 열어 기별 들어지라 하시게 하니, 너희 내인들이 국국히682 앉아서, 어버의 기별 들어지라 보채니 이리 하는도다. 다시 이런 말 하면 죽일 것이니 다시 니라지 말라."

하더라.

또 이해 겨울에 문 열어 달라 날마다 내관에게 일러 보내오시니, 천번(千番)에 한 번도 대답 아니 하다가 내관을 전어(傳語)하되,

"그렇다 한 해 두 해 닫아 두며 삼년(三年) 닫아 두랴. 못 잡은 죄인(罪人) 박치의683를 마자 잡고 문을 열마."

하였더라.

탄일(誕日)이 다다라 내전(內殿)에서 별문안(別問安) 내관을 부렸거늘 대답하시되,

"옛날 양자684 보던 일을 생각하시니 감격(感激) 하거니와 나도 사람이오. 전(殿)도 사람이시니 인정(人情)은 다 한 가지니이다. 온갖 일을 다 날을 하다 하고 어버이 동생이며 내인을 다 내여 죽였고, 대군을 마자 내어다가 아모데 갔다 말도 듣지 못하연지 하마 반년(半年)이 되었으니, 설움을 비길 곳 없으되 모진 목숨이 죽지 못 하야 살아서 노모

---

681 어즈러이: 원형은 '어즈럽다'. '어지러이', '번거롭게'의 옛말. 전일 선조는 영창대군을 사랑하여 재산을 많이 주었다. 대비가 김제남에게 관리하도록 하였는데 그가 패하자 나졸과 간사한 백성들이 다투어 재물을 가져갔으며 관청에서도 그의 집을 몰수하였다. 어머니 노씨는 노비 하나만을 데리고 집을 부수어 밥을 해 먹고, 도성사람들 중엔 이를 불쌍히 여겨 밤에 몰래 쌀과 간장을 주었기에 살아갈 수 있었다 한다. 『광해군일기』 권67, 광해군 5년(계축, 1613) 6월 1일(무자); 『연려실기술』 권21, 최기(崔沂)의 '해주옥사' 참조.

682 국국히: 국국(鞠鞠), 존경하는 뜻으로 정중하게 몸을 굽히는 것.

683 박치의(朴致毅): 조령에서 은상인(銀商人) 타살사건을 일으킨 도적의 한 사람. 부록 등장인물 참조.

684 양자(樣子): 얼굴의 생긴 모양.

(老母)의 안부(安否)나 듣고 죽고저 주야(晝夜)에 바라니 문을 열어 조 쿠즌[685] 안부나 알게 주선(周旋)하여 잠은 문을 열어 주시면 지하(地下)에 가도 잊지 못 하고 죽어도 눈을 감고 죽으리이다."
하시니, 대답도 아니 하더라.

이 해 정초(正初)가 다다라더니 문안내관(問安內官)에게 또 이토록 하시되 대답도 아니 하더라.

내인이란 것은 본대 자고(自古)로 구의[686] 일만 하고 밖 어버이 동생이 제 제사(諸事)는 돌아보는 것이라. 거의 해 지나되 문 열 그음을 몰라 답답 민망(憫惘)하야 저희 입성[687]의 것도 당초(當初)의 죽을동 살동 몰라 행혀 불행(不幸)한 일 있어 저희 거사로나[688] 죽음을 싸게 하랴 하고, 우히 대군과 한가지로 죽으려 하오시고 생사(生死)를 아지 못 하여 행여 입은 것 외에 다 내여 보내였더니, 사태(事態)를 헤아리니 상하(上下)에 손조 죽음이 가(可)치 아냐 일시에 다 살았으니, 해 포되어 가매하 민망 하야 자비문(差備門) 내관에게 모든 내인이 아모리 빌어도 한 옷도 찾아 줄 세 없어 내인들이 구석구석에서 울거늘, 나라해서 모든 내인들 입을 것 주시고,

"져근덧 견데라. 나도 나라히 되여서 남에게 잡힌 배 되어 하루 두어 때 본결 안부를 알고, 일시(一時)를 떠나지 아니코 주야를 내 곁에 있던 대군을 내어 주었으니, 져근덧 너희도 답답함을 견대고 어자러이 내관다러 통(通)치 말라. 행여 알 길이 있으면 이리 철통같이[689] 한쪽

685 조 쿠즌: 좋고 궂은, 좋으며 언짢은 일 등의 소식을 알고 싶다는 뜻임.
686 구의: 원형은 '구위'. '관청'의 옛말. 본문에서는 궁궐에서 자신에게 맡겨진 소임을 말함.
687 입성: '옷'의 옛말.
688 저희 거사로나: '저희'는 '자기들'의 옛말. 자기들 것으로나.
689 철통(鐵桶)같이: 쇠로 만든 통과 같이 조금도 빈틈이 없이 튼튼하다. 본문에서는 인

기별(奇別)도 못 듣고 설워하는 줄은 모르고 상하(上下)에 기별이나 듣고 조히 있는가 여겨 범의 위엄(威嚴)을 더욱 낼 것이니, 조심하여 살고 틈질[690]하야 기별(奇別) 들어지라 말라."

백번 당보(當否)하시니,

"아니 하오리이다."

하더라.

그래도 견대지 못하야 외행낭(外行廊)의 큰 대문(大門)이 있어 본디 닫은 문이로되 군사(軍士)가 지키어서 빙청[691] 뜰이 사뭇 뵈는 데러니 혹 아비[692] 구실[693] 다니는 양(樣)을 보되 전(傳)할 길 없어 세월(歲月)을 지내더라.

당초(當初)의 환난(患難)을 념(念)밖에 만나 오시니 정전(正殿)에 계오시지 못하야 후궁의 방 입접처 한 가이러니[694] 올마[695] 거적을 깔고 본 곁 상중(喪中)과 망극하심을 지내시더라.

내인 중환[696]과 경춘[697]이란 하인은 입궐(入闕)하야 사더니 경춘은 의

목대비 측을 철저하게 외부와 단절시켰음을 말함.

690 틈질: 틈타다, 기회를 보아서.

691 빙청(賓廳): 궁중어 아음(牙音)에 의하여 '빈청'을 '빙청'으로 발음함. 빈청은 조선 시대에 궁중에 있던 비변사(備邊司)의 회의실. 조선 시대에 영의정·좌의정·우의정이 집무하던 곳.

692 아비(衙婢): 조선 시대에 각 고을을 맡아 다스리던 수령(守令 관찰사·목사·부사 군수 등)이 사사로이 부리던 계집종.

693 구실: 문맥상 수령의 노비인 아비가 자신이 맡은 심부름을 하기 위해 궁궐 안에서 다니는 모습으로 해석함이 옳을 것 같음.

694 후궁(後宮)의 방 입접처(入接處) 한 가이러니: 〈계축일기〉에는 필사상태가 나쁘지만 '후궁 정빙 입궁처'라고 되어 있다. 선조는 2명의 왕후와 6명의 후궁 중 2명의 정빈(靜嬪 閔氏[2남 3녀], 貞嬪 洪氏[1남 1녀])이 있었는데 그 중, 정빈 민씨에 대한 기록은 알 수 없고 정빈 홍씨는 병자호란 중에 죽었다는 기록이 있다. 본문에서 '정빈 입궁처'는 정빈 민씨나 정빈 홍씨의 처소를 가리키는 것으로 생각됨.

695 올마: 올미 풀.

인왕후(懿仁王后) 본결 종[698]이니 혼전(魂殿) 삼년 후에 침실 상궁이 여짭고 드렸더니 늙은 내인들은 하되,

"전(前) 본결 종이니 이제 근측(近側)한 구실 맡김이 가치 아니타."

하니, 우히 듣자 오시고.

"무식한 말이로다. 나라히 되여서 내 종 전 종을 달리 헤랴. 의인(懿仁) 본결이 본대 용[699] 하시다 들었고 의인이 용하시더라 들었으니, 항거시[700] 용한 즉 종도 용타 들었노라. 비록 하인이나 숙직(肅直)함이 제일이니 예와 이제를 차리지 말고 부리라."

하셔늘, 침간(寢間)에 불 짓는 소임(所任)을 시켰더니, 중환은 각사 사람으로서 아해제 대궐(大闕) 들어서 제 뜻이 용치 못하매[701] 여러 번 영출[702] 하였더니 도로 경춘과 한 소임을 하였으나, 중환은 옛 하인이라

---

696 중환(中還): 의인왕후의 시인(侍人)이었으나 왕후 승하 후 대비전에서 시위했다. 그녀는 인목대비가 대전(광해군)과 동궁을 저주하기 위해 기도하고, 영창대군을 구하기 위해 편지를 보냈다고 고하여 많은 사람이 희생되었다. 『광해군일기』 권74, 광해군 6년(갑인, 1614) 1월 21일(갑술) 참조.

697 경춘: 선조의 초비 의인왕후가 입궁 때에 본가에서 데려온 종으로 의인왕후 승하 후 영창대군 처소로 옮겼다. 박동량에 의하면 정미년 10월 선조의 병환이 위독했을 때 경춘이가 박동언(朴東彦)의 집에 와 그의 처에게 대군 궁방의 사람들은 선조 병환의 원인을 의인황후에게 돌려 유릉에 저주한 사실을 구체적으로 전하였다. 그 후 일명 '박동량 초사'라 하는 큰 옥사를 일으키게 했다. 『광해군일기』 권66, 광해군 5년(계축, 1613) 5월 16일(계유) 참조. 『광해군일기』에는 그 후 옥사가 진행되는 과정이 다음과 같이 기록되었다. "왕이 친히 국문하여 나인 경춘(景春)을 나문하였다. 전교하기를, '경춘은 곧 박동량이 끌어 댄, 유릉(裕陵)의 저주를 알고 고해준 자이다. 그 무당의 이름을 물어보도록 하라.' 하였는데, 공초에 알지 못한다고 하였다. 왕이 경춘은 저주를 처음 고해준 자라 하여 수갑이나 칼도 씌우지 않고 하옥시키지도 않았다." 『광해군일기』 권68, 광해군 5년(계축, 1613) 7월 3일(기미).

698 본결 종: 비(妃)나 빈(嬪)이 입궐할 때에 본가(친정)에서 데리고 들어오는 종.

699 용: 용(庸)하다. 성질이 어질고 순하다.

700 항거시: 원형은 '항것', '주인', '상전(上典)의 옛말.

701 용치 못하매: 재주가 뛰어나거나 특이하지 않다.

702 영출(令出): 명령으로 나가다.

하고 침실 불 짓는 소임을 하였고, 덕복은 시지[703] 본겯 하인이라 도상직방[704] 불 짓기를 정(定)하였음에 옛 하인들은 하되.

"너모 사람을 믿어 저리 하시니, 어지오시고 오히려 넘사오시니 예부터 아니 할 일이라."

하더라. 아직 보매 흉한 일은 아니 하는가 여기더라.

중환이 제 오라비 인위조[705]에 들어 여러 해 형추[706]하매, 대전을 원(怨)하야 원악[707]을 이기지 못 하야 공연(空然)이 원망(怨望)의 말을 하면, 듣는 자가 번거타[708] 하야 생심도 그런 말 말라 하더니, 원망하는 줄 알고 가히라서[709] 다려다가 우리고[710] 달래여 가장 은근이 말하야 정(情)을 있게 한 후,

"너는 내 니라는 말 들으면 네 오라비는 살와 주마."

언약(言約)한 후에야 진상(進上) 수라(水刺) 바리[711]를 도적(盜賊)하야 가히(介屎)를 주닸더라.

임자[712] 유월 십팔일이 왕자 경평군[713]의 생일(生日)이라 소주방[714] 하

703 시지(時只): 현재, 지금.

704 도상직방(都常直房): 도제조조방(都提調朝房). 도상은 도제조(都提調)의 다른 이름임. 조방(朝房)은 조신(朝臣)들이 조회(朝會) 때를 기다리느라고 모여 있는 집으로 궁궐 밖에 있음.

705 인위조(印僞造): 인장을 위조하는 일.

706 형추(刑推): 형장(刑杖)으로 정강이를 때려가면서 신문하는 일.

707 원악(元惡): 악한 일에 주모(主謀)가 되는 사람. 매우 악한 사람.

708 번거타: 번거롭다.

709 가히(介屎)라서: '~라서'는 '~이란 것이'라는 뜻임. 가히란 것이.

710 우리고: 원형은 '우리다'. 달래거나 위협하여 원하는 것을 얻음.

711 바리: 왕이나 왕비의 밥그릇. '바리'란 주발보다 위쪽이 좁고 우묵한 모양이며 뚜껑에 꼭지가 있음.

712 임자(壬子): 광해군 4년(1612).

713 경평군(慶平君): 선조의 11남(?~1673년). 온빈한씨(溫嬪韓氏)의 소생. 삭녕 최씨 윤조의 딸에게 장가들어 아들 1명을 얻었고, 첩에게서 3남 2녀를 두었다.

인이 진지(進支) 받으러 갈 사이에 중환은 망(望)보고 경춘은 잠은 창 골희[715]를 틀고 바리를 내어다가 가히를 주다. 오란[716] 사람은 숙숙여[717]

"중환 · 경춘이 한 배[718]라."

하되, 침실 상궁들은 의심 아니하매 뉘 말을 내리오. 본디 제 동생의 일로 원(怨)하는 사람이오. 경춘은 더욱 상궁을 보아도 꾸러 뵈고[719] 고개를 추드러[720] 말을 아니코 밖에 소리를 내지 아니매 뉘 저를 의심하리오.

복자(卜者)에게 잃은 것을 물으니,

"양자가 밤 불디라고[721] 남과 말도 아니 하는 사람이 품어다가 잠은 곳에 두었으니 얻기 가장 어렵다."

하거늘, 모다 니라되,

"경춘이 낫치 저라니 그 가져갔다."

하되, 채[722] 고지듣지 아냐,

"경춘이 애꿎다[723]."

하더라.

---

714 소주방(燒廚房): 대궐의 음식을 만드는 곳. 부록 '조선조 궁녀 제도' 참조.
715 골희: '고리'의 옛말.
716 오란: 오랜, 계속.
717 숙숙여: 수근 수근.
718 한 배: 한통속. 한편.
719 꾸러 뵈고: '꾸러'는 '꿇다'의 옛말. 본문에서 경춘이는 평소에 상궁만 보아도 무릎을 구부려 바닥에 대듯이 인사하였기에 매우 순진한 것으로 생각하였음을 말함.
720 추드러: 추켜들다, 위로들다, 들어올리다.
721 밤 불디라고: 빰이 불그레하고.
722 채: 미처, 아직, 아직 이르지 못한 상태.
723 애꿎다: '애매하다, 억울하다'의 옛말.

저희는 모르는 일을 즐겨 밤마다 사잇문을 가만히 열고 가서 우히 오시며[724] 아기시네 하오시며 내인의 밥 떠 먹는 일을 다 가히 더러 이리이리 한 후에야 제 오라비를 즉시 놓으니라.

우리는 저리 절히[725] 사괴여 다니는 줄을 아지 못 하였더니, 계축년(癸丑年) 난(亂) 나매 저는 저리 될 줄 알고 가히 복심[726]이 되었으나, 우리 보는 데는 남의 유[727]에 더욱 설워 따흘 허위고[728] 설워하는 형상(形狀)을 하매, 파벌의대[729]를 다 주고 상궁네 울고 닐오되,

"너희 둘을 우리 각별이 여김은 의인(懿仁) 마노라 종이오. 중환이는 아해적부터 보던 것이니 너희는 살 것이니, 우리 없어도 아기시 즐기시던 실과(實果)나 명일(名日)이러든 생각하야 놓자와라"

하니 둘이 울고,

"이리 아니 니라옵시다 어련히 생각 하리이까."

하더라. 속에는 칼을 찬 마음을 장(藏)하고 밖으로는 설워 하는 체하니 믿어 하더라.

임자(壬子) 사월의 내인들이 모다 잔채 하야 먹으며 그 전(殿) 내인들을 청(請)하니, 두엇은 순히 오고 가히는 병(病) 탈하고 아니 오더라.

삼경(三更)은 하여 혼자 가만히 침실 곁에 소주방(燒廚房)에 들어 왔으되, 낡은 견막이[730] 입고 족두리[731] 드리[732] 그어 쓰고[733] 소리 없은

724 오시며: 옷을 입으신 모습 등 시시콜콜하게 말함.
725 절히: 친절히, 가까이.
726 복심(腹心): 심복지인(心腹之人)의 준말. 마음 놓고 믿을 수 있는 부하.
727 유: 류(類), 명사 밑에 붙어서 같은 것을 가리키는 접미사.
728 따흘 허위고: '따'는 '땅'의 옛말. '허위다'는 '후뷔다'의 옛말. 땅을 후비다.
729 파벌의대: '파(擺)'는 '벌려놓음', '진열함'의 뜻이 있고 '벌'은 옷, 그릇 등이 짝을 이루거나 여러 가지 한데 모여 갖추어진 한 덩이를 말하다. '의대(衣帶)'는 '옷과 띠'라는 뜻으로 갖추어 입는 옷차림을 말함. 문맥상 '파벌의대'는 '입고 있는 옷 외에 진열해 두었던 여러 벌의 옷을 다 주었다'고 해석할 수 있음.

것 신고, 소주방의 들어서 가만히 나서 침실로 들어 갈 마대에,[734] 마혀[735] 김 상궁이 소변(小便)보라 나와서 침실 다히[736] 하 고요하거늘 남의 전(殿) 사람도 많이 왔으니 행여 잡하인(雜下人)이 들어갈까 여겨 침실로 드러 가 보려 하니, 가희(介屎)라서 김 상궁을 보고 놀라 피(避)하려 애를 쓰되, 문 안에 들어가 근측(近側) 한데 매피[737]할 곳을 모르고 가만히 고개를 숙이고 지게[738] 뒤흐로 낯을 향하고 브드드 떨고 섰거는, 김 상궁이 하 무서워 나아 들지 못하되, 그러나 당돌(唐突)한 마음을 먹어 나아 들어가.

"자네 뉘신고."

여러 번 물으되 대답 아니 하고 하 떨거늘, 발서 가히(介屎) 소린 줄 알고 드립떠[739] 손을 잡으며

"자네 뉘신고."

하 여러 번 물으니 그저야 대답 하야늘,

"상궁이신가?"

"에 내로세."

하여늘,

---

730 견막이: 여자가 예복으로 입는 저고리의 한 가지. 초록이나 노랑 바탕에 자주 겨드랑이, 자주 깃, 자주 고름, 자주 끝동을 단 옷. 견마기. 당의(唐衣)보다 격이 낮음.
731 족두리(簇頭里): 부인네가 예복을 입을 때 머리에 쓰는 관(冠).
732 드리: 드리우다.
733 그어쓰고: '끌어 쓰고'의 옛말.
734 마대에: 찰라, 경우, 때.
735 마혀: 마침.
736 침실 다히: '다히'는 '~편'의 옛말. 침실 편에. 침실 쪽에.
737 매피(埋避): 숨어서 그 거취(去就)를 감추는 일.
738 지게: '지게문'의 준말. 밖에서 방으로 드나드는 외짝 문.
739 드립떠: 드립다. 냅다. 몹시 빠르고 세찬 모양.

"어찌 와 계신고?"

"데와[740] 굿 보러 왔더니."

하더라.

잡아도 고(告)할 곳이 없고 두 전[741] 사이에 어자러올 뿐이로다 하고 짐짓 놓아 보내며,

"알파 못 가노라 하셔늘 섭섭하여 하더니 굿 보고 가시니 기꺼하네."

하고 놓아 보내니라.

손목을 잡아신 제 산 고기 낢뜨듯[742]하더라.

이 말을 김 상궁이 일절(一切) 입 밖에 내지 아니 하고 남 모르는 근심을 하되, 대군이 나시매부터는 더욱 헛말 지어내니, 상하(上下)에 주야 근심으로 지내더니 임자년(壬子年)에 괘방[743] 한 일로 후는 대군 미워함이 더욱 심하더라.

두 대궐(大闕) 사이문을 잠가 두고 열적이면 내관이 열어야 조석(朝夕) 문안(問安) 상궁이 다니더라. 그러매 틈을 타서 대군을 자객[744]하려 하더니 대군이 침실에서 자시니 못 하여 방정(謗穽)을 하고 가댰더라.

이후부터 소주방 마루 아래서 아희 소래로 슬피 울고 한숨 소래 하나니, 저녁때면 그 다히[745] 사람이 차마 들어가지 못 하며 일절 들은 체 아니하고, 아희들이 무서워한다 하야든 돗갑이[746]나 있도다 하고 서

740 데와: '저기'의 옛말. 저곳. 이곳에 와서.

741 두 전(兩殿): 본문에서는 광해군과 인목대비 측을 말함.

742 낢뜨듯: 날뛰듯. 날고 뛰다.

743 괘방(掛榜): 명령이나 법령을 붙여 일반에게 보이는 것. 이름을 숨기고 글을 써 붙이는 것.

744 자객(刺客): 사람을 몰래 찔러 죽이려는 사람.

745 그 다히: '그 쪽에'. '그 계신 곳'의 옛말. 본문에서는 영창대군이 계신 곳을 말함.

746 돗갑이: '도깨비'의 옛말.

기고[747] 사더라. 중환이 경춘이 한 마음으로 와서 그리 하돴더라.

제 집에서 방정을 하여 놓아두고 우리를 향하야 대란(大亂)을 지어 내돴더라. 저희는 중환이 경춘이를 은혜(恩惠)를 많이 끼쳐 두고 각색 노릇을 다 하였거니와, 우리는 남 해(害)할 뜻이 없고 사정(事情)의 후 사정(事情)을 알리도 없고 그 전(殿) 침실 기슭도 알지 못 하더니라.

계축(癸丑) 동지달에 중환이 하되,

"내 오라비 해포 중죄(重罪)에 드러신 제 어진 중이 닐오되, 소재경[748]과 다지파축[749]을 읽으면 그 가도인[750] 일도 풀어지고 죽을 죄도 풀어지고 자문 문도 수이 열리고 대소액[751]이 다 벗어난다 하여늘, 옥중(獄中)에 들어서 매양(每樣) 읽으니 그 덕(德)을 입은지라 아니 크니이까마난 이제 살아서 놓였으니 이 일과 다르나 대군이나 행여 살아나시고 닫은 문이나 수이 여라셔든 가만이 손 들고 앉았나니 정성하고 긔나[752] 하야 보옵소."

하거늘, 들으매 우이[753] 여겼더니 기중의 심 상궁이 과연이 여겨,

---

747 서기고: 원형은 '서기다'. '속이다'의 옛말. 속이고.

748 소재경: '사자경(師子經)'으로 생각됨. 중앙함경의 제18경. 부처님이 니건(尼乾) 즉 니간타의 제자인 사자에게 사람들의 근기와 상황에 따라 법을 설치하기 때문에 불법을 불가작(不可作), 단멸(斷滅), 가오(可惡), 법률(法律), 고행(苦行), 불입어태(不入於胎), 안온(安穩) 등의 표현으로 비방할 수 없다고 설한 경전임. 잡아함경에도 파이피만이라는 악마가 비방하려고 하자 부처님의 게송(偈頌)으로 악마가 물러났다고 한 것으로 보아 비방을 물리치는 경전인 것 같음.

749 다지파축: '다리니파축'으로 생각됨. 다라니(dharani)라는 말은 부처가 가르친 법문을 번역하지 아니하고 음(音) 그대로 외는 일, 자체에 무궁한 뜻이 있어 이를 외는 사람은 한없는 기억력을 얻고, 모든 재액에서 벗어나는 등 많은 공덕을 받는다 하여 조선시대에 널리 유통된 밀교 계통의 경전.

750 가도인: '가도'의 원형은 '가도다'. '가두다', '갇히다'의 옛말. 본문에서는 일들이 순조롭게 풀리지 않음을 말함.

751 대소액(大小厄): 크고 작은 모질고 사나운 운수.

752 긔나: 원형은 '긔다'. '기다'의 옛말. '기다'는 '그것이다'의 준말. 그것이나.

"이 경(經)을 읽어지라."

하거늘, 우히 말려 니라오시되.

"경(經)이란 것은 사람이 지극(至極)히 공순하고 적정[754] 하여야 덕(德)을 입는다 하는데, 이는 모든 사람이 살란(散亂)하고 내 주야에 곡읍(哭泣)에 잠겨 마음을 버히난듯 설워 하거든, 뉘 마음에 드려 경을 읽으리, 말라."

하오시니,

"전교(傳敎)가 마땅은 하옵거니와 덕(德)을 입어 수이 문을 열고 아기시와 본곁 기별(奇別)을 수이 얻어 듣자오셔도 앉아서 괴로이 노나니 읽어지라."

하 여러 번 청하오니,

"너희까지 하라."

하오시다.

들어 계오신 데는 자비[755] 가까와 더럽고 요란(搖亂)하매, 대군 들어시던 집이 적정(寂靜)하고 인적(人跡)이 없은 데라 중환의 입을 받아 언서(諺書)로 써 가지고 게 가[756] 이경을 읽더니, 도로혀 흉(兇)한 마음을 두어 고(告)할 뜻을 품어서 틈을 못 얻어 하더니, 제 오라비 세자궁(世子宮) 촉 빛[757]이러니 마양 닫은 문으로 와서 제 누의 기별 들으려고 지내어 다니더니 틈을 여어 보고[758] 밤에 군사 없은 데 주고 사괴여 제

753 우이: 원형은 '우이다'. '우습다'의 옛말. 우습게.

754 적정(寂靜): 몸과 마음이 흔들리지 않고 아주 고요함.

755 자비: '차비(差備)'의 변한 말. '차비'는 임금이 평소에 거처하는 편전(便殿)을 말함. 본문에서는 '편전의 앞문' 즉 '차비문'을 말함. 여기서는 정전(正殿)의 입구 같은 곳. 그곳의 문은 자비문. '차비'로 읽으면 '준비'란 뜻.

756 게 가: 영창대군 처소가 조용하므로 그곳에 경을 읽으러 감.

757 촉 빛(燭色): 대궐의 등촉을 도맡은 내인. '색(色)'은 '빛'이라 발음하고 임무를 담당한 사람을 의미함.

오라비를 불러다가 각 말 다 하고 글월 써 가히(介屎)게 보내되,

"사이 문으로 오면 여기 하는 말 다 니라마."

하닸더라.

기별을 못 들어 민망(憫惘)하여 하더니 밤중만 문을 열고 와서 가히 중환이를 달래되,

"하는 일을 자시 이르면 너를 먼저 나가게 하리라."

하니, 요공[759]하려 하되 할 일이 없어 하다가 밤중만 문으로 제 가라친 경(經) 읽는 줄 니라고,

"시지(時只) 대비(大妃) 마노라 친히 천제(天祭)하여 대전(大殿)을 죽으라 비오신다."

이리 하닸더라.

할고저[760] 가히. 은덕이 동궁(東宮) 무수리 업난이를 다려다가 그 경 읽는데를 가라쳐 뵈되, 우히 친히 나가 오신 줄이 없고 행여 경 읽는 일에 잡아다 주기를 못하여 아모 말이나 얻어 남았는 내인을 마자 없이하고 우흘 혼자 두오와 애 써 죽사오시게 하려고 작[761]하였으나, 잡을 말을 못 얻어 애 쓰더라.

이해 섣달에 중환이 문 상궁(文尙宮)더러 닐오되,

"가만히 오라비를 불러 어미 안부나 들었더니 행여 동생의 안부나 알고저 하실까 이리 하니 한닷 소문(所聞) 나면 쓸가 상궁만 알고 글월 하여 주옵소."

하니, 그 상궁이 본데 남을 믿더니 중환이와는 평일(平日)적부터 어엿

---

758 여어 보고: '엿보다'의 옛말.

759 요공(要功): 자기가 베푼 공을 남이 칭찬 해 주기를 바람.

760 할고저: '참소(讒訴)하고저'의 옛말. 남을 헐뜯어 없는 죄를 있는 것처럼 꾸며서 고해바침.

761 작(酌): '수작(酬酌)'의 준말. 서로 말을 주고 받음.

비 여겨 제 오라비 옥(獄)에 들었을제 양찬[762]이며 입을 것이며 주니 은혜(恩惠) 중(重)하매 중환이 니라되,

"상궁 은혜 지하(地下)에 가도 잊지 못할 은혜니 어찌 갑사올꼬."

하는 사이러니, 이러매 의심 아니 하고 오라비 문득람[763]에게 글월을 써 주니 즉시 답장(答狀) 받아다가 주더라.

감찰상궁(監察尙宮)의 종 부전(富田)과 천복(天福)의 종 음덕(우음덕)과 중환의 심복(心腹)이 되어 한가지로 공(功)일워 나가려고 작[764]하여 주야에 한가지로 하며, 아모 일이라도 보았다하면 중환은 듣고 밤이면 담 너머가 통(通)하니 들어 계오신 데는 동녘이오 뫼히[765] 중환 들었는 데는 서남간(西南間) 행낭(行廊)이오. 남의 전으로 통하는 데는 서녘(西域) 뫼히러니 동서가 서로 아오라[766]하고 사람이 여럿이 가 죽었으니 궁중(宮中)이 비어 밤이면 인적(人跡)이 그처 만군(萬軍)이 들어와 돌아도 알 길 없더라.

중환의 행지[767]를 보니 점점 수상하고 나라를 향하야 원망(怨望)도 하고 하옥(下獄)하여 가는 내인 향하여 생각 말라 꾸짖아되,

"좋이 살았지 못하여 이런 큰일을 하여 설운 일을 보다 뉘 탓일고."

하더라.

이리 하고서는 문 상궁과도 자약[768]히 들어다니되 그 상궁은 의심(疑心)을 아니 하고 남이 중환을 불패[769]에 뜻 먹었다 니라면,

---

762 양찬(糧饌): 양식과 반찬.

763 문득람(文得覽): 문 상궁의 오빠. 대비 측에서 강화의 영창대군에게 보낸 편지 사건에 연루되어 여러 차례 형벌을 받았으나 자복하지 않은 채 사사됨.

764 작: 짝. 한패.

765 동녘이오 뫼히: 동쪽의 모퉁이, 동쪽의 구석.

766 아오라: 원형은 '아오다'. '아울다'의 옛말. 아울러.

767 행지(行止): 행동거지(行動擧止)의 준말. 몸을 움직여 하는 모든 것.

768 자약(自若): 큰일을 당하여도 당황함이 없이 기객이 평상시와 같고 침착함.

"그 사람이 그런 뜻 먹을 줄 없은 것을 남이 뮈워 저리 니란다."
하더라.

중환이 또 문 상궁더러 달래되

"방씨[770]는 전(殿)에 가서 좋이 살았고 제 오라비[771] 대전별감[772] 하였으니 대군 가신 데도 갔다 하니 기별 듣기 아니 쉽사올가."

상궁이 하되,

"무서워 뉘 그 다히[773]를 통하리."
하니,

"내 오라비로 통하마."
하거늘, 아기시 안부 알아지라 하고 글월 써 주고 여짜오되,

"가장 밋븐[774] 용한[775] 길로 아기시 안부 알라 하시니 오리이다."
하니,

"뉘 그리 하였나니"
하오시니,

"중환의 오라비 가져 시녀(侍女) 애일(愛一)에게로 갔나이다."

---

769 불패(不怕): '불패천불외지(不怕天不畏地)'의 뜻. 즉, 하늘과 땅을 두려워하지 않음. 두려운 것이 없이 방자함.

770 방씨(方氏): 본문의 '애일'을 가리킴. 『광해군일기』에는 '의일(義一)'로 되어 있음.

771 제 오라비: 방신원(方信元)을 가리킴. 문 상궁이 쓴 편지 사건에 연루되어 여동생 의일(義一)과 남동생 선원(善元), 어머니 춘환(春還)이 여러 차례 형벌을 받은 후 사사됨. 『광해군일기』 권74, 광해군 6년(1614) 1월 7일(경신), 1월 8일(신유); 권75, 2월 14일(병신) 등 참조.

772 대전별감(大殿別監): 별감은 대궐 안 액정서(掖庭署. 조선 시대에 왕명 전달, 임금이 쓰는 붓과 벼루 공급, 대궐 열쇠 보관, 대궐 뜰의 설비 등에 관한 일들을 맡아보던 관청)에 속한 벼슬 이름. 대전별감, 중궁전별감, 세자궁별감, 처소별감 등이 있다.

773 그 다히: '그 쪽에'. '그 계신 곳'의 옛말. 본문에서는 영창대군이 계신 곳을 말함.

774 밋븐: 원형은 '밋브다'. '믿다(信)'의 옛말.

775 용한: 착하다, 재주가 있다, 익숙하게 잘하다.

우히 놀라 니라오사되,

"생심(生心)도 말라 기별 알아 니라나니난 은혜 하늘같거니와 통하는 줄 알면 핑계를 얻어 노(怒)를 더 낼 것이니 저허하노라. 이후(以後)란 생심도 말라 설움 가이없거니와 서로 살았으면 자연(自然) 알고 들을 길이 있으려니와 위태(危殆)한 일로 전(傳)키를 못 하리라."

하오시더라.

대답하되,

"이 하인(下人)이 예부터 순직(順直)하고 소인(小人)으로 하야 은혜(恩惠) 중(重)하오며 해(害) 하올 뜻이 없아오리이다. 믿자오소서."

하더라.

그 후에 방씨(方氏) 애일(愛日)의 글월 받아다가 주되 제 더욱 당부(當否) 하더라.

애일의 글월에 하였으되,

"소인은 죽삽지 못하야 평안(平安)히 밖에 나와 앉았으나 나라와 상궁네를 생각하니 망극 설워 하나이다 비록 여인(女人)의 몸이나 나라를 위하야 갑사올 일이 없어 하더니 아기시 안부 몰라 하오실 새 죽을힘을 다 하여 동생이 별감으로 아기시께로 막혀[776] 가옵더니 글월 하여 주옵셔든 게 갔는 상궁을 가만히 주고 글월 받아 오라 하사이다."

하였거늘, 문 상궁이 반갑고 기쁨이 가이없어 우히 상상[777]의 기별 몰라 설워 하오시니 한번 시훤하시게 하자하고 글월을 가지고 변 상궁더러 니라되, 변 상궁이 크게 놀라 심상[778]내어 닐오되,

776 동생이 별감으로 아기시께 막혀: '막혀'의 원형은 '막히다'. '정하다', '일을 결정하다'. 본문의 '동생이 별감'은 앞 문장의 '제 오라비 대전별감'과 일치되지 않는다. 『광해군일기』에는 '누의 동생 의일'로 기록되었다. 『광해군일기』 권74, 광해군 6년(1614) 1월 7일(경신) 참조.

777 상상(常常): 평시(平時), 항상, 늘.

"문금(文禁)이 철석(鐵石) 같고 미워함이 적국(敵國)에서 심(甚)하거늘 밖과 통(通)하여 글월 받아 옴도 큰일이어든 어데 가 아기시 안부 알아 와서신고 이리 함은 정성(精誠)이 지극(至極) 하거니와 들려 나면 안보(安保)키 어려오니 여짭지 말라."

문 상궁이 노색[779]으로 대답하되,

"어찌 이런 말 하시는고 행낭(行廊) 사람 불러 왔는 줄이 아니라 밋브기를 알아왔으니 생심도 의심 마라소서."

하고 다아다 들어가 여짜오니. 우히 강화 간 줄은 생각 못 하야 계시더니.

"인사(人事) 모르는 아해를 섬에 보내였으니 이 설움이야 어데 비할 대 있으리 한 자(字) 안부를 몰라 주야(晝夜) 설워 하거든 차마 안부를 아니 알고저 하랴. 알아 오라 하니 기쁘기 가이없거니와 요공(要功)하려 이리 하는가 싶으니 나는 글월을 못 하야 줄다."

하오시니 문 상궁이 다시 여짜오되,

"내외(內外)에 밋븐 사람이 이만한 이 없삽고 나라해도 정성(精誠) 저온 사람이 오니 요공(要功)하려 하는 사람이오면 소인이 이리 하오리이까? 그리면 소인을 못 믿어 아니 써 주시는로소이다."

변 상궁이 여짜오되,

"밋브지 아니 하오이다. 중환이 흉(兇)한 마음먹고 죽은 내인이며 나라를 원(怨)하고 아모 일이나 얻어 고(告)할 말로 설심[780]을 먹었고 제유(類)가 많아 주야를 한데서 발을 곧추 디디어[781] 조그만 허물을 얻고

778 심상(心傷): 마음이 상하는 것.

779 노색(怒色): 화가 난 기색. 성난 얼굴 빛.

780 설심(設心): '설심경의(設心儆意)'의 준말. 간사한 꾀로 남을 속이려고 먹는 마음.

781 발을 곧추 디디어: 본문에서는 밤낮으로 밖에서 발을 곧추 세우고 허물을 찾으려 하고 있다는 뜻임.

저 하거든 일을 얻어 무릅쓰려[782] 이리 권 하는가 우히 쉽사오심을 져근덧 참사오사 아기시 기별을 알려 마라소서."

못내 여짜오니,

"나도 그리 여겼노라. 반갑고 설운 정(情)으로야 즉시 아녀 주랴마는 무서워 못 하노라."

하오셔늘, 변씨(卞氏) 다시 여짜오되,

"생심도 마오소서."

하다.

문씨(文氏) 다시 여짜와

"글월 하야 주오소서."

하니, 변이 하되,

"내 자비에 가 소래 지르리라 하니 어찌 이런 일 하려 하시는고."

하니, 문(文)이 다시 대노(大怒)하야 닐오되,

"상궁이 시위(侍衛)하야 우흘 위하야 정성이 지극하신가 여겼더니 일로 보니 정성이 없도다. 주야에 곡읍(哭泣)과 물만 마시 오시고 본결과 아기시 안부 알려 하오시되 틈이 없어 하다가 용한 사람 얻어 만나기 쉬오리이까 아모 일이라도 내 알 것이니 더져[783] 두소."

하고, 성내여 방에 들어가 글월 써 다가 뵈더라. 하였으되,

."우히 아기를 여해시고 기별 몰라 하시더니 밋븐 사람이 갈새 아기시 안부를 알려 글월 써 가니 발서 병이나 아니 나오시게 뫼셔시라."

하고,

"아모 것이나 자셔지라 하시거든 가져간 것을 아끼지 말고 물 긷는 하인이나 주고 잡삽게 하고, 아모려나 잘 견대여 뫼셔시라. 하고 문 열

782 무릅쓰려: 원형 '무릅쓰다'. '뒤집어쓰다'의 옛말.
783 더져: 원형은 '더지다'. '던지다'의 옛말. 버려.

면 기별을 아니 들으랴."

하였더라.

중환이 가히(介屎)게 보내고 민 몸만 있닸더라[784]

문(文)다려 글월 써 다가 달라하니 글월을 봉(封)하여 주며, 회화[785] 받아 달라하다.

중환이 흉한 마음을 먹었는 줄 알고 변이 문더러,

"글월 주지 말고 도로 가져오소. 이리하듯 말 있으니 주지 마옵소."

하니,

"남이 미워 그리 니라옵거니와 중환이 그럴 줄 없아니라."

하여늘,

"고(告)하면 큰 일 날 것이니 어서 가 찾아오라."

하니,

"종을 브린대[786] 틈으로 오라비 왔거늘 주고 없다."

하여늘, 또 부리니 꾸짖고 아니 주더라. 글월 떠혀[787] 보니 감초고 없다 하고 아니 주닸더라.

변(卞)이 문(文)에게 사람 부리되 친히 가 달라 하옵소 하니 여러 번 사람 부리되 마침내 주지 아니코 틈으로 제 오라비를 주어 가히(介屍)게 드리니 그제야 장물[788]을 잡거라 하야 새로이 선달 그믐날 사람을 하옥(下獄)하고 갑인[789] 초하루 날부터 추국 시작하다[790]. 문 상궁 머리

784 중환이 가히(介屎)게 보내고 민 몸만 있닸더라: 문맥이 통하지 않는다. 〈계축일기〉에는 '증환이(담 넘어가 통하고 제 것을 다 서러저) 가히에게 보내고 민 몸만 있더라'로 되어 있다. 본문에서는 (담 넘어가 통하고 제 것을 다 서러저)부분의 내용이 누락된 것 같다.

785 회화(回華): 답장(答狀)의 옛말.

786 브린대: 사람을 시켜 일을 하게 하되.

787 떠혀: 원형은 '떠히다'. '떼다'의 옛말. 떼어. 뜯어내다.

788 장물(贓物): 부정한 수단으로 얻은 돈 또는 물건.

지어[791] 제 집에 안부 통(通)하더니는 다 잡아 내다[792].

문이 중환이 더러 닐오되,

"은혜를 입어 추위며 더위를 날로 하여 면(免)코 배 골프며 목 마름을 날로 하여 면(免)하야 네 오라비 간혀 죽게되야신 제 내 어엿비 여겨 음식(飮食)이며 입을 것을 주어 네 사라며 이제 날을 달래여 글월하여 달라 보채거늘 나도 사람이라 나라히 하 설워 하시니 한번 깃기옵고저[793] 하더니 네 나라흘 배반(背叛)하나 어찌 날을 배반 하난다."

중환이 구을며 가슴을 두다리고 손뼉 쳐 맹세(盟誓)하되,

"내 고(告)하였으면 갓[794] 죽은 어뫼 죽엄[795] 헤여[796]내어 회(膾)를 먹으려 하노라."

하고 하 우니, 모든 사람은 애매(曖昧)하는 말 하는가 여기더라.

중환이 믄져 사이로 세간 서러저[797] 새도록[798] 다니니 제(諸) 색장(色掌) 시종이 보았더니 말 낼가 마양(每樣) 벼르더니 죄(罪) 없이 유(類)에

789 갑인(甲寅): 광해군 6년(1614).

790 추국(推鞫) 시작하다: 추국은 의금부에서 특지(特旨)에 의하여 중죄인을 장(杖)으로 치면서 캐어물어 자백시키는 일. 의금부(義禁府)에서 특지(特旨)로 중죄인(重罪人)을 신문하는 것을 가리킴. 필사본에 '축구하다 시작'으로 되어있으나 문맥상 '추국 시작하다'가 옳은 것 같고, 〈계축일기〉에도 '추국 시작하다'로 되어 있어 바로 잡음.

791 머리지어: 선두(先頭)로.

792 다 잡아내다: 이 부분과 관련되어 『광해군일기』에는 다음과 같이 기록되었다. "당시에 대비(大妃)가 문안에 금고되어 있었으므로 수종하며 모시는 나인들이 괴롭게 여겼다. 혹은 벽 틈을 통하여 부모에게 서찰을 보내어 안부를 묻기도 하였는데, 왕이 염탐하여 봉서(封書) 한 통을 입수하자, 마침내 큰 옥사를 일으켰다." 『광해군일기』 권74, 광해군 6년(1614) 1월 7일(경신).

793 깃기옵고저: 원형은 '깃기다'. '기뻐하다'의 옛말. 기쁘시옵게 하고져.

794 갓: '처음', '막', '겨우'의 옛말.

795 죽엄: 시신(屍身).

796 헤여: 끌어, 끌어내다.

797 서러저: 원형은 '서럿다', '털어가다'의 옛말.

798 새도록: 날이 밝도록.

잡아내다.

중환이부터 음덕이 브덕이 셋을 먼저 내여 갈 적 중환이는 희색(喜色)이 나타나고 두 하인은 어서 나오라 수이 나가자 세히 나가니라.

중환은 고하다 하고[799] 어엿비 녁여 말 태와서 청에 다려다가 앉혀두고[800] 이전(以前) 맞춘 말로 무라며 밧 관원(官員)을 다 알게 하다. 종적(蹤迹) 없은 거짓말 다 하고 강화(江華) 글월을 더 써 무형(無形)한 말 지어 당장(唐將) 오나든 고(告)하여 우리 문을 열게 하라 하며, 강화(江華) 글월에는 '잘 길러 둣다가 당장이 와 문을 열어든 조히 돌아오라게 하라.' 무상불측[801]의 말을 마음같이 써 추국청(推鞫廳)에 내여 뵈여 중환다려 이 말을 하니 무라니

"다 옳으니다."

"대군 들으셨던 집에 가 긔도지사[802]를 하더라."

하니,

"네 아난다."

"아나이다."

"눌을 위하여 비더니"

"대전(大殿) 죽으라 비더이다."

799 고하다 하고: 필사본에 '나가다 하고'로 되어 있으나 문맥상 〈계축일기〉에 '고하다 하고'로 되어 있는 것이 옳을 것 같아 고침.

800 청(廳)에 다려다가 앉혀 두고: 본문의 '청'이 〈계축일기〉에는 '추국청'으로 되어 있다. 이와 같은 내용이 『광해군일기』에는 다음과 같이 기록되어 있다. "왕이 이르기를, '중환은 구박하지 말고 서서히 궐정에 들여와라. 그리고 산장(散杖)도 하지 말고 지난 해에 저주(咀呪)한 곡절과 대비전이 기도(祈禱)한 사실을 하나하나 공초를 받으라.' 하였다." 『광해군일기』 권74, 광해군 6년(1614) 1월 21일(갑술).

801 무상불측(無狀不測): 행동이 흉악하고 예절이 없는 것.

802 긔도지사(祈禱之事): '긔도하다'는 '기도하다'의 옛말. 기도하는 일. 본문에서는 대비 측에서 광해군을 저주하는 기도를 했다는 뜻임.

"어찌하여 비더니."

"향로[803] 향합[804]하고 과잘 떡 하야 놓고 목욕정성(沐浴精誠)하여 비더이다."

"네 본다."

"내 보이다."

각색 흉한 일을 제 다 본 다시 하더라[805].

안에서 추국(推鞫)하는 일들 하노라 바조[806] 밑에서 듣는 줄 알매 측량(測量) 없은 거짓말 하노라 소래를 가만히 하여 문사낭청(問事郎廳)이 겨우 알아듣게 하더라.

이 조고만 혐의(嫌疑) 있던 사람을 다 거드니[807] 일흠 거드는 사람은

803 향로(香爐): 향을 피우는 작은 화로.

804 향합(香盒): 제사 때에 피우는 향을 담는 합. 놋쇠나 사기 등으로 만듦.

805 각색(各色) 흉한 일을 제 다 본 다시 하더라: 이와 같은 내용이 『광해군일기』에는 다음과 같이 기록되어 있다. "중환이 공초하기를, '대비와 김 상궁(金尙宮) · 문 상궁(文尙宮)이 역변이 있은 뒤부터 안팎 차비문을 다 막았습니다. 하루는 대비께서 다른 방으로 옮겨가서 여러 나인들과 큰소리로 말하기를 '천조(天朝)가 모르는 대비인가, 조정이 모르는 대비인가? 대군 또한 조정이 모르는 대군인가, 내관이 모르는 대군인가?' 하기에 제가 '이것이 무슨 일이십니까?' 하니, 대비가 '나의 친속이 죄다 수금되었고 또 문호를 폐색시켰다. 하늘이 어찌 모르겠는가.' 하고, 이어 손 모아 원통함을 호소하면서 '내가 살아서 이런 일을 보아야 하는가.'라고 했습니다. 그리고 대비께서 11월 10일에 천제(天祭)를 행했는데 이른바 기도했다는 일이 어떤 모양으로 한 것인지는 모르겠습니다. 문 상궁이 저에게 말하기를 '다만 대군이 도로 들어올 수 있도록 축원한 것이지 어찌 감히 주상(主上)과 동궁을 모해하기 위하여 기도를 했겠는가.' 했습니다. 강화도와 서로 교통했다는 일은 무슨 곡절인지는 모르겠지만 8월 그믐에 예옥(禮玉) · 문 상궁 무리가 서로 문안에서 서성이고 있었을 따름이며, 문서를 내어주었는지에 대해서는 비록 그 전말은 알지 못하겠으나 권 상궁이 문틈으로 내어주니 박방실 · 최충흡이 받아 갔습니다.'" 『광해군일기』 권74, 광해군 6년(1614) 1월 21일(갑술).

806 바조: 바자. 울타리를 만드는 데에 쓰이는 대, 갈대, 수수깡, 싸리 따위로 발처럼 엮은 가리개.

807 다 거드니: 어떤 일에 끼워 넣다. 본문에서는 사건에 관련된 사람을 끼워 넣음을 말함.

온 몸의 땀이 흐르고 앉으며 서며 기운을 이기지 못 하야 떨며 발을 옮겨 드대지 못 하여 하니, 곁에 섰나니 남의 일 같이 넉이지 아냐, 그 틈의 가 귀를 기우려 앉아서 듣더니 그때에 제 성명(姓名) 아니 나면 살 때라 여기더라.

온 궁(宮)이 새로이 요란(搖亂)하여 내인은 자비문(差備門)에 가 대령(待令) 하였더니 밖으로 문 상궁 오라비 족하와 종 남녀(男女) 병하여[808] 어미를 극형(極刑)하고 애일은 사약(賜藥)하여 죽이다.

문틈으로 통하던 시녀(侍女) 최씨와 아비 최수일[809]과 오라비 통할 제 본 서리[810]와 문 밑에 앉았던 서응상[811]의 부처[812]를 다 죽이다. 새로이 옥사[813]를 일워 사람 죽임이 심(甚)하더니 갑인[814] 이월 그믐 날 망후[815]에 문 상궁과 사비(私婢) 영화와 색장시종(色掌侍從)이 와 먼저 잡아내고, 이십일 후의 공주(公主) 보모상궁(保姆尙宮) 권씨(勸氏)와 시녀(侍女) 최씨(崔氏)와 또 최시를 사비(私婢) 춘향[816]이, 대군(大君) 곁 하인(下

808 병(並)하여: 함께 아울러.

809 최수일: 『광해군일기』에는 서찰 사건과 관련된 옥사에서 '최수인(崔守仁)'이 여러 차례 거명되었다. 이로 보아 오기로 '최수일'은 '최수인'을 가리킨 것이 아닐까 생각됨.

810 서리(書吏): 아전(衙前)의 하나. 문서의 기록 및 발송·접수 등을 맡아 보았다.

811 서응상(徐應祥): 광해군 5년(계축, 1613) 12월에 대비 측의 문 상궁이 쓴 서찰이 발각되어 광해군 6년(갑인, 1614) 1월 초부터 옥사가 시작되었다. 병조판서리(兵曹判書吏) 서응상은 이 사건에 연루되어 아내 문세(文世)와 함께 여러 차례 형벌을 받았으나 끝내 자복하지 않고 사사됨. 『광해군일기』 권74, 광해군 6년(갑인, 1614) 1월 7일(경신), 25일(무인); 권75, 2월 14일(병신) 참조. 『연려실기술』 권20, 폐주 광해군 고사본말, 한강집 참조.

812 부처(夫妻): 부부. 본문에서는 서응상과 그의 처 문세(文世)를 가리킴. 『광해군일기』 권74, 광해군 6년(갑인, 1614) 1월 7일(경신) 참조.

813 옥사(獄事): 역적, 살인 등의 중 죄인을 다스리는 일.

814 갑인(甲寅): 광해군 6년(1614).

815 망후(望後): 음력 보름 이후.

816 춘향(春香): 영창대군의 종으로 계축년 옥사에서 죽은 순창의 딸로 여러 가지 형벌로 문초하였으나 자복하지 않음. 『광해군일기』 권74, 광해군 6년(1614) 1월 28일(신

人) 춘담이 청금이 잡아내다. 옷을 갈아입으랴 저는 어린 것 같이[817] 섰거늘 남이 얻어 입히더니

"때 늦어가면 발발이[818] 고자[819] 보내어 수이 잡아내라. 더대면 하옥(下獄) 하리라."

하니,

사람이 발이 따해 붙지 아냐 헤지라며[820] 곡성(哭聲)이 천지진동(天地震動) 하더니 의녀(醫女) 다여시 침실의 들어와.

"어서 내라."

보채고 자비문 안에는 내관이 들어와,

"어서 내라."

"어찌 죄인들을 더대 잡아 내나니."

저히니 뛰여 달아나다 가측[821]의 가 숨으며 마로 아래 가 숨으니 내관은

"감찰상궁(監察尙宮) 색장내인(色掌內人)을 다 잡아 내라."

하고,

"죽으라 가옵나이다."

"마지막 죽을 따해 가오니 감(鑑)해옵고 니거지이다."

의녀에게 빌 사이에

"어서 내라."

사) 참조.

817 저는 어린 것 같이: 본문에는 '저는 것 궃치'로 되어 있으나 문맥상 이해하기 어렵다. 〈계축일기〉에 '저는 어린 것 같이'로 되어 있어 차용하여 고침.

818 발발이: '거듭'의 옛말.

819 고자(鼓子): 생식기가 불완전한 사내. 엄인(閹人). 화자(火者).

820 헤지라며: 원형은 '헤디라다'. '날뛰다'의 옛말.

821 가측(家厠): 집안에 있는 화장실.

하니, 의녀는 두립고

"어데를 가려 하나니."

뒤흐로서 머리를 끄어 다래니 고개 다 져자지고[822] 소래 질너 울며,

"어찌 이리 쉽게 하는고 우흘 시위 하는 시녀(侍女)가 의녀에게 머리 잡힐 줄 알리오."

모다 의녀를 꾸짖으니,

"우리를 죽이려 하거든 수이 아니 잡아내랴."

하더라.

이렇듯 핍박[823]하고 수욕[824]함이 한 두 번이랴

"지식(知識) 없은 아녀(兒女)의 몸이나 우히 애매(曖昧)히 일을 만나 계오시 비록 극형 하여 만(萬) 가지로 달화[825] 보채나 현마 무복은 아니리이다 살고져 아니 하리이까마는 나라히 설운 일을 보아 계오셔 종에게 지이 애매한 일이 미쳤으니 이 설움을 하늘이 반다시 아르실 것이니 죽기를 좋은 것 돌아감 같이 죽으라 가옵나이다."

하고, 울고 의녀에게 물니이여[826] 자비문의 나가니, 나장(羅將)이며 도사[827] 왔다가 몰아가더라.

사람 잡아 낼 적이면 위엄이 더욱 성하여 내관이며 내인부터 저히고 잡아내더라.

시녀(侍女) 최씨 여옥[828]은 경술년[829]에 시녀로 드러 용모(容貌)가 곱

822 져자지고: '자쳐지다'. '젖혀지다'. '~으로 뒤로 기울어지다'. 본문에서는 머리를 끌어 당겨서 고개가 뒤로 젖혀졌음을 말함.

823 핍박(逼迫): 형세가 매우 절박하도록 바싹 닥쳐 옴.

824 수욕(羞辱): 부끄럽고 욕됨.

825 달화: '다루다'. '다스리다'의 옛말. 문맥상 본문에서는 죄 줄 명분을 잡으려고 '윽박질러서 혼을 냄'을 뜻하는 '닦달하다'로 해석함이 어떨까 생각됨.

826 물니이여: 몰려서, 쫓기어, 몰아냄을 당하여.

827 도사(都事): 의금부의 종 5품 또는 종 9품의 벼슬.

지 아니나 순직(純直)함으로 침실에 사더니 정성도 남의 유(類)에 더하고 본시(本是) 용한 아해라 본결과 대군 향하야 설워하며 상시(常時) 닐오되,

"내 날개를 돋쳤으면 기별을 들어다가 여잡나니 삽삽고져[830]"

또 닐오되

"아모 틈이나 있으면 내 비자의 맨다리하고[831] 나가서 두 곳의 안부를 아니 알랴마는 담이며 문이 쇠로 싼 듯하고 굼기[832] 없으니 내 정을 펴지 못함을 설워 하노라."

하더니, 나가는 날에는 더욱 설워하며 제 다리를 만지며 더욱 울고 닐오되,

"아해 적부터 어버의게 허튀[833]도 맞지 아니 하였다가 중(重)한 매. 맞으려는 애매한 일이 오시니 무복(誣服)은 아니 하오려니와 맞을 일 생각 하니 더욱 망극(罔極)하여라."

하니, 불상이 여기며 정성이 지극(至極) 후(厚)한 사람이라 조금도 무복할가 아니 여기더라. 제 나갈 적은

"날난 의심 마라소서 이 몸이 갈니[834] 되여도 나라히 애매 하오신 줄 아오니 무복은 아니 하리이다."

---

828 최씨(崔氏) 여옥: 인조반정 후 대비의 하교로 내인 40여 인을 국문하였는데 여옥은 그때 죽임을 당했다. 『인조실록』 권1, 인조원년(계해, 1623) 3월 25일(을묘) 참조.

829 경술년(庚戌年): 광해군 2년(1610).

830 여잡나니 삽삽고져: '엿잡나니'의 원형은 '엿잡다'. '여쭙다'의 옛말. 삽고져의 원형은 '숣다'. '사뢰다', '여쭈다'의 옛말. '삽'은 '~삽', '~사옵'의 높임말. 여쭈어드리고 싶구나.

831 맨다리하고: 차림을 하고.

832 굼기: '구멍'의 옛말.

833 허튀: '종아리'의 옛말.

834 갈니: '가루'의 옛말.

하더니 추국청(推鞫廳)의 가 첫 원정[835]은

"나라히 애매한 일 만나오셔 어린 대군과 본결 생사(生死)를 알지 못하오셔 주야 설워 하시고 방정지사를 애매타 아삽거니와 아모 일이나 보고 들은 일 곳 있으면 무서온 따해 와 어찌 살고저 아니 하리이까마난 보며 들은 일이 터럭 끝도 없어이다. 중한 형벌(刑罰)을 저허 어찌 애매한 말을 하리이까."

이리 하노라 엿새만의 내수사(內需司)에 가도고 제 아비 어미 달내다.

대전 유모(乳母)의 오라비 계집이 여옥 종이러니 유모(乳母)가 어엿비 여겨 마양 다려다가 보고,

"어찌 복(福)이 적어 우리게 못 든다."

하더니 이때에 불러 중환이를 촉하여[836] 이 시녀(侍女)를

"살게 하마."

하니 녀옥이 울고 수일을 허(許)치 아녔더니 아비 어미로 주야 한데서 달래게 하되,

"너 곳 이제 모르노라하면 우리를 다 설이 죽일 거시니 나리해는 은정(恩情)이 중(重)커니와 어버이를 생각지 아니하난다 네 이때에 무복할다 하여야만정 못 할다 하면 네 앞에서 죽으리라."

허락(許諾)을 바다 드린 후에야 추국청(推鞫廳)에 올려 새로이 원정(原情) 받으니 대답 하되.

"기도 할시 다 올사오니이다."

"어찌 네 아난다."

"내 다 보고 들었나이다."

하니, 즉시(卽時) 방사[837]하다.

---

835 원정(寃情): 억울한 사정을 하소연함.
836 촉(促)하여: 재촉하여.

이 후에 변 상궁(卞尙宮)이 병(病)하여 죽어 가거늘 내여 보내였더니 여옥이 놓여 좋이 살며 뵈라 와서 가만히 니라매,

"아니라 어버의 보채여 무복(誣服)을 하였으나 타일(他日)의 족멸(族滅)할 화(禍)를 저질고 살았으니 내 죄(罪) 태산(泰山) 같으니 죽고저 하되 모진 목숨이 죽지 못 하니 나라흘 속여 거짓말을 자바시니[838] 어나 낯으로 남을 보리이까 마음의 없은 말로 무복을 하였으니 죽이셔도 한치 아니 하리이다."

하고 우더라.

상궁 난이[839]라 하 리[840] 임진년[841] 전(殿)의 시녀로 들어 의인(懿仁)적 침실(寢室)에 들어사더니 제 인품(人品)이 용치 못 하여 남의 유(類)의 상궁직(尙宮職)도 못 하야시매 매양(每樣) 선왕(先王) 마노라부터 원망(怨望) 하더니 무신년[842] 후에야 상궁을 하다.

이 사람이 가장 간사(奸邪)하고 교만[843]하여 나라해 평안(平安)한 적은 양 아기시[844] 향하야 남의 유의 별정[845]을 하더니, 계축년(癸丑年) 란(亂) 만나니 나라 향하야 불측(不測)을 말을 다 하여, 제 동생 아이며 족해 대전이며 동궁(東宮)의 시녀(侍女)로 들여 내권(內權)이 중(重)하니, 난이

837 방사(放赦): 죄인을 풀어줌.

838 자바시니: 잡다. 모해하였으니.

839 난이: 인조반정 직후 대비는 수난시절 악행을 행한 내인 40여 인을 죄 줄 것을 하교했다. 실록에는 '난이'가 직접 거명되지는 않았으나 『연려실기술』에는 복주(伏誅, 형벌을 받아 죽임을 당하는 것)된 내인들 중에 이름이 있다. 『인조실록』 권1, 인조 원년(계해, 1623) 3월 25일(을묘); 『연려실기술』 권23, '복주된 사람들' 참조.

840 하 리: 할 이, ~하는 사람.

841 임진년(壬辰年): 선조 25년(1592).

842 무신년(戊申年): 선조 41년(1608).

843 교만(驕慢): 방자하고 거만한 것.

844 양(兩) 아기시: 두 아이. 인목대비 소생의 정명공주와 영창대군.

845 별정: '특별한 정성'의 약어(略語). 〈계축일기〉에도 '별 정성'으로 되어 있음.

세(勢)를 믿고 희색(喜色)이 날로 성(盛)하여 즐겨함이 공연이 나타나니, 보나 니는 통분(痛忿)함이 가이 없으나 게를 두려 말을 못 하더니 난이 닐오되,

"대전에 쇠[846]를 많이 드리던들 이런 일이 나랴, 세자(世子) 가례[847] 제 세간을 많이 주어 계시거니와 상궁 시녀들 다 주오신 일을 공주 대군 대리고 좋이 살가보세."

벼르시더니, 이런 일이 있으리라.

"의인(懿仁) 마노라 겨오신 적도 세자(世子)가 효성(孝誠)이 없고 불인(不仁)하니라. '정유년 난[848]에 수안[849] 갈 제, 세자가 수가[850]하여 물 건너였더니 배 재촉하여 빈(嬪)이며 저는 먼저 물 건너 의막[851]에 가 앉고 날난 돌아보지 아냐, 시위(侍衛)한 내관이 아모리 웨여 배 가져오라 웨여도 니라지 아니코, 위엄 가진 세(勢)만 위하고 세자가 날난 생각도 아냐 저는 초경[852]에 건너고 나는 삼경[853] 후에야 건너니 날이 치워 야심(夜深)하매 이슬·서리·김에는 추움이 심하니, 세자가 효성(孝誠)이 지극(至極)하면 적모[854] 향하여 그리 대접(待接)하며, 하물며 제 어마님

846 쇠: 돈. 재물을 속되게 이르는 말.

847 가례(嘉禮): 왕과 왕세자의 결혼을 말함. 본문에서는 광해군 2년(1610)에 왕세자 지(祬)가 이이첨의 사위인 박자흥의 딸과 혼례한 것을 말함.

848 정유년(丁酉年) 난(亂): 선조 30년(1597), 임진란의 화의교섭이 결렬되자 왜병이 재침했던 전란.

849 수안(遂安): 황해도 북쪽에 있는 군청 소재지. 산간 분지로 피난처로 적격임. 정유재란 당시 세자가 의인왕후를 모시고 '수안'으로 피난갔으며 왕후가 병으로 고생하는 내용이 『선조실록』 여러 곳에 기록되었다.

850 수가(隨駕): 임금이 거동 때 수레를 좇아 따라다님.

851 의막(依幕): 임시로 거처하게 만든 곳. 막사(幕舍)로 쓰이는 천막이나 장막.

852 초경(初更): 오후 7시부터 9시 사이.

853 삼경(三更): 밤 11시부터 다음날 새벽 1시 사이.

854 적모(嫡母): 서자(庶子)가 아버지의 정실(正室)을 일컫는 말. 본문에서는 의인왕후를 가리킴.

이 죽으니 내 길너 유자[855]를 삼았거든 정이 바히[856] 없아랴마난 이 사람이 효(孝)며 정(情)이 없은 사람이니 이에 정을 알노다.' 하시더니, 이제 저리 모진 양 하니 사오납기[857] 심하다."
하더니,

못쓸 흉한 일을 알외되 아당[858]하고 중환(中還)과 한가지로 하며 나라 기물(器物)을 주야 방자히[859] 가져가며 대군 피접소의 것을 진수히 서러저다가 제 종 중환과 일심(一心)으로 잠은 문을 열고 세간을 서러저 밤으로 가져다가 난의 아아 끝창에게로 가져가니 형을 책(責)하야 왈.

"나라히 서로 좋지 못 하온들 종의 도리(道理)에 항거살 배반(背叛)함이 소견(所見)에 못 할 일이오. 남도 통하는 일 없는데 하물며 나라 세간을 서러저 내게 보냄이 가(可)치 아니타. 이후란 보내지 말라."

형이 노(怒)하여 갈오되,

"동생이 구치 아니코 남을 어찌 하리 나라흔 대군과 본곁을 위하야 주야 우오시며 죽으려 하오시니 세간하여 쓸 데 없고, 대군 세간은 두어도 쓸 데 없으니 종들을 난와 주시니, 잡말 말고 받아 두었다가 날을 내여 가 살게 하라."
하고, 필백[860] · 은기(銀器)며 진수(盡數)히 다 서러저다가 대군 보모(保姆) 김 상궁(金尙宮)을 사괴여,

"너를 죽지 아니하게 할 것이니 쇠를 많이 주어든 동생다러 닐러 살오마."

855 유자: 내 아들. 〈계축일기〉에 '己子'로 되어 있음.
856 바히: '아주', '전혀'의 옛말.
857 사오납기: '사납기'의 옛말. 성질이나 생김새가 험하고 악함.
858 아당: '아첨'의 옛말. 비위를 맞추어 알랑거리다.
859 방자(放恣)히: 거리낌 없이. 교만스럽게. 삼가는 태도가 없이 건방지다.
860 필백(疋帛): 비단 피륙. 명주.

하니, 살기를 탐(貪)하야 온갖 것을 다 주다. 사이문 통함이 심하거는 통분(痛忿)함을 참지 못하야 그 문 길에 사람을 모도아 순직[861] · 순경[862]하더니, 할난 그 넘어 가거늘 모다 잡은데 중환이 대언(大言)으로 꾸짖으되,

"뉘서 우리를 잡으라 하더니 너해 우리를 금(禁)하다가 멸족지화(滅族之禍)를 보리라."

하고, 큰 열쇠를 두루 혀 메여 하 치니 무서워 다 달아나다. 이 시(時)를 당하야 중환의 세(勢)와 난의 세(勢) 중하야 못 미쳐 뵐까 두려하더라. 난이는 시녀상궁을 달래고 중환은 하인들을 달래되,

"이해 동지 달로 택일(擇日)하였으니 그전 내인 상하(上下)들을 다 다려가고 대비(大妃) 마노라는 새로 아해 두 섯만 들여 물이나 떠 드리게 하다가 자진[863]하시게 하려 한다."

하니, 모다 듣고 울며 설워함이

"또 그러하나 좋은 데 살게 하리로다."

하 리도[864] 있으며,

"항것 여해고 남의 곳에 가 참아 어이 살리. 가지말고저 하되 마지못 할것이오. 죽고저 하되 죽으면 어버이를 침노[865] 할 것이니 어찌 하려난"

하고, 우더라.

대군 낼 적같이 핍박(逼迫)하여 다려가면 하직(下直)도 못 하고 내 것 못 찰혀[866] 못 갈 것이니. 미리 찰혀 두자, 머리 에우고[867] 옷 겯에 놓

861 순직(巡直): 돌아가며 지킴.
862 순경(巡更): 밤에 도적, 화재를 경계하기 위하여 돌아다니는 일.
863 자진(自盡): 식음(食飮)을 끊어 저절로 죽어지게 함.
864 하 리도: 말하는 사람도.
865 침노(侵擄): 침범하여 빼앗음. 본문에서는 부모님께 화가 미치게 됨을 말함.

고 동지달 보름 날을 기다리고 있더니라.

대개 거짓말이 아냐 계규[868]할 시 일정 옳탓더라마는 아니 다려가니라. 또 닐오되,

"죽은 내인의 것이라 세간으란 죄인(罪人)의 것이니 다 가져 아무도 움작지 말고 넣어 두라."

하니, 혹 제 종이 추워도 내여 입지 못 하더라.

나라해서 내인들 불러 닐아오시되,

"전후(前後) 내인이 나라를 위하여 원사[869] 하였으니 그 참혹(慘酷)함을 이기지 못 하여라. 저해 머나 가까오나 친척(親戚)은 남았을 것이요, 간사[870]할 사람이 있을 것이니 일(日)의 문을 열면 무엇을 갚으리, 저희 것을 뒀다가 간사하여 두게 하라."

헤아려 치부[871]하고 잠가두라 하시는가 하고 세간 보는 사람 미워함이 심하더라.

대군 것을 다 난이 가져가고 나종에 제 몸을 도모[872]하여 나가니라.

어찌한지 계축(癸丑) 동절(冬節)이로되 내어가지 아닌데 난이 나날을 꾸짖어 왈.

"날을 중전(中殿) 침실 상궁 삼으려 하더니 어찌 지금 아니 다려 가더니, 그리면 '상감을 소(牛) 같다.' 하고, '의인(懿仁) 마노라 사람 아니라 효성(孝誠)없다.' 하오시더니 그렇거든 그러 아니랴."

866 찰혀: '챙기어'. '찾아내어'의 옛말
867 에우고: 둘레머리를 하다. 빗어 올리고.
868 계규: 계교(計巧). 요리조리 헤아려보고 생각해 낸 꾀.
869 원사(寃死): 원통하게 죽음. 원한을 품고 죽음.
870 간사: '간수하다'의 옛말. 잘 거두어 보호 함.
871 치부(置簿): 장부에 기록함. 돈이나 물건이 드나드는 것을 책에 적음.
872 도모(圖謀): 앞으로 할 일에 대하여 수단과 방법을 꾀하는 것.

하며,

"대비는 별 대비 양 하여[873] 대군을 낳아 서지 못 하야 이런 설운 일을 보아도 당신 탓이어니와, 나는 무사 일 졸리고 사는고. 동생 족하들이 저해만 좋이 살고 날는 고난(苦難) 곳에 빠졌으되 아니 내어가니 하나이나 동생 아자미[874]를 헤는가?"

하 악(惡)을 쓰거늘, 혹이 듣다가 못하야 닐오되,

"아니 가믄 그라거니와[875] 상궁이 예서 살은지 삼십년이오. 이런 시절(時節)에 대군 나심은 백번 그라거니와 당신이 설이 되아지라 하시며 우히오신들 남에게 잡혀지라 하오실가마는, 원수(怨讐)를 만났으니 조그만 내인이 죽으나 사나 무엇이 귀하야 나라를 원(怨)하시는고."

난이 대로(大怒)하여 꾸지자되,

"너희는 나라 은혜 없다[876]."

악(惡)을 더 쓰더라.

죽은 김 상궁을 앉으나 니나[877] 주야(晝夜) 꾸지자되,

"임진(壬辰)의 선왕 마노라 호종이로라 하고 삼십도 못 하야서 저해 먼저 상궁하야 착한 체 하고, 날난 호종 아니라 상궁도 여짜와 아니 하이더니 죽으라 갈 적도 착한 양 하더냐 잘도 죽을샤"

하고, 침실 창(窓)밑에 앉아서 대언(大言)하야 꾸지자되,

"김 상궁만 사람인가."

---

873 양(樣) 하여: 인체 하여.

874 아자미: '아주머니'의 옛말.

875 그라거니와: '잘못이거니와'의 옛말.

876 너희는 나라 은혜(恩惠) 없다: 이 부분은 문맥상 선후가 맞지 않다. 〈계축일기〉에는 '너희는 나라 은혜 중하여 원(怨)치 아니하나 나는 은혜 없다'라고 되어 있다. 차용하면 해석이 가능하다.

877 니나: 원형은 '니다'. '가다(行)'의 옛말.

하시더라.

"각색 일을 다 하다가 저리 되었으니 이제는 김 상궁 어엿븐 뜻 두어 계신가."

하여늘, 혹이 답(答) 하되,

"김이 본데 뜻이 맑고 충성되여 나라 일을 힘써하며 양전(兩殿) 사이 화목(和睦)코저 하다가 사이 간언(奸言)이 성하야 이런 일을 부처내어 나라히 설이되야 계시거니와 자네 나라를 위하여 불측(不測)의 말을 많이 하니 상하지분[878]이 없으냐. 입 있다 말을 다 할가, 참는 말이 많으되 자네 세(勢) 태산(泰山) 같으니 뉘 무서워 말할고 똥구듸[879] 있지 말고 중전 상궁이 되여 가소."

한대,

"아모리타 다리라 오면 싀틋도[880] 아냐. 뒤 도란들 보며 붙잡다 이실가."

하더니 갑인 춘의 내어 가니 나갈 적 분 바라고 자적[881] 장옷[882] 입고 바로 나가거늘 남이 닐오되,

"오래 사다가 하직(下直) 아니코 감이 종의 도리 아니로다."

한대 슬컷마는 그 옷 입은 재[883] 왔거늘,

"장옷으란 벗어라. 어전(御殿)에 장옷 입고 갈다?

하니,

878 상하지분(上下之分): 윗사람과 아랫사람을 구분하는 일.

879 똥구듸: '똥구덩이'의 옛말.

880 싀틋도: 원형은 '싀틋다'. '시틋하다'의 옛말. '시틋하다'는 '시뜻하다'의 거센 말. 마음이 내키지 않아 시들하다. 어떤 일에 물리거나 지리해져서 싫증나다.

881 자적(紫赤): 자주색.

882 장옷: 여자가 나들이 할 때 얼굴을 가리기 위하여 머리에서부터 길게 내리쓰던 옷.

883 입은 재: 입은 그대로.

"무삼 어전(御殿)고 이제 어전(御殿)이랴? 언제 벗고 가리."

하고, 입은 재 가더라.

상시(常時)도 그전 내인들은 수색[884]으로 낯만 씻고 낡은 옷 입고 부원군 거상[885] 입었더니 난이는,

"나는 대비(大妃) 종(從) 아니로라."

하고, 분 바르고 다니거든 남이 니라니,

"내 동생이라 하고 동궁(東宮) 침실에 있으니 내관이 보아도 아모의 동생이라 하고 핀잔 될 거시니 아모 보아도 고이[886] 하노라."

하더라.

종 아니로라 내어 가되, 난이란 교자[887] 태와, 종으란 말 태와 대궐(大闕)에 드려 가 살니다.

대군 없아시다. 소문 없어서 혹이 꿈을 꾸니 대군 아기시 번드시 와 계셔 우라시며

"나는 인간(人間)을 흐뭇거이[888] 여해[889]였거니와 저는 날을 죽였거니와 나는 좋은 데 왔으니 죽은 일이 시원하여라. 아자바님[890]네도 인간에서는 설이 죽었으나 내 다 보노라. 나는 여동빈[891] · 문천상[892] · 백낙

884 수색(水色): 물빛. 본문에서는 당시 대비의 생부인 연흥부원군 김제남의 상중이라 대비전 내인들이 근신하는 뜻으로 물로 세수만하고 화장을 하지 않았다는 뜻임.

885 거상(居喪): 상중(喪中)에 있음. 본문에서는 인목대비의 부친인 연흥부원군(延興府院君) 김제남(金悌男)의 상중임을 말함.

886 고이: 삼가 조심하여, 정성을 다하여.

887 교자(轎子): 평교자(平轎子)의 준말. 종 1품 이상의 벼슬아치 또는 기로소(耆老所, 조선시대에 나이가 많은 정 2품 이상의 문신을 예우하기 위하여 설치한 기구. 왕 및 조정 원로의 친목. 연회 등을 주관하였음)의 당상관(堂上官)이 타던 남녀(藍輿, 의자 비슷하고 뚜껑이 없는 작은 가마).

888 흐뭇거이: '흐뭇하게'의 옛말. 마음이 흡족하여 불만이 없음.

889 여해: 여희다, 죽어 이별하다.

890 아자바님: '아주버님'의 옛말. 본문에서는 큰 형인 임해군을 말함.

천[893] · 최치원[894] 거복사주[895]와 노노라."

하셔늘,

"자계[896]도 그 류(類) 사람이신가."

"나 있는 곳은 부처(佛) 있는 곳이오. 그는 신선(神仙) 있는 곳이니 행여 벗으로 노지 한데는 아니 있노라."

하시고

"하 설워 마라소서 여짜와라."

하셔늘,

"어찌 친히 들어 가 아니 여짭시는고."

하니,

"날을 그려[897] 마양(每樣) 설워 우라시니 내 들어가면 더욱 설워 하실 것이니 아니 들어가노라"

하고, 울고 가시더라.

갑인(甲寅) 삼월에 내관 부려 변 상궁 더러 닐오되,

---

891 여동빈(呂洞賓): 중국 당나라 때 사람으로 팔선(八仙)의 한 사람으로 전함.

892 문천상(文天祥): 중국 남송(南宋) 때의 충신(1236년~1282년). 공제(恭帝) 때 원나라 군사가 침입함에 근왕의 군사를 일으켜 막았으나 성공하지 못하고 사로 잡혔다. 원나라 세조는 변절을 권하였으나 듣지 않음.

893 백낙천(白樂天): 백거이(白居易, 772년~846년). 중국 당나라 때의 시인. 자는 낙천(樂天), 취음선생(醉吟先生) · 향산거사(香山居士). 대표작은 ≪비파행≫, ≪장한가≫ 등 있다.

894 최치원(崔致遠): 자는 해운(海雲), 또 고운(孤雲). 신라말 대문장가로서 명성이 높았던 사람. 일찍이 당에 유학하여 18세에 과거에 합격, 말년에 직을 내놓고 명승지를 유람하다가 승천하였다는 전설이 있음.

895 거복(벽)사주(巨擘四柱): 문맥상 거유사주(巨儒四柱)가 옳을 것. 큰 어른 네 분, 학식이 많은 네 사람, 네 분의 거유(巨儒). 본문에서는 여동빈, 문천상, 백낙천, 최치원을 가리킴.

896 자계: 아가씨, 공주, 웃어른을 높여 말할 때 쓰는 말.

897 그려: 그리다, 보고 싶어하다. 〈계축일기〉에도 '그리워'로 되어 있다.

"너해들이 전을 뫼셔 평안이 아니 살 이로되 대군을 임금 삼아 도적(盜賊) 사괴여 안으로 방정지사를 하다가 명(命)을 안보(安保)치 못 하였으니, 이제 남은 내인들이 고요히 들어서 일종(一種) 내 말을 쫓아야망정 그른 일 곳 있으면 명시[898] 정형(正刑)을 할 것이니 알아시라. 대군을 처음에 경셩(京城)에 두었더니 죄인(罪人)을 성중(城中)의 둡이 불상[899]타 하여 조정이 하 보채니 두지 못하여 강화(江華) 따해 좋이 옮겼더니 제 명(命)이 박하여[900] 명을 안보치 못하여 감한 하연 지[901] 오래지 아녀서 죽으니[902], 죄인은 주검[903]을 찾지 아냤는 법이라 하고 조정은 버려두라 하되, 동기(同氣)라 버리지 못할 것이니 의(義)를 혜여 사해[904]로

898 명시(明是): 분명히.

899 불상(不祥): 불길하다, 상서롭지 아니하다.

900 박하여: '기박하여'의 준말. 팔자가 사납고 복이 없다.

901 감(減)한 하연 지: 감(減)은 분량·수 등을 줄이는 것을 말함. 본문에서는 영창대군의 수명이 보통 사람들과는 달리 수명이 감하여 태어났다는 뜻으로 쓰임. 박명(薄命)하였는지.

902 오래지 아녀서 죽으니: 『광해군일기』에는 다음과 같이 기록되어 있다. "정항(鄭沆)을 강화 부사로 삼았다. 정항은 무인(武人)이다. 임해군(臨海君)이 귀양가자 이정표(李廷彪)가 살해했고, 영창 대군(永昌大君)이 귀양가자 정항이 살해했다. 그러므로 총행이 비할 데 없었다. 그 뒤에 두 사람이 잇따라 죽자 사람들이 모두 하늘이 내린 앙화라고 하였다. 대군이 죽을 때의 나이가 9세였다. 정항이 강화 부사로 도임한 뒤에 대군에게 양식을 주지 않았고, 주는 밥에는 모래와 흙을 섞어 주어서 목에 넘어갈 수 없도록 하였다. 읍 안의 한 작은 관리로서 영창 대군의 위리(圍籬)를 수직한 자가 있었는데 불쌍히 여겨 몰래 밥을 품고 가서 먹였는데 정항이 그것을 알고는 곤장을 쳐서 내쫓았다. 그러므로 대군이 이때부터 밥을 얻어먹지 못하여 기력이 다하여 죽었다. 〈어떤 사람이 말하기를〉 '정항은 그가 빨리 죽지 않을까 걱정하여 그 온돌에 불을 때서 아주 뜨겁게 해서 태워 죽였다. 대군이 종일 문지방을 붙잡고 서 있다가 힘이 다하여 떨어지니 옆구리의 뼈가 다 탔다.' 하였다. 지금도 강화도 사람들은 그 말을 하면서 눈물을 흘리지 않는 사람이 없다." 『광해군일기』 권74, 광해군 6년(1614) 1월 13일(병인).

903 주검: 죽은 사람의 몸.

904 사해(死骸): 시체, 해골. 〈계축일기〉에는 '해사'로 되어 있다. '해사'는 그 일을 관장하는 관청이다. 문맥으로 보아 〈계축일기〉의 '해사'가 옳을 것 같다.

비단 요자리며 관곽[905]을 갖초와 극진(極盡)이 영장[906] 하였으니 전이 아오셔도 쉽지 아니시려니와 그러나 경성의 두고 외방(外方)에 옮길 제는 아라시지 아녔으니 제 명의 죽었으나 내 죽이다 할 것이니, 느즉이 아라시게 하고, 들어가 즉시 여짜오면 너해 등을 나수[907]하고 멸족(滅族)할 것이니, 너해만 알았다가 아모 제나[908] 무던이 여겨 들으시게 하면 환(患)이 없으리라. 틈틈이 앉아서 한숨지며 설워한닷 말 있으면 내 법을 단(斷)할 것이니 듣고만 있으라."

하여늘 변(卞)이 대답하되,

"전교(傳敎)대로 하려니와 상시도 곡읍(哭泣) 그치오실 날이 없아오셔 손조 결항(結項)도 하오시며 자결(自決)도 하려 시위인 없음을 기다리오시니 아해와 늙은이 근시인(近侍人)은 다 죽삽고 즘생 같은 것이 조고만 아해만 다려있어 주야에 떠나지 아녀 시위하여있으나, 사람의 장단(長短)은 존비[909] 없으니, 한 해 지나 두 해 봄이 되도록 죽음[910]을 아니 마시오시니 만일 재천[911]하옵시다 어찌 종의 탓이오리이까. 시위하야 사오나 두 녁히[912] 다 두립사오니 찰히[913] 죽어야 좋은 넋이 될까 하나이다."

---

905 관곽(棺槨): 본문에는 '관각'으로 필사되었으나 문맥상 '관곽'이 옳으므로 바로 잡음. 시체를 넣는 속 널과 겉 널.

906 영장(永葬): 안장(安葬). 편안하게 장사 지냄.

907 나수(拿囚): 죄인을 잡아 가둠.

908 아모 제나: '아무 때나'의 옛말.

909 존비(尊卑): 본문에서는 사람 목숨의 길고 짧음은 신분의 높고 낮음과는 관계가 없다는 뜻이다.

910 죽음(粥飮): 묽은 죽. 미음.

911 재천(在天): 사람의 죽음을 높인 말.

912 두 녁히: '녁'은 '녘'의 옛말. 두 방향. 본문에서는 대전(광해군)과 대비전(인목왕후) 두 처소를 말함.

913 찰히: 차라리.

하니라.

이틀날 또 와 닐오되,

"비록 죽어지라 하나 죄 없어 아니 죽이랴? 전을 뫼왓게[914] 아니 죽이니 수라[915]를 권하야 잡삽고 설워 우옵시지 말라."

하여늘 대답하되,

"속(俗)에 닐오되 서너 살 먹은 아해도 제 하고저 하는 일을 거사라오면[916] 좋아 아니하고 부대 뜻대로 좋아야 우람을 그치옵나니 하물며 우흔 남의 없은 설움을 만나 주야에 애통지성(哀痛之聲)이 끝지아니하오시고, 하마[917] 두 해 도록 어마님과 아기시 생사(生死)를 아지 못하오셔 불이 붙는 듯하야 산 고기 양지(陽地)에 놓은 듯 헤떠[918] 울으시고 냉수(冷水)와 얼음(氷) 뿐 마시오니 수라야 더욱 권하올 길이 없아오며 이따금 위로(慰勞)하야 여짜오되, 대전에서 죽음(粥飮)이나 권하야 잡사오라 전교(傳敎)가 자로 오시니 망극 중(罔極中)에도 또한 모자 정(母子情)을 차리옵시니 어찌 감동(感動)치 아니 하오리이까 부요[919]같은 종의 마음이나 마침내 안보(安保)함을 입사와지이다."

권하오니,

"대전이시다 날을 어미라 하시며 낸들 국뫼(國母)로라 하랴." "너해다 에라[920] 내 혼자서 우다가 명진[921]하리라. 권(勸)하는 말이 더욱 듣기 싫다."

914 뫼왓게: 모셨기에. 받들다, 어른을 따르다.
915 수라(水剌): '밥'의 궁중어. 진지, 임금께 올리는 밥.
916 거사라오면: '거스르면'의 옛말. 하지 못하게 해방을 놓으면.
917 하마: 벌써, 이미.
918 헤떠: 원형은 '헤뜨다'. '허둥거리다'의 옛말. 허둥대며.
919 부요: 하루살이. 흔히 천하고 보잘 것 없는 존재를 비유함.
920 에라: 원형은 '에다'. '피하다'의 옛말.
921 명진(命盡): 목숨을 다하다.

하오시니, 권키를 못하옵나이다.

하라 대군 죽삽시다[922] 말삼 듣고 시위인들이 설움이 가이없으나 날마다 저히니 두리워 어찌 우람을 내리오, 가슴을 두다리고 설워 할 따람이러라.

사월이 되도록 여짧지 아녔더니 먼저 우히 꿈을 꾸오시니, 두 젖이 흐르고 모든 사람이 아기시를 안아다가 우해 안기오니 우오시며 반겨 젖을 먹어 오시다가 깨달으니,

"마음이 새로이 놀랍고 살이 떨려 지금 정치 못하니 어찌 이러커뇨" 하오셔늘 근시(近侍) 대답하되,

"젖이란 것은 아해 식줄이니 아기시 장수(長壽)하셔 대전 마음을 자연(自然) 프오셔[923] 서로 만나오실 상서(祥瑞)로소이다."

하였더니, 그 후 또 몽중(夢中)에 아기시 우해 와 안기시며 닐오시되,

"머리 빗을 사이에 하늘에 가 옥[924]을 보니 인간의 독갑의 속에 옥곡[925] 만들었고 날을 설이 하야시나 나난 옥황[926]을 보니."

하고 울거늘 붙들고,

"어데 갔난다."

"나는 너를 여해고 매양 셜워 죽고저 하되 너는 어찌 간 곳도 아니 니라난다."

하시니,

922 죽삽시다: '죽다'의 존대말. 돌아가시다, 목숨이 끊어지다.

923 프오셔: '프르시고'의 옛말.

924 옥: 옥황상제가 산다는 가상의 서울인 옥경(玉京).

925 독갑의 옥곡(獄谷): 앞뒤 문맥으로 보아 '독경(讀經) 속의 옥곡(玉谷)'으로, 즉 '인간이 불경을 소리 내어 읽는 가운데 옥황상제가 사는 곳으로 인도되었다'고 해석함이 어떨까 생각됨.

926 옥황(玉皇): '옥황상제(玉皇上帝)'의 준말. 도가(道家)에서 말하는 천신(天神)의 우두머리.

"아오셔 쓸데없다."
하고 가니,
"어찌 상시(常時) 꿈이리오. 죽여 두고 날을 기(欺)이는가 싶으니 바로 니라면 하려니와 이 설움을 더욱 참지 못 하야 고대 죽어 한데 가고저 하노라."
하오시고 하 보채오시니, 상궁이 설움을 참지 못 하야,
"눈물이 흘러 옷이 젖으니 어찌 철석(鐵石)인들 기(欺)이리오 하다가 못하야 이리이리 와 니라오니 우리 기이옵고저 하오나 아기시 영하오셔[927] 자로 뵈오시니 인간은 속이오나 신영(神靈)은 못 속이로소이다."
하오니라. 것마라죽어[928] 겨오시다가 가까스로 냉수(冷水)로 깨와 겨요[929]하야 여짜오되,
"아기시 벌써 모진 범의 입의 들어 계오셔 이제 간장(肝腸)을 슬오오셔도 사오실 줄이 없고 병(病)드오신 본곁과 동생님은 어린 자손(子孫)을 다리오시고 의지(依支)할 데 없어 우흘 다시 만나 보옵고저 살아 계오시니이다. 아기시를 위하야 옥체(玉體)를 바리오시면 더욱 기꺼 마음 가장 모진 일 하야 방정지사를 다 나타나니 자진(自盡)하오시다 사기(史記)에 쓰올 것이오니, 악명(惡名)을 씩고 우히 먼저 없아오시면 각색 일을 다 하오시다 니라올 것이니 쉽사옴을 참사오사 저근덧 견대여 보오소서. 종(從)인들 위연[930] 어엿브고[931] 잔잉(殘忍)하니이까 평시(平時)의

927 영(靈)하오셔: 영험(靈驗)의 줄임말. 사람의 기원(祈願)에 대하여 신령과 부처의 영묘한 감응. 본문에서는 '영창대군의 기원을 신령이 들어주어서'로 해석됨.
928 것마라죽어: 원형은 '것마라죽다'. '까무러치다'의 옛말.
929 겨요: 겨우, 근근히, 가까스로.
930 위연(喟然): 위연탄식(喟然歎息)의 준말. 한숨을 쉬며 크게 탄식하는 일. 본문에는 '우연'으로 필사되어 있으나 문맥상 <계축일기>의 '위연'이 옳을 것 같아 고침.
931 어엿브고: '불쌍하다', '가엾고 애처롭다'의 옛말.

좋은 시절(時節)에 존귀히 시위하야 가압다가 이제는 내인이 초야(草野)의 기음[932]매는 하인만도 못 하야 해골이 거리에 구을고 금부나장[933]에게 뒤몰려 선왕 마노라 근시(近侍)하던 사람이나 의인(懿仁) 가례(嘉禮) 적 사람이나 다 중형(重型)으로 죽였으니 불상코 잔잉하야이다. 찰히 싀여뎌[934] 듣지 말고저 하오나 우흘 생각고 살아삽산데 이제 죽사오시면 우리를 살와 두리이까 새로 옥사(獄事)를 일울 거시니 한 아기시를 위하야 한(恨) 깃친[935] 사람을 설이 되게 마오소서."

하오니,

"낸들 무사 일 아니 헤리오마난 동서(東西)를 모르는 아해 슬하[936]에서 자라는 양(樣)이나 보려하더니 위력(威力)으로 앗아다가 가는 곳도 니라지 아니코 죽였으니 애를 끊는 듯 살을 버히난 듯 하니 설움을 참지 못하며, 어마님이시며 내 일노 설이 죽은 동생들을 생각하니 이제 죽으면 천하[937]에 가도 부형(父兄)에게는 반가이 뵈지 못하야 설운 넋이 외로이 볼 것이시라 참는 일이 많아 죽지 못하나 무삼 원수(怨讐)로 이런 설운 일을 보거뇨 내 집은 죄 없으니 설움은 내 받으나 선왕께 할 배니[938] 한갓 날을 미워할 일이랴 선왕이 사랑치 아니시던 원(怨)을 내게 프니 이 원을 받음은 카니와 내 가문(家門)과 어린대군을 다 죽였으니 어찌 한갓 쉽다 하리오[939]. 세세생생[940]의 소리 듣는 듯한 땅에도 나

932 기음: '김'의 옛말. 논밭에 나는 잡풀. 본문에서는 내인들이 들에서 일하는 하인의 신세가 되었음을 한탄하는 말.

933 금부나장(禁府羅將): 의금부(義禁府)의 하예 군위(下隷 郡衛)에 사령(使令)의 하나.

934 싀여뎌: 원형은 '싀여디다'. '잦아없어지다', '죽다'의 옛말. 죽어서.

935 깃친: 원형은 '깃티다'. '끼치다'의 옛말. 영향, 해, 은혜 따위를 당하거나 입게 하다.

936 슬하(膝下): 무릎 아래, 몸 앞.

937 천하(泉下): 저승의 아래. 사람이 죽은 뒤에 그 혼이 가서 산다고 하는 세상.

938 할 배니: 할 따름이니, 하는 데 달리다.

939 어찌 한갓 쉽다 하리오: 본문에서는 선조가 생전에 광해군을 사랑하지 않았음에 대

지 마라지라. 문 열어 주어든 노모(老母)의 안부를 들어지라."

문안 내관더러 하되 들은 체도 아니하더라.

봄이 지나 여름이 가고 가을이 되엿더니 내인들이 당도역[941]이 하야 중히 앓으매,

"약(藥)이나 먹여지라."

하되, 들은 체도 아니 하더라.

변상궁만 남았으니 모든 내인들도 어미 믿듯 하고 우도 그만 믿어 계오시더니 변이조차 알하 누으니 우히 더욱 망극히 여기오사 아모려나 살와 내려 각색으로 구병(救病)하되 늙고 용심 많이 한 사람이라 열(熱)이 중하야 살길이 없이 되거늘. 하다가 못하여,

"내인이 병(病) 들었으니 내여 보내여지라."

하되, 들은 체도 아니 하거늘. 다시금 간청하니.

"무슨 일 하려고 거짓 병 탈을 하고 내인을 내여 보내여지라 하는다."

하여날, 하 무서워 말을 못 하였더니 그 병세 수상하야 호릴[942] 기약이 없거늘 다시곰 비니 그제야 내여 보내되, 별장 내금위(別將 內禁衛)의 대전내관이며 본전내관이며 다 자비문(差備門) 안에 들어서고 의녀(醫女)로 상궁 속치마 바지 지이 떨어 뒤여 보고, 옷 속에 무엇 들었는가 해빛에 들어보고, 신은 것을 다 떨어 보고 머리지이 뒤여 보고 내관이 닐오되,

---

한 원망으로 내가(인목대비) 고초를 받음은 감수하겠지만 그 화(禍)가 영창대군과 친정에까지 미치는 것을 한탄함.

940 세세생생(世世生生): 불교에서 말하는 윤회(輪回). 몇 번이고 다시 환생하는 일. 현세(現世)와 미래(未來)와 그 어느 세상에서도.

941 당도역: '뜨리'의 옛말. '뜨리'의 한자말은 수두(水痘)로 북한에서는 지금도 '수두'를 '뜨리'라고 함.

942 호(好)릴: 좋아질. 본문에서는 '병세가 좋아질'로 해석됨.

"대전 전교가 없으니 별장 내금에 다 들이밀어 보고 행여 글월을 품었거나 옷 속에 있는가 하여 우흘 믿지 아니 여겨 별장(別將)들을 지키었으니 데면이 보고[943] 일 내지 말고 들이밀어 보라."

하니 고자[944]며 모든 놈들이 상궁을 껴드러 보고 의녀로 마조 앉아서 뒤여 보고

"아모 것도 없다."

하니 그제야,

"동생이 들어와 다려 가라."

하다.

병들어 인사를 모를내만정 수욕(羞辱)이 비경[945]하야 데면한 병이면 차마 못 나갈너라. 모든 내인이 울며 빌오되,

"병이 비경(非輕)하야 데면한 병이면 차마 구(救)치 못 할 것이라. 저리 심(甚)히 뒤나니 죽으라 가는 내인이라 뒤여 보고 병하여 내여 가나니라. 의녀로 하야 뒤여보고 수욕(羞辱)이 비경하니 내인은 상인(常人)이어니와 우흘 조곰이나 헤오라[946]"

하니 내관이 대답 하되,

"우리더러 닐어 속절 있을까 우리는 죽을 일을 두려 이리 하노라."

하더라.

변 상궁이 나간 후에 좋았거든 들여 달라 비오시되 대답도 아니터라.

변씨는 구월에 나가고 전(殿)에 감찰상궁 하였던 천복이 내전 더대

943 데면이 보고: 필사본에는 '데 보고'로 되어 있으나 문맥상 〈계축일기〉의 '데면이 보고'가 옳을 것 같아서 바로 잡음. 데면 하게 보고. 성질이 꼼꼼하지 않아 조심성이 없이 보고.

944 고자(鼓子): 생식기가 불완전한 사내. 엄인(閹人). 화자(火者).

945 비경(非輕): 가볍지 않음.

946 헤오라: 생각하라. 헤아리라.

잡아내다 하고 하옥(下獄) 하였더니 십월 이십일에 드리다 은덕의 족하를 이 사람의 시양[947]을 삼아두고 내외에 말을 서로 통하더니 들여두고 무삼 요괴[948]를 하려하여 이적에 달래여 들여 보내였더라.

이 사람이 본데 불통(不通)하여 생세 육십이로대 지식(知識)이 전혀 없고 얼굴이 괴이[949]하며 양재(樣子) 등요(燈油) 칠 한듯하며 언서(諺書) 한자(一字)도 잘 못쓰며 의인(懿仁) 적부터 쓰이지 못함을 앙앙[950]하여 하더니 이 적도[951] 하 소임(所任) 못하여 설워함이라 아시고

"제 행실(行實) 용치 못한 줄난 잊고 나이 많도록 고초히 지내니 그도 사람이라 불상타."

하오셔 감찰을 하였더니 양전(兩殿)에 서로 문안 다니며 아침에 문안 가서 낫만[952] 오듯, 지어 나죄[953] 오듯, 은덕이 가히(介屎)와 낫 늦어 가는 줄을 아지 못하듯더라. 천복이 닐오되,

"아모리 대군이 남과 달라 자라면 큰 사람이 되리라."

하니, 은덕이 닐오되,

"아모리 슬겁다[954] 살가 보자."

하더라.

이런 사람을 들여보내매 아모 일로 들여보내는 줄을 모라니 황황[955]

947 시양: '시양자(侍養子)'의 준말. 대를 이을 목적이 아니라 동성(同姓)·이성(異姓)을 가리지 않고, 세 살 넘어서 수양(收養)하는 양자.
948 요괴(妖怪): 요사스럽고 괴상함.
949 괴이(怪異): '괴상하다'의 옛말.
950 앙앙(怏怏): 불평불만을 하다.
951 이 적도: 이때에도.
952 낫만: '낫'은 '낮'의 옛말.
953 나죄: '저녁'의 옛말.
954 슬겁다: '슬기롭다'. '재능이 있다'의 옛말.
955 황황(遑遑): 황황망조(遑遑罔措)의 준말. 마음이 급하여 어찌 할 줄을 모르고 허둥지둥함.

하더니 들어 앉도 아니코 무라되

"마노라 어데 겨신고 올라 니거지라"

"아모데 계오시거니와 저근덧 머물러 가소."

하니, 대답하되,

"나를 대전에서 부러 불러 변(卞)이 병하여 나갔으니 네 시위하여 뫼와시라[956] 하셔늘 왔으니 수이 니거디라."

하야늘,

"무엇이 바쁠고 아조 들어왔으면 더욱 든든하니 물러 가라."

한대, 노(怒)하여 닐오되,

"내 즐겨 왔을까 슬하니[957] 대전이 하 네 들어가야 잘 시위 하리라 아니 들어가면 중죄(重罪) 주리라. 하옵셔늘. 왔는 줄 슬히 여기는 줄 알면 올까."

하고, 말이 가장 해악[958]하니 처음에 쓸믜더라[959].

즉시 올라가 침실(寢室) 지게[960] 열고 바로 들어가 앉으며 여짜오되,

"대전 내전이 부러 불러다가 '네 들어가 친히 시위하되 옥체(玉體)를 만지오며 잘 시위 하라.' 하시고 전지[961] 써 주셔늘 가져 왔았나이다."

하니, 우히 하 괘심이 여기오셔 대답 아니 하오시니 앉았다가 못하야 나와 모든 내인 더러 저혀[962] 닐오되,

"들어온가 미워들 말라 나도 마음으로 아니 왔으니 모다 슬히 여기

---

956 뫼와시라: 모셔라. 존경하는 사람을 받들다.

957 슬하니: 원형은 '슬희다'. '싫어하다'의 옛말.

958 해악(駭愕): 몹시 놀라는 것.

959 쓸믜더라: 원형은 '쓸믜다'. '싫어 미워하다'의 옛말. 싫어 미워하더라.

960 지게: 지게문의 준말. 마루에서 방으로 드나드는 곳에 안팎을 두꺼운 종이로 바른 외짝 문.

961 전지(傳旨): 임금의 명령을 받아 전하는 것.

962 저혀: 원형은 '저히다'. '두렵게 하다', '위협하다'의 옛말.

지 말라."

하여늘,

"괴로이 들어와서 우흔 주야 곡읍(哭泣)만 하오시거든 변 상궁 들어서 모든 아해들을 거나리옵시더니 원망(怨望)하미 가이 없어하거든 무사일 상궁 오나든[963] 슬히 여길고 즐겨 문 연듯 시원하여 하옵네."

대답하되,

"대전 내전이 보내어 시위하시게 하니 날을 예서 대답을 못 하리라. '나라 사람하여 밥 지어 먹고 옷 지어 줄 이 없거든 시녀(侍女)하여 지어 입고 가암[964] 없거든 대비(大妃) 마노라께 주소서 하여 지어 입고, 조금이나 네 말 아니 듣거든 문안 내관에게 가끔 서계[965]하라. 그른 일곧 있으면 내수사(內需司)로 잡아 내여 죄 줄 것이니 보경이[966] 하고 병하나 니 있거든 즉시 내여 보내라' 하더라."

하여늘, 모든 내인이 실색(失色)하더니 한 내인이 닐오되,

"그리면 가장 좋거니와 병하나 니 내어 보내며 말며 하기야 우히 하오시지 뉘 마음으로 내어 보내여지라 할꼬"

하니, 잠잠하고 있더라.

여러날 지나되 우히 불러 보오시지 아니니 노(怒)하여 닐오되,

"부리며 아니 브리오시는 일을 아라 서계(書啓)하라 하오시더니 하렸노라,"

하고, 이리 설이 되엿노라 하고

"대전을 저허 하오시는가, 내 부대 서계(書啓) 하리라."

963 오나든: 오는데.

964 가암: '감'의 옛말. 물건을 만드는 바탕이 되는 재료. 본문에서는 옷을 지어 입을 천을 말함.

965 서계(書啓): 왕에게 명령을 받은 자가 울리는 봉명서(奉命書).

966 보경이: 월경(月經)이 있는 사람.

하 벼르거늘 시위인이 여짜오되,

"천복이 들어옴이 한 불행(不幸)한 일이옵고 첫날 들어와 앉도 아녀 위엄(威嚴)을 지어 '침실의 누고[967] 단니나니.' 하여늘 '우리 둘히 사노라.' 하니 눈을 흘기여 닐오되, '즉시는 대전이 병이 있고 정씨는 당초(當初)에 사설(辭說)하고 우다 하고 내여다가 죽이렸마는 아직 두었으니 근심하라 하시더라.' 하고 들어와 하는 행지[968]는 괘심하기 측량(測量) 없아오나, 들어오는지 여러 날이로되 한 번도 감하옵지 못 하오니 한 번 감(鑑)하오심을 청(請)하옵나이다."

"제 얼골이 다랍고[969] 행지(行止)와 언새(言辭) 괘씸하니 차마 보기 싫거니와 한번 오라 하여 제 말을 들어 보리라."

하오시고 불러 보시니, 평일(平日)에도 근시위(近侍衛) 아녔던 사람이라 곱지 아닌 얼굴 들고 바로 앉자 감(鑑)하이옵기 어렵고 젓사온[970] 일이오되, 가장 좋은 양 하야 툭 추혀들고[971] 번둑이 나아가 앉거늘, 우히 묻자오시되,

"네 어찌 드러온다?"

"친히 시위하라 왔삽나이다. 전지도 가져왔삽나이다."

"전지란 것이 무엇고? 뉘게 니랄 전지라 하나니?"

"소인을 들어가 옥체(玉體)를 잘 간사하오셔 요사(妖邪)의 일 하거든 금(禁)하고 서계(書啓)하라 하오시더이다."

"그는 어내[972] 용한 일이로다. 내 아모리 파려하다[973]종 부리기조차

967 누고: '누구'의 옛말.
968 행지(行止): '행동거지(行動擧止)'의 약어(略語).
969 다랍고: 더럽다, 추하다.
970 젓사온: '두려운'의 옛말.
971 추혀들고: '추켜들고'의 옛말. 치올려들다.
972 어내: '참으로'의 옛말.

남이 거걸하랴[974] 시어버이를 며나리라서 거걸하는 나라히 있나냐 나난 하난 일이 없아니 네 들어 왔으니 살펴보라 내 부모(父母) 동생이며 어린 아기를 없이하고 이제 무엇이 나빠 문 닫고 넣어 두어 용납(容納)지 못하게 하나니 행혀 만일 그른 죄책(罪責) 입을 제 눌과 어우러 입으려니 필부(匹夫)를 구하여도 믿지 못 할 것이니 날을 쉽게 하여도 선왕 아들이라 하고 이름 더러일가[975] 아껴하노라 내전이 정전(正殿)을 참예[976]하니 잘 거걸하여 죄 아니 끼칠 뜻을 개유[977]하면 아니 드라랴마는 내전이 들어 앉아서 대전을 파는도다."

하오신되, 복[978]이 여짜오되,

"문을 열고져 하오시되 전계를 없어 하시나니 이제 양전[979]에서 세자(世子)께 친히 글월을 써 날을 주오셔든 내관하여 보내면 필연(必然) 반겨 들으시리이다."

"전일(前日)도 여러 번 간측(懇惻)이 적으되 한쪽 대답이 없으니 비록 설우나 또 빌기는 못 할 것이니 물러가라."

하오시니, 나와 앉아서,

"아모리 전계하오셔 어버이로라 벗딜너[980] 빌지 아니하오신들 대전 내전이 어버이라 하오시는가 아니 혜나니"

하여늘, 혹이 대답하되,

---

973 파려하다: '고달프다'의 옛말.
974 거걸하랴: 타이르랴.
975 더러일가: '더럽힐까'의 옛말.
976 참예(參詣): ~나아가 뵘, 참예하는 사람.
977 개유(開諭): 사리를 알아 듣도록 잘 타이르는 것.
978 복(福): 문맥상 '텬복'의 '텬'이 누락된 것으로 봄.
979 양전(兩殿): 본문에서는 당시 왕이던 광해군과 왕비 유씨를 가리킴.
980 벗딜너: 벗대다. 이르는 말을 듣지 않고 버티다.

"선왕 마노라 친영[981] 중궁[982]이오시고 공주[983] 대군[984]을 낳아 계오시거든 모진 법을 하여 아니라 함으로 갈까."

한데, 천복이 대답하되,

"대전이 어마님 공성왕후[985]를 강남가봉[986]하여 왔고, 대군을 죽였으니 뉘 혜서 선왕 마노라 제 아버님이라 하는가, 살아 계신 제 세자(世子)라 하고 사랑치 아니시고 가라치지 아니매 이제 왕(王)으로서 계셔도 아모 일도 아지 못 하니 더욱 애다라 원(怨)을 대군께 풀거든 헬세 없다."

하여늘,

"아바님 어마님을 다 혜지 아니면 어데를 쫓아 나신고."

---

981 친영(親迎): '친영'은 옛 혼례식의 여섯 절차의 하나. 혼인날 신랑이 신부집에 직접 데리러옴. 여기서는 '정실(正室)부인'이란 뜻.

982 중궁(中宮): 왕후의 대칭. 중궁전, 중전, 곤전(坤殿).

983 공주(公主): 정명공주를 가리킴.

984 대군(大君): 영창대군을 가리킴.

985 공성왕후(恭聖王后): 광해군의 생모인 공빈 김씨(恭嬪金氏)를 지칭함. 광해군은 즉위 2년에 생모를 공성왕후라 추존하고 능을 성릉(成陵)이라 했다. 당시 이항복, 이덕형 등 많은 대신들이 예에 어긋남을 들어 반대하였다. 아래 지돈령부사 허성의 상소한 대목은 반대의 이유를 알게 한다. "예에는 두 사람의 높은 이가 없고 가정에는 두 사람의 적자(嫡子)가 없는 것입니다. 의인 왕후(懿仁王后)는 이미 모후(母后)의 높은 이로 선왕(先王)의 배위가 되어 곤위[坤極]에 올랐고 우리 성상은 선왕이 아들로 삼는다는 명을 받들어 임금의 적통(嫡統)에 올랐으니, 성모(聖母)가 비록 낳아서 기른 은혜가 있으나 분수와 의리에는 분명한 한계가 있으니, 감히 왕후와 아울러 적통을 견주지 못하는 것이 명백합니다. 또 적통(嫡統)을 계승하였으면 그 사친(私親)을 돌아보지 못하는 것은 예(禮)의 큰 법[大經]입니다. 사대부 집안도 감히 어기지 못하는데 더구나 막중한 임금이겠습니까?" 『광해군일기』 권26, 광해군 2년(경술, 1610) 3월 14일(경안).

986 강남가봉(江南加封): 훈민정음 언해(訓民正音諺解)에 "중국은 우리나랏 상담(常談)에 강남이라 하나니."라고 한 것으로 보아 '강남'은 중국을 가리키며, '가봉'은 작호를 올려 준다는 뜻이다. 본문에서는 광해군이 생모를 공성왕후로 추존하여 중국의 승인을 받으려 했음을 말한다.

하니,

"내 법이 법이라."

하고 죄인(罪人) 응벽[987]이를 담산[988]에 담아 목릉 유릉에 올려다가 방정하고 처(處)를 니라라 하니 그놈이 다 올라가서,

"내 아자미 한 일이 있더냐 매 못 견대여 저근덧 쉬려[989]하고 거짓말 하더니라."

하고 나려오다가 죽으니라[990].(응벽이는 대군 보모상궁 족하)

복(福)이 기꺼 이제야 뜻을 일우과라 하되 할이 없어 하더니 침실 문을 닫고 근심 하더니 복[991]이 앓아 누었다가 그제야 니러 와[992] 침실을 두로 보고 역질[993]인줄 알고 들어 와 앉아 부러 고기 저미고 술 먹거늘 남이 들어가 보니 닐오되,

"긔휘[994]로 술 고기 못 먹을 것이니 가마니 먹자."

하고 먹더니 침실에서는 먹는 줄 모르되 자계 알으시고,

"천복이 남 다리고 둘이 앉아서 고기 뜯고 술 먹으며 가만히 먹자 하니 괘심코 다랍다 어서 아사라."[995]

---

987 응벽(應壁): 영창대군 보모상궁 김덕복(金德福)의 조카.

988 담산: '들것'의 옛말. 나무나 가마니로 만든 지게의 한 가지.

989 쉬려: 쉬다, 멈추다.

990 죽으니라: 이어지는 다음 문장과는 문맥이 통하지 않는다. 〈계축일기〉에는 인목대비가 천복이에게 어떤 소임도 맡기지 않아 죄 입을까 근심하며 대비 측 내인들과의 불편한 생활과 관련된 이야기가 약 40행정도 이어진다. 그러던 중 '공주가 역질하오시니' 다음에 본문의 '복이 기꺼 이제야'라는 문장으로 이어진다. 이러한 이유로 앞뒤 문장이 통하지 않게 된 것이다. 148쪽 20행~150쪽 20행 부분 참조.

991 복: 본문에는 '북'이라고 필사되었으나 문맥상 '복'이 옳으므로 바로잡음.

992 니러 와: 일어나 와.

993 역질(疫疾): 천연두(天然痘), 마마.

994 긔휘(忌諱): 꺼리어서 싫어하는 일, 신명(神明)에게 정성을 드리는 때에 부정(不淨)을 꺼리는 일.

995 아사라: 원형은 '앗다'. 빼앗거나 가로채다.

하오셔늘, 사람 보내여 보니 과연(果然) 한 사람과 앉아서 먹다가,

"하 가이없어 당시(當時) 듣지 아녔으니 먹노라."

하더라.

이 때를 타 천복이 섯달 열 이렛 날 침실 기슭에 가만히 불을 놓으니 이때 이경(二更)이로되 마쳐[996]늙은 문 상궁이 마음이 직숙(直肅)한지라 나라흘 짠하아[997] 침실 나린 방[998]에 치오나 상직(常直) 자더니 불 붙어 오는 소래 급(急)하거늘 인경[999]도 벌써 쳐 이경(二更)이 진(盡)하였고 바람 소래도 아니오 어찐 소래뇨 복이 제 방에서 혼자 자더니 필연(必然) 요기(妖氣)에 일이 있도다 하고 급히 지게를 열고 나가보니 침실의 연(連)한 익랑[1000]이로되 첨하 도론[1001] 녁이며 침실에서는 아기시를 위하야 두로 앉았다가 잠간 잠을 들었으시매 불 소래를 듣지 못 하였더니 놀라 나와 다란 문을 열치고 내닫는 소래 듣고 조찬 재 황홀[1002]하야 다람으로[1003] 모다 소래 지르고,

"불이야. 불이야."

웨거늘, 모든 내인은 다 와 보되 천복이는 보지 아니하더라.

내인들이 옷을 벗어 물에 잠가 치쳐 불을 끄다. 숯섬에 불을 놓았으매 섬을 잡아 나리치며 첨하(檐下) 가측에 벌써 달이였더라. 옷을 벗어

---

996 마쳐: 마침, 우연히.

997 짠하야: 후회가 되며 속이 아프고 언짢다.

998 나린 방: 이어진 방. 옆방.

999 인경: 인정(人定). 큰 도시에서 통행금지를 알리느라 밤마다 이경(二更)에 쇠북을 스무 번씩 치던 일.

1000 익랑(翼廊): 정당(正堂) 좌우에 ㄱ 자로 꺾어 잇대어서 지은 집.

1001 첨하(檐下) 도론: 처마를 두른 지붕의 서까래 끝이 내민 곳.

1002 황홀(恍惚): 어른어른하는 광채에 눈이 부셔서 잘 보이지 않음. 본문에서는 불길이 치솟아 눈이 부셔서 물체를 잘 분간할 수 없어 경황이 없음을 말함.

1003 다람으로: 달음질로. 힘차게 달음질하다.

무스래하여[1004] 끄다. 끈 후의 복이 종 다리고 전중(殿中)에 서며 닐오되,

"숯섬의 불남은 고이치 아니 하니라 본디 숯섬이란 것은 오래 쌓아두면 불이 나나니라."

모다 닐오되,

"숯서 불이 나면 선공[1005] 숯을 쌓아두며 시방(時方) 여러 곳에 쌓았으되 불 나는 일 없더니 이 불이 극히 고이하다."

하더니,

"그리타 가치 불을 놓을가 하더라."

역질(疫疾)을 시방 하오시는데 놀래어 타 죽이저 하는 일이러라.

시위인이며 우히 놀라 아모리 할줄 몰라 자계를 다리오시고 불이 몸채에 다래거든 나려 하오시더니 내인이 아해와 늙은이 다 엿이니 못 끌 불을 끄니 어찌 심상(尋常)이 끈 불 일이오. 복이[1006] 아모려나 역질(疫疾)을 상히[1007] 하오시고저 종을 시켜 가만가만 칼질도 하며 온갖 음식을 다 하여 먹더라.

하인(下人) 중에 아해 여러히매 그른 일이 있거든 늙은 내인이 쑤어리고[1008] 친대 저해 다엿 아해 달애여 도망(逃亡)하여 가며 가히(介屎)를 보아지라 한대 모다 나와 닐오되.

"대비(大妃)는 어찌 계오시며 공주(公主)는 어찌 계시며 내인들은 어찌 있어 무사 일 하시나니"

"내인이야 무사일 하올고. 아모 일도 아니 하옵나니."

1004 무스래하여: 무수리를 시켜서.
1005 선공(繕工): 선공감(繕工監). 건축, 토목에 관한 사무를 맡아 보는 관청.
1006 복이: 내인 '천복이'를 가리킴. '천복이'의 '천'자가 생략되었음.
1007 상히: 매우 심하게.
1008 쑤어리고: 원형은 '수으어리다'. '떠들어대다'의 옛말. 시끄럽게 지껄여대다.

시녀(侍女) 정순[1009]이 꾸짖어 닐오되,

"대비 마노라는 무사 일고 그저 대비라 하여라. 공주 자가는 무사 일고 그저 딸이라 하여라. 공주가 늙다 그저 늙게 하지 부마[1010] 빠랴[1011]. 죽다 그저 썩지 내어 오랴. 나라히 되였는것이라 위하랴. 대비 사오납기 측량(測量)이 없아니 우리 마노라를 죽이고 아들을 세려 하다가 저리 졸니고 갇혔나니라. 생심(生心)도 위치 마라 위하면 죽이리라."

"벌써부터 손 헤여[1012] 오라 하되 어버의 기별 몰라 안부(安否) 얻어 드라랴 왔나이다."

가히 닐오되,

"너희는 게셔 하는 일 다 니라면 안부도 듣게 하마."

대답하되,

"아모 일도 아니 하오시며 설워만 하오시나니."

정순이 꾸짖어 닐오되,

"너희 하는 일 기(欺)이면 다 잡아다가 가도옵실 것이니 바로 니라라."

대답 하되,

"아는 일이 없아오니 죽이옵시다 모르는 일이야 어이 니라올고."

정순이 꾸짖아되,

"아니 니라니 괘심 하다."

1009 정순(貞順): 인조반정 직후 대비는 수난시절 악행을 행한 내인 40여 인을 죄 줄 것을 하교했다. 실록에는 '정순'이 직접 거명되지 않았으나 『연려실기술』에는 중도부처(中途付處, 한 곳을 지정하여 머물게 하는 형벌)한 내인들 중에 이름이 있다. 『인조실록』 권1, 인조원년(계해, 1623) 3월 25일(을묘); 『연려실기술』 권23, '중도부처된 사람들' 참조.

1010 부마(駙馬): 부마도위(駙馬都尉)의 준말. 공주 또는 옹주의 남편. 임금의 사위.

1011 빠랴: 원형은 '빼이다'. 빼이랴.

1012 손 헤여: '손을 내젓다'의 옛말.

"어버이를 수이 보고저 하거든 대비를 수이 죽이거나 그리 못 하거든 불을 놓아라. 불 곧 놓으면 너해 다 양반(兩班)이 되고 나가기 쉬오리라. 너해 오니 고기 하고 술 먹이노라."

하고, 술 고기 주어늘 아니 먹으니

"이 아해 어이 아니 먹난다."

"슬희여 아니 먹삽네."

"슬타 저것 못 먹으랴 어서 먹어라."

"긔휘(忌諱)로 고기 아니 먹던 것이니 아니 먹삽네."

"무삼 기후고."

"공주 자계 역질(疫疾) 긔휘 옵도쇠."

가히 놀나며 기꺼 닐오되,

"무삼 역질고."

"대역(大疫) 하오시나니."

"어찌 하나니."

"잘 하옵시나니."

"얼마나 돋았나니.'

"어도록[1013] 하엿나니."

"거의 다 하여 겨압시니."

"천복이 침실에 부리시게 부러 드려 보내시니 뉘라서 막아 아니 드려 보내시게 하나니."

"아해 나라 일을 어찌 아올꼬."

"현마 듣도 못 할다."

정순이 또 꾸지자되,

1013 어도록: '얼마나'. '어디까지'의 옛말.

"나라히라 말라 하였거든 또 어찌 나라히라 하난다."

꾸지자니 가히 정순을 눈기여[1014] 꾸짖되,

"잡말 말라."

정순이 또 닐오되,

"무사일 어엿버 꾸짓지 말라 하나뇨 마노라 죽이려 하는 일이 고마워 아니 꾸짖을까."

하더라.

중환의 당(黨) 아해매 넘어 가서 내어 보낼까 여겨 넘어 갔더니 하 꾸짖고 우흘 욕하니 쫓아 갔던 아해들은 노(怒)흡고 애도(哀悼)타 욕도 보난다 하고 울고 온 아해도 있고, 우리 다시 가자 하난 아해도 있더라.

침실 사람들은 기후(忌諱)로 들어갔으니 알 길이 없더니 사옥이란 아해 침실 기슭에서 숙직(宿直)자되 할난 남의 유(類)의 늦도록 자거늘 수상이 여겼더니 내인들이 넘어와 조녀[1015]가며 부엌으로 붙은 기슭에 불을 놓으니 자던 사람이 가까스로 일어 불을 끄되 아뫼[1016] 한 동 아지 못 하나 무서워 불 놓았단 말을 못하고 아나니 까지는 참고 사더라.

이 아해들이 연(連)하여 나가고저 마음을 먹어 궁중의 야경(夜警)을 다 하여 공동케 하고저 하여 불 놓아 요란케 하고 밖으로서는 납향제[1017] 도다지[1018] 많이 들매 내관이 대전께.

"어찌하여 드리리이까."

하되, 자비문(差備門)에서 도채[1019]로 도다지며 녹(鹿) 울래난[1020] 소래

1014 눈기여: 원형은 '눈긔다'. '눈짓하다'의 옛말. 눈 흘겨서.

1015 조녀: '좇아', '따라'의 옛말. 일이나 말을 허술하게 하지 못 하게 단속하는 일.

1016 아뫼: '아무개가'. '누구가'의 옛말.

1017 납향제(臘享祭): 음력 12월에 그 한 해 동안 지은 농사 형편과 그 밖의 일을 여러 신에게 고하는 제사.

1018 도다지: '도야지'. '돼지'의 옛말.

침실에 들리고 고기를 장목(長木)에 메여 드리니.

"저근덧 둣다가 드리라 하여든 드리라."

하니, 내관이 대언(大言)으로 대답하되,

"우리는 우리 마음일까 전에는 그저 드리더니 올흔 어찌 패여 드리라 대전(大殿) 전교(傳敎)이니 마지 못 하니 잡말 말고 어서 드리라."

하더라. 사람이 못 미처 받으면 군사가 드려다가 넘어쳐 바리고 어서 문 닫으라 하더라. 역질(疫疾)하는데 칼질과 도채질이 가장 흉(兇)한 줄 알고 부러 패여 드리라 하닸더라. 그러나 신령이 도우시고 잔잉(殘忍)이 여기신지 역질을 순히 하시다. 넘어 갔던 아해 들으니 공주는 저리 넣어두되 역질을 순히하고 내 손자(孫子)는 어이 죽었던고 지극(至極) 고이타 하더라. 게 내인들이 날마다 높은 데 올라 망(望) 보며 게 갔던 아해 곳 보면 손 헤여 오라 하면 담 넘어 가라 하더라.

한번은 이경(二更)에 담을 트고 넘어 가거늘 한 시녀(侍女)의 종이 마쳐 나갔다가 보고 제 항것다려 니라라 온 사이에 뛰어 나리다라 제 방의 가 코 고으고 누었거늘 아뫼 갔던 줄난 모를러라.

잡아도 처치(處置) 어려워 짐짓 모르는 체 하여 더뎌[1021] 두었더니 저해는 나갈 꾀를하여 형용(形容) 없은 계교를 다 하여 나가려 하더니 게 내인이 밤에 넘어와 버드나모 우에 앉아서 사람 곳 만나면 신은 것을 벗어 바리고 가더라. 다른 내인들은 저해 잡으라 왔는가 무서워 혹 밤에 본전(本殿) 내인을 만나도 남의 게 내인인가 하여 혼백이 비상[1022]하여 소래 나는 줄 모라더니 '눌인가' 하여 소래 하나니, '내로라' 하되,

1019 도채: '도끼'의 옛말.

1020 울래난: 울다, 부르짖다.

1021 더뎌: 원형은 '더뎌두다'. '던져두다'의 옛말. 돌아보지 않고 그대로 내버려두다.

1022 혼백(魂魄)이 비상(飛翔): '혼백(넋)이 이리저리 흩어진다'는 뜻으로 몹시 놀라서 넋을 잃음.

무한 소래 지르고 달아날 곳을 아지 못 하더라.

을묘년[1023] 봄이 되였더니 변 상궁 나간 후는 죽은동 산동 아지 못 하여 말씀도 못하고 바려 두었더니 어쩐지 니라도 아녀서 사월 초일에 드려 보내다. 드려 보낼 제 상궁을 불러 드러오라 하여 가히(介屎) 나와 보고 손뼉 치고 닐오되

"우리를 죽이려 하다가 하늘이 잡아내었으니 대전이 뉘시완대 죽이려 하시던고. 하늘이 앙얼[1024]을 주었으니 뉘 탓이라 할꼬. 이제나 좋이 사지 아녀 천제(天祭)하여 죽으라 비다가 그도 들려 났으니 그도 거짓 말인가."

하고 손뼉 치고 헤떠[1025] 말을 하매 이 녀은 입이 있다 무슨 말을 하리오. 아뭇 말도 아니코 앉았으니 손사래[1026]하여 변 상궁 입에 손이 오락가락 하더라.

하 잠잠코 있으니,

"하 분명(分明)하니 입이 아외여[1027] 무삼 말을 할다. 하 옳으니 말이 없어 한다."

하더라.

내전이 친히 보아 할 말 있다 하여늘, 이윽이 기다리고 있더니, 무삼 꾀를 한지 다시 보지 아니코 사람 부려 닐오되,

"너를 당초(當初)에 죽일 것을 아녔으니 상덕(上德)인 줄 아난다. 병(病)으로 하여 나감은 기간(其間)에 꾀하려 병 탈하고 나왔으니 너를 중

1023 을묘년(乙卯年): 광해군 7년(1615).
1024 앙얼(殃孼): 앙화(殃禍). 지은 죄의 앙갚음으로 받는 재앙.
1025 헤떠: 원형은 '헤뜨다'. '허둥거리다'의 옛말. 허둥대며.
1026 손사래: 어떤 말을 부인할 때 손을 펴서 휘젓는 것.
1027 아외여: '아우르다'의 옛말. 본문에서는 입이 여럿이라도 할 말이 없다는 뜻인 것 같음.

죄(重罪) 주고 다시 아니 드려 보낼 것이로되 뫼시리 없다하여 너를 들이노라. 이제란 요사(妖邪)의 일 말고 시위하라."
하더라.

가히(介屎) 나달아 앉아

"내 말 듣고 저리 설워 하시니 어서 죽으시면 시원할쇠 대군 세고 좋이 살려 하다가 뒤쳐계시니[1028] 부대 내말 듣고 이제 죽삽시다. 공주(公主)야 대전 마노라 어련히 길러 성혼(成婚)하옵실까. 공주는 자라가고 문은 열 적 없으니 도적의 당도 덜 잡았으니[1029] 공성(恭聖) 마노라도 천조(天朝)의 주청[1030] 갔으니 문을 열다 무삼 용납(容納)하실고. 어서 가시면 양전(兩殿)이 다 좋사올쇠."
하여늘, 들으매 하 분 하여 죽다 무엇이 관겨(關係)하리 하며 니라되,

"세상 사람이 죽사리는 명(命)에 달렸으니 어찌 마음으로 죽으소서 하리오. 발서 죽어지라 주야 원(願)이오시되 어쩐지 살아 계오시니 더욱 설워 하오시나니, 공주 아기시야 어련히 잘 기라옵실까마난 부모의 념은 이 있을까."
하니, 가히(介屎) 웃고 닐오되,

"아까 말은 웃노라 말이어니와 살아 계시다가 우리 되는 양을 보려 하신다 하니 옳은가."
하니, 대답 하되,

"사람의 마음은 다 한가지라 나는 듣지 못한 말이로쇠."

가히 니라되,

1028 뒤쳐계시니: 뒤쳐났으니. '발각되었으니'의 옛말.
1029 도적(盜賊)의 당(黨)도 덜 잡았으니: 계축년 봄에 일어난 '박응서 옥사' 사건의 범인 중 박치의가 도망하여 잡지 못한 것을 말함. 『광해군일기』나 『연려실기술』에는 현상금을 걸고 박치의를 잡으려 한 내용이 여러 차례 기술되었다.
1030 주청(奏請): 광해군이 생모 '공빈'의 시호를 청조(淸朝)에 인준 받으려던 일.

"대전이 죽으셔도 세자가 계시니 자문 문에서 죽다 쉬울가. 이제도 세자께 나 죽은 후에도 살아신 적 같이하라 하시나니, 좋은 일 보아 살아실까 여기지 마소. 자네 이말 곧 내면 멸족지화(滅族之禍)를 볼 것이니 자네와 나 맹세(盟誓)하여 보세."

하야늘, 하 무서워.

"나는 원 말 참기를 못하니 듣지 마라지라."

가히 나다라 손목 쥐고 닐오되,

"우리 아해 적부터 한데서 살아라 위연 절한가[1031] 대비 마노라 시위하여 살기는 적으니 무삼 정이 중하실꼬."

하고, 우으며 각색으로 달래되 위엄(威嚴)을 지으며 닐오되,

"양전(兩殿)이 상궁을 친히 보아 니라고저 하오시더니 연고(緣故)있어 못 감(鑑)하오시니 날다러 니라라 하옵셔늘 니라옵네. 이제 드러가서 부대 죽이옵고 살아 두면 종에 해만 설울 따름이오 유익(有益)함이 없아리라. 이 말 곧 내면 보자. 죽은 어버에게 니라러[1032] 화(禍)를 면(免)티 못 하리라."

하더라.

참노라 하되 분함을 이기지 못하야 울고 대답하되,

"이 일은 종이 차마 못 할 일이니 드러가지 말아지라."

가히 닐오되,

"상궁이 좋은 일로 니라니 내 말을 듣지 아니 하니 내 알가 드러가 아모리나 하소."

하더라.

1031 위연 절(切)한가: 우연히 끊어지게 됨. 본문에서는 상궁 가희와 변 상궁이 우연히 대전(광해군)과 대비(인목대비) 처소에 근무하면서 서로 멀어지게 되었음을 말함.

1032 니라러: 원형은 '니라다'. '이르다'의 옛말. 이르기까지.

갑인(甲寅) 사월의 내관 박충신을 보내어 공주(公主) 대군(大君) 들어 계신데 두로 돌아 보고, 이튿날 또 와,

"할 일 있으니 어서 서러져[1033] 내라. 더대면 내인 다 죽이리라."

하고, 발발 촉수[1034]하니, 내인은 아모란 줄 몰라 연고(緣故)나 알고 서라 자려하되, 잠시도 늦추지 말고 서라저라 하여 계시니 잡말 말고 서러 자라 하여늘, 공주 피소(避所)부터 서럿노라하니, 또 내관 보내여 대군 세간으란 밖으로 내여 오라 하신다 하고, 각색 세간과 솟가마 방축[1035]지이[1036]다 서러저다가 동가(東家) · 서가(西家) · 남가(南家) · 북가(北家) · 남성(南城) 양진당지이[1037] 다 서럿고 나라 고간(庫間)지이 내관이 보고 다 앗아 내관이 술위[1038]에 실여 가고, 남성(南城) 고간(庫間)은 밖으로 내관이 문(門)이며 지게며 둔테[1039] 박고 문틈을 다 바라고 진수[1040]와 헤수[1041]하여 발기[1042]하여다가 내외(內外) 장(牆)을 다 더하여 놉히 싸고 가새[1043]로 담 위에 얹고 첩박고[1044] 축[1045] 밖으로 둑담 싸거늘,

---

1033 서러져: '서러지다'는 '치우다', '정리하다'의 뜻.

1034 촉수: 〈계축일기〉에 이 부분이 혹촉(酷促)이라 되어 있고, 문맥상으로도 '거듭 독촉함'으로 해석함이 옳을 것 같음.

1035 방축: 다듬잇 돌. 방춧 돌.

1036 지이: '~까지'의 옛말.

1037 양진당(糧進堂)지이: 양진당까지. 양진당은 양식과 진찬을 두는 곳을 가리킴.

1038 술위: '수레'의 옛말.

1039 둔테: '문둔테'의 준말. 널문짝 한쪽 가에 상하로 상투같이 내밀어 끼우는 구멍이 뚫린 나무. 문을 잠그기 위해 위아래로 가로 대는 나무.

1040 진수(盡數): 몰수(沒數), 모조리. 수량의 전부.

1041 헤수: 수를 계산하다.

1042 발기(件記): 궁중에서 쓰는 물품 목록을 적은 문서.

1043 가새: '가시'의 옛말.

1044 첩박(疊縛)고: 본문에는 '텹박'으로 되어 있으나 문맥상 '첩박고'가 옳을 것 같아 고침. 〈계축일기〉에도 '첩박고'로 되어 있다. 출입을 금하기 위하여 문에 나무를 걸쳐 대고 못을 박아 못 열게 하는 일.

1045 축(築): 축대(築臺)를 이르는 말. 높이 쌓아 올려 사방을 볼 수 있게 만든 대(臺)

늙은 내인이 울고 닐오되,

"내외(內外) 사면(四面) 담을 다 엿자히나 높이고 문마다 첩박아 둔테 박으니 우흔 죽사 오심을 날로 기다리오시거니와, 부모 자손(子孫) 사이에 흣 일음이 불상하니 설워 어마님을 안치[1046] 하시다 말을 면치 못할쇠."

내관이 달아나며 닐오되,

"나라히 옳이 되려 이러하실까 설우나 잡말 말고 잘 시위하여 계옵소. 우리다러 닐러 쓸데 업삽시니 밥 먹는 사람이야 뉘 옳다 할꼬."

하더라.

궁중을 조려[1047] 겨요[1048] 용납(容納)하게 만들고 자비문(差備門)에 첩박고 자비로 하라 두 번만 출입(出入)하니, 아침은 삼전(三殿) 문안이 오되 겨유 와 엎디였다가 문안 알아지라 말도 아니코 그저 일어나더라. 아모 말이나 니라려 하면,

"우리는 말 들으려 오지 아니코 문안만 알려 왔노라."

하더라.

"문(門)여 열어 달라."

하오시면 더욱 수이 일어났더라

할난 니업[1049]이 왔거늘

"글월 가져 가라."

나 터.

1046 안치(安置): 위리안치(圍籬安置)의 준말. 죄인을 배소(配所)에서 달아나지 못하도록 가시로 울타리를 만들고 그 안에 가두어 둠.

1047 조려: '줄이다'의 옛말.

1048 겨요: '겨우'의 옛말.

1049 니업: 〈계축일기〉에 '문안내관 니업이 왔거늘'이라는 구절이 있으므로 당시 문안내관의 이름임을 알 수 있음.

하니, 닐오되

"손 없어 못 가져 가리이까, 발 없어 못 가며, 무거워 못 가져가며, 입 없어 못 전(傳)하리이까마난, 받아오지 말라 하니 못가져 가나이다."

궁중에 외여지물[1050] 버릴 틈이 없어 내관다려 니라면 닐오되,

"대전에 드리오면 받아 버리지 말라 하시고 한데 모화 두라."

하시매, 일년에 모은 것이 산 무으니[1051] 갔더라. 처지라[1052] 애걸[1053] 백번이나 하면 내관이 꾸지자되,

"대전에 아모리 취품[1054] 하여도 치지 말라 하시니 못 하노라."

하더라.

두어 해 만(晩)하면 악취(惡臭) 만실[1055]하여 귀덕이[1056] 나, 방(房)안과 밥 지어 먹는 솥 위에 끼이면 물로 씻어도 없지 아니터라. 문안 내관이 오면 상궁이 울고 여러 번 일러야 어른 내관과 종사관[1057] 보내어 첩 박은 문 떠이고, 별장[1058] 내금위[1059]에 병조정낭[1060] 사소위장[1061] 하인 거나려 와 처 내더라.

1050 외여지물(오예지물, 汚穢之物): 더럽고 지저분한 물건, 쓰레기.
1051 무으니: '쌓다'의 옛말. 쌓은 것.
1052 처지라: 처버리다, 없어지게 하다.
1053 애걸(哀乞): 간청하고 비는 것.
1054 취품(取稟): 웃어른께 여쭈어서 그 의견을 기다리는 것.
1055 만실(滿室): 집안에 가득한 것.
1056 귀덕이: '구더기'의 옛말.
1057 종사관(從事官): 조선 시대 각 군영(軍營) 포도청(捕盜廳)의 종 6품 벼슬.
1058 별장(別將): 조선 시대 각 영(營). 청(廳)에 소속되어 있던 정 3품 및 종 2품의 당상군관(堂上軍官).
1059 내금위(內禁衛): 조선 시대 임금을 호위하던 군대.
1060 병조정낭(兵曹正郎): 병조낭청(兵曹郎廳)을 가리킴. 조선 시대 군사와 우역(郵驛)을 맡아보던 병조의 당하관(堂下官).
1061 사소위장(司掃衛將): 조선시대 액정서(掖庭署)의 정 9품 잡직(雜織)의 하나.

집 위에는 가막 가치[1062] 똥이 가득하여 회(灰) 바라닷 하니 별장(別將)들이 닐오되,

"내인들은 적고 즘생이 많아 더러온 것을 먹으니 집 위에 회 싼 듯하고, 악취 집 안에 만실(滿室)하야 저근덧 맡아도 머리 알파 못 견대니 우히 어찌 견대오시난고, 내 전조(先朝) 제 이 궁중을 보았더니 선왕이 승하하오신지 오래지 아니코 자손(子孫)이 이러탓 만다라시니 차마 못 볼노라."

하고, 눈물을 나리오고[1063] 나가더라.

내인이 행여 나갈까 하여 호위로 두루 싸고 별감[1064] 보내어,

"수이 치고 나가라. 더대면 죽이리라."

하더라.

이렇듯 하기를 두어 해에 한 번씩 삼년(三年)에 한 번씩 하 비러야 하더라.

할난 내인이 병들어 밤에 불 혀고[1065] 다니더니, 이튿날 내관이 연고(緣故)없이 하인을 다리고 사나이를 궁중(宮中) 행랑(行廊)집 우해 올라 두루 살피거늘, 내인은 하 무서워 들어 숨었더니, 내관이 닐오되,

"무사일 하노라 밤에 불 혀고 다니더니."

하더라.

내인이 신을 것이 하 없어 발 벗고 다니다가 혹 다쳐 울적이면 내관 보내어.

"무사일 우난다."

1062 가막 가치: 까마귀와 까치.

1063 나리오고: 흘리면서 흘러내리다.

1064 별감(別監): 조선시대 궁중의 액정서(掖庭署)에 달려 있던 관직. 예속(隷屬), 대전, 내전, 세자궁 처소 등 별감이 있음.

1065 혀고: '키고'의 옛말.

묻거늘,

"발 알파 운다."

하니, 또 와 닐오되,

"우지 말라. 울면 죽이리라."

하더라.

내인 든 대며 침전(寢殿)이 옛 집이매 두로 새야 비 올 제면 사람이 몸 둘 데 없어 하 민망 하여,

"새는 데 니어지라[1066]"

매년(每年) 비라되 듣지 아니 하더라. 내인이 가까사로 니면[1067] 내관이 꾸짖더라.

들었는 내인이 정순의 말과 천복의 지조[1068]로 갑인(甲寅)·무오년(戊午年)까지 방화(放火) 함을 아닐 적이 없어, 숯섬에도 놓으며 혹 거적[1069]에도 싸 놓으니 견대지 못 하야 신시[1070]부터 불기를 금(禁)하니, 미시[1071]에 밥을 지어 먹고 신시에 요령[1072]을 흔들고 부엌 구석마다 은근처면[1073] 두로 돌아봄을 한 경(更)에 두 세 번씩 하더니 넘어갔던 하인이 다엿이 싸화[1074] 고(告)한되, 우히 통분이 여기오셔 각각 뫼여 정중에 앉히고 흉모(凶謀)를 묻자오시니 허튀도 치지아녀셔 낱낱이 복초

1066 니어지라: 이어짓다, 지붕의 거죽을 덮다.

1067 내인이 가까사로 니면: 내인이 가까스로 지붕에 올라 비 새는 곳을 이으니(고치니).

1068 지조: 앞 뒤 문맥으로 보아 '지휘'나 '지주'로 생각됨. 〈계축일기〉에는 '지휘'로 되어 있음. 또는 지주(指嗾, 달래고 꾀어서 부리는 것)로도 문맥이 통함.

1069 거적: '섬거적'의 준말. 짚으로 엮거나 새끼와 짚으로 걸어서 자리처럼 만든 물건.

1070 신시(申時): 오후 3시부터 5시 사이.

1071 미시(未時): 오후 1시부터 3시 사이.

1072 요령(搖鈴): 놋쇠로 만든 큰 방울로 사람에게 알리는데 쓰임.

1073 은근처면: 행동 따위가 함부로 드러나지 아니하고 은밀한 곳.

1074 싸화: '싸우다'의 옛말.

하더라.

"뉘라서 방화(放火)하기를 가라치더니?"

"대전(大殿) 시녀(侍女) 정순이 가라치더이다. 너해 방화하여 대비(大妃)를 타 죽게하면 너해를 다 백성[1075] 맨달고 큰 상(賞)하고 우리게 와 살게 하리라 하더이다."

여러 번 방화하여 집 위에 불이 올라 성화(盛火) 급(急)하거늘, 내인이 헤질러[1076] 멸화(滅火)하다.

자비문(差備門) 내관들이 성화함을 보고 민망이 여겨 대전에 고하니

"끄지 말고 바려두라."

하더라.

내인이 그 불을 다 끈대 내관 별장이 크게 기특이 여기더라.

내인이 신을 것이 없어 헌 옷을 찌여 노흘[1077] 꼬아 집신도 하여 신으며 헌 신을 뜯어 신는 것을 기워 신으되 헤프니 견대지 못 하여 살[1078]밑을 빼혀 송곳 만다라 초혜[1079] 짓기를 시작(始作)하다.

겨울이면 눈 위에 신을 것이 없어 낡은 신을 녹피[1080]로 큰 신 짓기를 시작하다. 봄에 지어 절워 뒀다가 겨울을 지내더라.

십 년이 되어가니 온갖 것이 다 진(盡)하여 신창을 기울 노히 없어 베옷을 풀어 꼬아 깁고, 옷 지을 실이 없어 모시옷과 무명옷을 풀어 베어 쓰더라.

1075 백성(百姓): 궁녀는 천인으로 노예 신분이므로 해방시켜 양인(良人)으로 만들어 준다는 뜻임.

1076 헤질러: 헤지르다, 싸지르다, 분주히 돌아다니다.

1077 노흘: 노끈, 노나 끈.

1078 살: '화살'의 준말.

1079 초혜(草鞋): 짚신.

1080 녹피(鹿皮): 사슴의 가죽.

내인이 발이 짓물러 울고 다니더니 한 내인 아해 발이 쯰여뎌[1081] 급한 소래로 우니, 우히 듣자오시고 잔잉이 여기오셔

"모조로 발 간사하야 주라."

하오셔늘, 처음은 평격지[1082]를 만다라 주었더니 점점하여 굽격지[1083]를 만다라 주다. 격지에 못은 진상 드는 궤에 못을 박더라[1084].

칼 할 것이 없어 예 있던 환도(還刀)를 둘희 그처[1085] 칼을 만들고 가애[1086]를 떠혀[1087] 날을 갈아 칼을 만들더라.

하인의 옷 할 것이 없어 낡은 야청[1088] 옷을 뜯어 물 내여 들여 입고, 웃사람은 치마 할 것이 없어 흰 옷 입고 민망하여 하더니, 짐승의 똥에 족씨[1089]를 누었으매 마쳐 한 펴기[1090] 나거늘 한 해 길러 두 해 째는 씨 많이 나더라. 이러구러 남(藍)드리기를 하다.

쌀 일 박이 없어 소코리로 쌀을 이더니[1091] 가마귀 박씨를 물어 왔거늘 한 해 길러 두 해 째는 쪽 박이러니 세 해 째는 중(中)박이 되고 네 해 째는 큰 박이 되더라.

소옴이 없어 겨울을 칠 팔년이나 지나되 햇 소옴이 없어 너터러[1092]

1081 쯰여뎌: 원형은 '쯰여디다'. '찢어지다'의 옛말.
1082 평격지: '납작한 나막신'의 옛말.
1083 굽격지: '굽이 달린 나막신'의 옛말.
1084 격지에 못은 진상 드는 궤(樻)에 못을 박더라: 〈계축일기〉에는 '궤에 못을 빼혀 박더라'로 되어 있다. '나막신을 만드는 데에 필요한 못은 진상 드는 궤에 있는 못을 뽑아서 사용하였다'는 뜻임.
1085 그처: '끊어'의 옛말.
1086 가애: '가위'의 옛말.
1087 떠혀: '뜯어'의 옛말.
1088 야청(鴉靑): 검은 빛을 띤 푸른빛.
1089 족씨: 남빛의 염료로 썼던 식물의 씨앗.
1090 펴기: '포기'의 옛말.
1091 이더니: 일다. 물건을 물에 넣어 못 쓸 것을 버리고 쓸 것만 고르다.

설워하더니 면화(棉花) 씨 섞여 들었거늘 그를 심거 씨 내어 두 서너 해 째는 많이 피어 그를 옷에 두다.

사절(四節)이 지나되 햇나물 얻어먹을 길이 없더니 외(胡瓜)·가지(茄子)·동화[1093] 씨를 얻어 심으니 나물을 얻어 쓰더라.

생치[1094] 목에 수수 씨 들었거늘 의외(意外)로 심으니 무성(茂盛)이 되니라 가을에 베니 찰 수수러라. 부로[1095] 씨는 짐승의 똥에 있거늘 심으다.

해포 가니 담이 무너지니 수축할 세 없어 내인이 담을 싸고, 우물이 무너지니 하 민망하여 헐어 달고질[1096]하여 고치니라. 옛 집이라 집 말니[1097] 꺾어지고 기우러 사람이 치이게 되거늘 한 집을 얻어 기운 집을 괴오고 내관더러,

"대전에 고하라."

백번 빌되 들은 체도 아니 하더라.

외장(外牆)이 무너지니 내관이 들어 와 보고

"계집의 한 배 아니오 장사(壯士)의 일 같다."

하더라. 기특히 여기더라.

씨 없은 이름 모를 입 넓은 나물이 침실 뜰에 나서 해 년 성(盛)하거늘 모다 기특히 여겨 뜯어 삶아 먹으니 향기(香氣)롭고 맛이 달거늘 모

1092 너터러: 원형은 '너털다'. 덜덜 떨다, 추워서 벌벌 떨다.

1093 동화: 동과(冬瓜). 동아. 박과의 한해살이 덩굴성 식물. 줄기가 굵으며 갈색 털이 있음. 잎은 어긋나며 5~7개로 얇게 갈라지고 여름에 노란 꽃이 핌. 인도 원산으로 긴 타원형의 호박 비슷한 열매가 가을에 익는데 맛이 좋으며, 과육(果肉)과 종자는 약용으로 사용됨.

1094 생치(生雉): 말리거나 익히지 않은 꿩고기.

1095 부로: '상치'의 옛말.

1096 달고질: '달구질'의 옛말. 집 지을 터, 또는 그밖에 땅을 단단히 다지는 일.

1097 집 말니: 원형은 '집마라'. '집마루', '대들보'의 옛말.

다 먹더니 꿈에 닐오되,

"나물 못 얻어먹어 할 새 이 나물을 주노라."

하더라.

대초(大棗) 남기 있으니 평일(平日)에 열어 잘고 병 드더니 먹을 계규를 못 하야 폐문중(閉門中)에 햇 실과가 없어 우히 부원군(府院君) 위하야 제(祭)하오시더니, 무오년[1098]부터 이 남기 성(盛)하야 여람[1099]이 큰 밤 마곰[1100] 여라대 맛이조차 비상(非常)하고 거의 섬[1101]이나 여더라.

꿈에 닐오되,

"부러 맛 좋이 성히 여른 것이니 내인이 도적(盜賊)하여 먹으면 도로 아니 열게 하리라."

한되 사람이 직히였더라.

복성홰[1102] 행로(行路)에 절로 나서 여름이 천도[1103] 같고 맛이 비상하더니 꿈에 닐오되.

"상시(常時) 실과(實果)는 세 해를 채와 열되 이 남근 별로 두 해만에 열게 하였으니 잡사람이 먹으면 열지 아니하고 죽게 하리라."

나라해만 잡삽더니 꿈을 취(取)치 아니 하고 모다 먹으니 그 해 겨울에 죽으니라.

밤 남글 우히 평일에 시녀하여 심겨 계오시더니 여러 해 성하다가 기미년[1104]에 죽거늘 심상이 여기더니 꿈에 닐오되,

---

1098 무오년(戊午年): 광해군 10년(1618).

1099 여람: '열매(果)'의 옛말.

1100 마곰: '~만큼'의 옛말.

1101 섬(石): 곡식, 액체의 용량을 나타내는 단위. 한 말의 열 곱절. 본문에서는 매우 많이 열렸음을 말함.

1102 복성홰: '복숭아'의 옛말. 복숭화가.

1103 천도(天桃): 선가(仙家)에서 하늘 위에 있다고 하는 복숭아.

1104 기미년(己未年): 광해군 11년(1619).

"제 남기 죽은 것이 고이히 여기지 말라 다시 살리라."
하더니, 이듬 해 한 가지 살고,

또 꿈의 닐오되,

"다 살면 좋은 일 보시리라."
하더니, 이듬해에 큰 남기 마자 살아 녜라온닷[1105] 하더라. 가을에 늦 피기를 봄같이 하거늘 수상이 여기더니 꿈에 와

"수상이 여겨 큰 말 말라."
하더라.

하 가만이 드러시면 내관 보내어 두루 살펴보고, 내인 보내어

"가만히 드렀고 틈질[1106] 말라."
하더라.

무오년(戊午年) 여름에 불이 일어나 정릉 골[1107] 들어붙어 오거늘, 문을 두다려 아모리 불러도 대답 아니 하더니, 하 부르니야 대답 하거늘,

"불이 붙어오니 문을 다다 두고 태오려 하나냐? 이제나 문을 열어 불을 면케하라."

내관이 하되,

"대전이 자문 재[1108] 두고 열지 말라. 하니 못 여노라"

내인들이 하 민망하여 불 머리를 보려 집 우해 오른데 내관이 담 밖에서

"어서 나리라 대전에서 아라시면 죽으리라."

1105 녜라온닷: 옛 모양인들.

1106 틈질: 틈타서, 기회를 보아서.

1107 정릉(貞陵) 골: 지금의 정동(貞洞), 덕수궁 뒤편 일대. 당시엔 태조(太祖)의 계비(繼妃) 신덕왕후(神德王后) 강씨(康氏)의 능(陵)이 정릉(貞陵)으로 지금의 서울 정동에 있었기에 정릉 골이라 함.

1108 자문 재: 문을 잠가둔 그대로.

하거늘, 아니 나리니 헤떠 꾸지자되,

"가만히 들었지 아녀 불 보아 무엇하려 하난다."

"내인의 머리 깨쳐지라"

하더라.

내관이 대전에 하되,

"불이 들이 붙어오니 자전(慈殿)을 어이 하리이까"

하니,

"바려 두라 한다."

하더라.

문 열 그음[1109]이 없거늘 문안 내관다러 니라되,

"우히 용태(容態) 중(重)하오셔 토혈(吐血)을 하오시니 행혀 아니니라다. 하옵실가 핏 사와[1110] 여짭나이다."

하니 즉시 내관 보내여 니라되,

"어데를 알파하시며 무삼 연고로 토혈하시며 하루 몇 번씩 하시나니 내인이 밋브지 아니 하니 의녀(醫女) 드려 진맥하라."

하거늘,

"행여 그러 하시니 의녀란 마옵고 문을 여옵시면 백병(百病)이 다 좋사올가 하옵나이다."

하니 와 꾸지자되,

"부러 탈하여 두고 알파 한다 하니 내인 다 죽이라."

저히고,

"중(重)히 알파 하시는 일을 자시(仔細) 니라라 괴로이 있다가 불평(不平) 하오시다."

1109 그음: '기색'의 옛말.

1110 핏 사와: 피를 싸오다. 필을 쏟다.

하니, 죽삽다여 기꺼 날마다 묻는 일이러라.

정사년[1111]부터는 조정(朝廷)이 정조 탄일[1112]의 문안(問安)도 아니코 숙배[1113]도 아니하더니 서궁[1114]이라 하고 알까하여 진상(進上) 단자[1115]에 쓴 것을 대전 내관이 긁어 없이하고 드리더라.

신유년[1116] 칠월에 포수(砲手) 진소[1117]하여 내장[1118]밑에 입직(入直) 포수(砲手)가 삼경(三更)에 야경(夜警)하니 만군(萬軍)이 끌어 드는 듯 하더라.

내인들은 들어와 죽이려 하는가 하여 애쓰여 지는듯하여 서로 헤매여 침실의 가 시위하여,

"한데 가 죽자."

하더라.

당신[1119] 사던 빈 궁(宮)에 가 해마다 매고 내고 방포[1120] 놓으니 귀신(鬼神)을 쫓아 우리게로 오게 한 일이러라.

내인이 병 들었으니 내여지라 빌어야 내되 가히 은덕이 갑이 아는 사람이면 밖 어버의게 청 받고 아니 앓는 사람조차 내어 가더라. 내인들이 울고 비라되,

1111 정사년(丁巳年): 광해군 9년(1617).
1112 정조(正朝) 탄일(誕日): 음력 정월 초하루.
1113 숙배(肅拜): 정숙하게 절함. 세배, 문안.
1114 서궁(西宮): 광해군 10년(1618) 1월 폐모된 인목대비를 '대비' 대신 '서궁'이란 칭호를 사용하게 된 것을 말함.
1115 단자(單子): 남에게 보내는 물목(物目)을 기록한 종이.
1116 신유년(辛酉年): 광해군 13년(1621).
1117 진소(鎭所): 군사가 와서 지키는 곳.
1118 내장(內藏): 내장사(內藏司)를 가리킴. 임금의 사유재산을 관리하는 관청.
1119 당신(當身): 광해군을 가리킴. 〈계축일기〉에는 이 부분에 '대전'이라고 표기됨.
1120 방포(放砲): 궁중의 호령으로 헛총을 놓는 것.

"집은 크고 사람은 적으니 밤이면 귀신도 무섭고 하니 알파하는 이만 내고 성하 니는 내지 마라지라."
하면, 대전 내관이 니라되,
"대군도 내었으니 내인을 무엇만 여기리 잡말 말고 어서 내라."
이렇듯 함이 대 엿 번 이러라.

계해년[1121] 정월(正月) 초삼일에 종(從) 다 내라 하거늘 우히 비오사.
"죽과저 하여 싸 넣었으니 설운 일로는 발서 죽을 듯하되 내의 명(命)은 하늘의 달렸으니 인의(人意)로 하리이까 내인 삼십 여인을 다 주륙[1122] 하였으니 궁중이 다 비어 까막 까치와 귀매[1123] 꾀였는데 죽은 내인의 종조차 내어 가면 혼자 무서워도 사지 못 할 소이다."
하오시니 들은 체도 아니 하고 어서 내라 독촉(督促)하더라.

두 아희 내인을 내어 주니 드려가다 가히 부리닷더라.

삼월 열흘 날 내관 보내어,
"알나 니 있거든 내라."
하더라.

열 이튼 날 범의 가죽에 두억신[1124] 그리고 붉은 작은 줌치[1125]에 죽은 내인의 이름 써 넣고 산 내인의 이름 써 밖에 매고 내관 보내여,
"이 가죽으란 침실 문 안에 매고, 줌치란 게 있는 내인들의 이름 보와 채오라. 제(除)하면 외리라[1126]"
하고 가니라. 보매 하 무서워 즉시 파 묻으니라,

1121 계해년(癸亥年): 광해군 15년(1623).
1122 주륙(誅戮): 죄에 대한 형벌로 죽이는 것.
1123 귀매(鬼魅): 도깨비. 모질고 악한 귀신 따위를 이르는 말.
1124 두억신: 두억시니, 야차(夜叉), 사람을 해치는 사나운 귀신.
1125 줌치: '주머니'의 옛말.
1126 외리라: 원형은 '외다'. '그르다'의 옛말. 그르니라.

열 사흔 날 삼경의 문을 여니라. 오래 잠가 넣었으나 경신년[1127]부터 궁중에 상서(祥瑞)의 일이 있더니, 신유년(辛酉年) 임술년[1128]부터는 신인(神人)이 나려와 내인의 눈에 기특히 한 일이 많더라.

계축년[1129]부터 설운 일이며 상시 보내어 저히며 꾸짖던 일이며 박대 불효지사(不孝之事)를 니라[1130] 기록(記錄)지 못 하여 만분의 한 말이나 기록 하노라.

다 쓰랴하면 남산(南山) 대를 다 버혀도 어찌 니라 쓰며, 다 니라라 하면 천지(天地) 진(盡)하다 다 니라랴. 옛이야기 삼아 보려 내인들이 잠깐 기록하노라.

계해년(癸亥年) 삼월 열 사흔 날 반정[1131]하야 문을 여니 흉참이 구던 내인(內人) 상궁(尙宮) 가히(介屎) · 은덕이 · 갑이 · 중환이 · 경춘이, 상궁 난이 · 천복이 여렷 내인들은 법(法)대로 정형(正刑)하여 죽이고 폐주[1132]는 강화(江華) 위리안치 하였다가 옮겨 제주(濟州) 안치(安置) 하였더니 천년까지 살고 죽으니라.

1127 경신년(庚申年): 광해군 12년(1620).
1128 임술년(壬戌年): 광해군 14년(1622).
1129 계축년(癸丑年): 광해군 13년(1621).
1130 니라: '이루', '능히'의 옛말.
1131 반정(反正): 인조반정(仁祖反正)을 말함.
1132 폐주(廢主): 광해군을 가리킴. 반정 후 강화로에 유배되었다가 1614년 이괄의 난이 일어난 후에 태안으로 옮겨졌다. 복위를 시도한다는 이유로 1936년에 교동(喬桐)으로 옮기고, 1637년 다시 제주도에 유배되었다. 인조반정 후 폐위된 후에도 19년을 더 살다가 인조 19년(신사, 1614) 7월 1일 67세로 생을 마감했다.

계축일기

影印原文

계 축 일 기

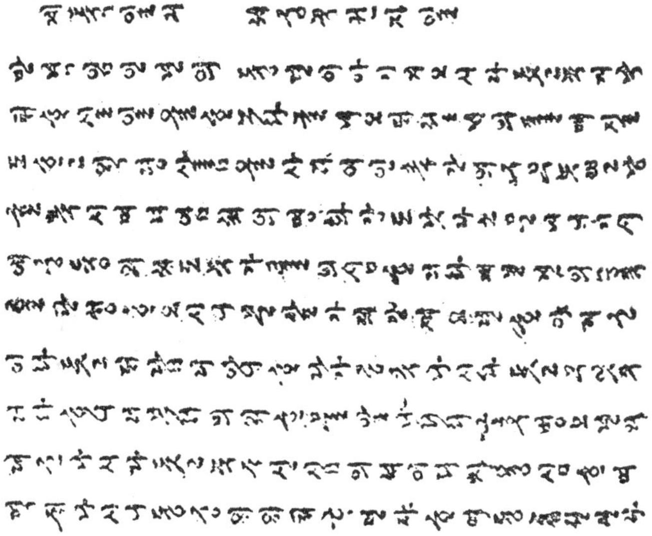

❶-1

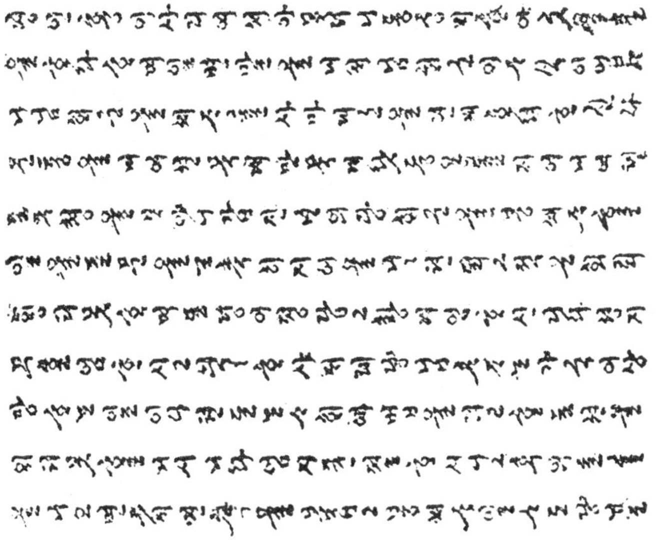

❶-2

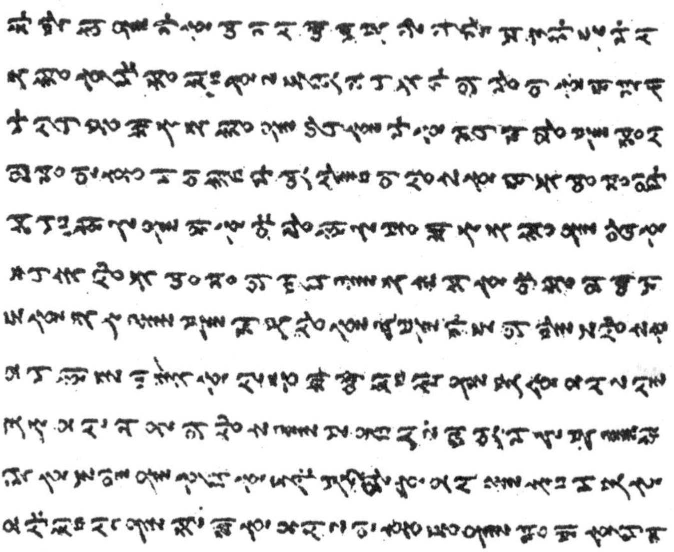

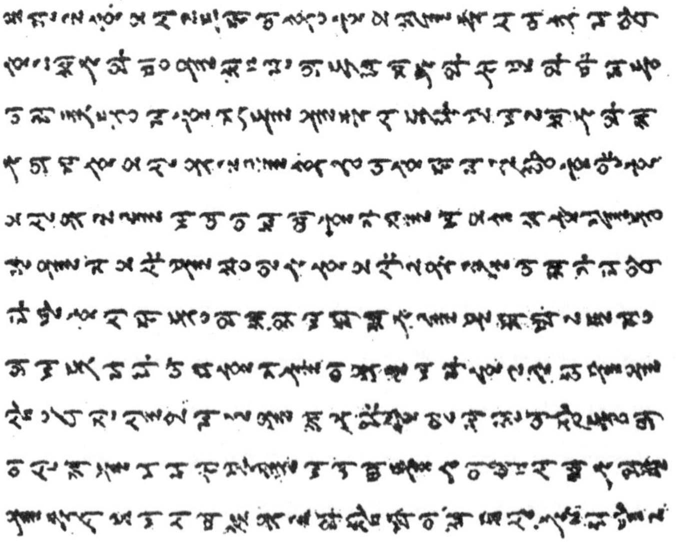

❶-3

❶-4

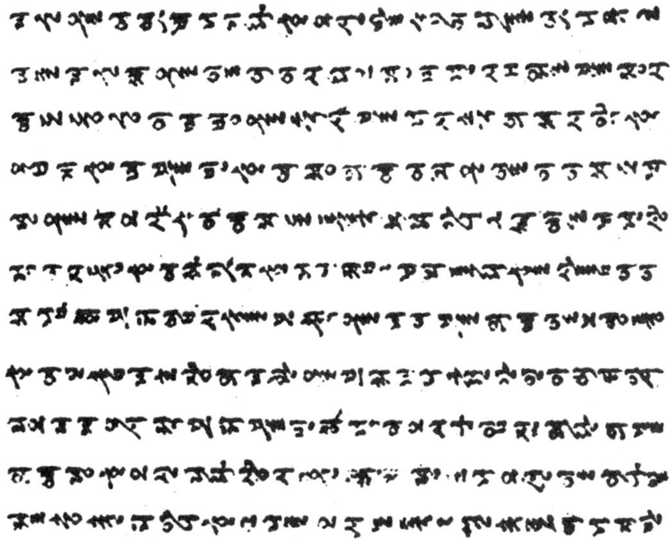

❶-5

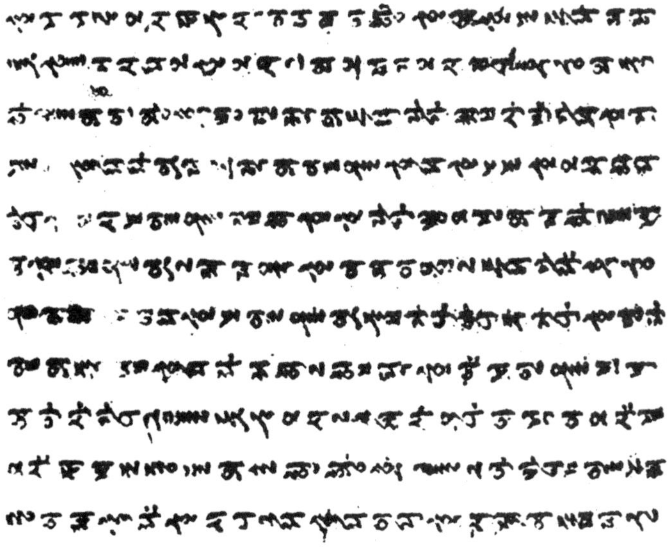

❶-6

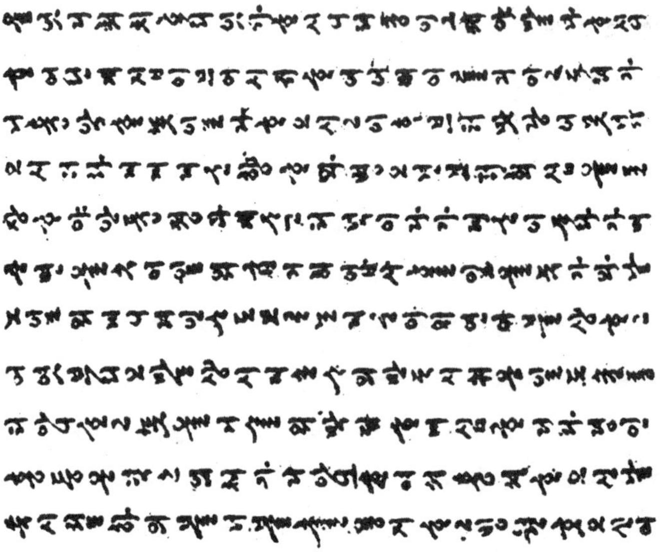

❶-7

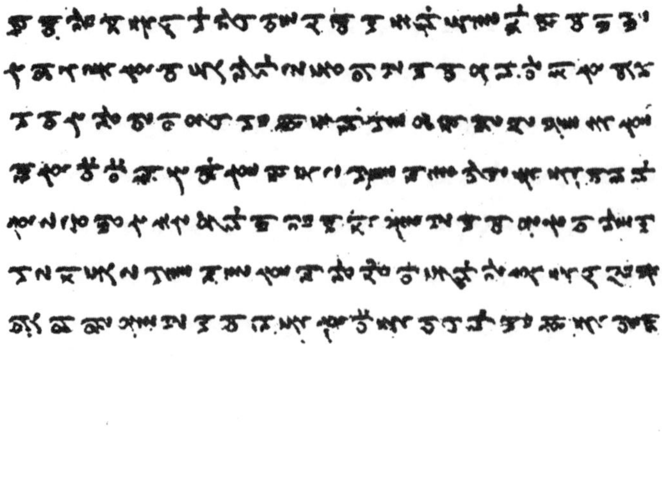

❶-8

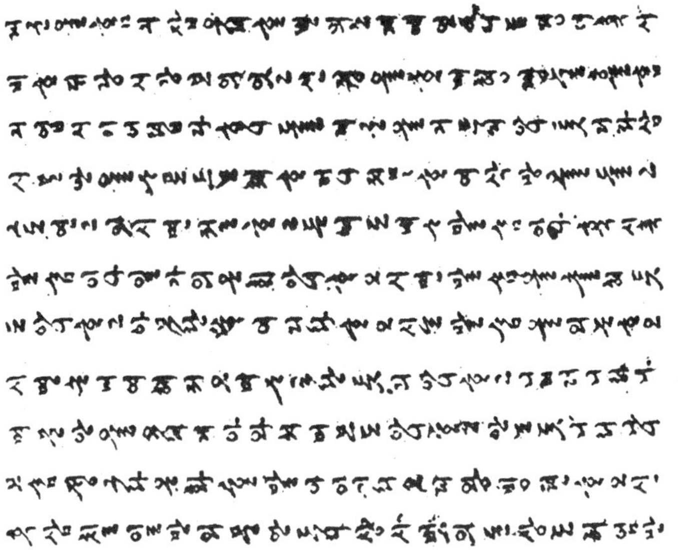

❶-9

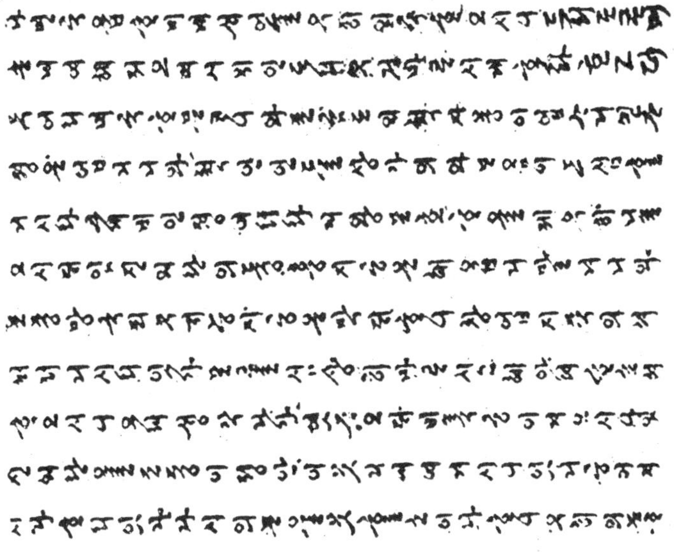

❶-10

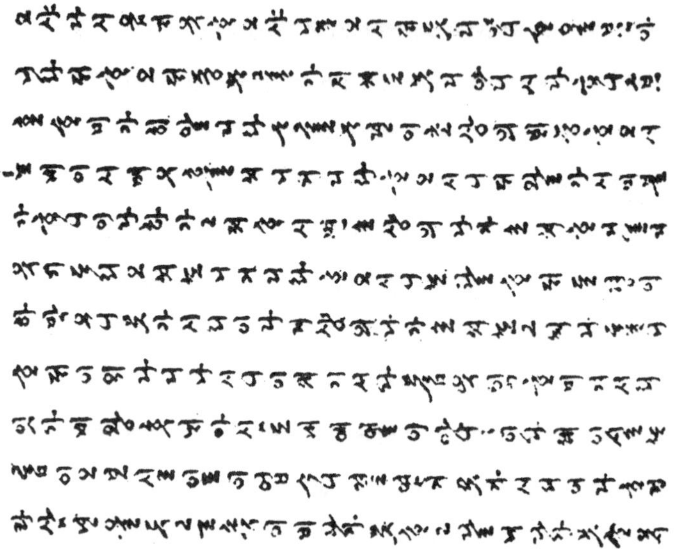

❶-11

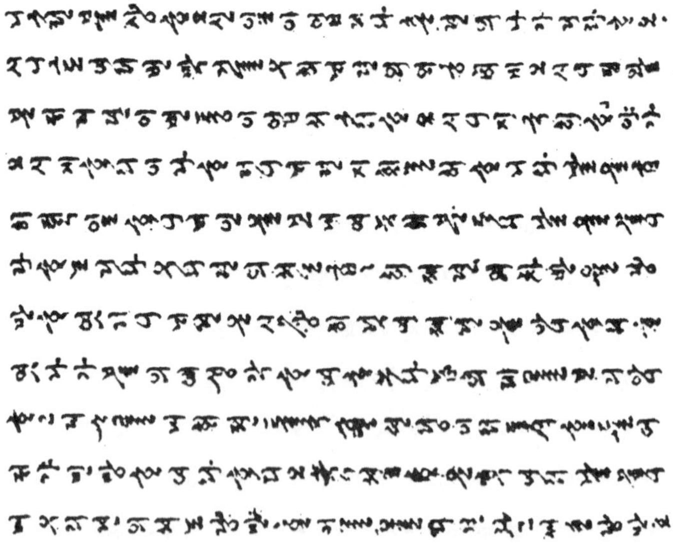

❶-12

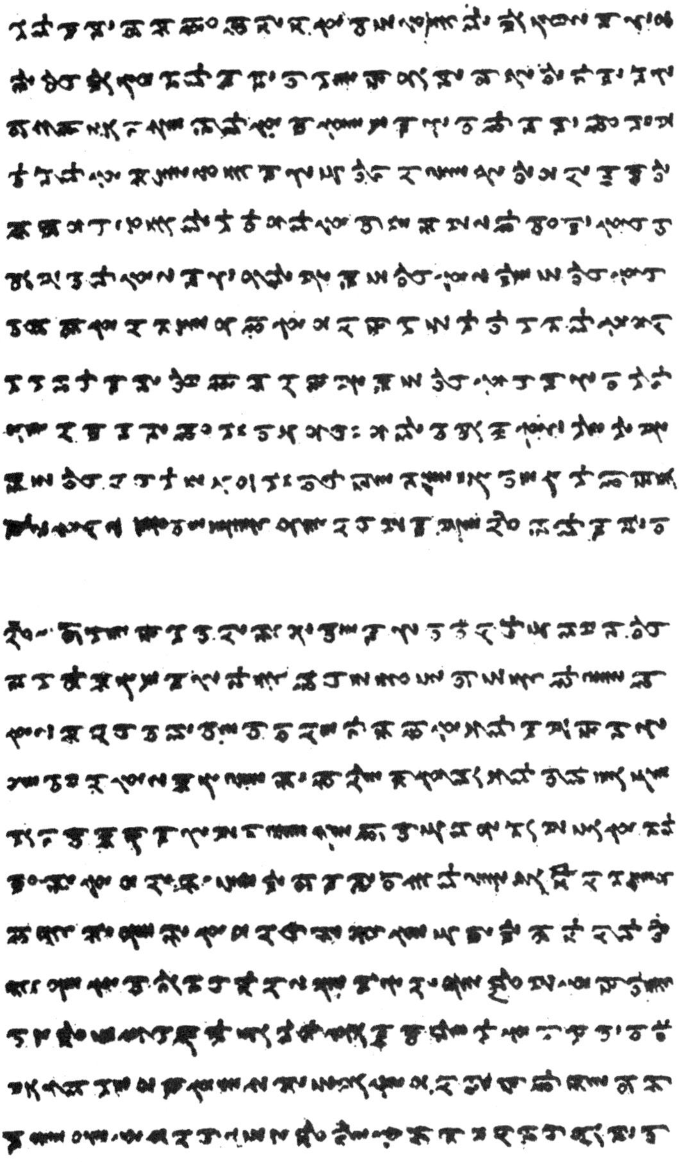

❶-13

❶-14

견ᄒᆞ오시니 하 긋ᄉᆞ와 ᄌᆞᆸᄉᆞ와 ᄆᆡ니 어ᄯᅩᆺ 젼 니 ᄇᆞᆯ시며
ᄯᅩᆺ나가 ᄂᆞᆯ나ᄒᆞ오셔 나ᄉᆞᆫ니 ᄯᅩᆺ구ᄅᆞᆯ 샹ᄒᆞ게 어ᄌᆞᆺ
ᄂᆡ다 ᄒᆡ예 년 십일월 ᄂᆡ ᄇᆞᆯ 평ᄒᆞ오시 [illegible] 가ᄎᆞ게
와셔 약ᄉᆞᆸ더니 ᄒᆡᆺ 여ᄒᆡ 두니 안잣지 못ᄒᆞᆸ여 ᄌᆞᆼᄉᆞᆷ을 오
서던 ᄎᆡᆼ의와 ᄌᆡ뎔 노코 ᄆᆡᆼ 잣더니 병 드신 ᄒᆞ오시 ᄂᆡ 일
오뎌져 올ᄎᆡᆷ ᄎᆞᆯ 뎌 안 잣젼 일 미ᄋᆞᆨᄒᆞᆺ 다져 ᄒᆞᆫ다 ᄒᆞ더 다ᄒᆞᆼ
ᄎᆞᆨ 예도 ᄒᆞ온 ᄃᆡᆯ의ᄒᆞᆫ 번 서 가ᄅᆞᆯ ᄂᆞᆨ이 ᄎᆡᆨ 이 아소ᄋᆞᆸ거
샹 복통의 ᄂᆞᆨ음 여주 ᄯᅴ ᄒᆞ고 지젼 샹의 ᄀᆞᆺ ᄉᆡᆼᄒᆞᆫ 재도
ᄒᆞ고 입을 구ᄅᆞ오고 우ᄂᆞᆫ 믈 ᄎᆞᆷ을 ᄎᆡ 뎌 ᄒᆞᆫ 뎌 다 ᄒᆞᆫ다 못ᄒᆞᆷ
야ᄒᆞ오ᄉᆞ오 보ᄂᆞ니 민망ᄒᆞ 더니 우히 빙ᄯᅡ의와 주ᄋᆞᆸ을
고쳐 ᄂᆡᄋᆞᆸ오 ᄒᆞ오시니 이ᄋᆞᆷ ᄉᆞᆷᄒᆡ　ᄒᆞ셔 나ᄉᆞ니 바다 이 ᄒᆞ야

ᄌᆞᆫ의 져 오ᄋᆞᆸ서 ᄂᆞ니 다 주ᄉᆞ 일 ᄌᆡ 되 우 ᄋᆞᆸ시 ᄂᆞ니 ᄎᆞᆫ ᄎᆞᆨ
만하 ᄋᆞᆸ서 져 ᄋᆞᆸ서 니 ᄎᆡᆯ ᄒᆡ ᄒᆞ오시며 오 ᄂᆞᆷ 다 ᄉᆞᆯ을 이 며
양 ᄉᆞᆯ ᄂᆞᆫ 못 ᄒᆡ ᄎᆞᆯ 다 ᄒᆞ 니 ᄌᆞᆨ 우 외 ᄂᆞᆫ ᄉᆞᆯ 음 어 ᄒᆞ ᄋᆞᆸ 시 니
져 ᄒᆞᆨ 구 ᄆᆡᆼ 못 ᄒᆡ 다 ᄒᆞᆼ ᄉᆞᄅᆞᆯ 하 못 ᄒᆞᆫ 여 ᄒᆞᆯ 강 것 도 ᄎᆞᆫ 히
겨 되 못 ᄒᆞ 여 져 젼 을 ᄂᆡ ᄉᆞ 것 이 강 방 의 다 ᄉᆞ 독 고 둣 야
의 즁 ᄉᆞᄅᆞᆯ 구 되 져 ᄒᆞᆫ 여 견 이 ᄒᆞᆨ 방 ᄆᆡᆼ 의 와 ᄂᆞ 샤 신 ᄌᆡᆨ
이 ᄆᆡᆼ 즁 ᄉᆞᄅᆞᆯ 못 ᄒᆞᆫ 여 ᄒᆞᆫ 자 니 도 ᄅᆞᆯ 며 ᄆᆡ 도 ᄒᆡ 와 칼 ᄒᆞᆯ
그 ᄃᆡ 못 ᄒᆞ 여 도 ᄒᆞᆫ ᄀᆞᆯ ᄒᆞᆯ ᄆᆡ 자 ᄒᆞᆫ 다 도 ᄅᆞᆯ 브 리 고 갈 ᄒᆞᆯ
도 ᄅᆞᆯ ᄆᆡ 뎌 ᄎᆡ 우 ᄂᆞᆫ 이 져 ᄒᆞ 복 ᄆᆡᆼ ᄂᆞᆷ 죽 어 ᄃᆡ 어 거 관 이 ᄒᆞᆺ ᄉᆞ
ᄃᆡ 야 ᄒᆞᆫ 면 ᄎᆡᆷ 리 ᄂᆞᆫ 뎌 ᄒᆞ 여 ᄌᆡ ᄃᆞᆯ ᄂᆞᆫ ᄃᆡ 못 ᄂᆞ 못 ᄒᆞ 여
ᄆᆞᆺ 거 져 양 ᄂᆞᆫ ᄒᆞᆫ 야 여 ᄒᆞᆯ ᄒᆡ ᄒᆞᆫ 니 ᄆᆡᆫ ᄉᆞᆼ ᄒᆞᆯ 녀 ᄃᆡ 은 ᄂᆡ 다 니

❶-15　❶-16

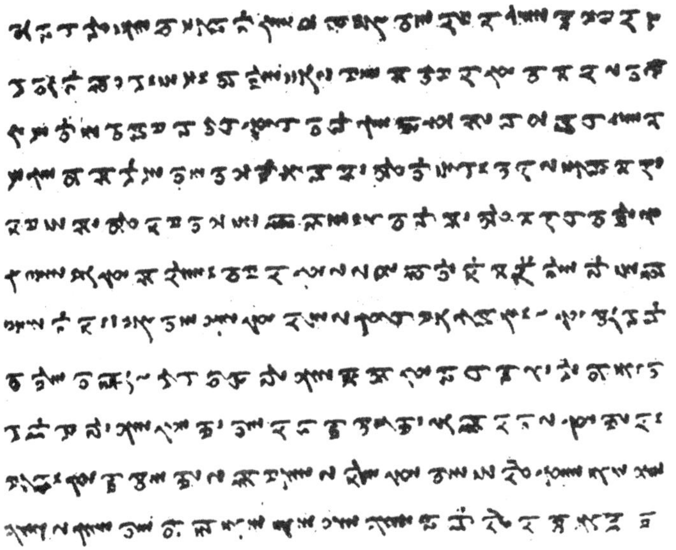

❶-17

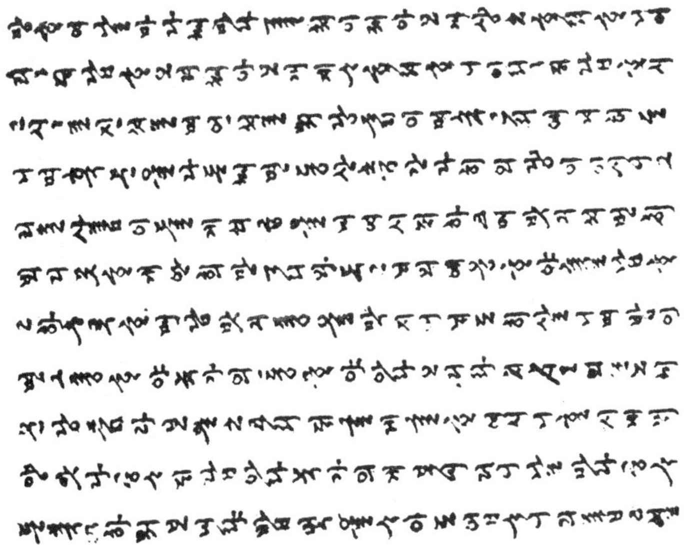

❶-18

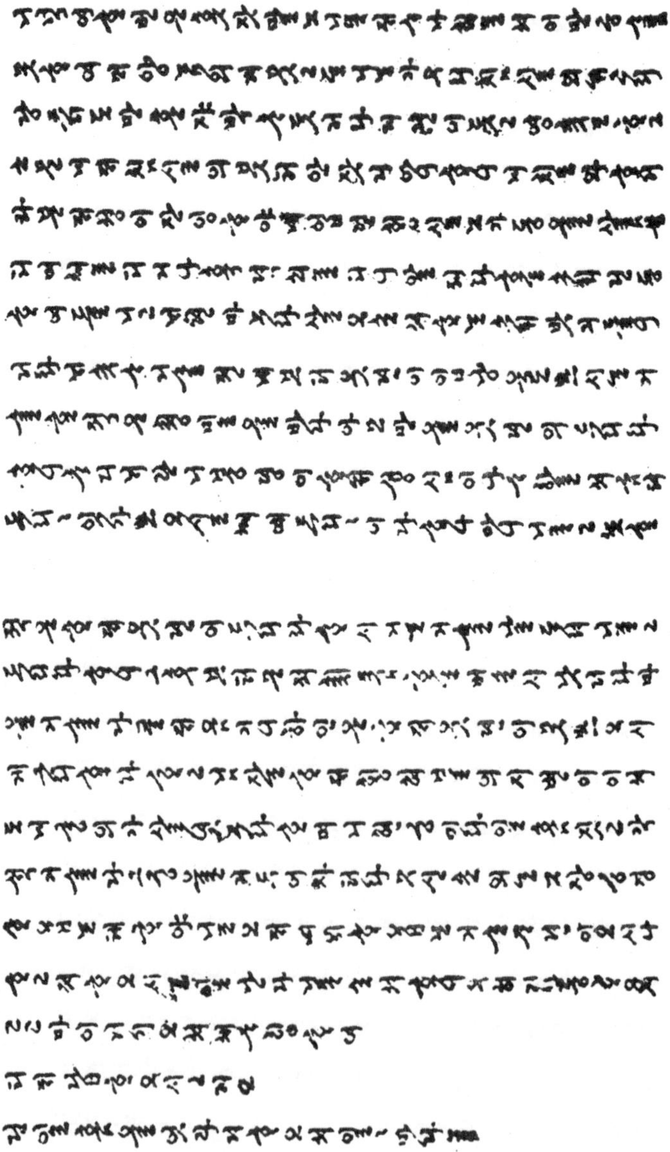

❶-19

❶-20

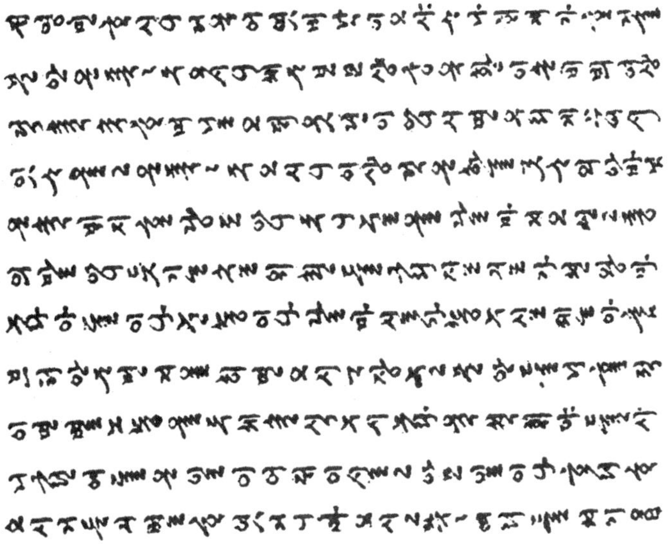

❶-21

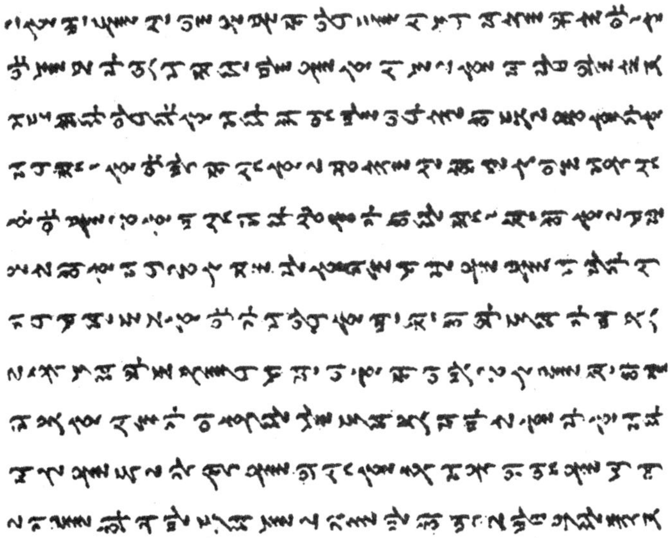

❶-22

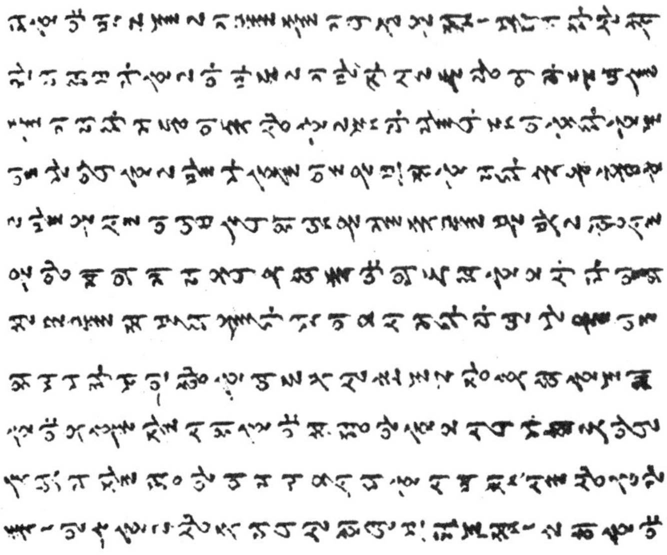

❶-23

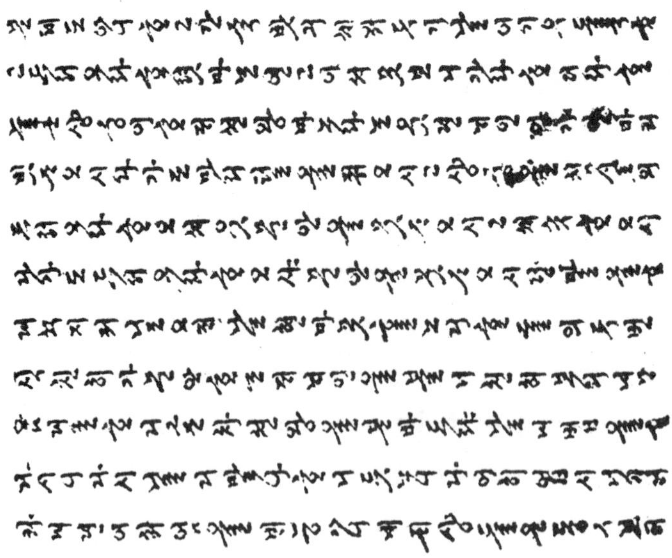

❶-24

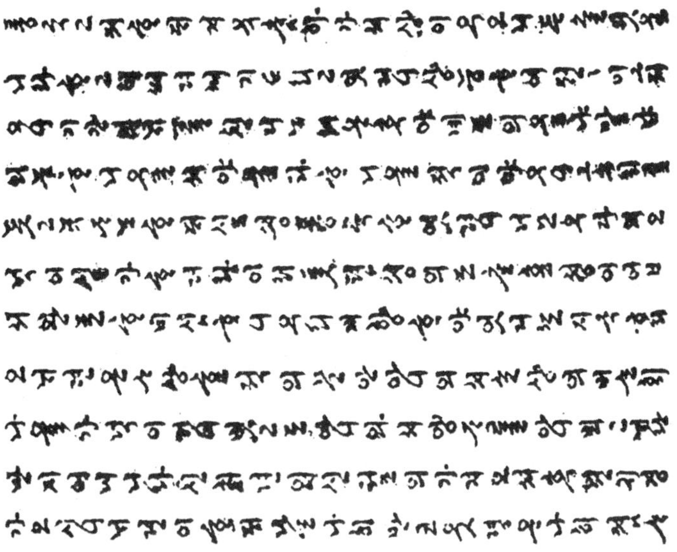

❶-25

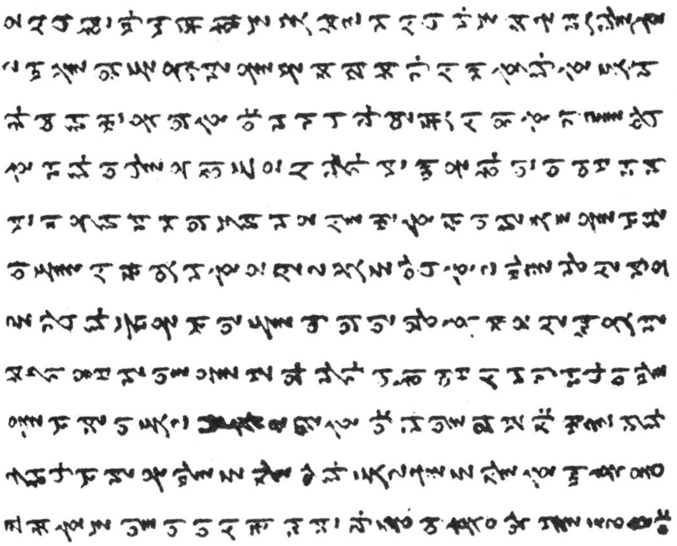

❶-26

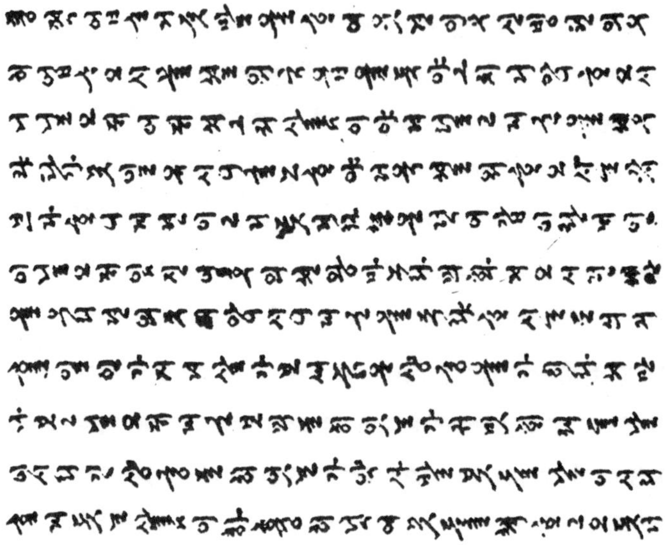

❶-27

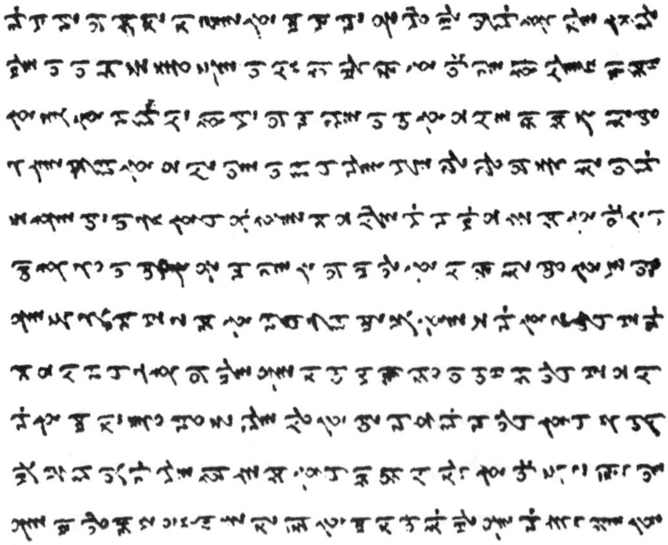

❶-28

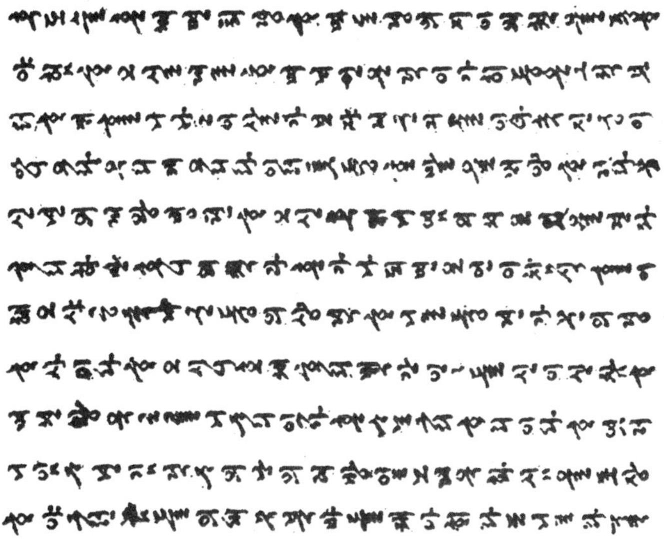

❶-29

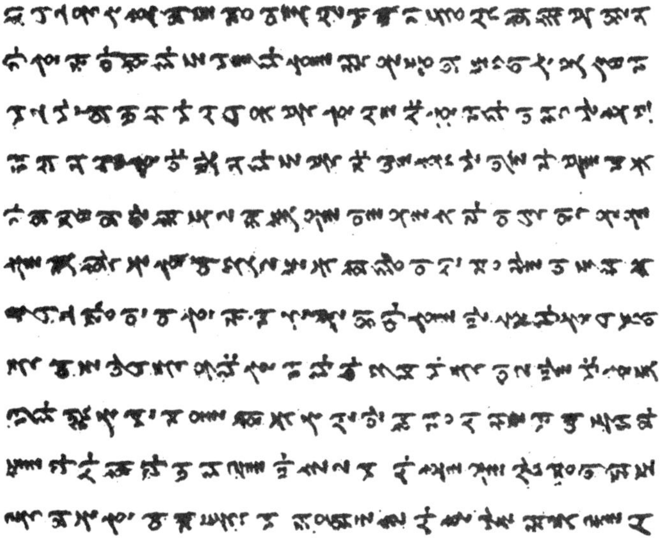

❶-30

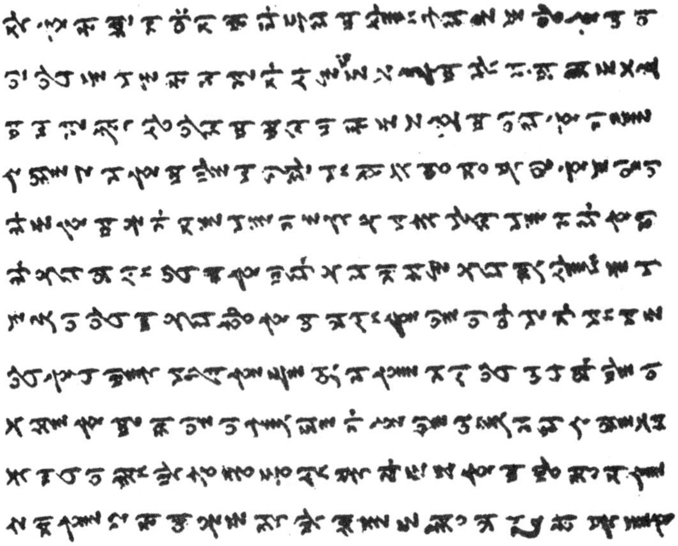

❶-31

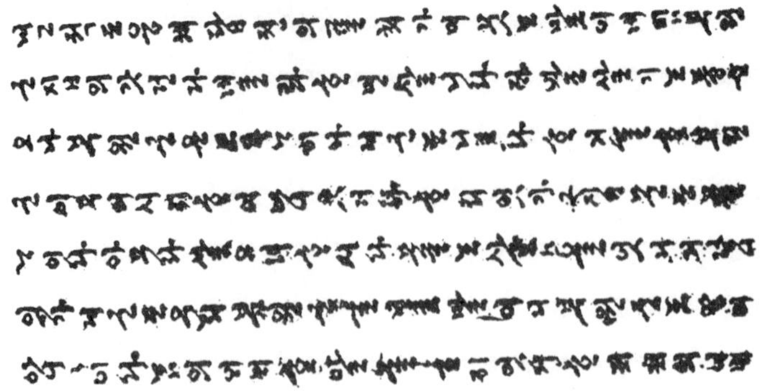

❶-32

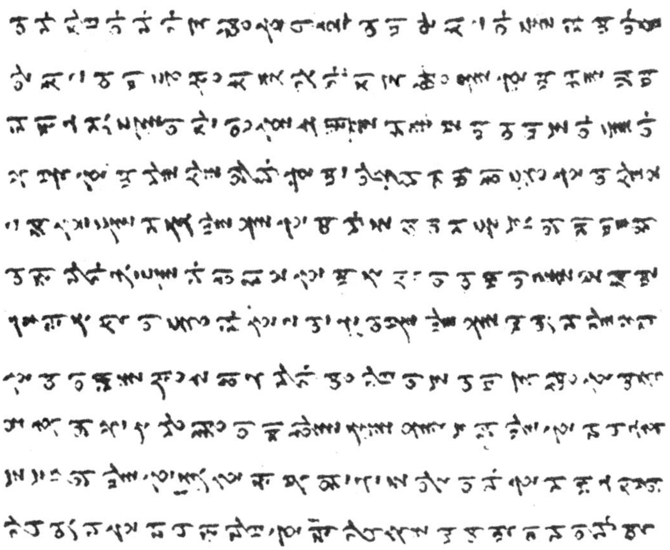

❶-33

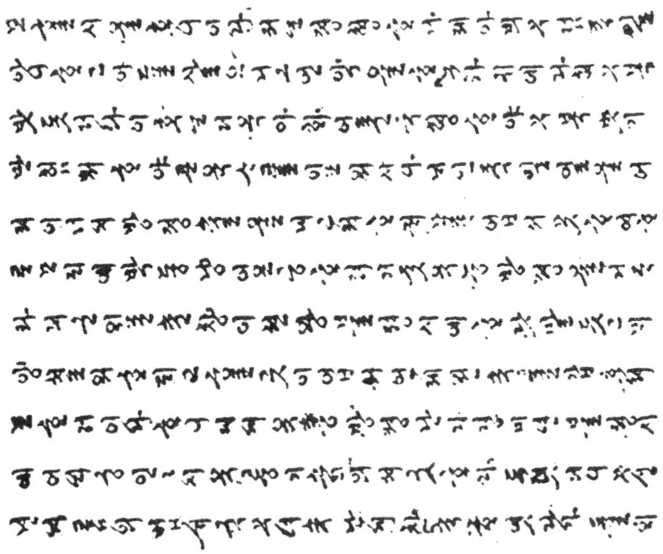

❶-34

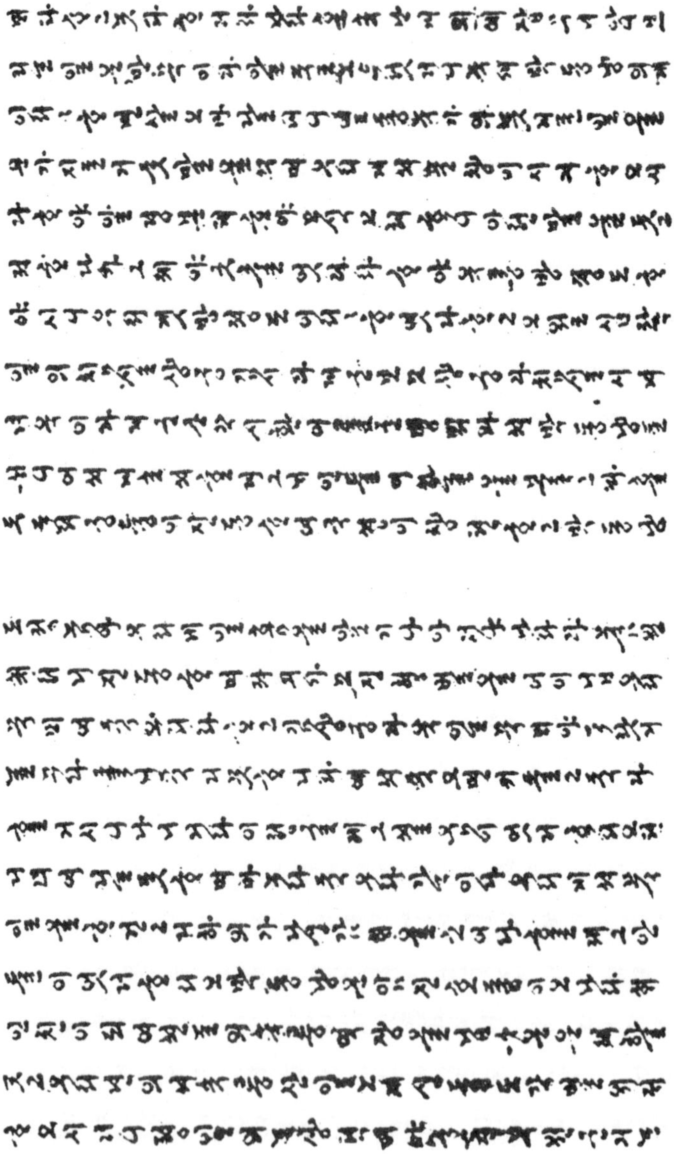

❶-35

❶-36

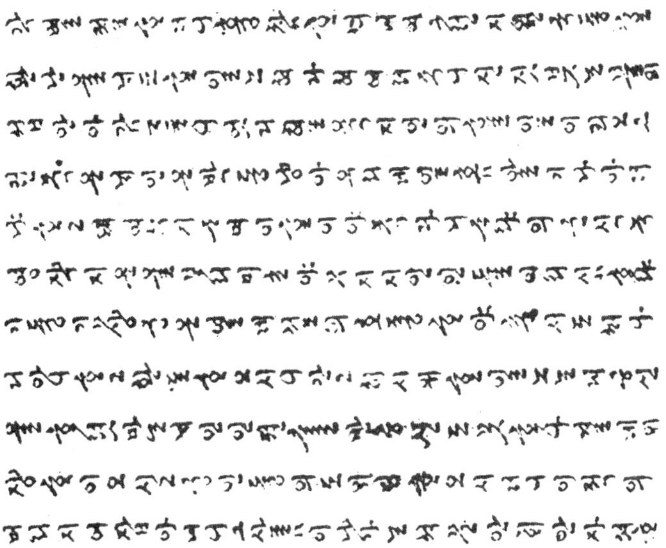

❶-37

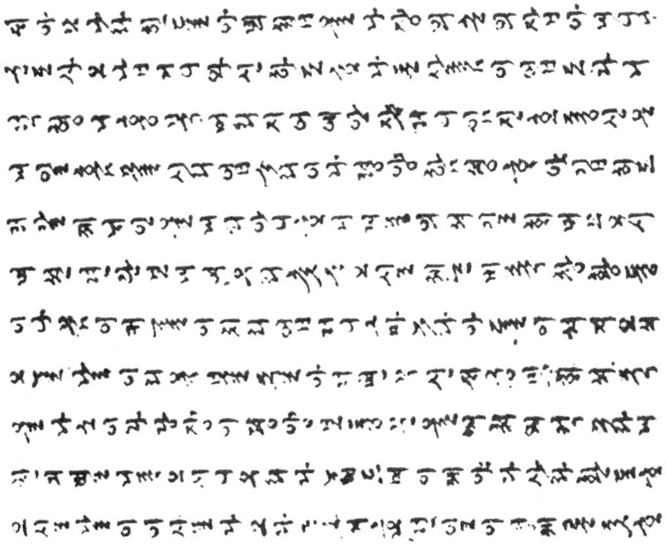

❶-38

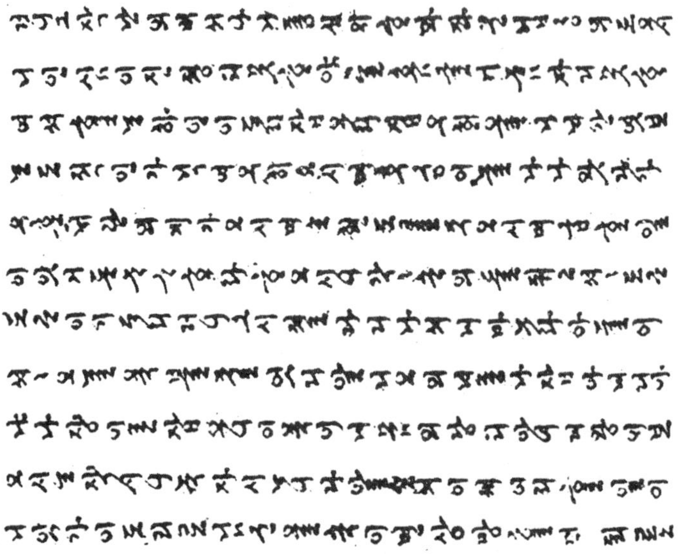

❶-39

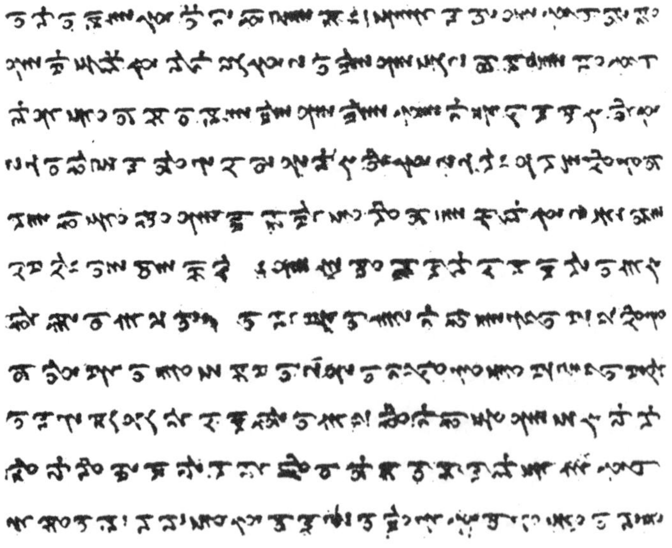

❶-40

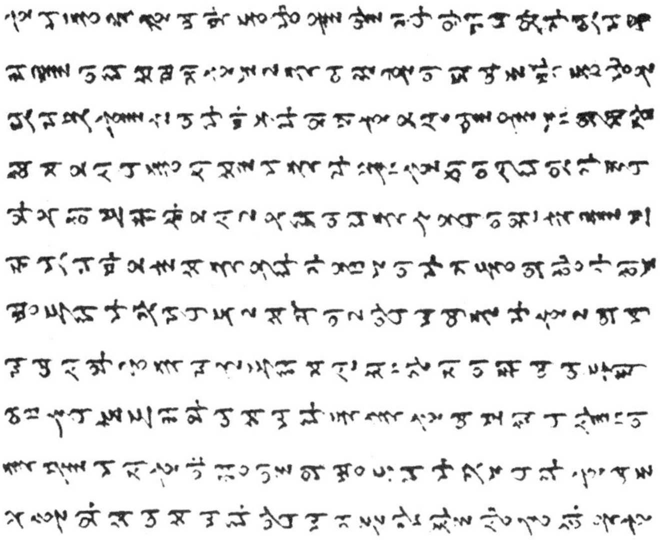

❶-41

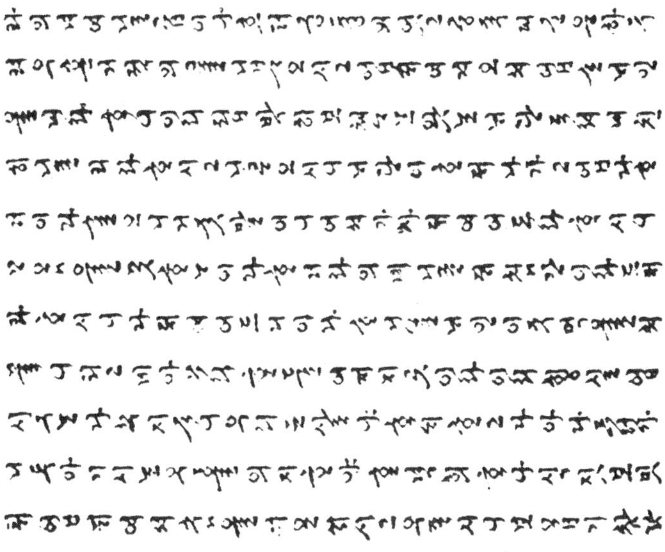

❶-42

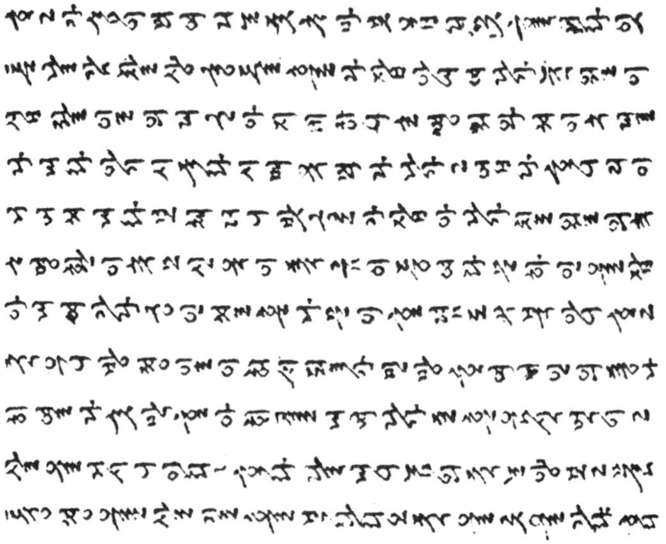

❶-43

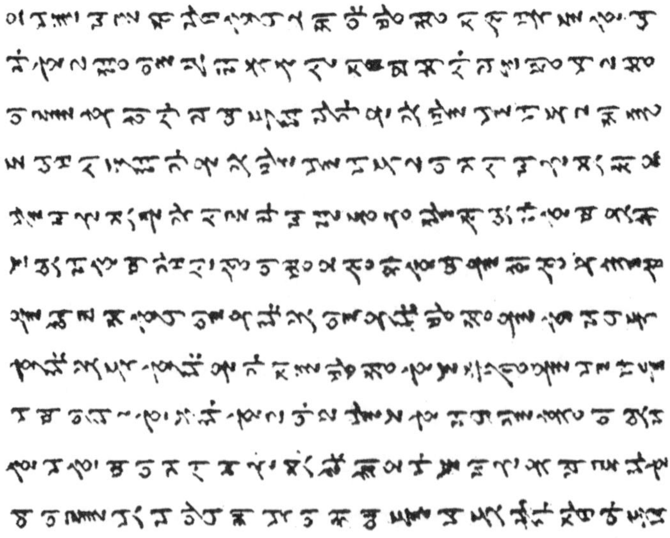

❶-44

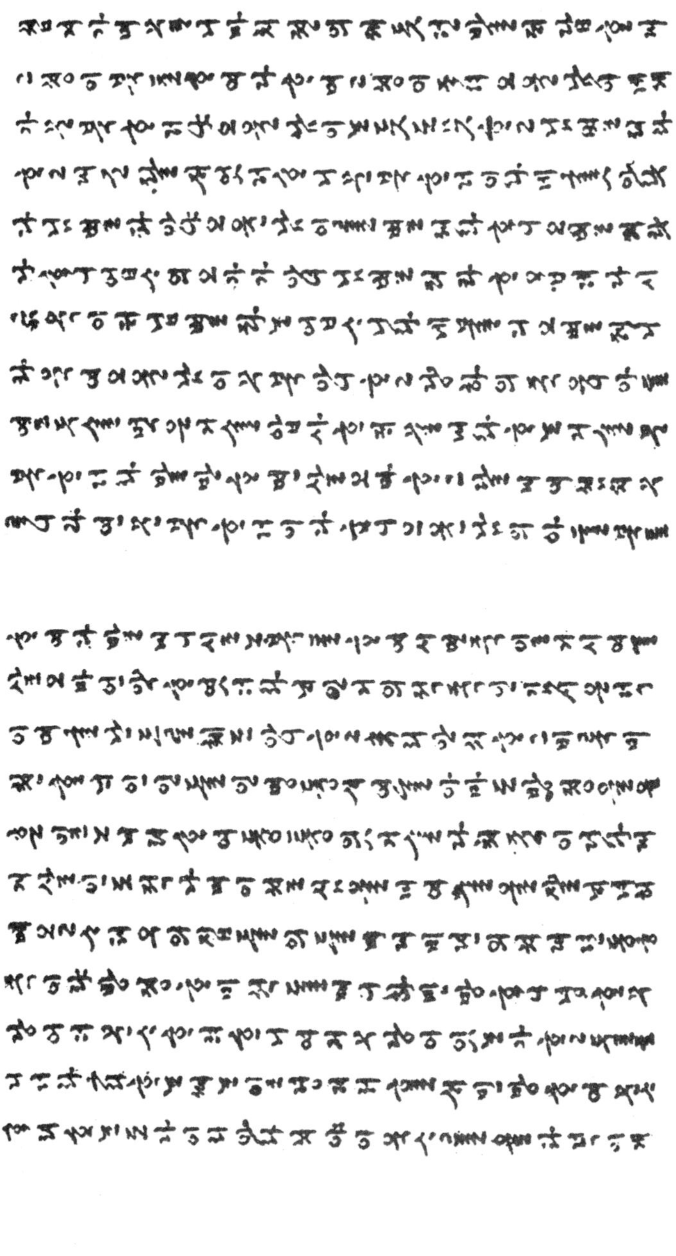

❶-45

❶-46

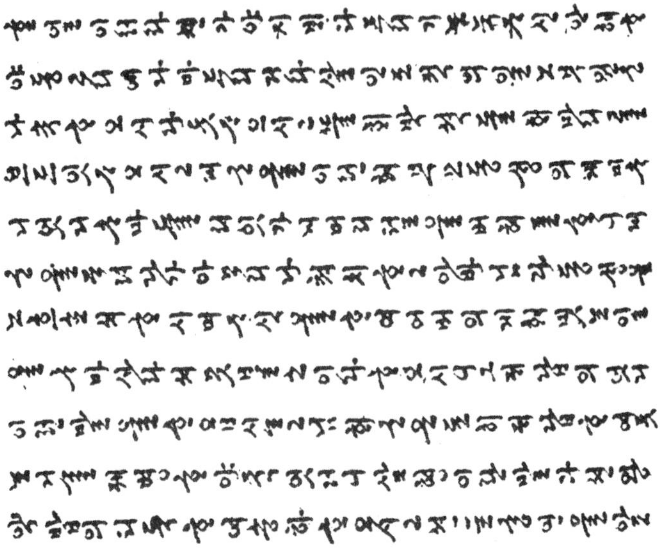

❶-47

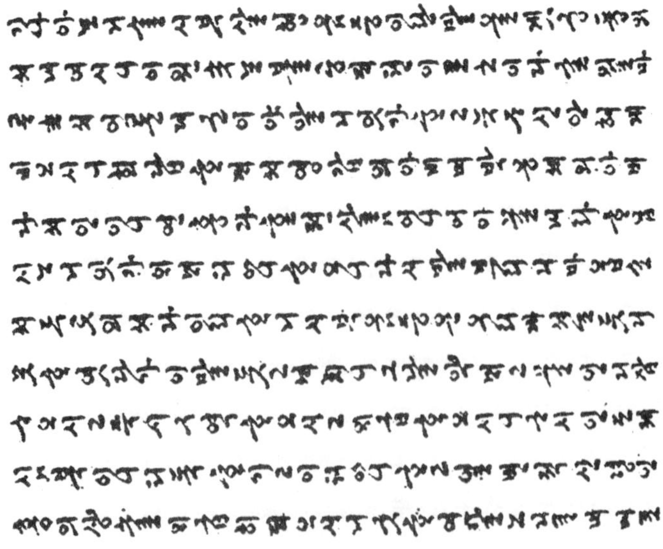

❶-48

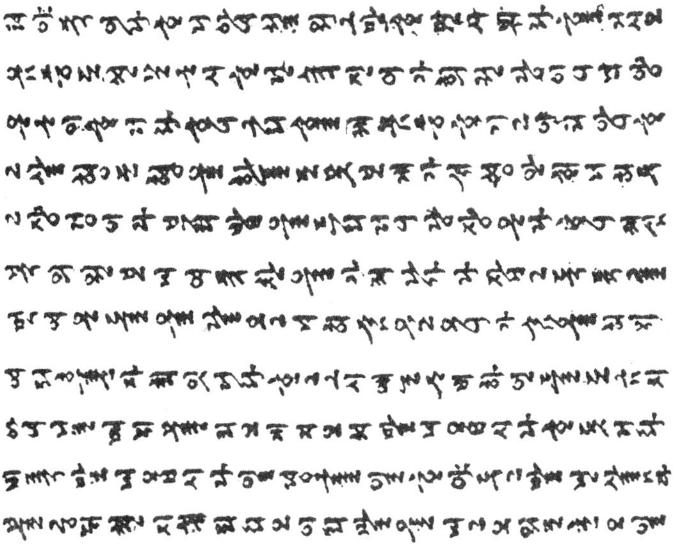

❶-49

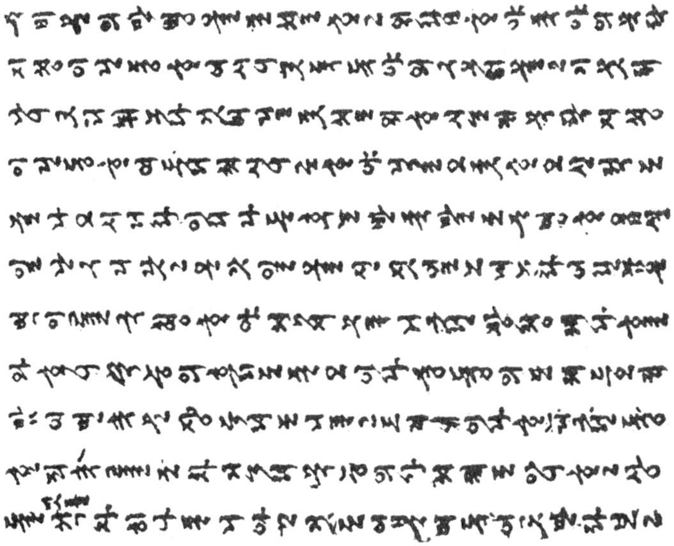

❶-50

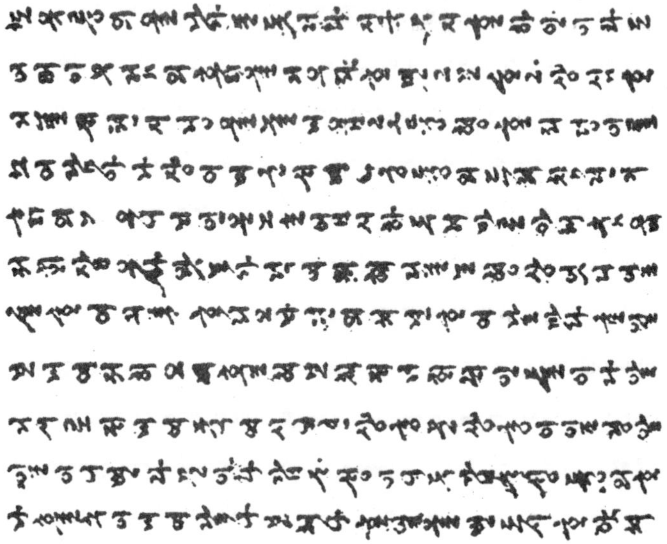

❶-51

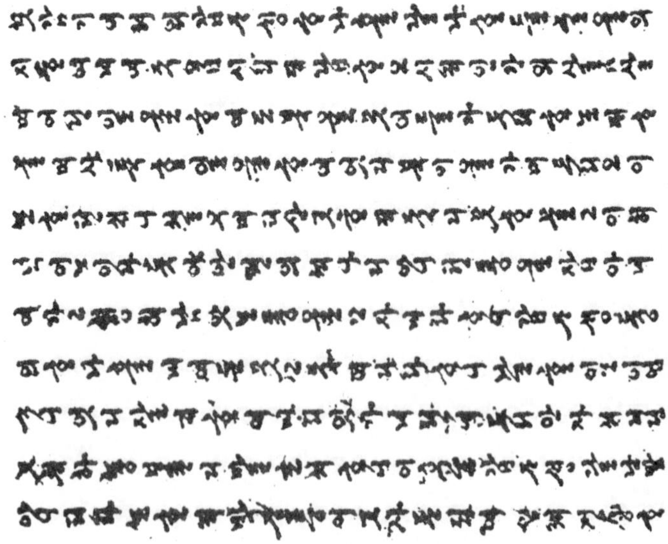

❶-52

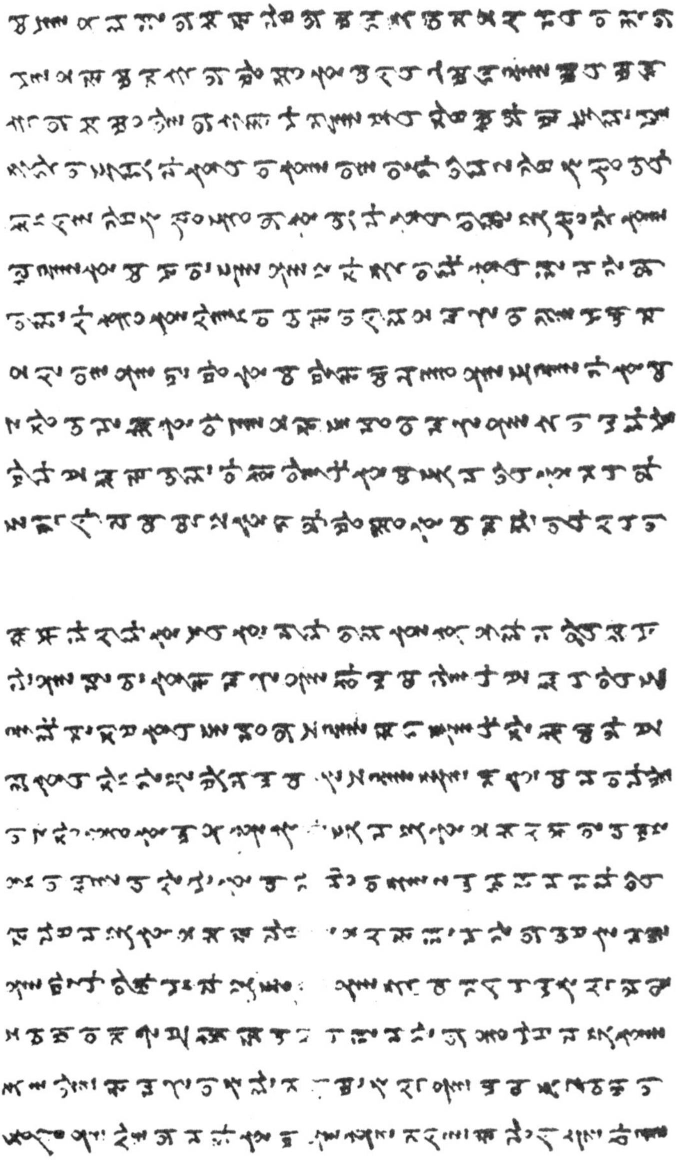

❶-53

❶-54

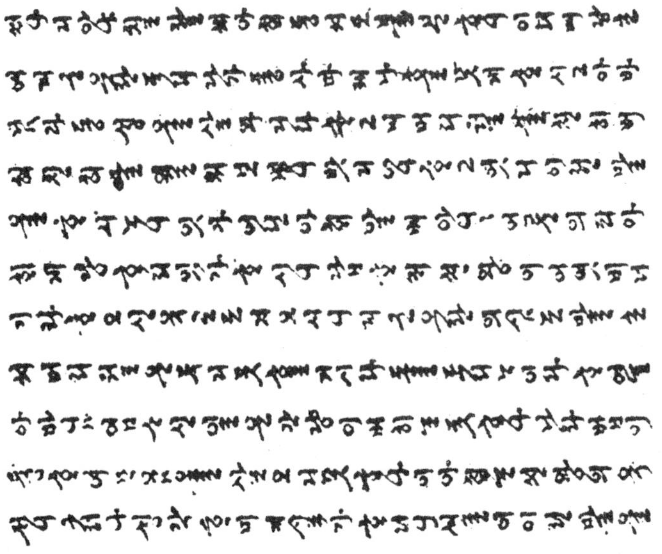

①-55

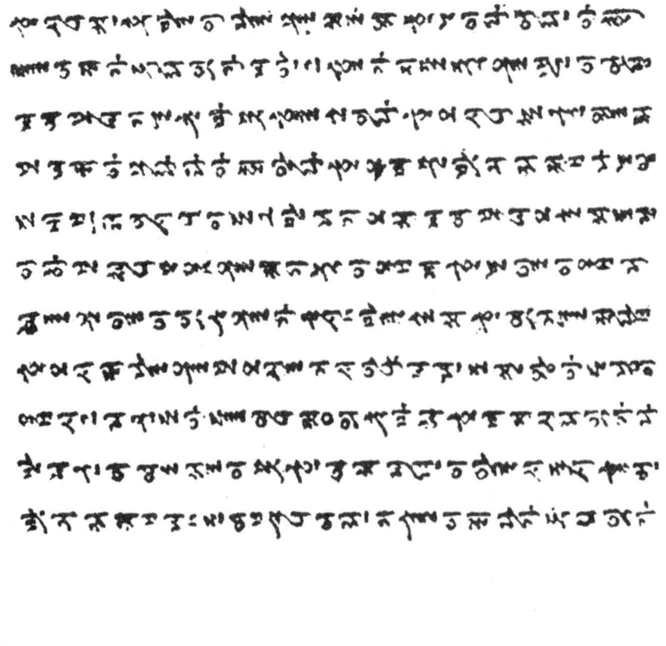

①-56

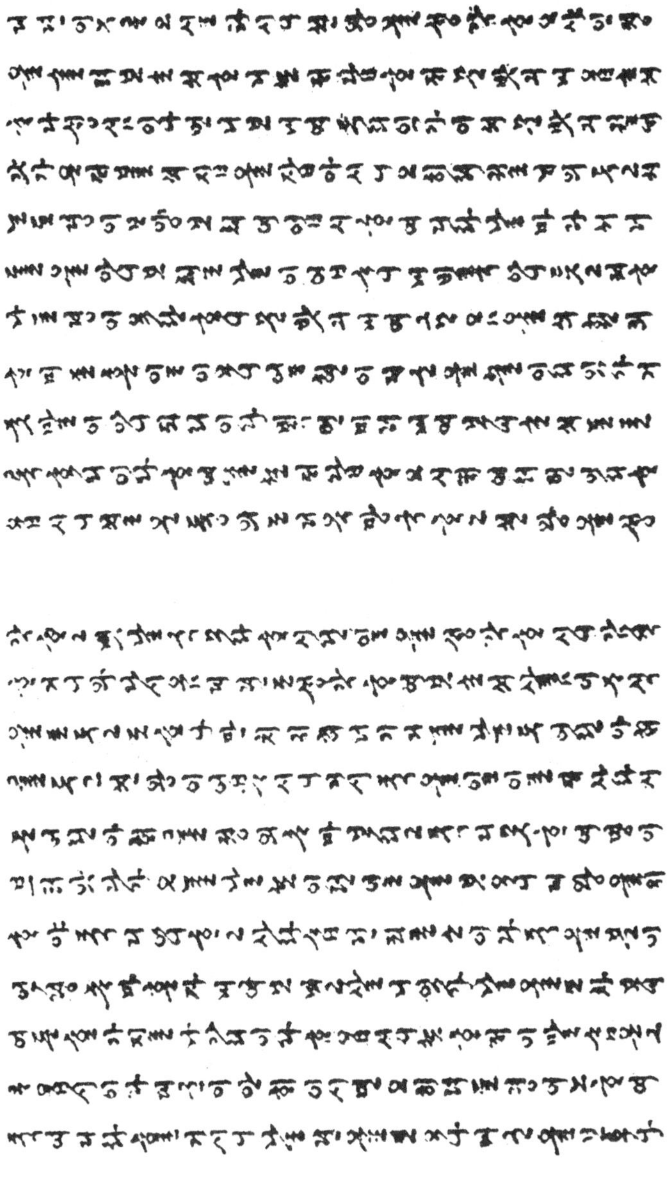

❶-57

❶-58

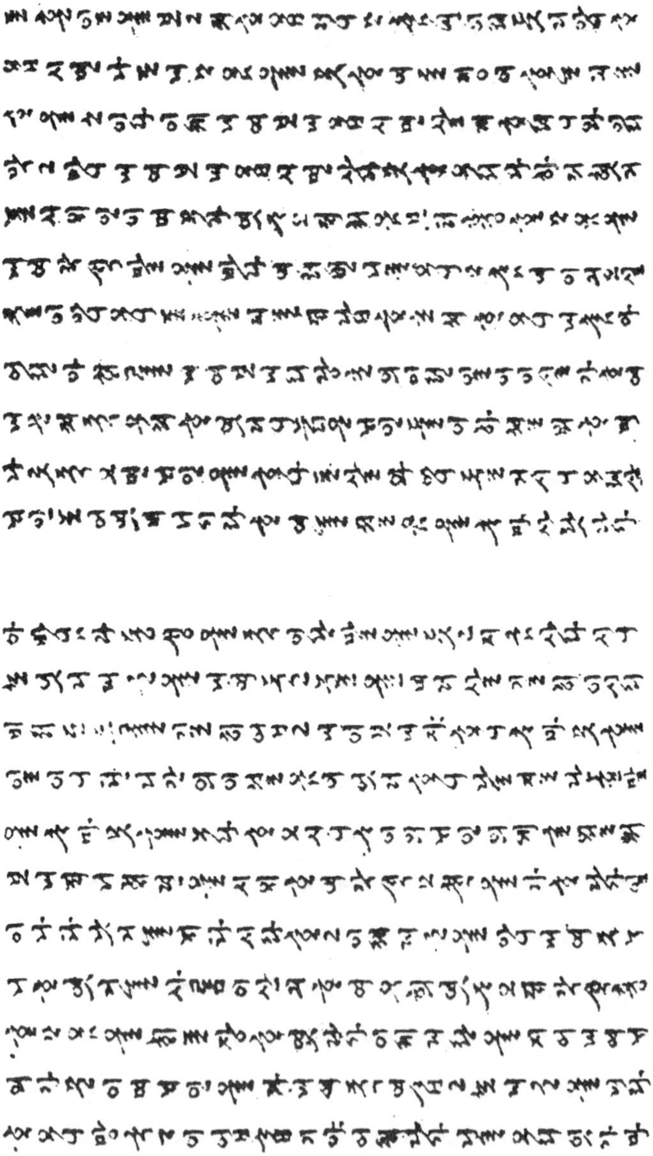

❶-59

❶-60

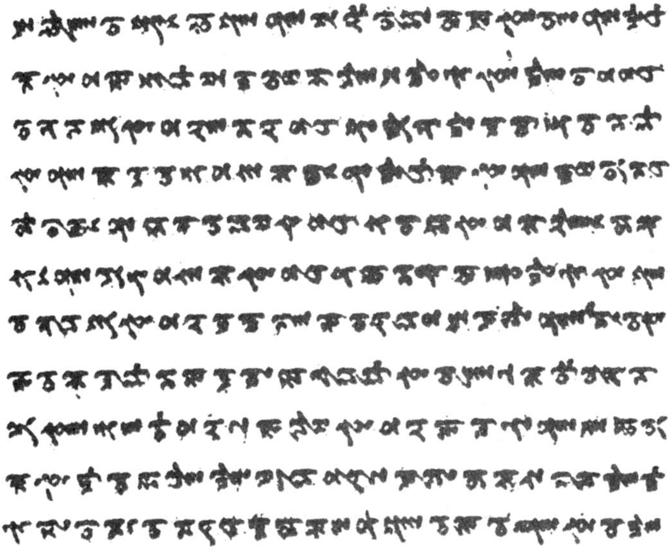

➊-61

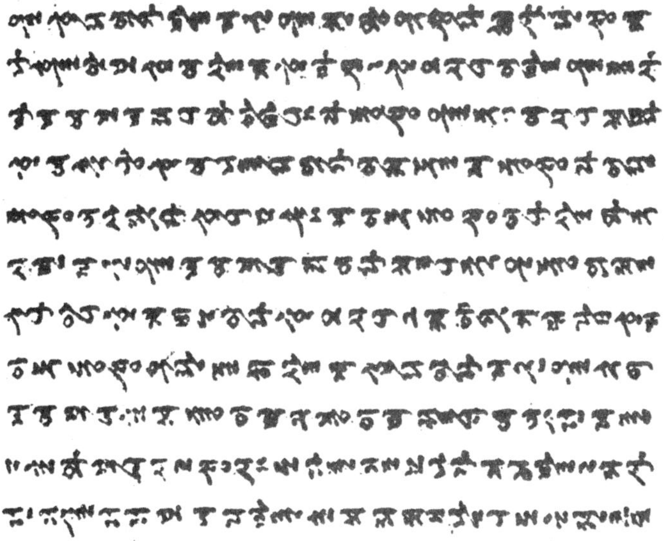

➊-62

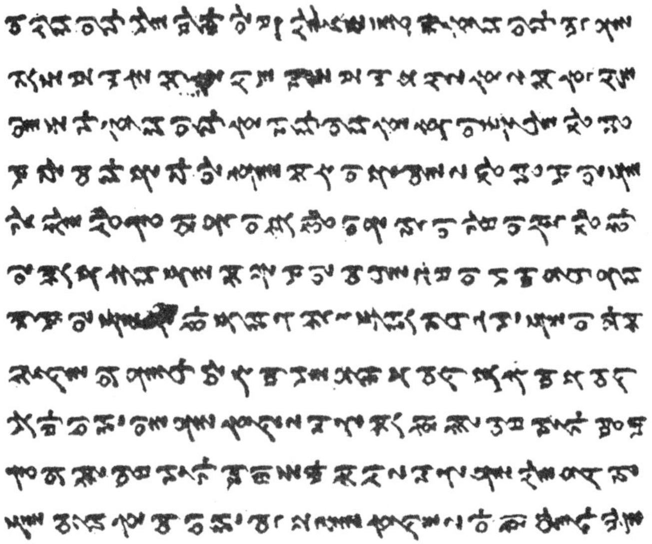

❶-63

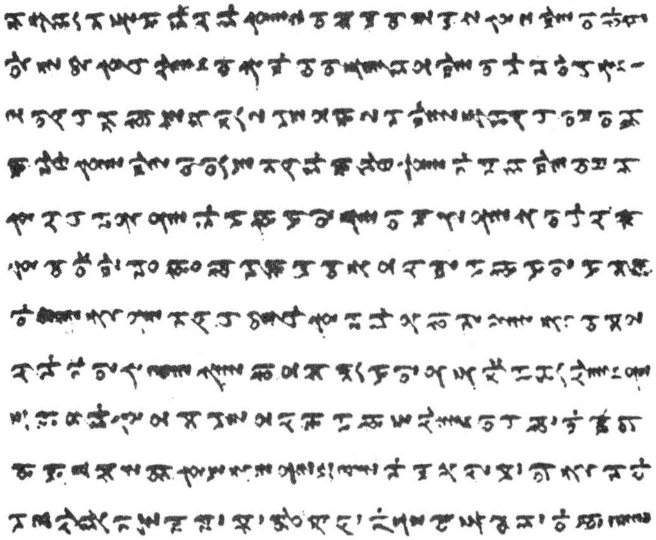

❶-64

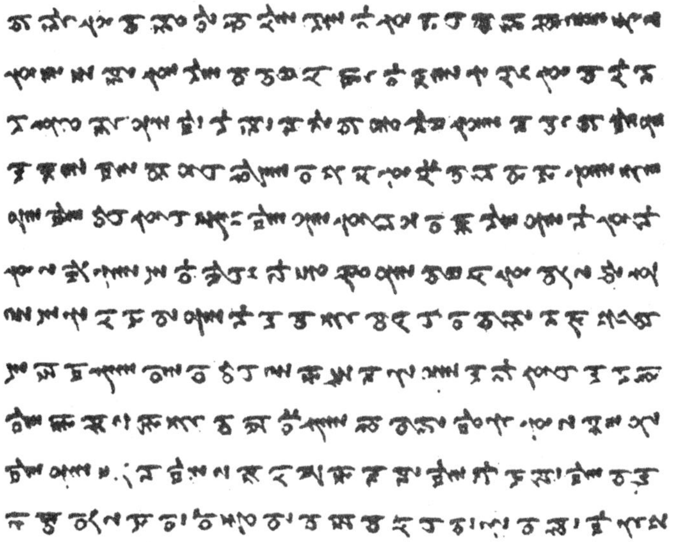

❶-65

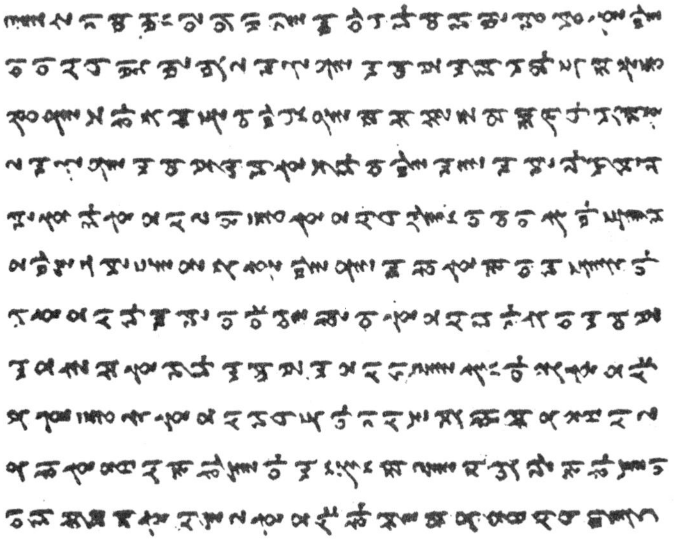

❶-66

❶-67

뎔셕그릇모ᄋᆞᆫ인들엇거ᄂᆞᆫ믈이나ᄋᆡ어ᄒᆞ되오ᄆᆞᆯ
장경녀인들어엿ᄌᆞᆸ이안자셔니히오리드ᄂᆞ니오면
뎌군을어니여ᄎᆞᆺ오시게셔어ᄯᅩ오ᄂᆞᆯ것ᄒᆞᆯ어셰ᄉᆞ도
뎌가엇ᄌᆞ와야만경현셔셜온것ᄒᆞᆯ가며다주셔
ᄒᆞ되와져하니각ᄀᆞᆨ졍을불글ᄒᆞ고드려사엇ᄌᆞ오되
벌져면의복을벗니오ᄒᆞ게되어ᄀᆞᆺ보니병드로
신분쳣ᄀᆡ지ᄌᆞᆺ사라계오시분ᄋᆞᆯ결혀며더사라져
오시니보원군ᄭᅴ로잘못간ᄉᆞᄒᆞ여겨오실거ᄉᆞ오도
오다바ᄃᆞ어나살ᄋᆞ주셔동ᄯᅢᄒᆞᄋᆞᆫ것게ᄒᆞ오시고셔블
오시블져ᄒᆞᆫ엿ᄒᆞᆫᄉᆞ오셔며보니오초셔낫분ᄂᆞ니
갈어셔니와ᄃᆞᆫ왜니ᄂᆡ되계ᄎᆞᆺ승ᄒᆞᆫ만ᄒᆞᆯ셔며

❶-68

이이나와져ᄎᆞᆨᄒᆞ니ᄒᆞᆯ호ᄅᆞᆯ뵈ᄌᆞᆸ히ᄋᆞᆸ어이과엇ᄉᆞᆸ것
뎨예이지되오뎌ᄌᆞᆫ더셔ᄂᆞᆫ조ᄒᆞᆫ거되서뫼연올각ᄀᆞᆨ뎟뎌ᄌᆞ
며너희이러ᄒᆞ야ᄆᆞᆺᄋᆞᆯ거서니오뇌ᄃᆞ되ᄀᆞ뎌ᄀᆞᆫ을ᄒᆞ샤
ᄯᅩᄒᆡ오뢰와너희ᄒᆞ나히나살가보쟈ᄒᆞ고ᄃᆞ되ᄃᆞ되
ᄒᆞᆯ뎌어ᄒᆞᆯ변상궁이라시ᄂᆞᆫ니가엿ᄌᆞᆸ오뎌안ᄒᆞᆺ저쟝
뎡을보며엿ᄌᆞᆸ고ᄒᆞᆫ복ᄒᆞ연ᄆᆡ쳐사ᄅᆞᆷ을ᄒᆞᆯ
뎌ᄒᆞᆫ엿ᄌᆞ오니ᄀᆞ뎌가뫼와뎌서겹셩ᄒᆞ오어셔ᄒᆞ오
리ᄎᆞᆨ오ᄃᆞᆺ셔ᄯᅢ되어ᄒᆞᆫ우뎌거뎌ᄆᆞᆺ주오뎌뎌어셔어ᄒᆞᆷ
운거ᄉᆞᆯ며셔지오시구ᄒᆞᆫ신ᄒᆞᆯ며ᄌᆞᄒᆞ시ᄂᆞᆫ것조오
신목궤ᄅᆞᆯ힝혀ᄆᆞᆯᄒᆞᆯ이뎌ᄋᆞᆯ보아ᄒᆞᆯᄋᆞᆫ이
샤ᄒᆞᆫᄃᆞ평을ᄒᆞᆯᄒᆞᆫ주거어ᄒᆞ사

❶-69

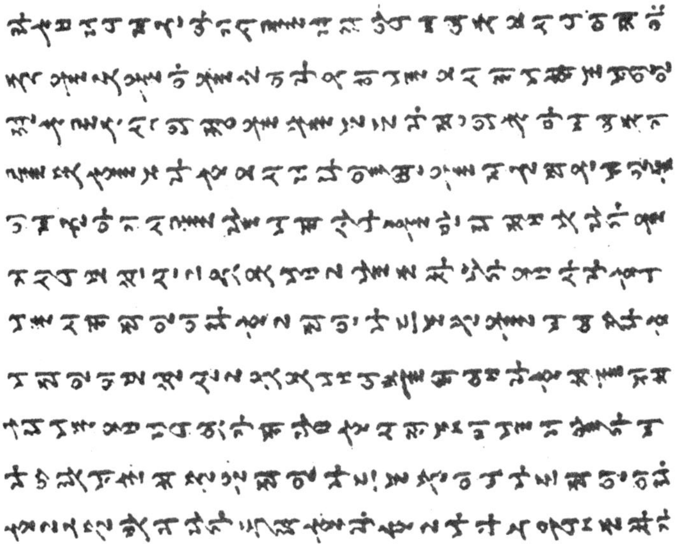

❶-70

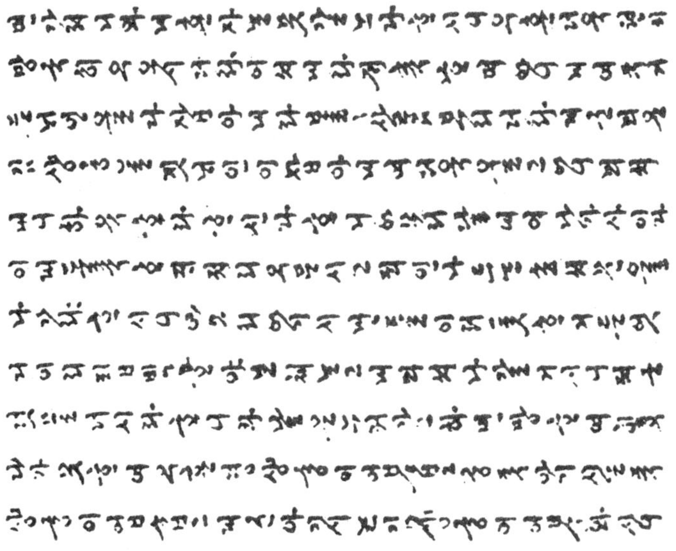

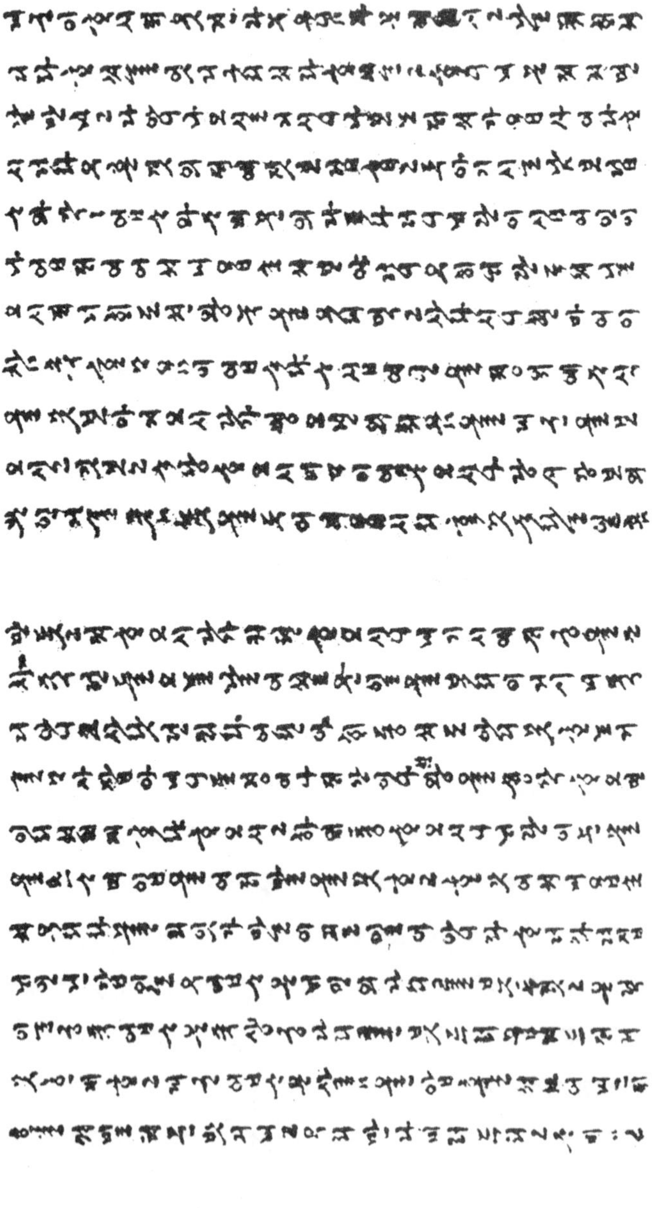

❶-71

❶-72

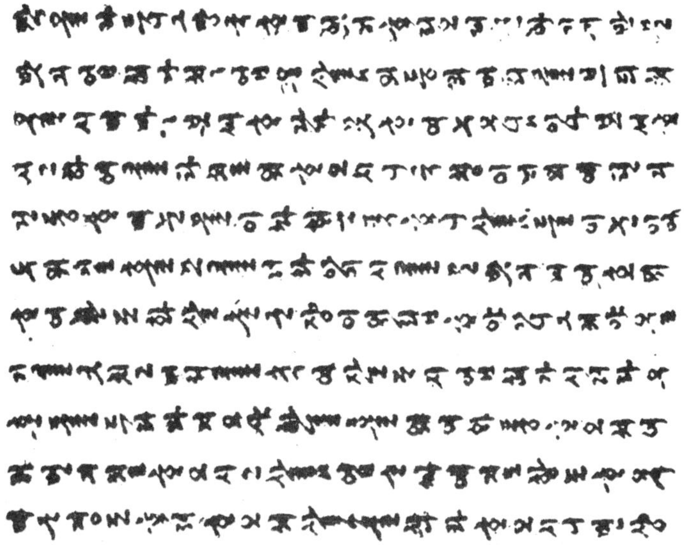

❶-73

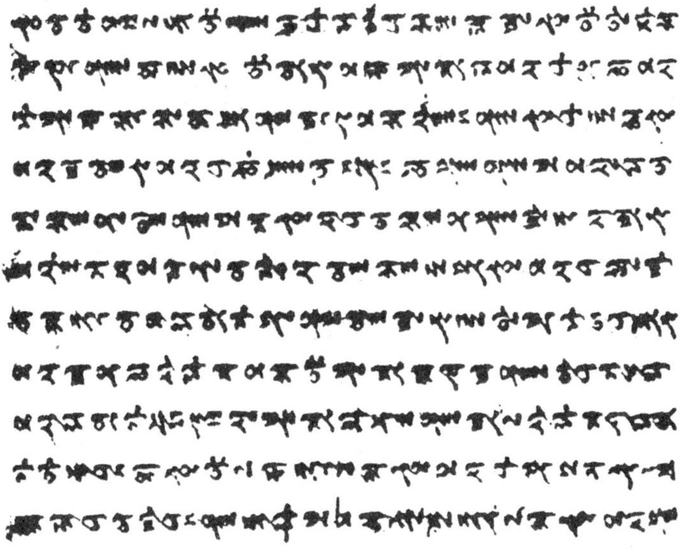

❶-74

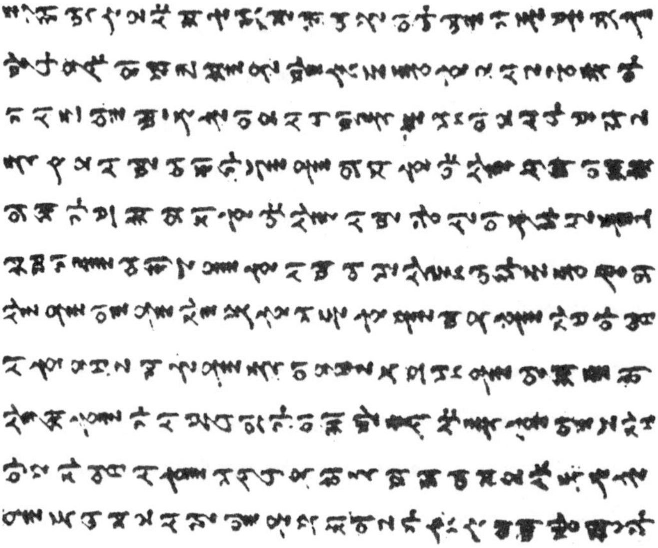

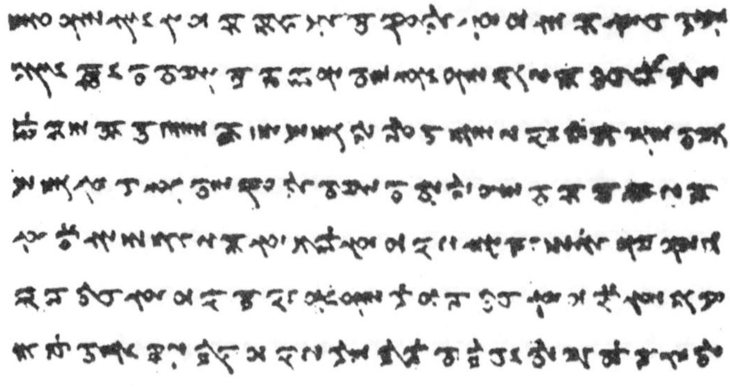

❶-75

❶-76

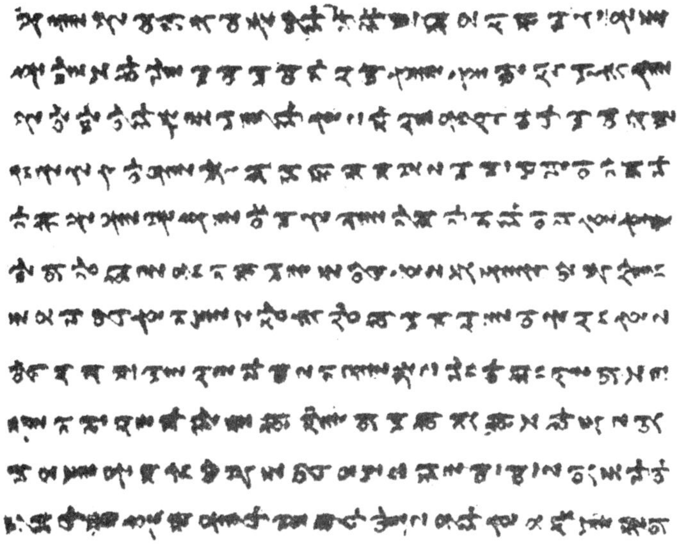

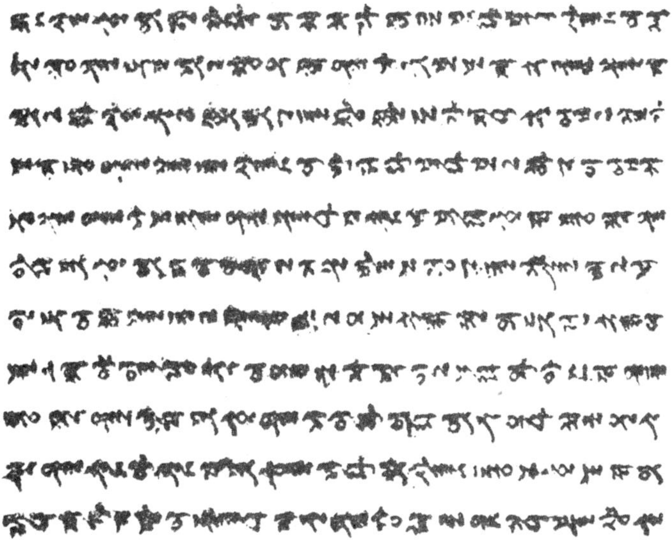

❶-77

❶-78

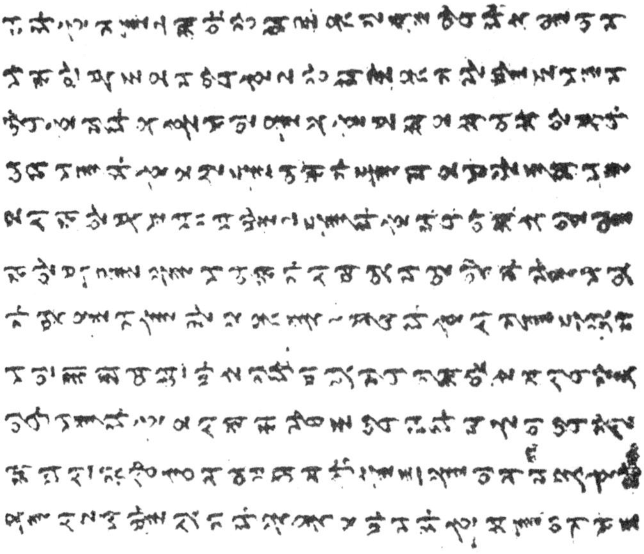

❶-79

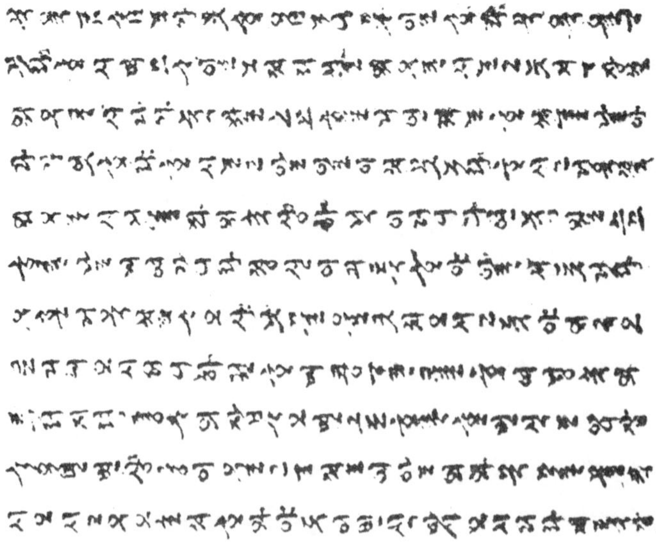

❶-80

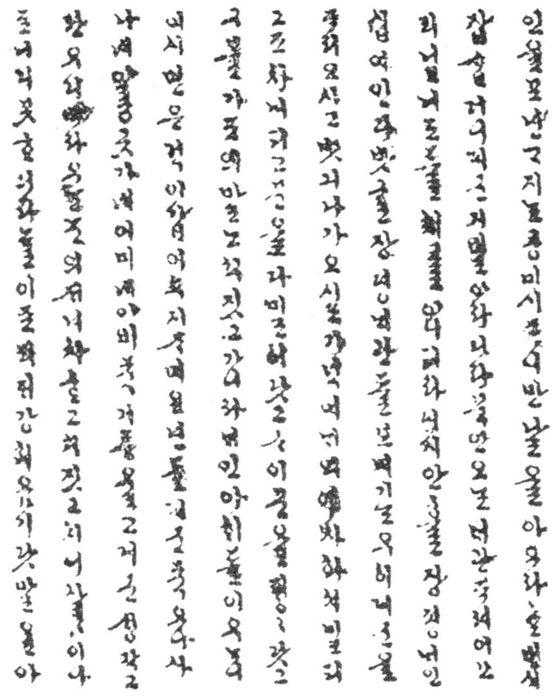

❶-81

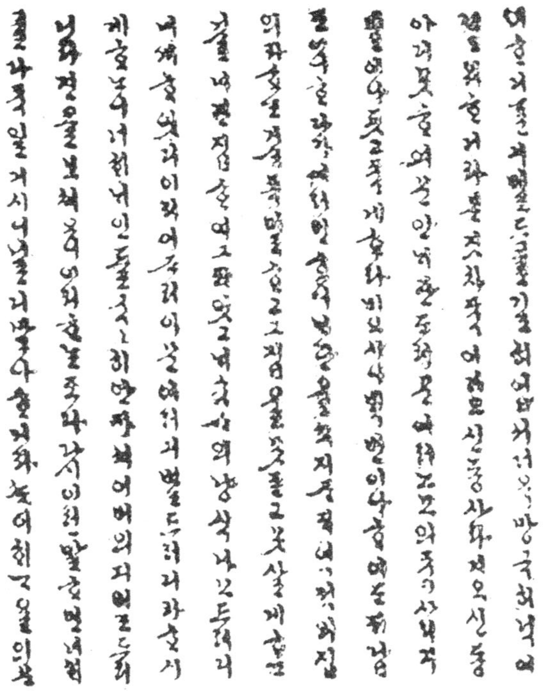

❶-82

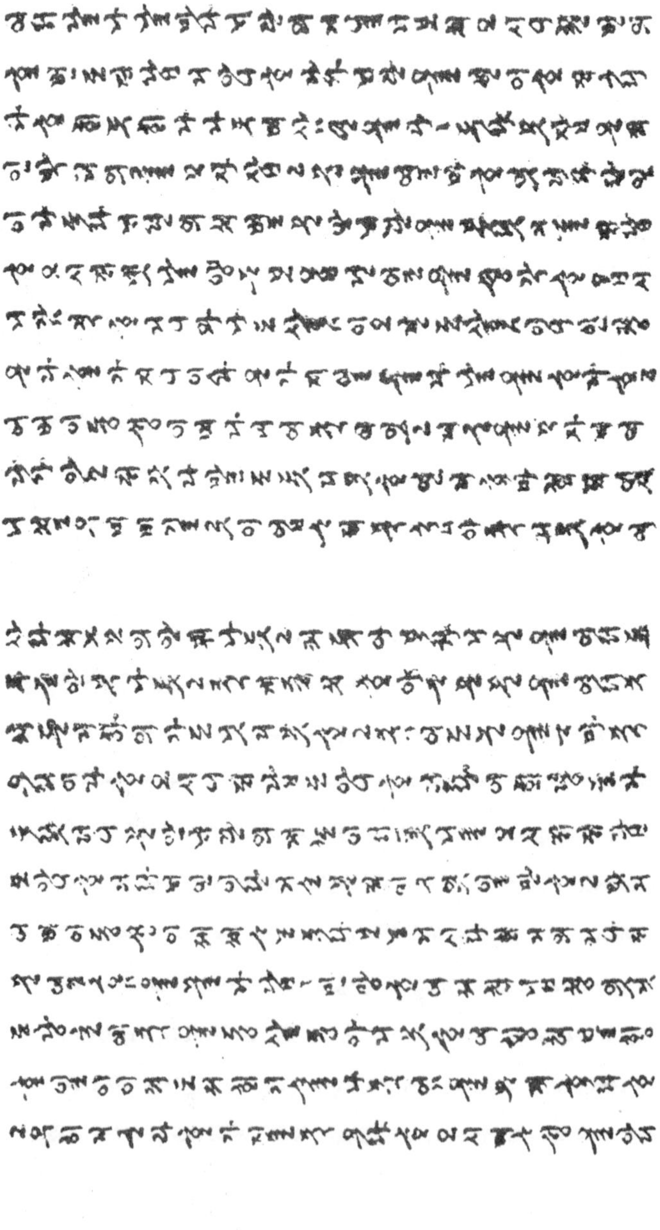

1-83

1-84

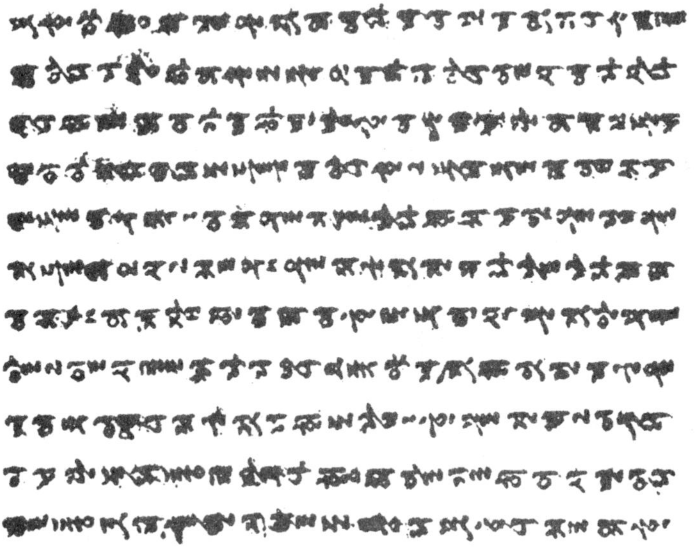

❶-85

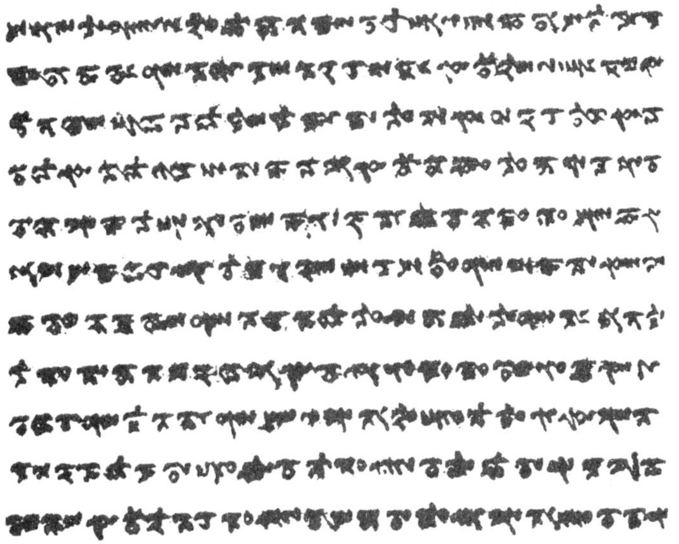

❶-86

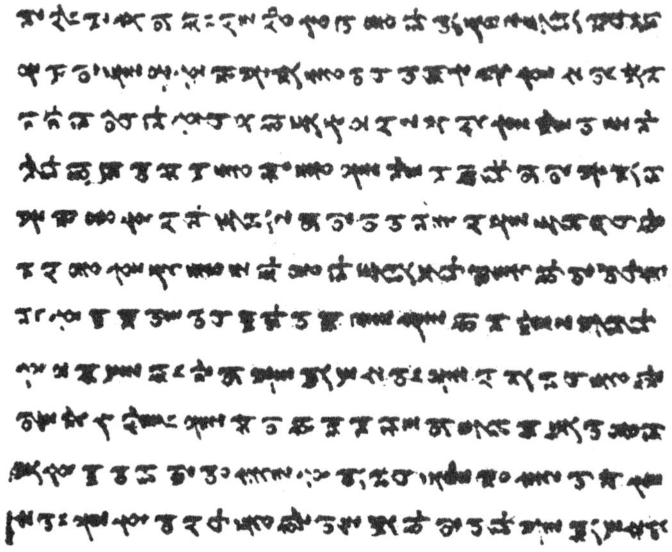

❶-87

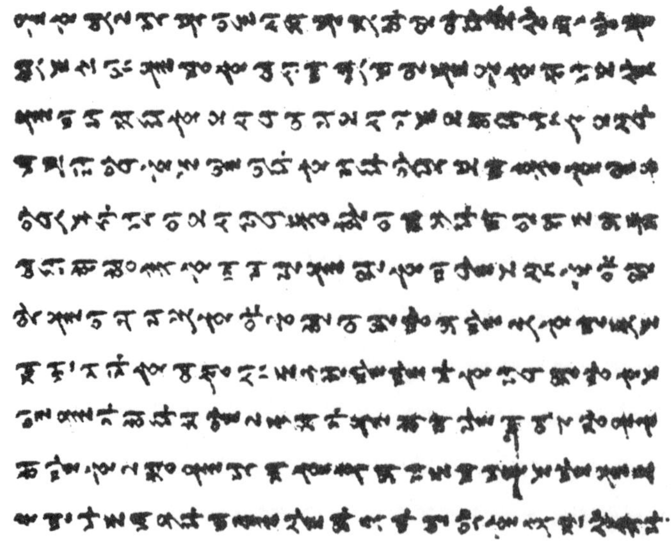

❶-88

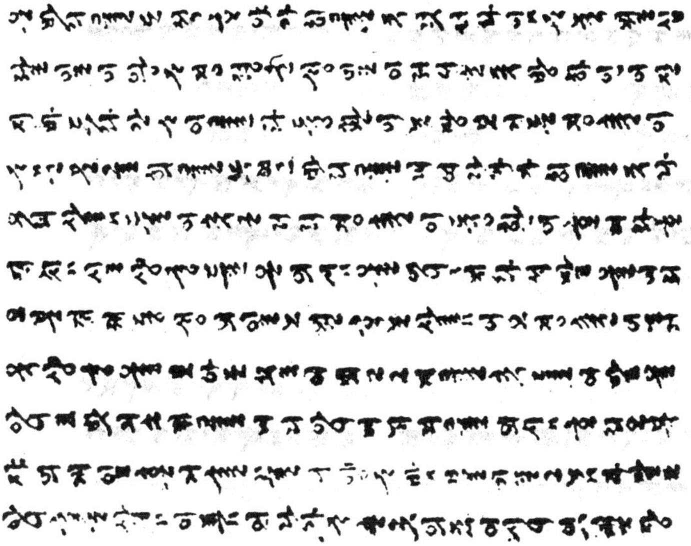

❶-89

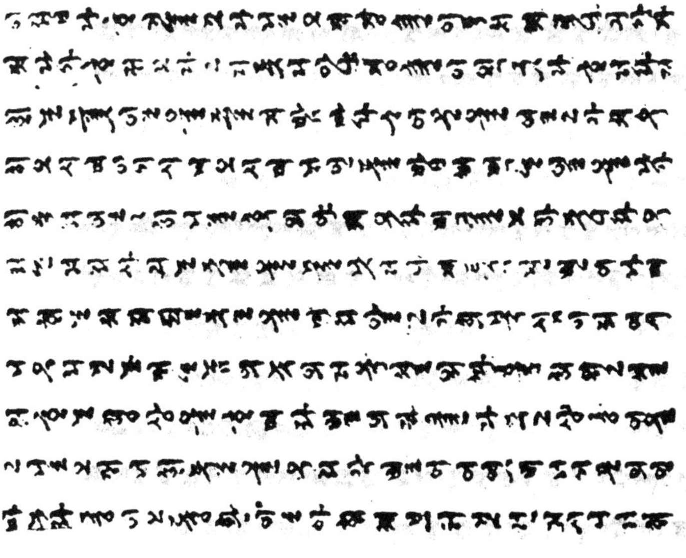

❶-90

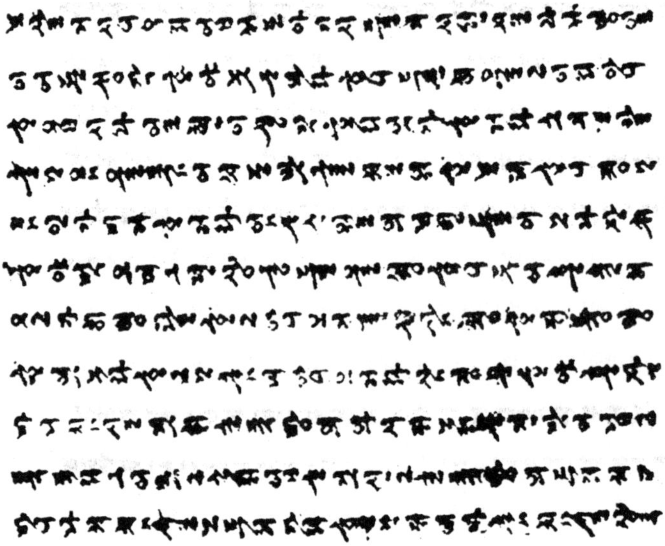

❶-91

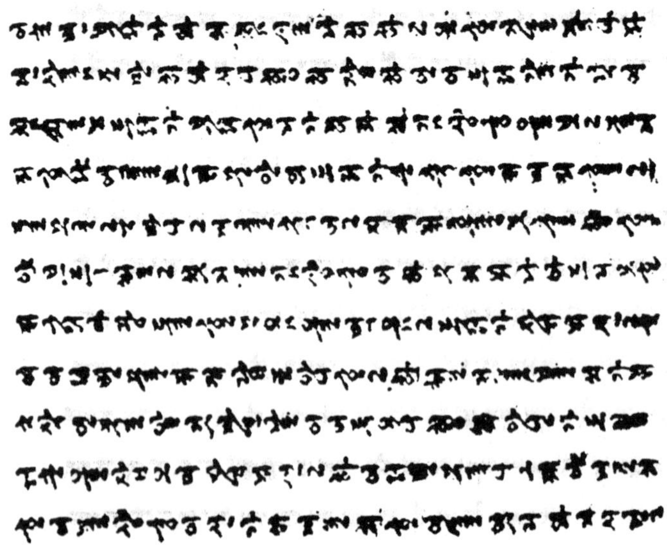

❶-92

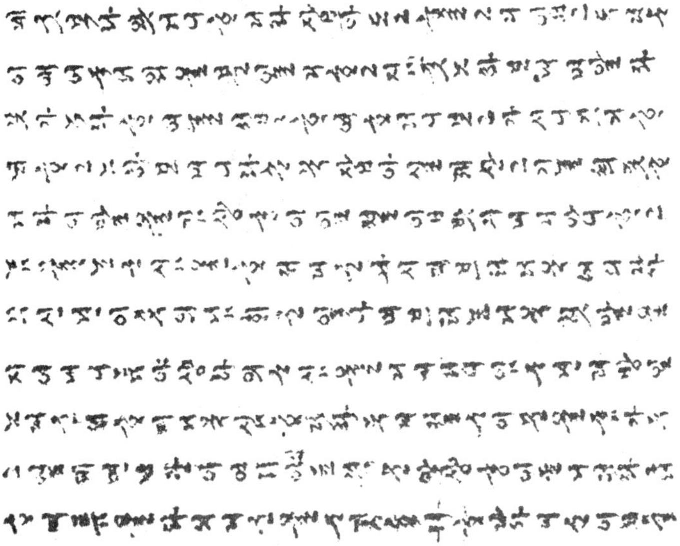

❶-93

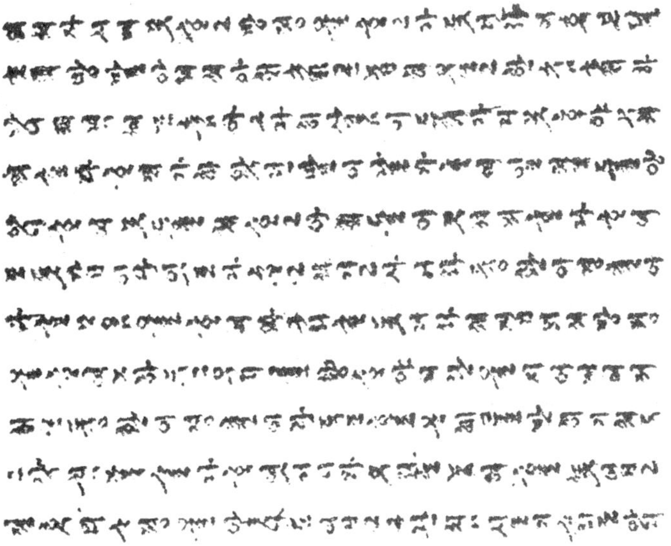

❶-94

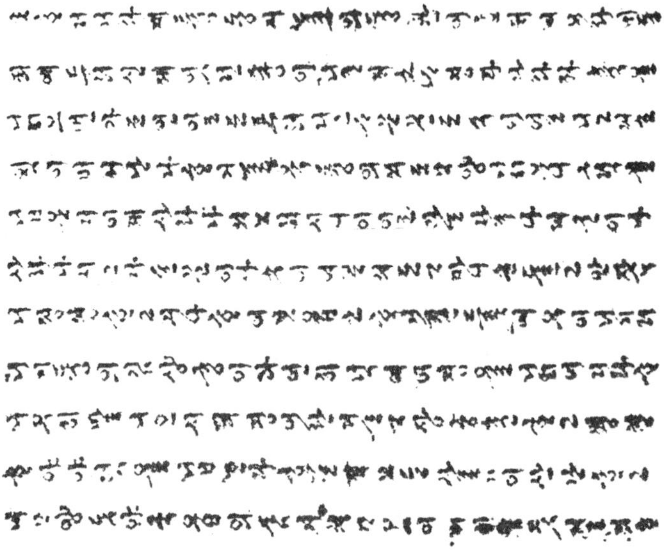

❶-95

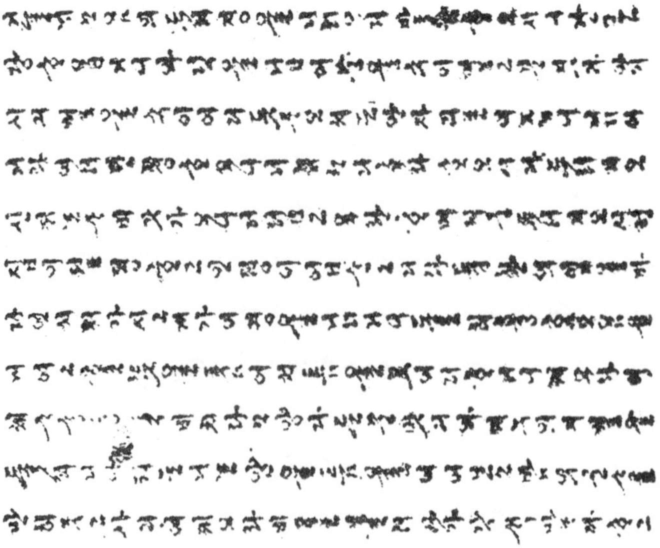

❶-96

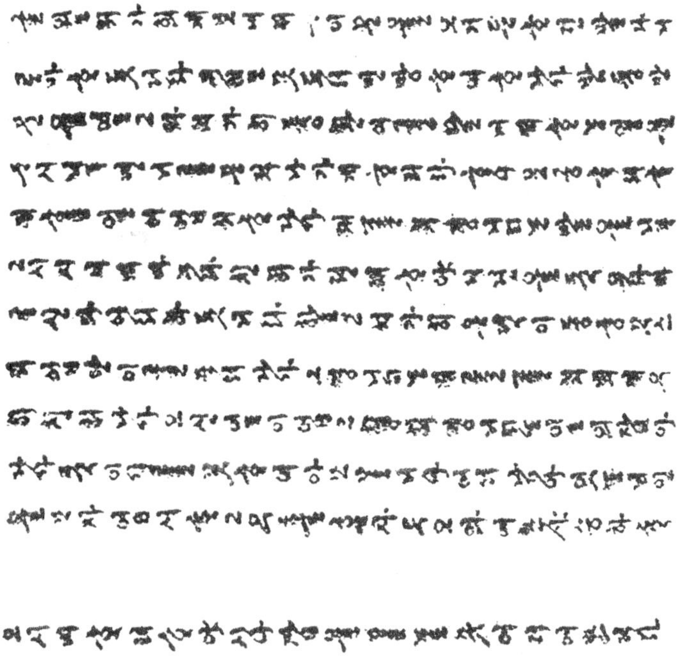

❶-97

❶-98

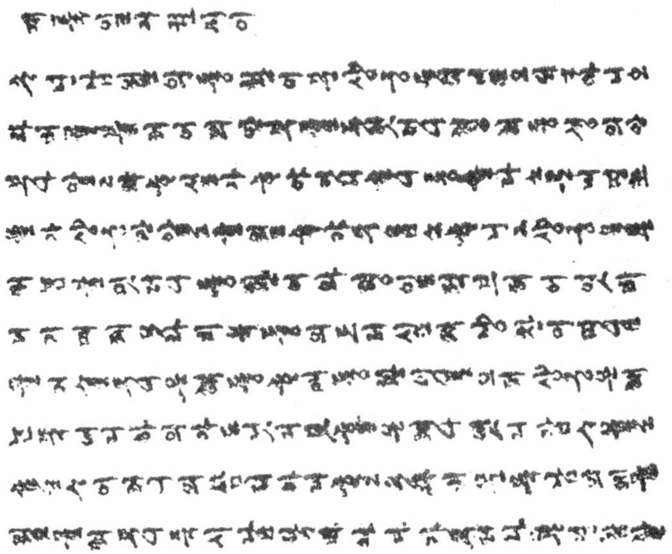

⓫-1

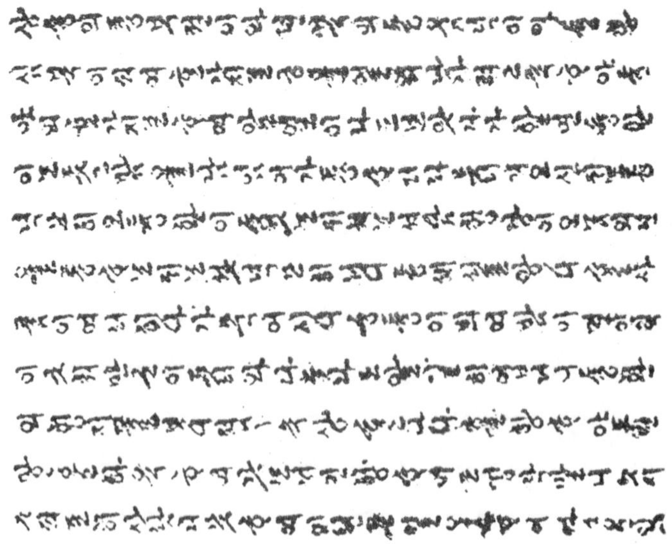

⓫-2

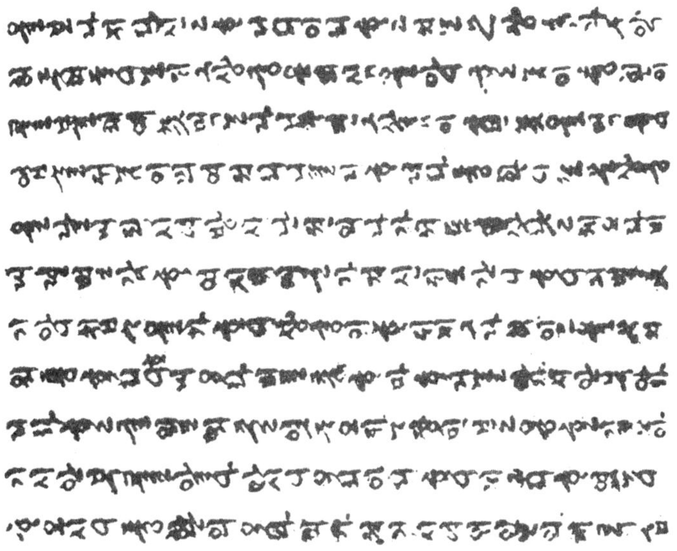

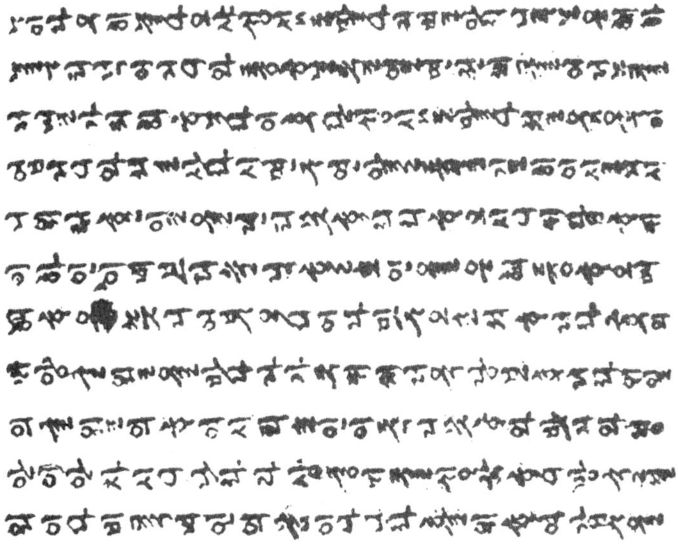

⑪-3

⑪-4

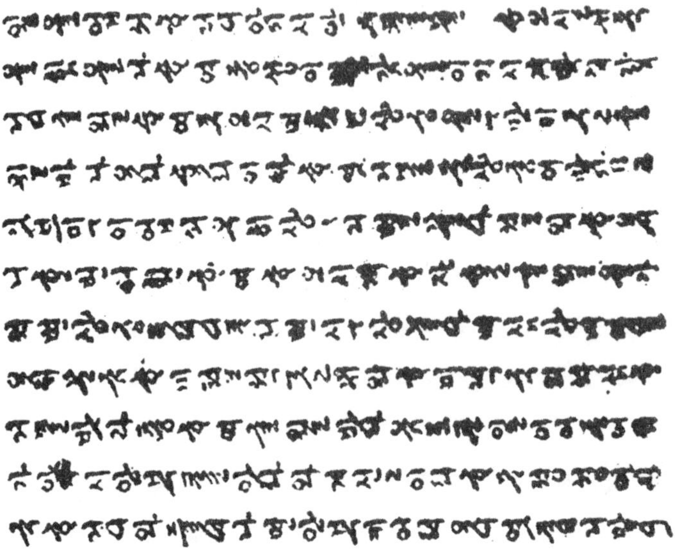

⓫-5

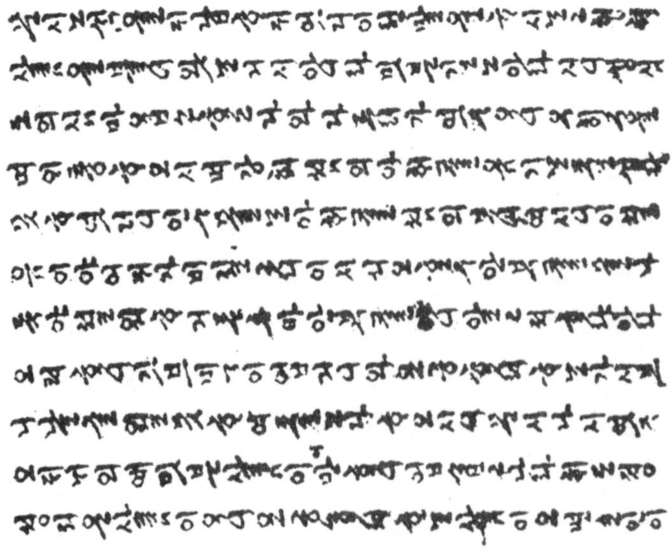

⓫-6

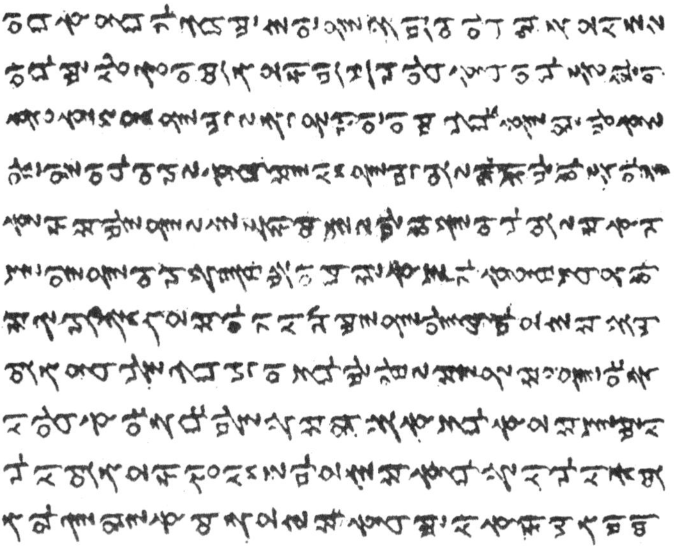

11-7

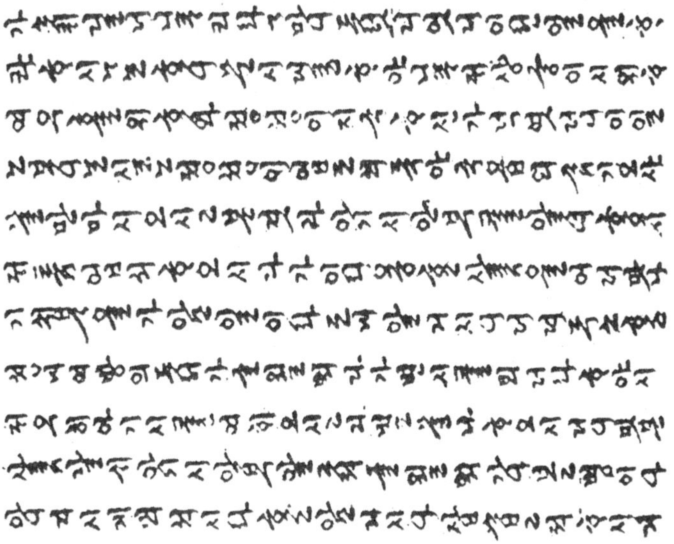

11-8

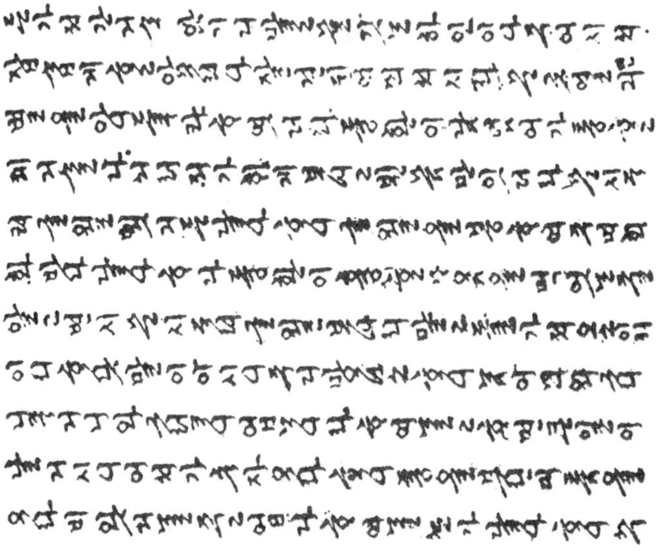

⑪-9

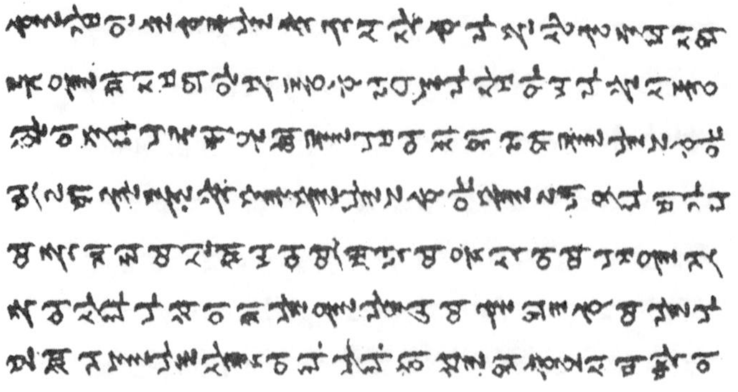

⑪-10

⓫-11

업ᄉᆞ오시고 ᄒᆞᆯ번 기ᄀᆞ 업ᄉᆞᆫ지 ᄒᆞ 업ᄉᆞᆫ뎨 그지 ᄒᆞᆯ번 밧ᄌᆞ
나 어니 날ᄂᆞᆫ 적 보ᄉᆞᆸ나 동궁한이 ᄀᆞ 업ᄉᆞ며 울고 가ᄉᆞᆸ고
국ᄌᆞ의며 숨진 ᄃᆡ겻 ᄯᅢ ᄒᆞ시니 ᄀᆞ려 시면 못ᄌᆞᆸ오ᄋᆞᆸ
의 죽ᄋᆞᆷ을 ᄎᆞᆷ지 회 ᄭᅮᆷ ᄆᆡᄋᆞᆸ셔 ᄒᆞ시다 ᄒᆞᆫ 하고 울ᄋᆞᆸ오
ᄂᆞᆫ 나ᄂᆞᆫ ᄆᆞᄋᆞᆷ 다 이미 ᄒᆞᆯ 말ᄉᆞᆷ을 못 ᄒᆞ고 가 너이 이러타 ᄒᆞ엿ᄉᆞᆸ이
분ᄉᆞ 일 세간 올니ᄃᆡ 저ᄌᆡ ᄌᆞ조 ᄌᆡᄌᆞ ᄯᅢ 저장 시 ᄇᆞᆯᄋᆞᆸ
보약 ᄃᆞ리고 말 시ᄂᆞᆫ 가쳐 양 ᄯᅥᆨ 더니 더 ᄭᅩᆨ 지어 업시 이 ᄇᆞᆯᄋᆞᆸ
잡아 내다 동궁한이 보터 오ᄂᆞᆫ 덕이 모져 ᄒᆞ세 ᄒᆞ올ᄉᆞᆸᄋᆞᆸ
시여 갈ᄯᅦ 동궁한이 날ᄒᆡ 셔ᄀᆞ 이 ᄂᆞᆺ 갈ᄂᆞᆫ ᄌᆞᆼ 하인 ᄋᆞᆫ 어셔ᄋᆞᆸ
라 ᄒᆞ오 울고 ᄭᅬ나 가ᄉᆞ다 동궁한이 ᄂᆞᆫ ᄒᆞ다 ᄒᆞ오셔
빈ᄯᅥ ᄌᆡ 인ᄇᆡ로 ᄒᆞ엿 ᄭᅬ와 ᄯᅢ ᄎᆞᆷ ᄒᆞ원의 ᄒᆞ셔 나가

⓫-12

안ᄎᆡ ᄌᆞ로 이뎡의 맛 ᄒᆞᆫ 말ᄉᆞ로 ᄌᆞ조 ᄯᅥ 밧간 원을 ᄂᆞ ᄆᆞᆫ제
ᄒᆞᄌᆞ 동젼 ᄀᆞ 업ᄉᆞ거 ᄎᆞᆺ 말을 나 뵈ᄋᆞ시며 이로의 계ᄇᆡ강
회며 ᄒᆞ온 ᄎᆞᆯ원을 울ᄂᆞᆫ ᄀᆞᆺ ᄎᆡ명 ᄯᅢ 부ᄎᆞᆷ ᄋᆞ상 ᄒᆞ온 말ᄉᆞᆷ지
이 당장의 계ᄅᆞᆫ ᄒᆞ 안오ᄃᆡ 무ᄉᆞᆷ ᄉᆞ 이 ᄯᅢ세 ᄒᆞ다 ᄒᆞ며
강회 ᄎᆞᆯ원의 ᄂᆞᆫ 잘 길 너ᄃᆞᆫ 잇나 가 낭장이와 ᄒᆞᆫ엿ᄃᆡ
준ᄌᆞᆫ히 ᄎᆞᄌᆞ오시게 ᄒᆞ리 ᄌᆞ상ᄂᆞᆫ 블ᄎᆞᆨ의 말ᄉᆞᆷ ᄋᆞᆸᄂᆞᆫ
ᄀᆞ장 ᄭᅬ ᄎᆞᆨ국 ᄯᅢ의 ᄂᆞᆫ 여히어 동궁한이 ᄎᆞᄋᆞ 이 말이 ᄋᆞᆸ
ᄒᆞᄌᆞ ᄆᆞ근ᄋᆞ나 울 ᄒᆞ오이다 ᄯᅢ 궁중ᄃᆡ 잡지ᄂᆞᆫ의 가ᄅᆞ치
ᄒᆞ올ᄂᆞᆫ 구 ᄒᆞ여다 ᄒᆞ여 울 ᄒᆞᆫ나 ᄂᆡ 아ᄂᆞᆫ다 아ᄒᆞ이다 ᄒᆞ올
위ᄒᆞ야 비ᄂᆞ어 저던 울 ᄒᆞ엿 ᄭᅡ비 ᄃᆞ이 ᄯᅡ 업니 ᄒᆞ야 비ᄃᆡ
나 ᄒᆞᆼᄌᆞ 향합 ᄒᆞᆼᄂᆞᆫ 각 ᄌᆞᆯ ᄯᅢ라 ᄒᆞ온 ᄎᆞᆫ지 ᄋᆞᆺᄉᆞᆸ

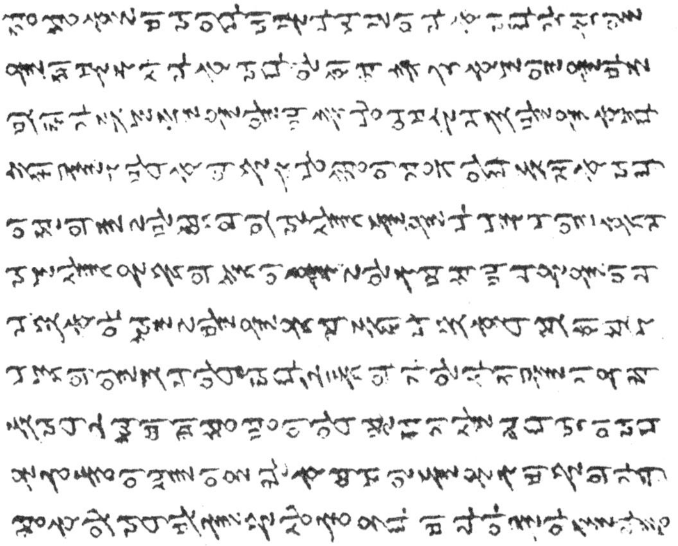

⓫-13

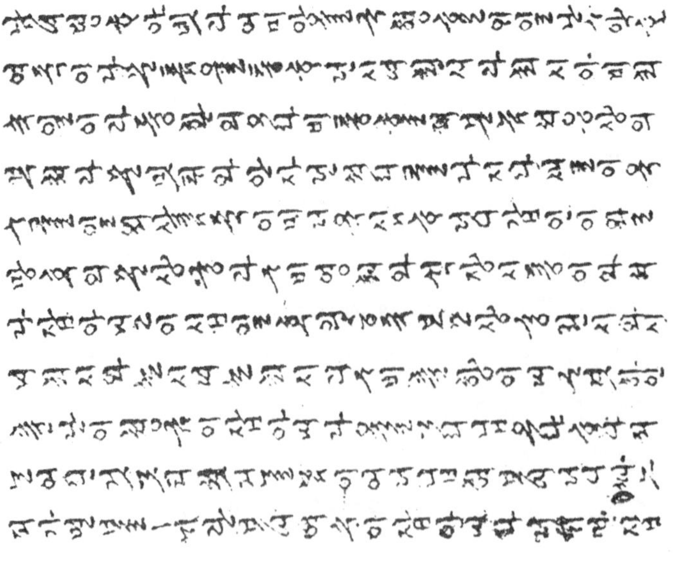

⓫-14

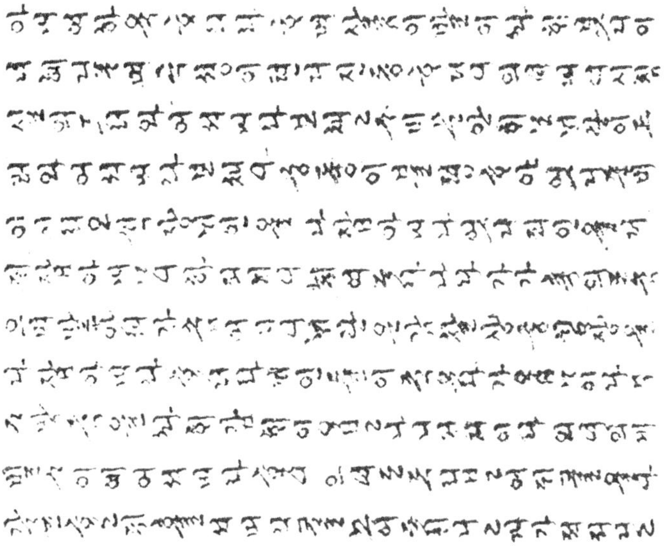

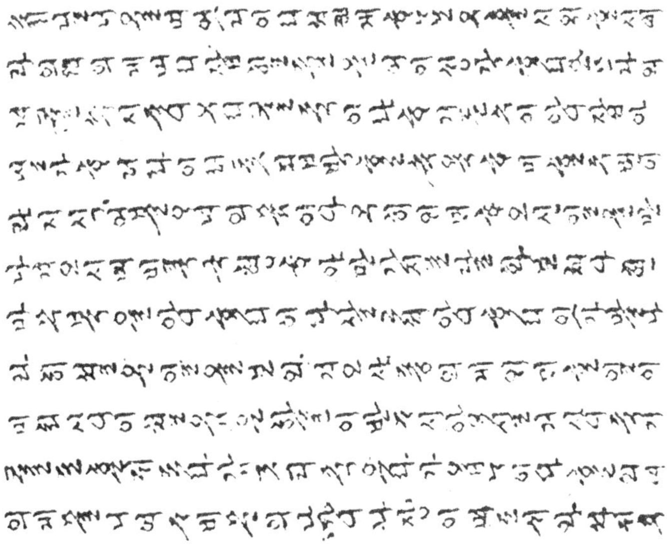

⓫-15

⓫-16

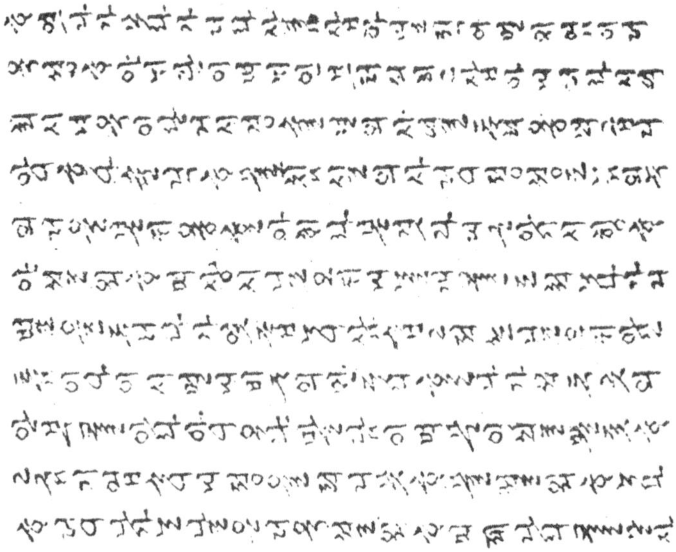

11-17

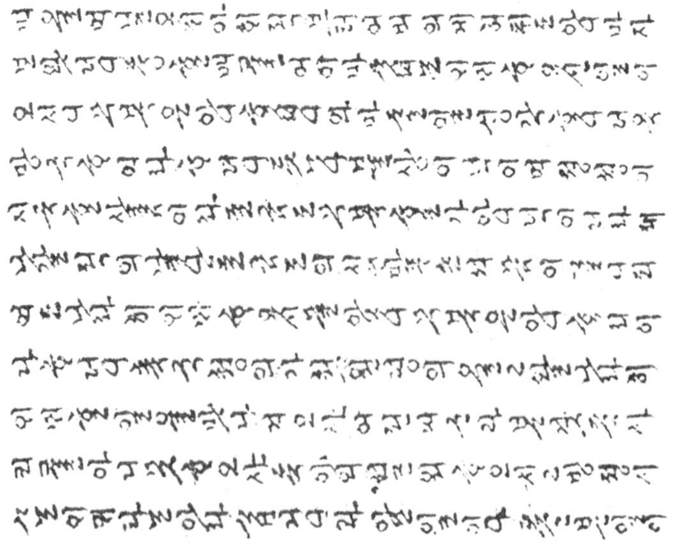

11-18

⓫-19

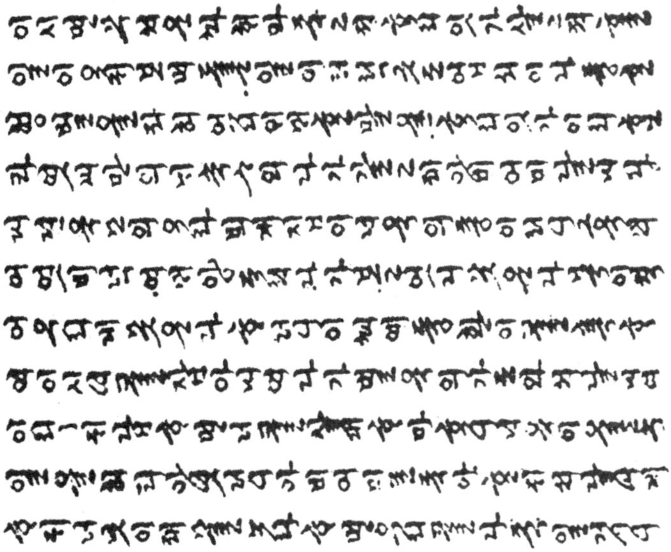

⓫-20

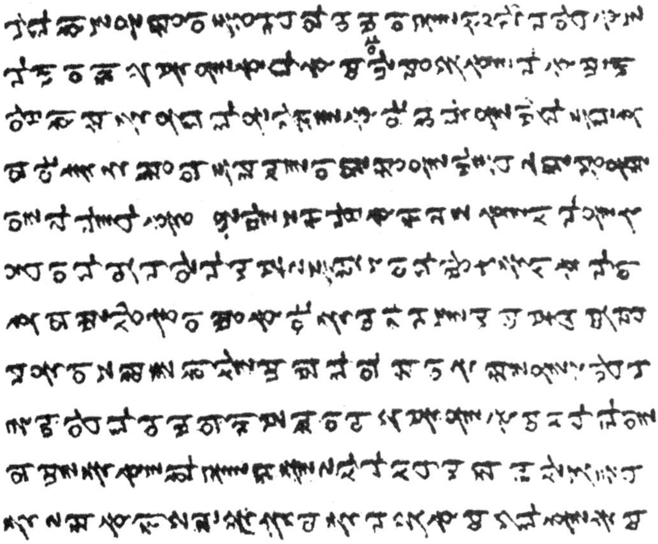

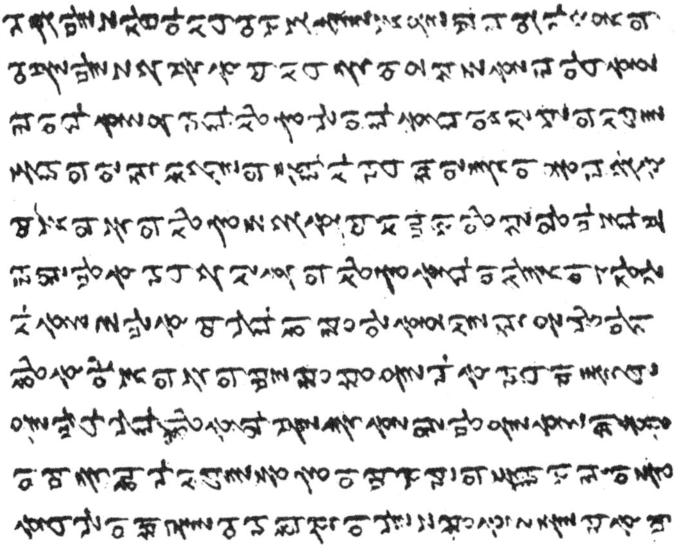

⓫-21

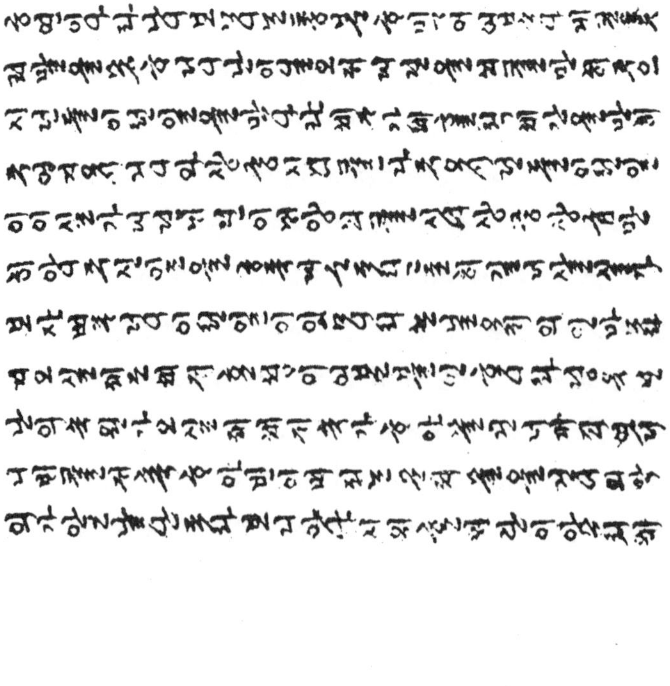

⓫-22

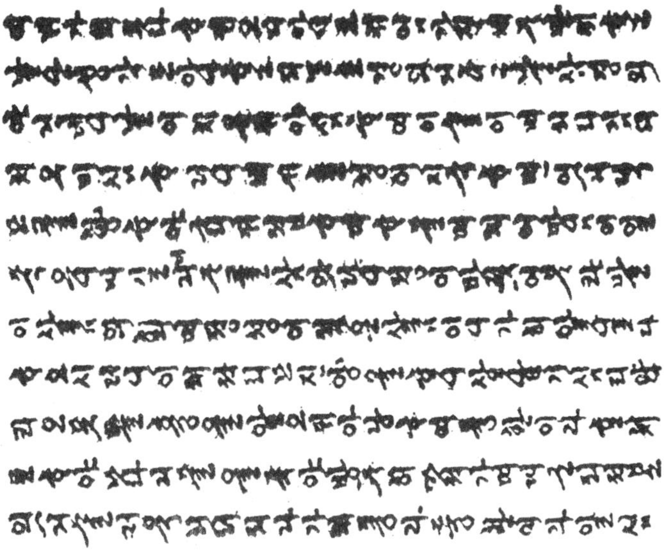

⓫-23

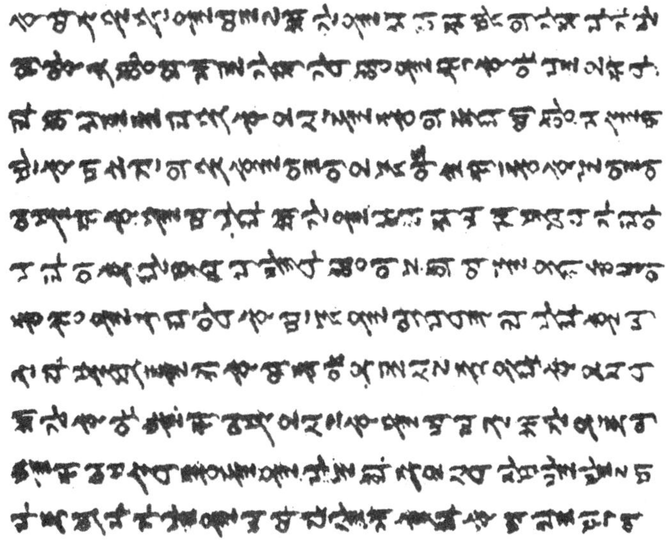

⓫-24

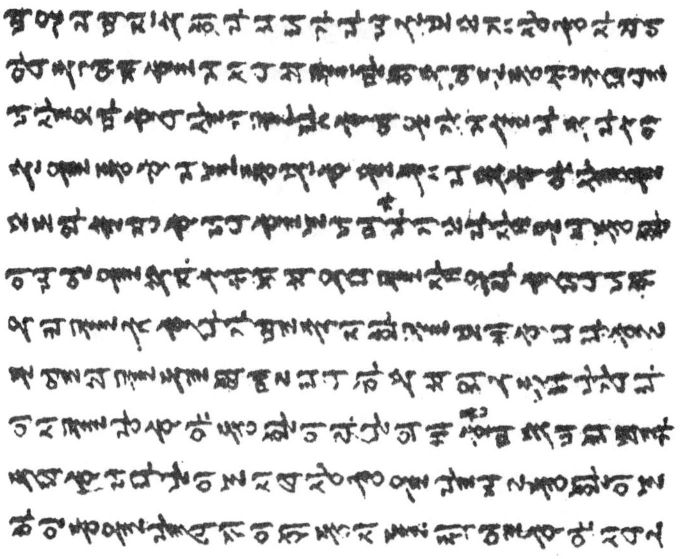

11-25

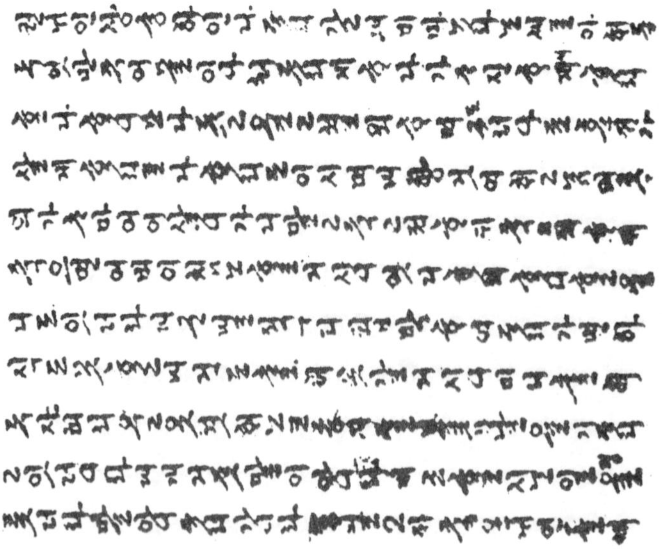

11-26

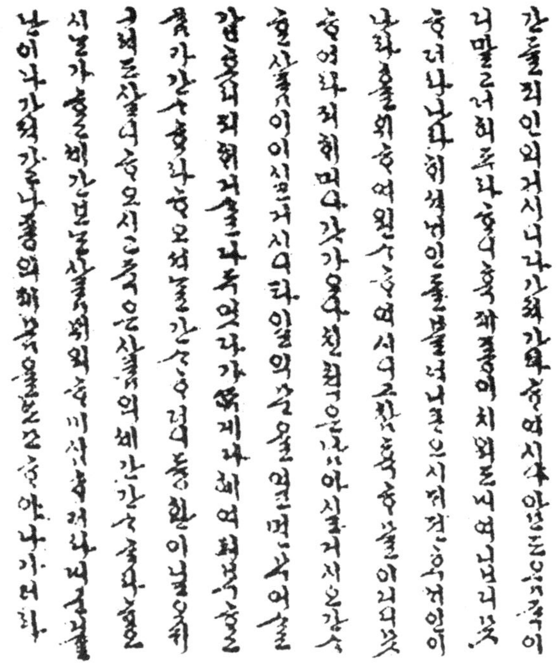

⓫-27

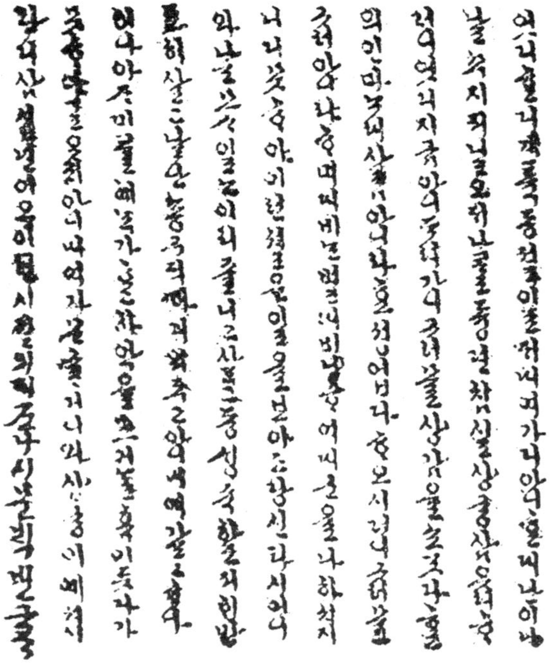

⓫-28

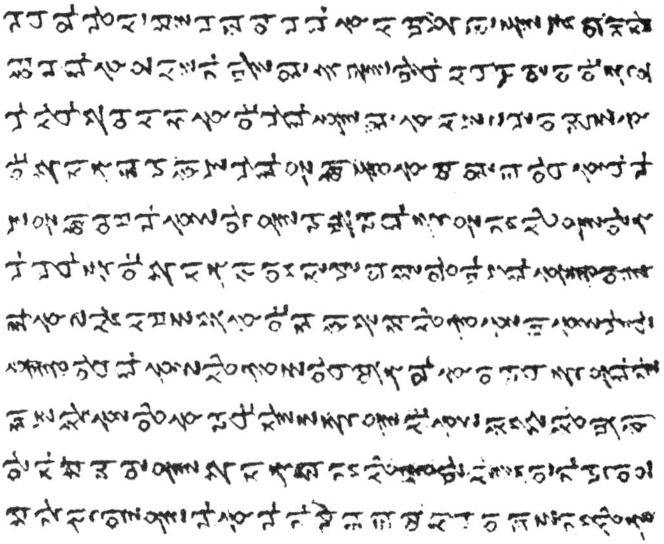

⓫-29

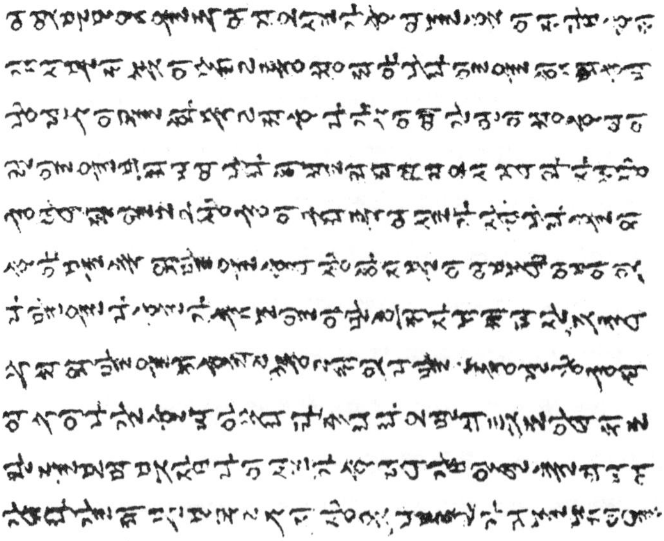

⓫-30

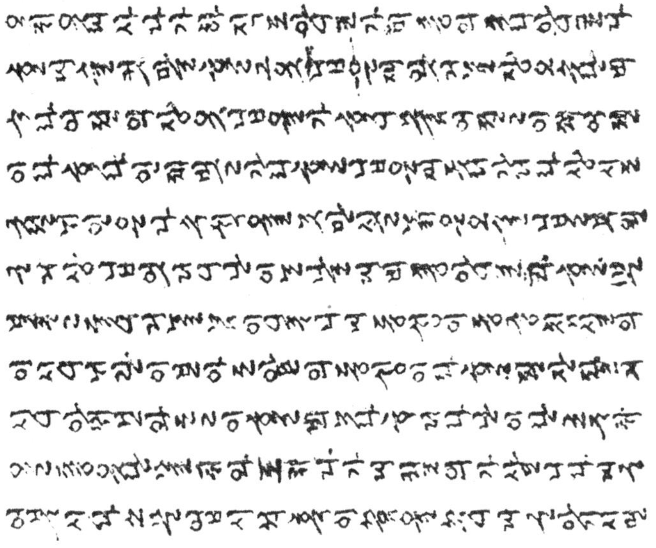

⑪-31

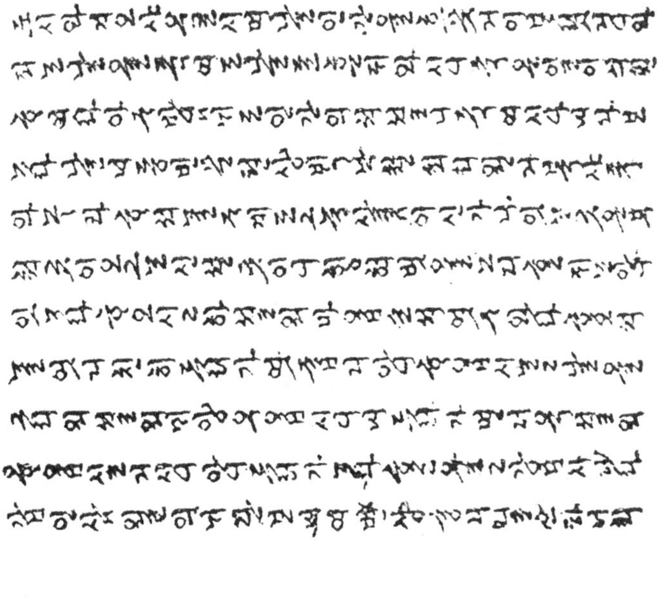

⑪-32

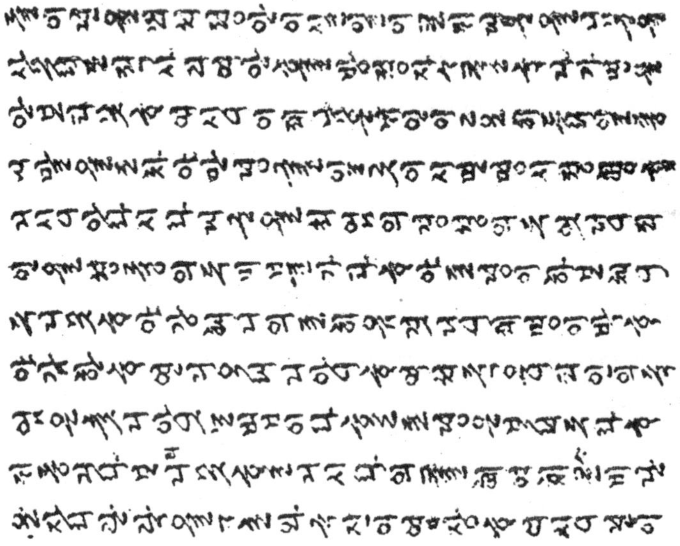

⑪-33

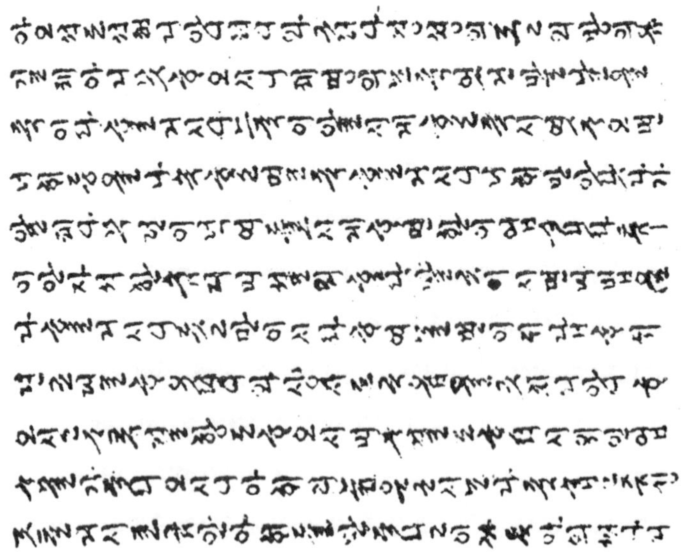

⑪-34

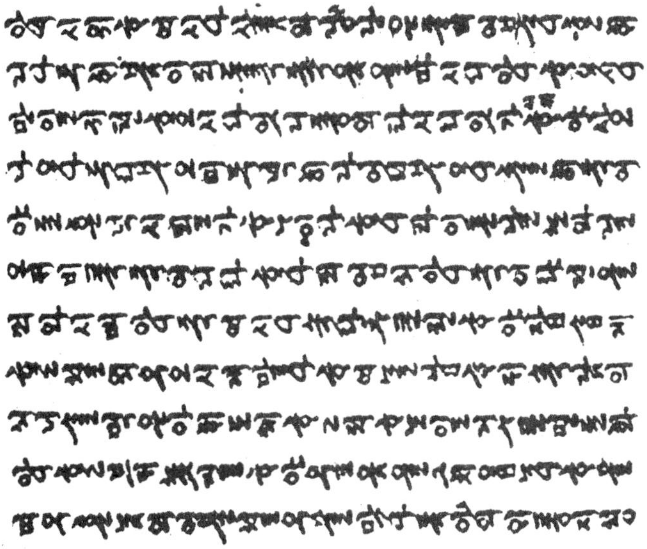

⓫-35

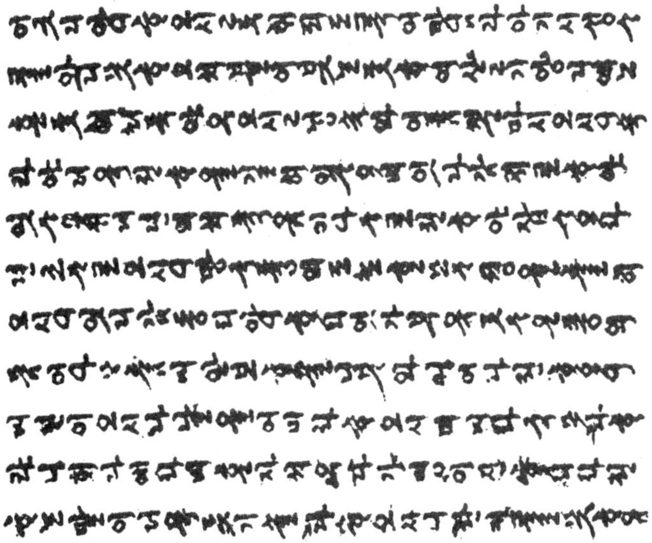

⓫-36

⑪-37

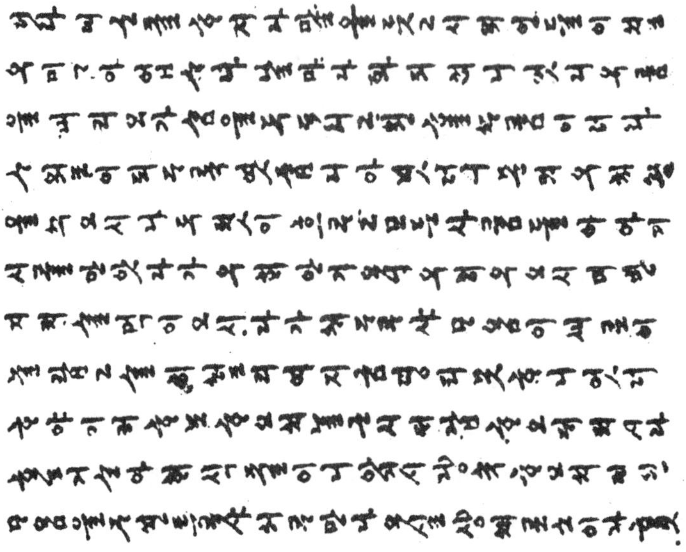

⑪-38

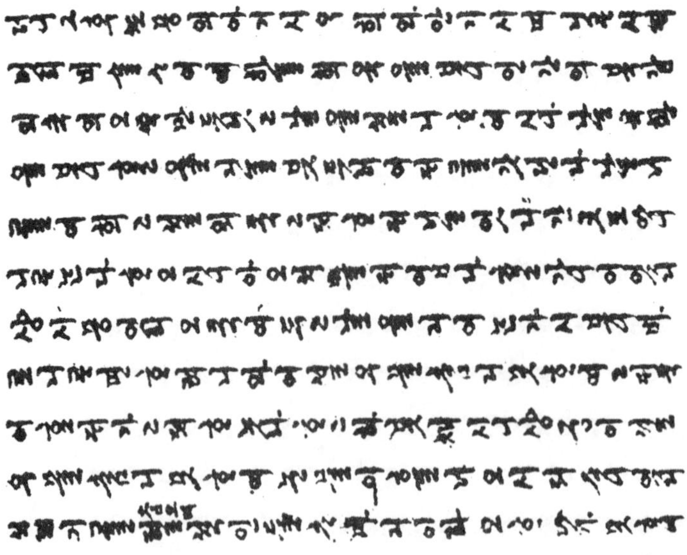

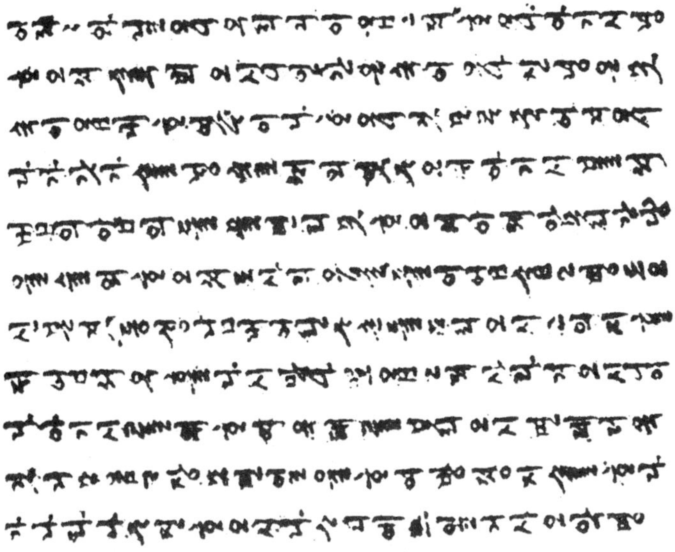

⑪-39

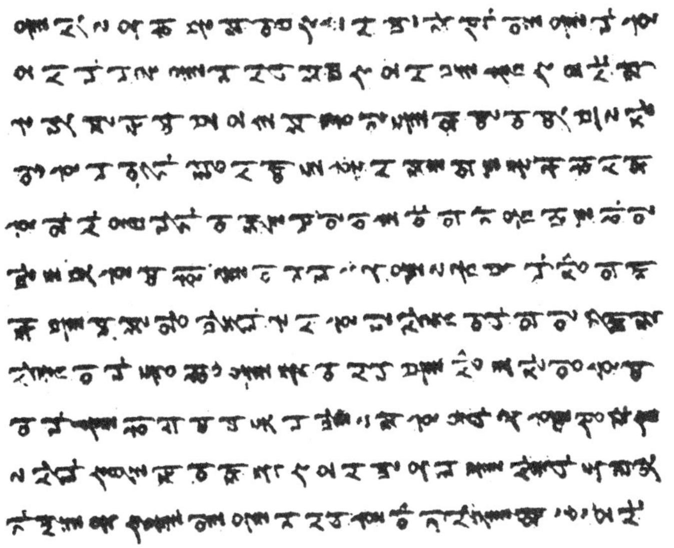

⑪-40

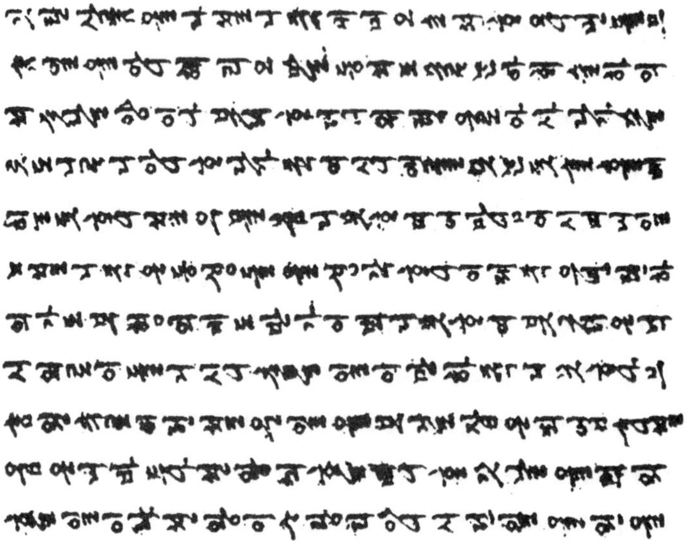

⓫-41

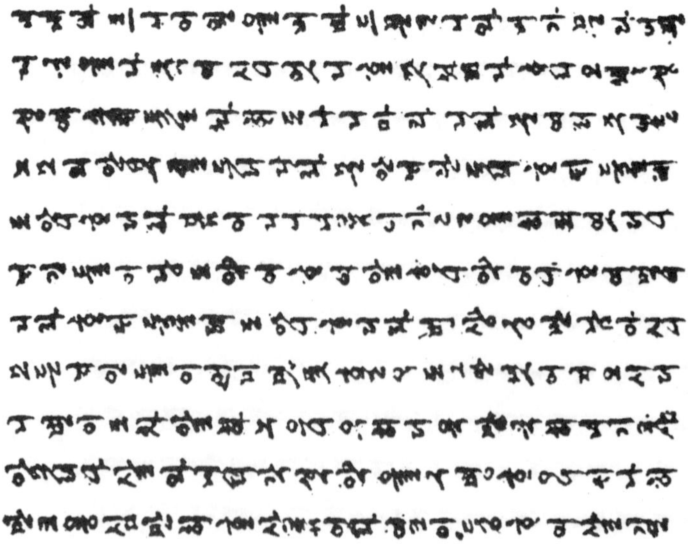

⓫-42

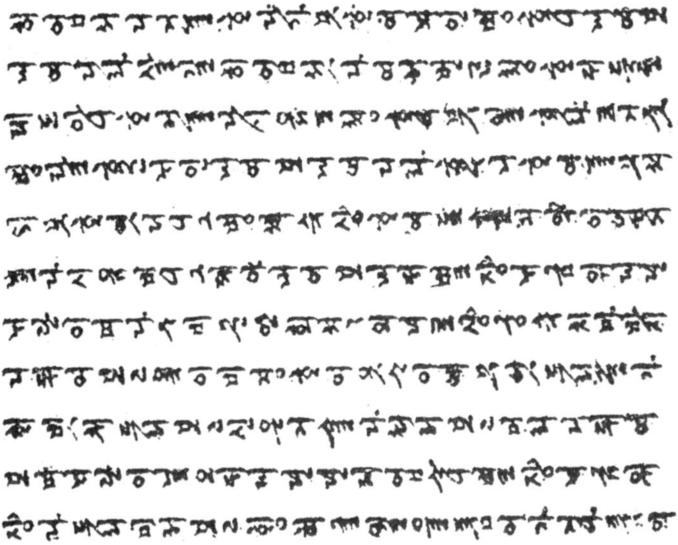

⓫-43

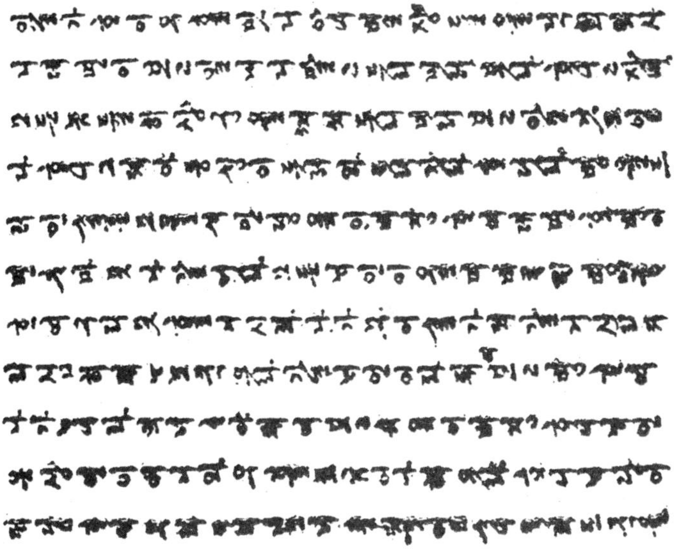

⓫-44

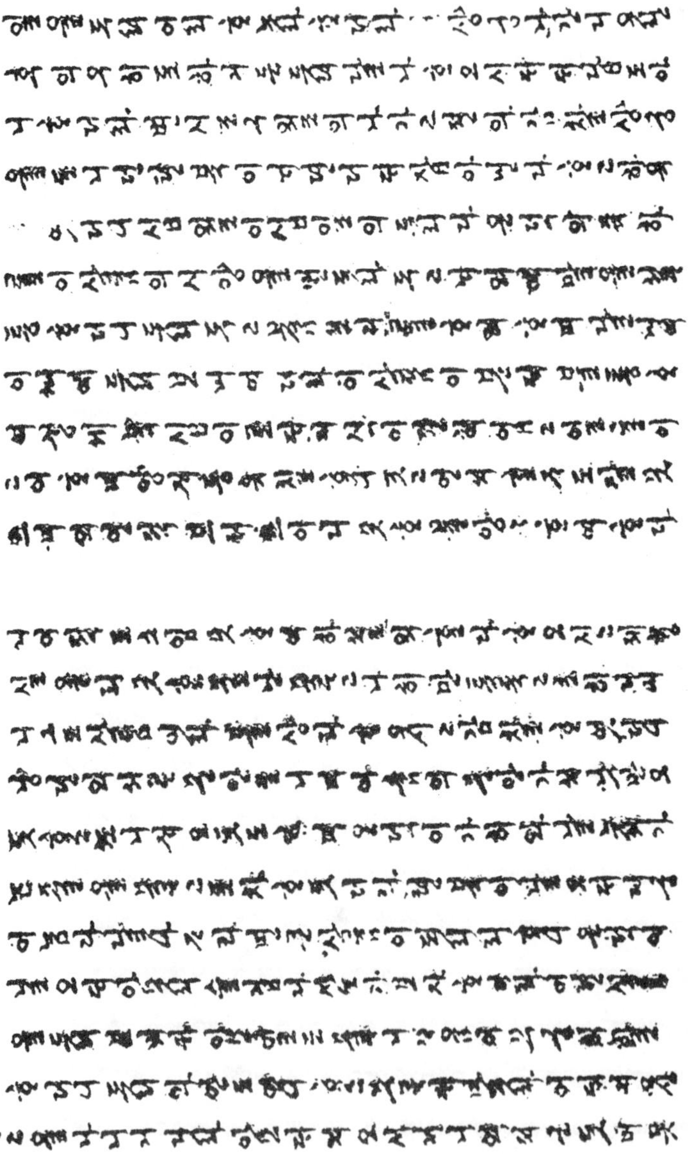

⓫-45

⓫-46

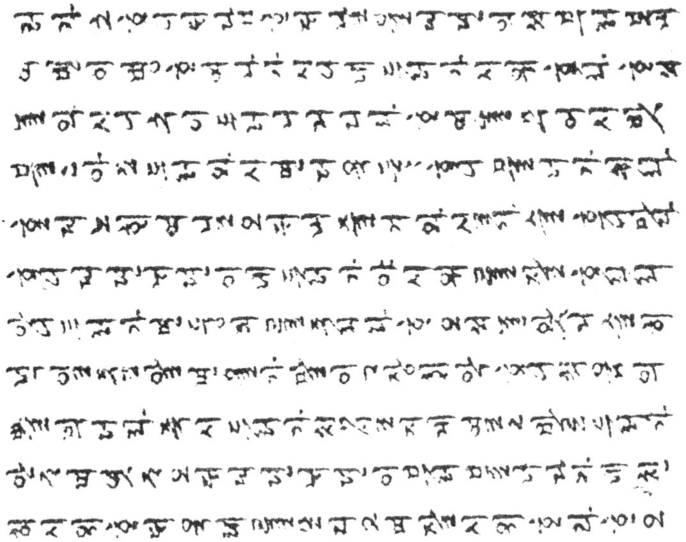

⓫-47

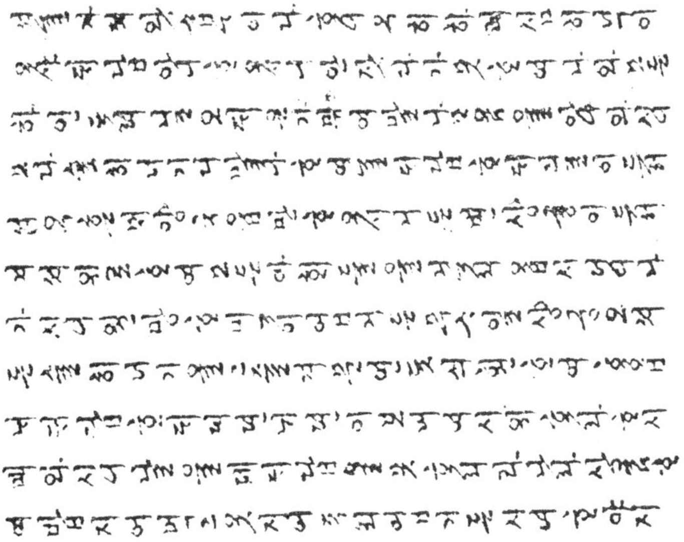

⓫-48

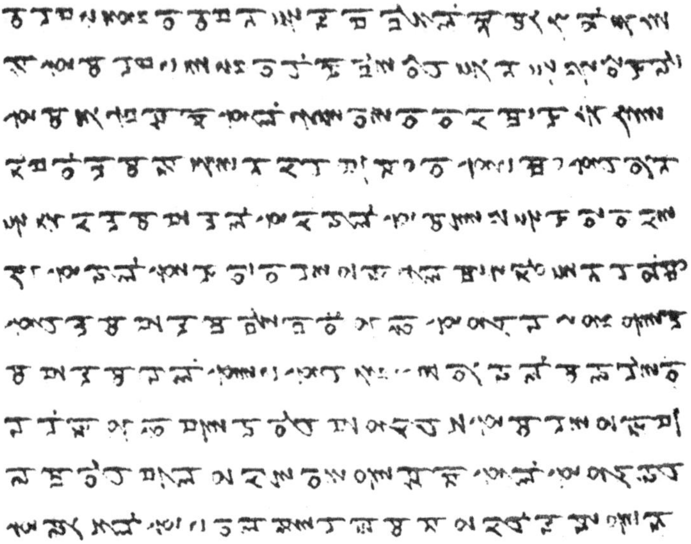

⓫-49

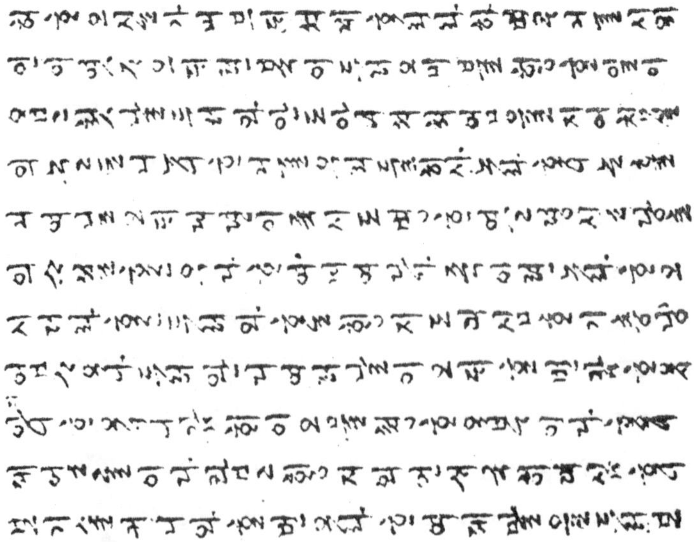

⓫-50

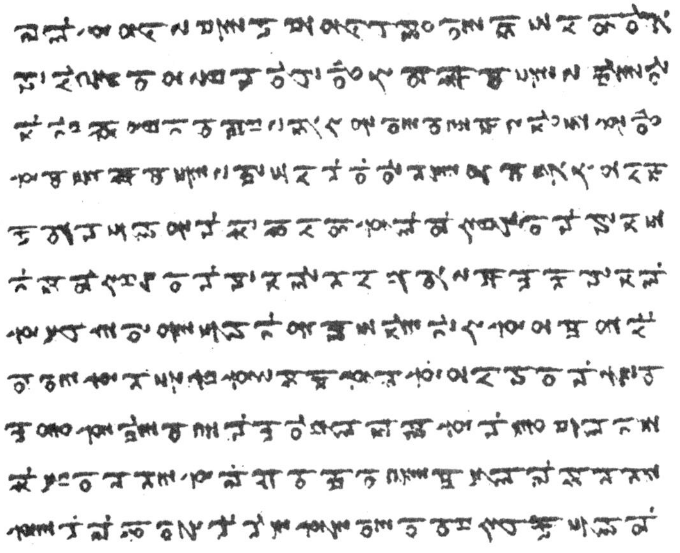

11-51

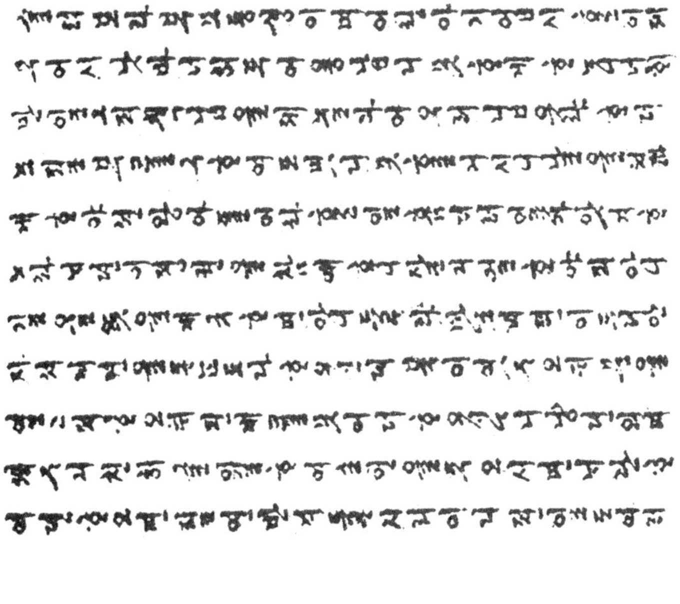

11-52

번ᄀᆞᆫ 축히 덕으뎌 ᄒᆞ 뚝 뒤 다ᄇ 이 업ᄉᆞ니 대졋 셔ᄅᆞ오
나 ᄯᅩ 메얼기ᄅᆞᆯ 굿 ᄒᆞᆯ거 싱ᄋᆡ 믈너 가라 ᄒᆞᆫ 옷시 나나와 앙
자 셔 아ᄀᆞ티 편폐 ᄒᆞ오 거 어머이ᄅᆞᆯ 라 메다 앙 ᄒᆞ올
ᄯᅩᆯ지 던 너던 이 어머이라 ᄒᆞᆫ 오시 ᄌᆞ차 앙 혜 ᄯᅡ ᄒᆞᆫ
여 줄 ᄒᆞᆷ 이 뒤 다ᄇ ᄒᆞᆫ 뒤 셔왕 만 ᄒᆞ셔 친 연 즁궁 어오
시ᄂᆞᆫ 옹 ᄎᆞᆺ 더 ᄀᆞ올 나 하져 오셔 거 줄 모진 머ᄀᆞᆺ 호와
아니라 ᄒᆞᆫ 믈 갈 가 ᄒᆞᆫ 못 이 뒤 다ᄇ ᄒᆞᆫ 뎌 디 던 어 망
ᄌᆞᆫ 쳔 완 ᄒᆞ ᄀᆞᆯ 강 납 가 몽 ᄒᆞ여 앗ᄉᆞ니 ᄀᆞ올 즈여
시나 뉘 혜 ᄯᅡ 셔왕 마ᄎᆞ라 재 아바 니ᄋᆞᆯ 혜 ᄂᆞᆯ 가 상ᄒᆞ져
봉션 제 ᄯᅢ 심라 ᄒᆞᆫ ᄉᆞ 량 리 아 시ᄂᆞᆫ ᄀᆞ궁 치나 앙 ᄌᆞ 지 ᄯᅢ
이제 왕 ᄋᆞᆯ 셕 져 셔 ᄃᆞᆫ 아 ᄋᆞᆯ 이 ᄋᆞᆯ 도 아니 ᄀᆞᆺ ᄒᆞ여 더 옷 여 ᄅᆞᆯ

와 뵌 ᄋᆞᆯ 더 ᄀᆞᆫ의게 ᄌᆞᆯ 지 ᄂᆞᆫ 혜ᄅᆞᆯ 계 어ᄇ 다 ᄒᆞ여 ᄌᆞᆯ 앙 ᄯᅢ
ᄂᆡ 어 망ᄆ 을 나 혜 니 아니 ᄒᆞᆫ 번 어 ᄃᆞᆯ 셔 ᄯᅩ 차 난 ᄉᆞᆫ
ᄒᆞᆫ ᄭᅬ 인 옹 ᄯᅢ 이 ᄀᆞᆯ 다 ᄀ 상의 다ᄂᆞ 아 ᄯᅮᆨ 농 옷 흥 오 ᄯᅢ
올 너 닥 가 방졍 ᄒᆞᆫ ᄎᆞ ᄀᆞ굴 치 ᄉᆞ ᄒᆞ니 그 ᄂᆞᆷ 이 올 나 가
셔 셔 아 ᄌᆞ 미 ᄒᆞᆫ 곳 이ᄉᆞ 다 더 나 니 못 졍 졔 져 ᄀᆞᆫ 뎟ᄉᆞ 취
랴 ᄒᆞᄂᆞᆫ 지 ᄀᆞᆺ 말 ᄒᆞ 여 ᄉᆞ 더니라 ᄒᆞᆫ ᄒᆞ 태 가 주 ᄋᆞ ᄂᆡ 뵉옹
여 ᄯᅩ 녀 궁 보 2 ᄉᆡᆨ
ᄒᆞ 쳐 혜 가니라. 샹 ᄉᆞᆯ 이 ᄌᆞᆺ 나 낫 오 져 이 마 ᄆᆞᆷ ᄭᅳ 더 ᄇ 졔 다 ᄒᆞᆯ
ᄂᆞ 나 이 ᄒᆞᄂᆞᆫ ᄒᆞ 나 구 현 ᄌᆞᆨ 을 온 나 알 것 미 ᄋᆞᆯ 져 도 려 말 을
빌 ᄂᆞᆫ 처 ᄀ 실 의 ᄇ ᄉᆡ 지 면 믈 옹 ᄂᆞᆫ 머 게 ᄒᆞ니 새 이 ᄉᆞ 리 ᄒᆞᆯ
여 머 게 ᄒᆞᆯ ᄂᆞ ᄒᆞ니 가 히 의 권 이 동 ᄒᆞ니 가 히 혀 ᄂᆞ 라 가
혀 ᄌᆞᆯ 치 ᄀᆞᆯ 만 ᄒᆞ 주 변 뎌 히. 의 ᄀᆞᆺ 되 ᄋᆞᆯ 이 ᄋᆞᆯ 가 어 업 ᄉᆞ 리

⓫-53 ⓫-54

시니 ᄉᆞᆯ엄ᄌᆞ기ᄅᆞᆯ 평ᄌᆞ리ᄇᆞᆸ지 이라 ᄒᆞ더라 ᄌᆞ ᄒᆞ여 ᄯᅳᆺ
을 엿ᄌᆞ오니 ᄭᅦ ᄎᆞᆺ의 ᄉᆞᆯ 외ᄋᆞᆯ 외ᄋᆞᆸ고 여ᄒᆞ고 나ᄆᆞᆯ
몃ᄃᆡ 나와 ᄉᆞ라ᄒᆡ 되여 어인 ᄎᆡᆼ언 외ᄌᆡ ᄎᆡᆼ ᄒᆞᆫ 것가
리아난 얼ᄋᆞᆯ 어오 년 ᄒᆞᆫ 외 ᄌᆞ오 ᄋᆞᆯ 먹어 날ᄋᆞᆯ ᄌᆞᆨ라
ᄶᅢ ᄉᆞᆷ가 ᄯᅩ ᄒᆡ 시니 ᄎᆡᆼ ᄒᆞᄋᆞᆯ ᄯᅢ 앗 ᄆᆞᆨ 가리 앗 미 오ᄶᅢ
어ᄆᆡᄀᆞᆯ 몽ᄒᆞ여 ᄃᆞᆨ ᄂᆞᆺᄋᆞᆯ 몽 나ᄋᆞᆸ니 ᄆᆞᆺ ᄒᆞᆯ 제 ᄉᆞᆷ가
너 히ᄂᆞᆫ 져 거ᄆᆞᆷ 쇠 ᄒᆡ 챙 ᄒᆞᆫ 여 ᄑᆞᆯ 미 ᄊᆡ 가 리 앗 ᄃᆞᆫ 얼ᄅᆞᆯ
어 오 ᄉᆞᆷ 온 미ᄃᆡᆼ ᄒᆞᆫ 녀 연 의 ᄆᆞᆯ 을 ᄎᆞᆺ ᄆᆞᆨ ᄎᆡᆼ ᄒᆞᆫ 챙
ᄌᆞ 미 내 가 리 앗 ᄃᆞᆫ 얼 어 ᄂᆞᆺ ᄋᆞᆯ 어 리 어 ᄒᆡ ᄌᆞ 며 ᄀᆞᆷ 상
ᄒᆞᆫ 일ᄋᆞᆯ 아 녀 ᄆᆞᆫ ᄌᆞ 시 ᄌᆡ ᄎᆡᆼ 의 ᄆᆞᆯ 어 ᄂᆞᆸ ᄂᆞᆸ ᄉᆞᆸ ᄒᆞᆯ 어 ᄂᆞᆯ
어 ᄃᆡ ᄎᆡᆼ ᄋᆞᆯ 갈 일 이 앗 ᄂᆞᆫ 다 ᄎᆞᆺ 가 저 가 ᄃᆡ 이 ᄃᆞᆫ 얼 어

라 ᄂᆞᆷ ᄒᆞᆫ ᄉᆞᆯ 오 ᄆᆞᆯ ᄌᆞ 어 엽 ᄉᆞᆼ 더 ᄒᆞ 의 ᄌᆡ 여 ᄌᆞ ᄒᆞ
야 ᄀᆞ 마 ᄃᆞ ᄑᆞᆯ 기 ᄆᆞᆺ ᄎᆞ ᄋᆞᆯ ᄃᆞ 어 ᄎᆡᆼ ᄆᆞᆺ ᄒᆞᆯ 어ᄅᆞᆯ ᄃᆞ 로 ᄂᆞᆫ 니
회 언 젼 오 다 ᄒᆞᆫ 앗 ᄃᆞᆫ ᄒᆞ 져 ᄂᆞᆷ ᄒᆞᆫ ᄃᆞ ᄒᆞᆯ 오 시 더 라 여
러 ᄒᆞᆯ ᄉᆞ 너 ᄆᆡ 동 지 ᄃᆞᆯ 이 거 외 ᄆᆡ 연 ᄃᆞ 니 져 ᄆᆞᆺ 이 ᄂᆞᆷ 을
것 엄 ᄌᆡ 리 앙 ᄌᆞᆯ ᄒᆞ 외 ᄒᆞᆯ ᄎᆞᆺ ᄎᆞ ᄆᆡ ᄌᆞᆨ 와 ᄉᆞ 오 ᄋᆞᆸ 여
신 이 며 ᄌᆞ 오 ᄌᆞ 오 날 오 시 져 너 ᄅᆞᆯ 시 ᄉᆞᆼ ᄒᆞᆫ 너 면 ᄋᆞᆯ
ᄂᆞᆷ 앗 ᄌᆡ ᄃᆞᆨ 년 외 나 가 ᄂᆞᆫ 여 언 너 라 보 ᄌᆡ 여 ᄆᆞᆨ 감 ᄎᆞᆯ
ᄋᆞᆯ 잡 아 지 ᄂᆞ 오 ᄌᆡᆼ 의 가 ᄎᆞᆺ 져 시 니 ᄎᆡ ᄒᆡ ᄒᆞᆫ 다 ᄒᆞᆯ 셔
ᄂᆞᆷ ᄋᆞᆯ 것 ᄎᆞᆺ ᄃᆞ 머 ᄋᆞᆯ 것 ᄎᆞᆫ ᄌᆞ 라 ᄒᆞᆫ 오 ᄌᆞ ᄃᆞ ᄆᆞᆯ ᄒᆞᆫ 일
ᄂᆞᆷ 기 며 오 ᄌᆞ ᄋᆞᆯ ᄌᆞ 오 ᄉᆞᆫ 라 ᄒᆞᆫ 보 ᄃᆡ 며 ᄃᆞᆫ ᄆᆞᆺ 이 엄
연 ᄒᆡ ᄌᆞ 어 ᄉᆡ 져 ᄂᆞᆷ ᄒᆞᆫ 져 ᄌᆞ 오 ᄌᆞ 상 ᄌᆡ ᄋᆞᆫ ᄀᆞᆷ 엄 거

⑪-55	⑪-56

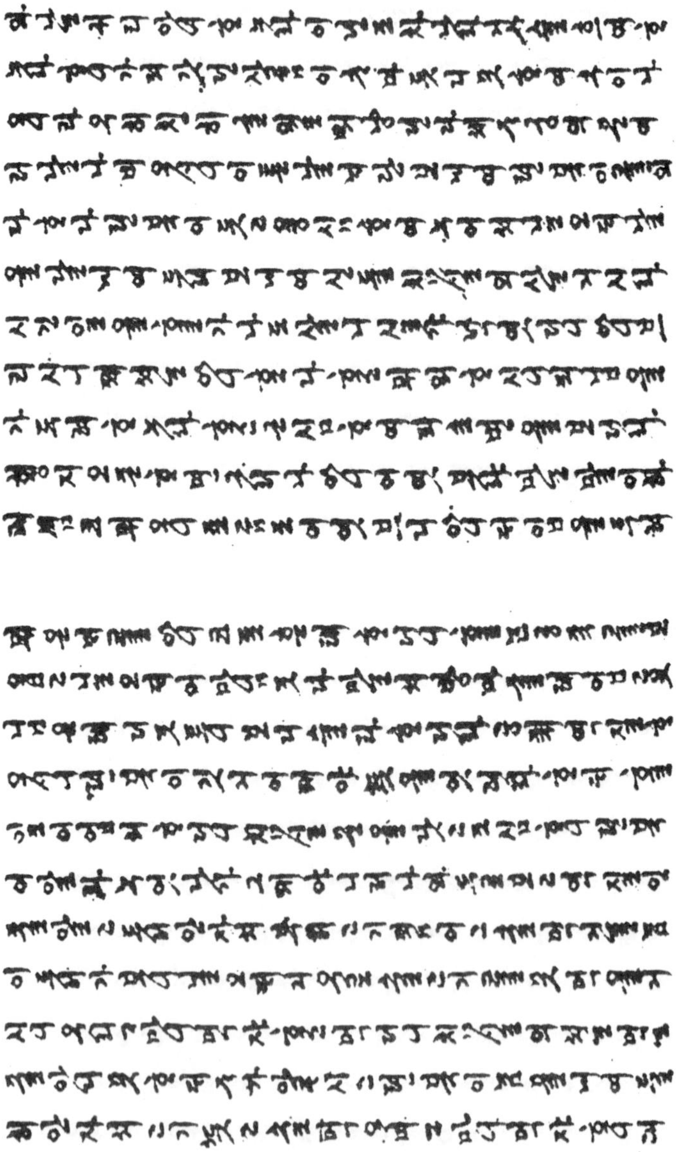

⑪-57

⑪-58

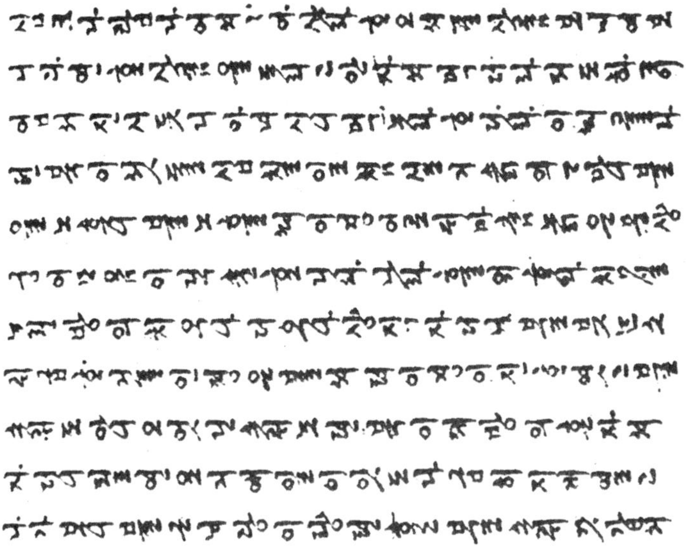

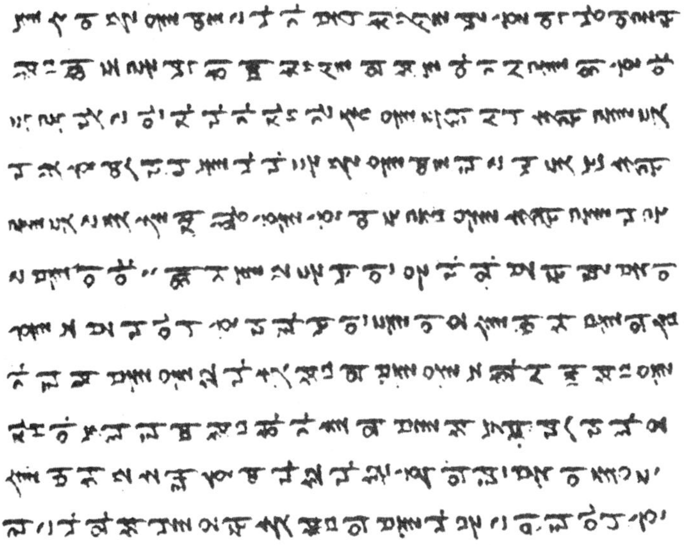

⓫-59

⓫-60

⓫-61

니라 본ᄃᆡ ᄎᆞᆺ셤이 ᄒᆞᆫ거ᄉᆞ 오리 ᄡᆞ하드면 물이 나
노니라 ᄆᆞ나ᄃᆡ 납ᄒᆞᆫᄃᆡ ᄎᆞᆺ쳐 물이 나면 셜ᄉᆞᆼ ᄎᆞᆺ
출ᄡᅡ하 독어시며 시방여러 ᄀᆞᆺᄡᅡ하서 ᄃᆡ 블나
ᄃᆞᆫᄃᆡ 어ᄇᆞᆸ더니 이 블이 국ᄒᆞ리 이ᄒᆞᆫ다 ᄒᆞ니 ᄎᆞᆺ외라
ᄀᆞᆺ치 물을 노화시랴 ᄒᆞᆫ 디외 역질을 시방ᄒᆞ오
시ᄉᆞᄃᆡ 출니여 다 죽게 ᄒᆞ라 ᄒᆞᆫ 거동이 ᄃᆡ외시
위인이 며 오히 출나아 ᄃᆡ외 ᄒᆞᆫ 줄 줄을 ᄀᆞᆯ나 ᄌᆞ
제 ᄀᆞᆯ 잇외오 시ᄂᆞᆫ ᄇᆡ 체예 블이 ᄃᆞ려여 오나 ᄃᆞᆫ나
려ᄒᆞᆫ 오시더니 ᄂᆞᆫ인 이라 아희 놀ᄂᆞ다 여시 나셔
못ᄀᆞᆯ 블을 ᄒᆞ여 ᄋᆞᆺ다 심상ᄒᆞᆫ ᄎᆞᆺ 인이 외 오 못이
앏ᄒᆞ여 역질을 심히 상히 ᄒᆞᆫ 오ᄉᆞ 다 ᄉᆞ ᄒᆞᆫ 여 ᄌᆞᆼ

⓫-62

울시져 ᄀᆞ말 갈질도 ᄒᆞ며 온 ᄭᆞᆺ 음식을 다 시져
먹더라 하인 ᄃᆞᆼ의 여ᄃᆡ 아ᄒᆡ 이시ᄆᆡ ᄌᆞᆯ 일을
시기면 ᄇᆞᆯ군 ᄇᆡ인 이 ᄭᆞᆺ 어리ᄃᆞᆫ ᄃᆡ 그 아ᄒᆡ ᄂᆞᆫ ᄒᆞ여
나여ᄉᆞᆺ 아희 ᄀᆞᆯ 달 니여 ᄆᆞᆺ외 ᄃᆞ도 망ᄒᆞ여 가셔 가
히 ᄀᆞᆯ 보아 ᄃᆞ라 ᄒᆞᆫ ᄃᆡ 죽시나 와 날오ᄃᆡ 져 미ᄎᆞᆺ
니져 시며 ᄉᆞᆼ 쑥 ᄉᆞᆫ 엇니 이시며 며인 ᄃᆞᆯ 은 ᄀᆞ ᄉᆞ 일
ᄒᆞᆫ 니 그 아ᄒᆡ ᄃᆡ 납ᄒᆞᆫᄃᆡ ᄃᆡ 비 말리 난 듯 야 오ᄅᆞᆫ
시 ᄃᆞ ᄉᆞᆼ 쑥ᄌᆞ 가ᄒᆞᆫ ᄭᆞᆺ ᄉᆞ 일을 ᄒᆞ오시며 너인 ᄀᆞ ᄃᆞᆯ ᄀᆞ
ᄉᆞ일 울ᄒᆞᆫ 울ᄃᆞ 안도 이도ᄃᆞ 아녀 ᄒᆞ옴 ᄒᆞ여 시여 ᄃᆞᆼ
ᄎᆞᆼ 이 ᄎᆞᆺ 지되 날오ᄃᆡ ᄃᆡ 비 ᄆᆞᆺ 티 ᄃᆞᆫ ᄀᆞ ᄉᆞ 미일 ᄃᆞ 그지
ᄃᆡ 비타 ᄒᆞ여라 ᄉᆞᆼ 쑥ᄌᆞ 가ᄒᆞᆫ ᄀᆞ ᄉᆞ 일ᄃᆞ 그자 ᄉᆞᆼ ᄌᆞᆺ 다

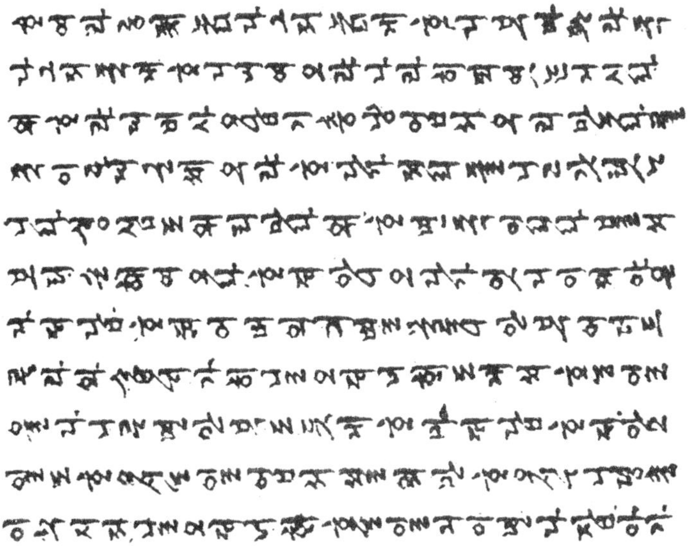

⓫-63

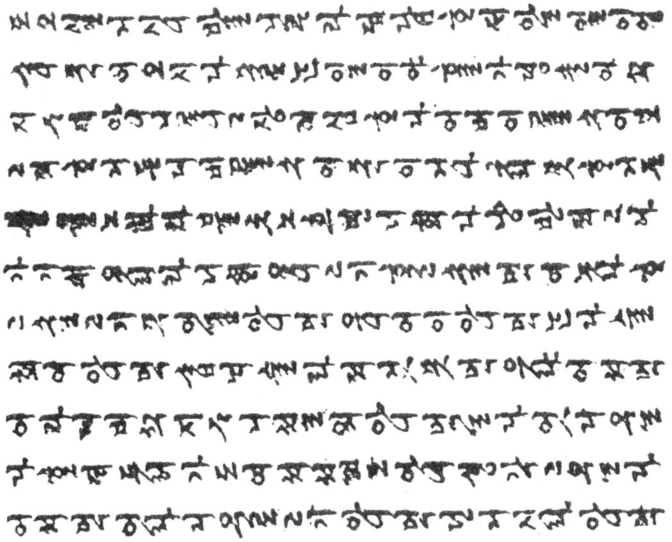

⓫-64

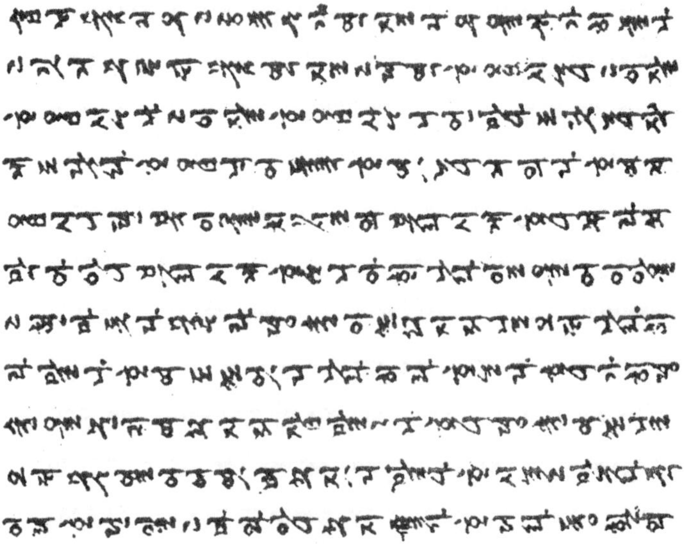

11-65

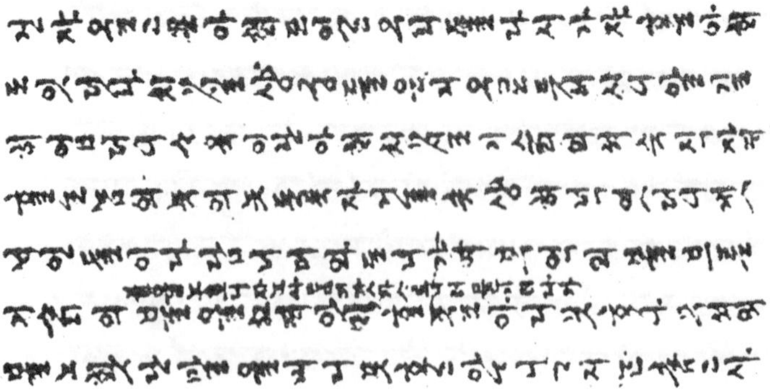

11-66

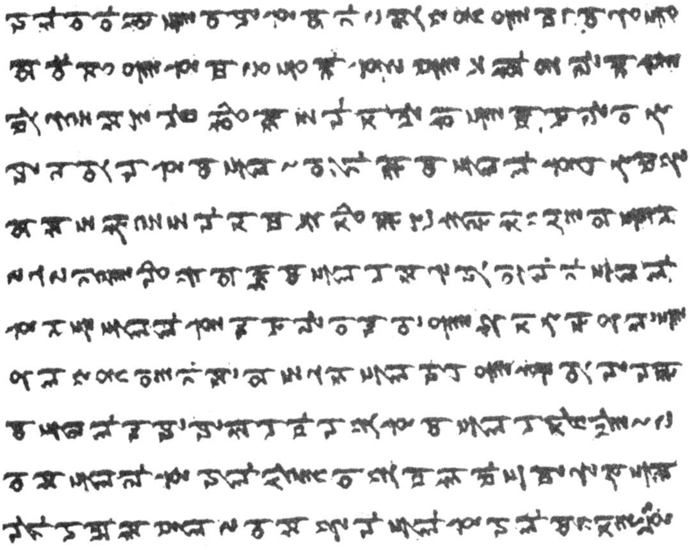

⑪-67

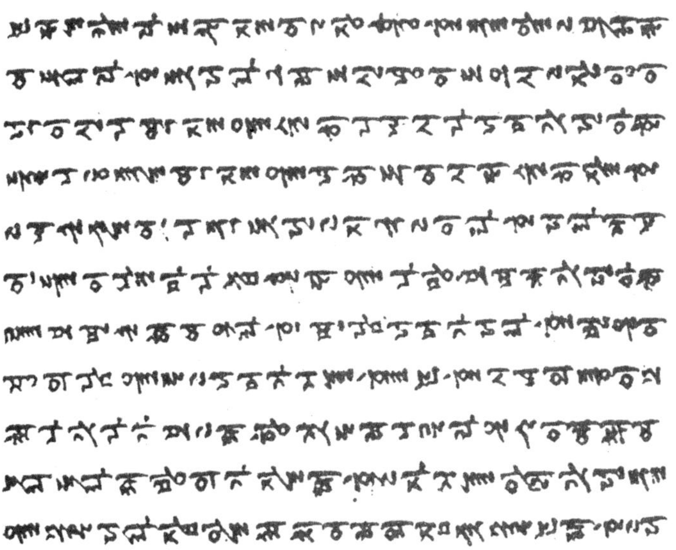

⑪-68

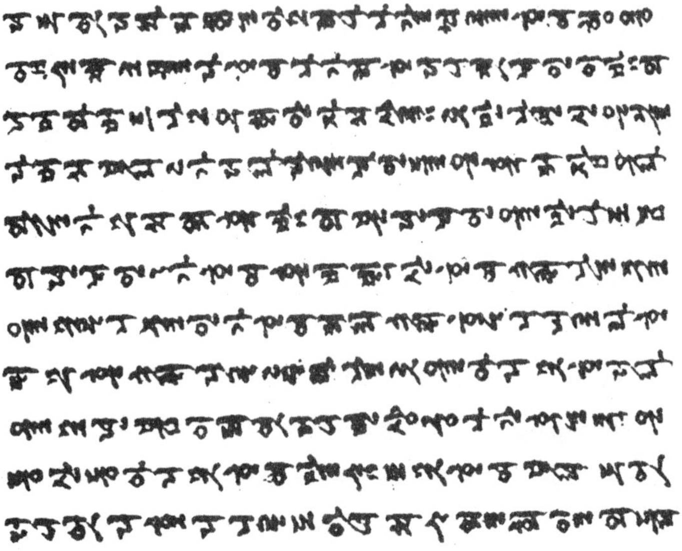

⓫-69

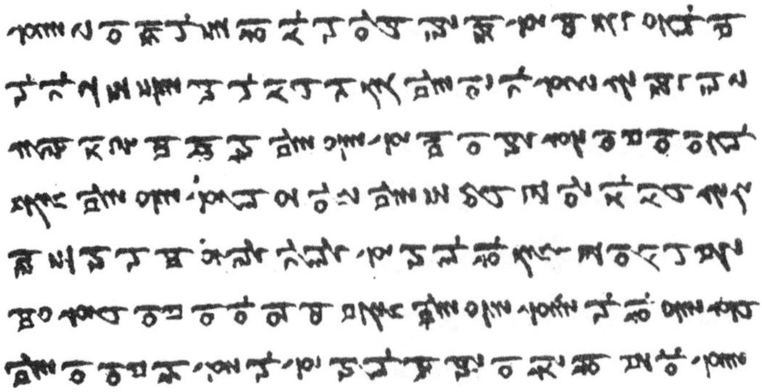

⓫-70

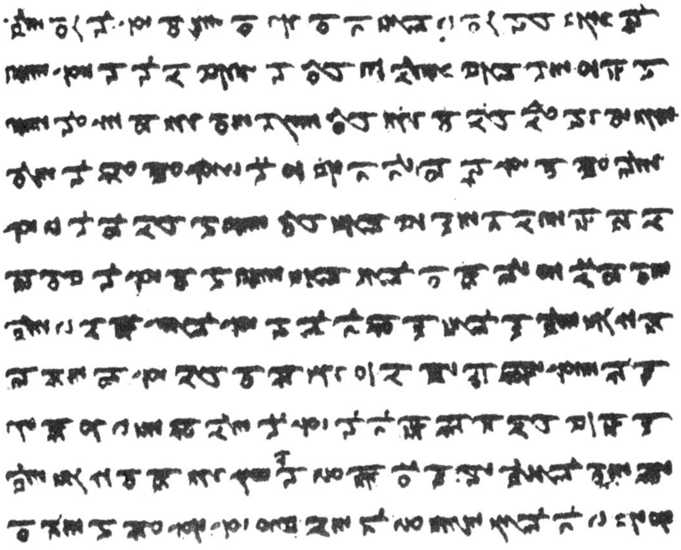

⓫-71

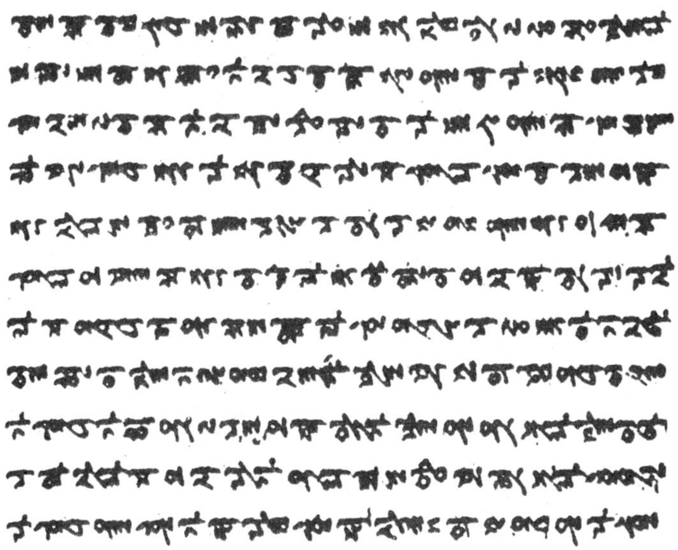

⓫-72

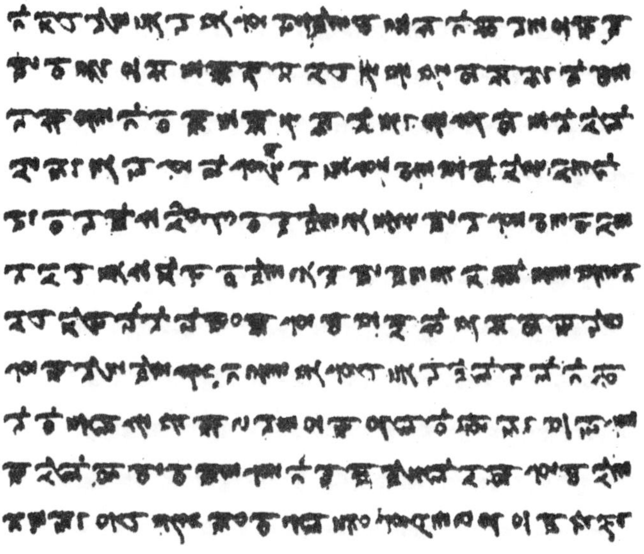

⑪-73

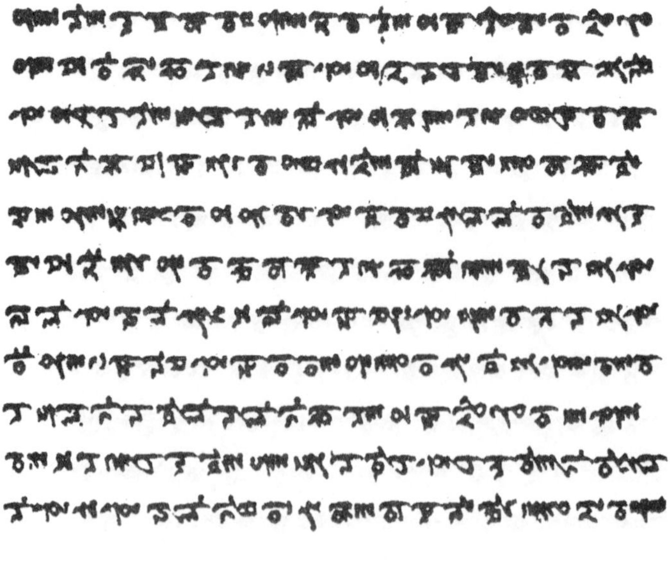

⑪-74

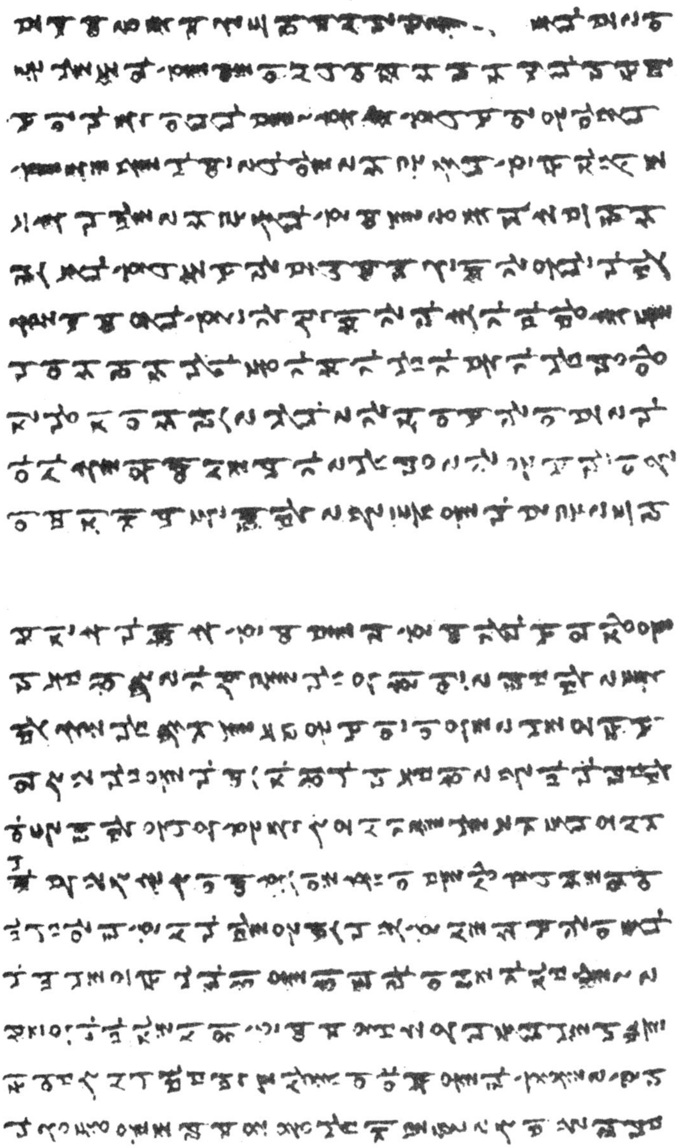

⓫-75

⓫-76

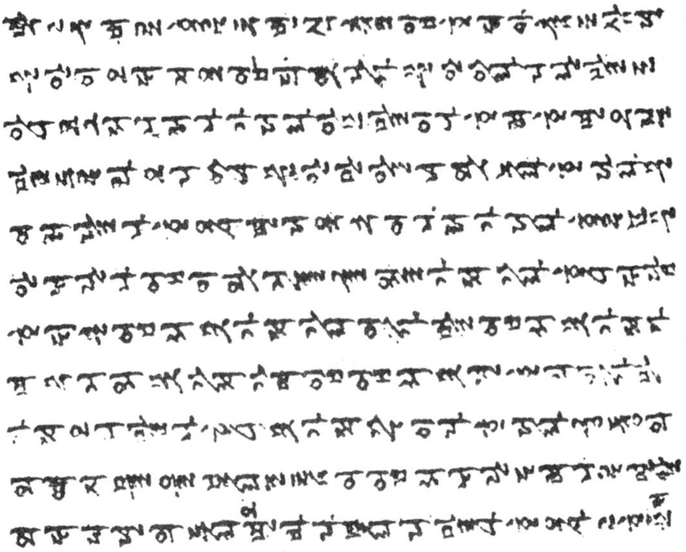

⓫-77

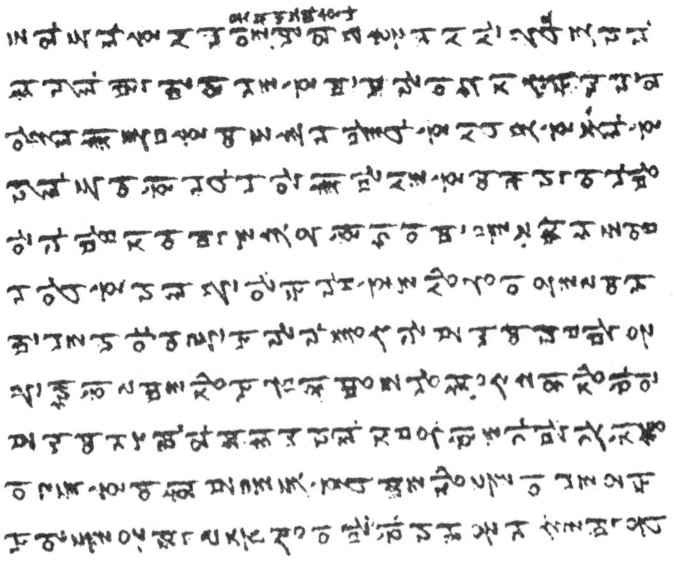

⓫-78

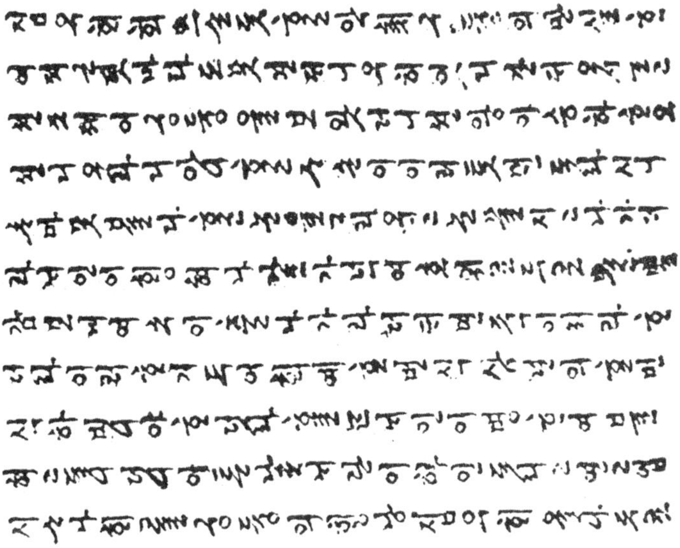

⑪-79

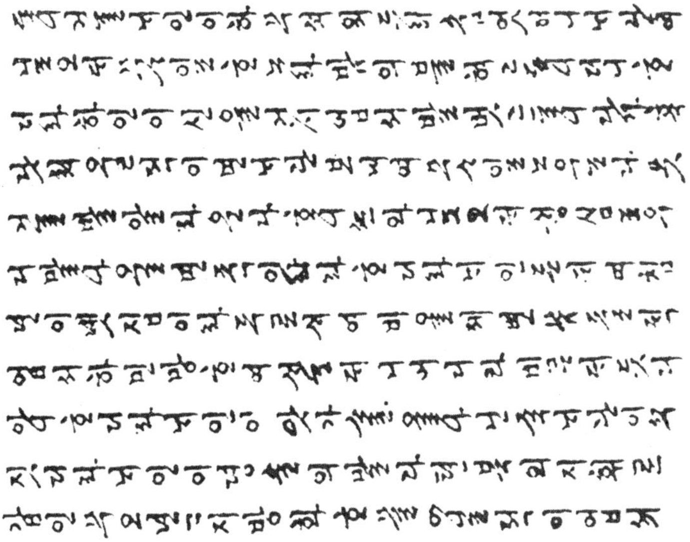

⑪-80

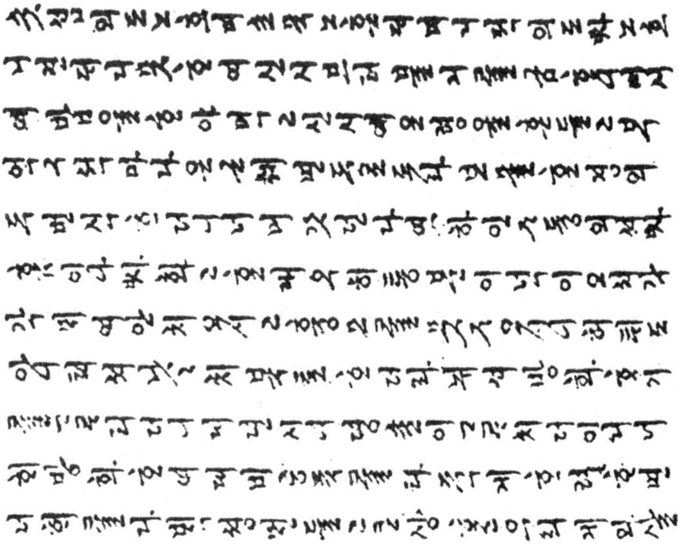

11-81

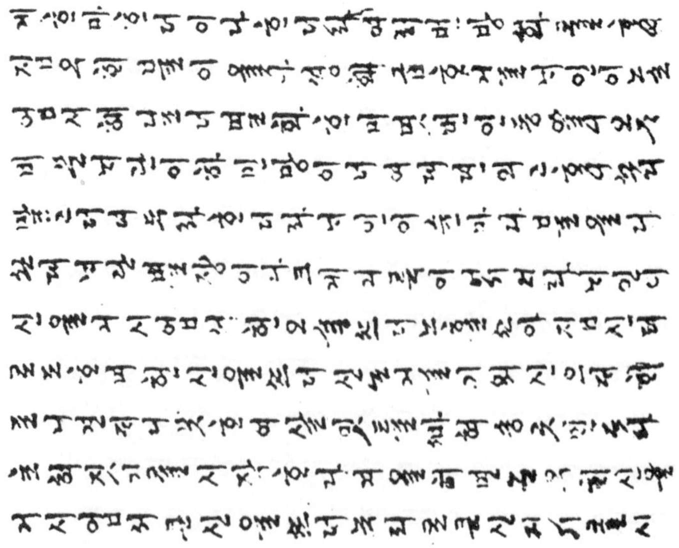

11-82

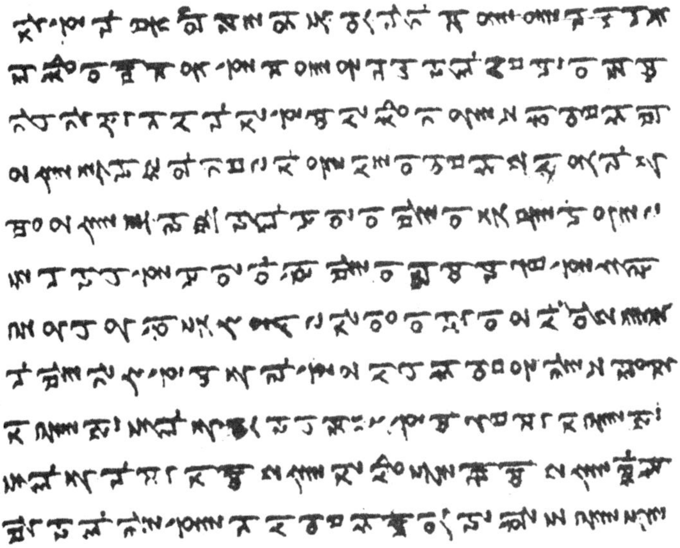

⓫-83

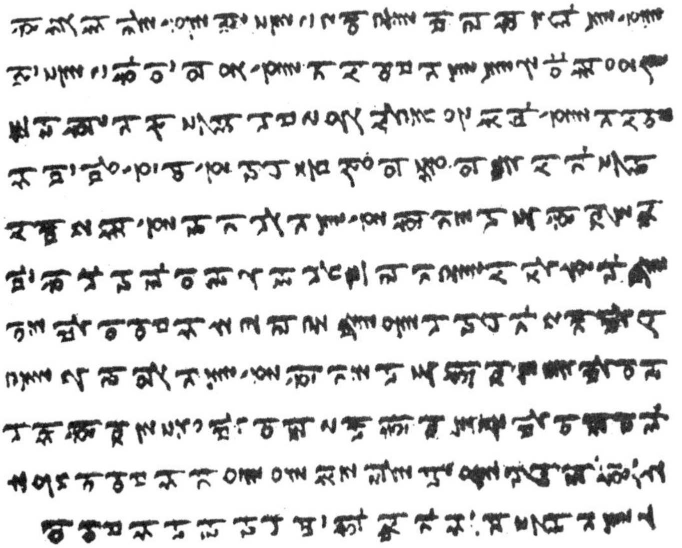

⓫-84

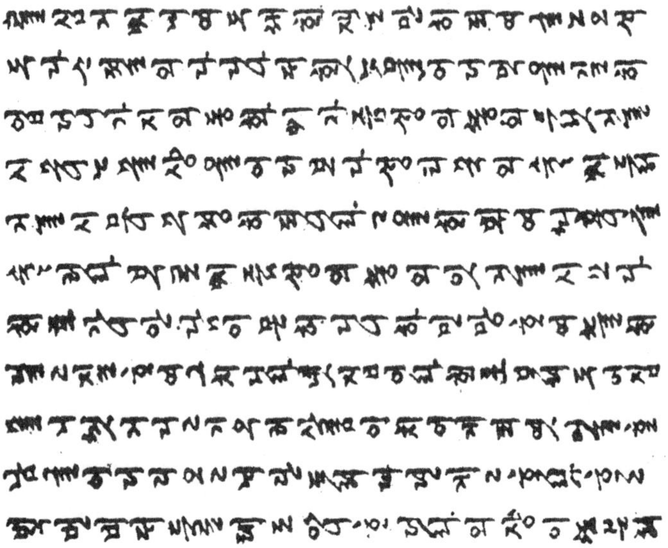

11-85

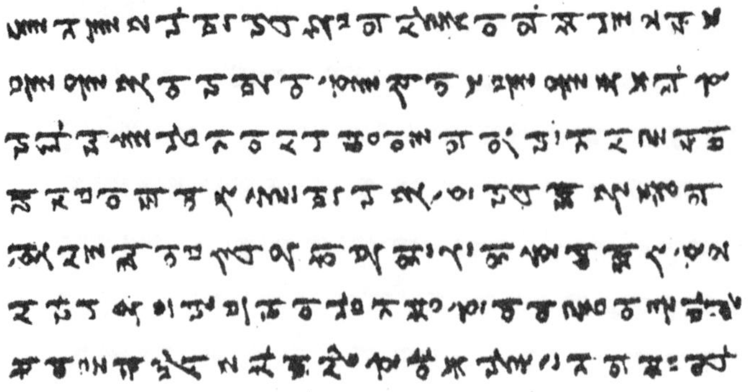

11-86

⓫-87

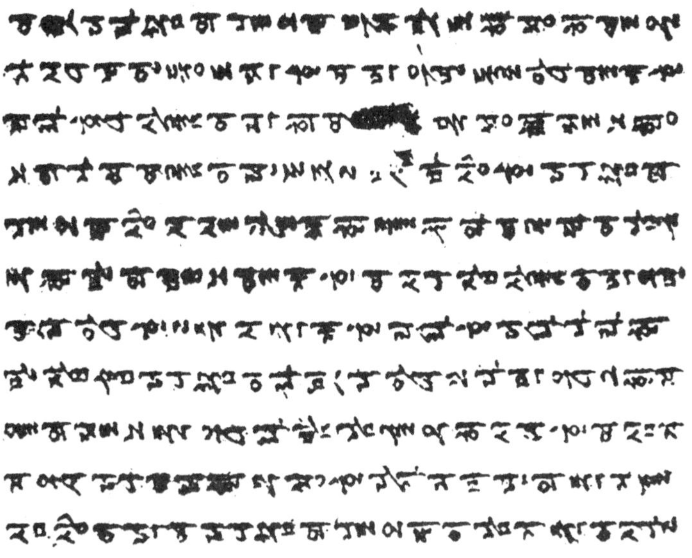

⓫-88

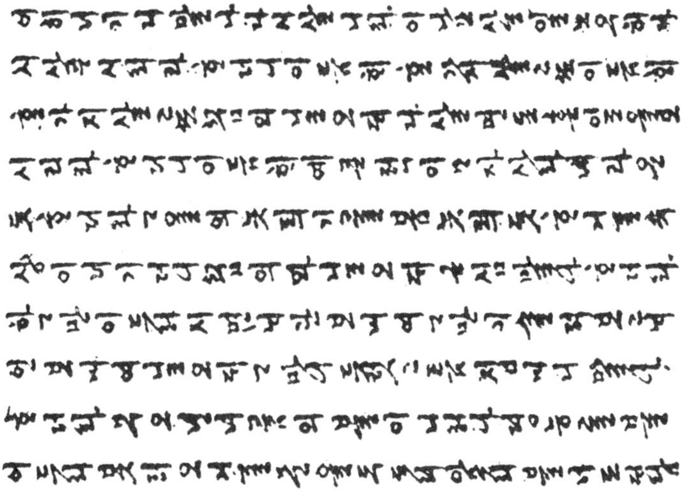

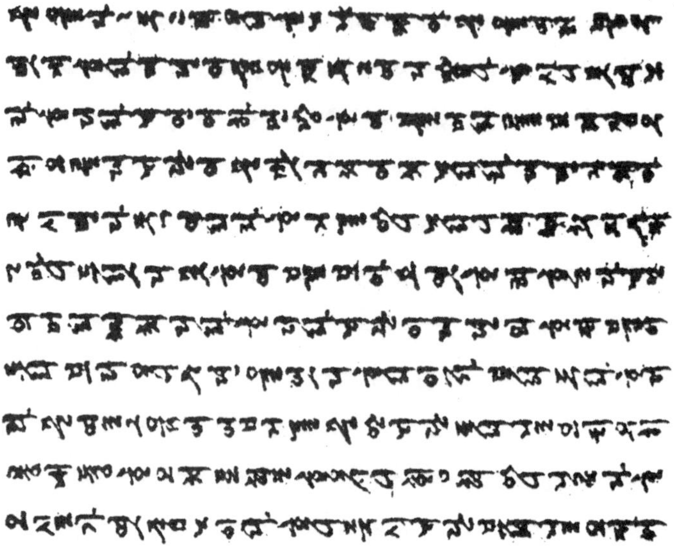

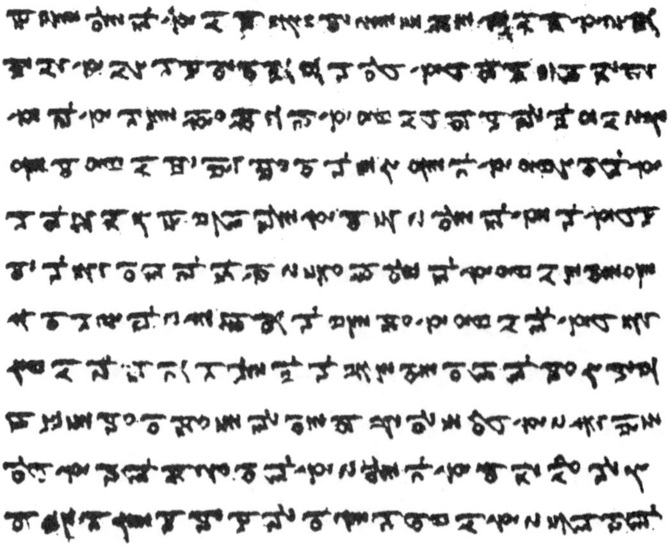

11-89

11-90

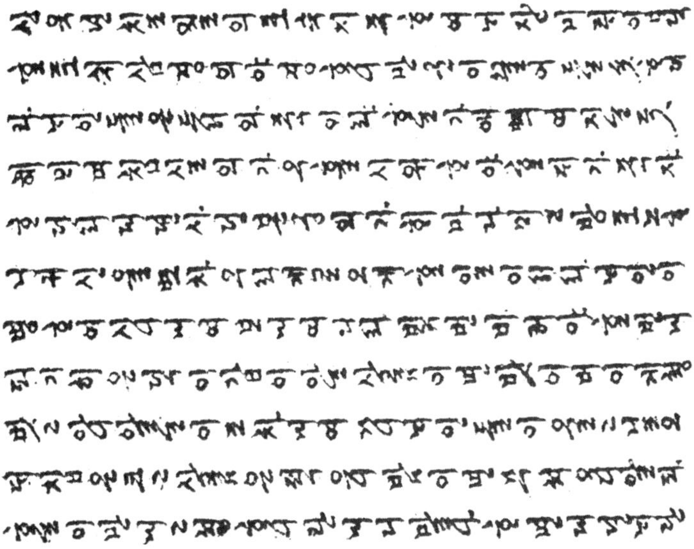

11-91

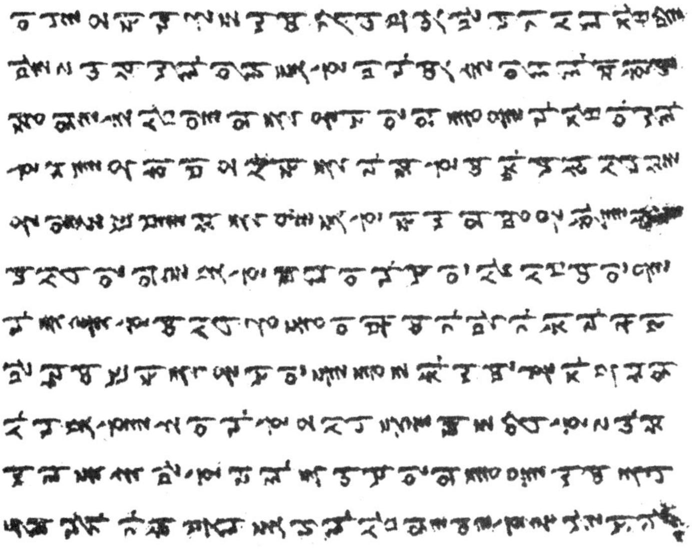

11-92

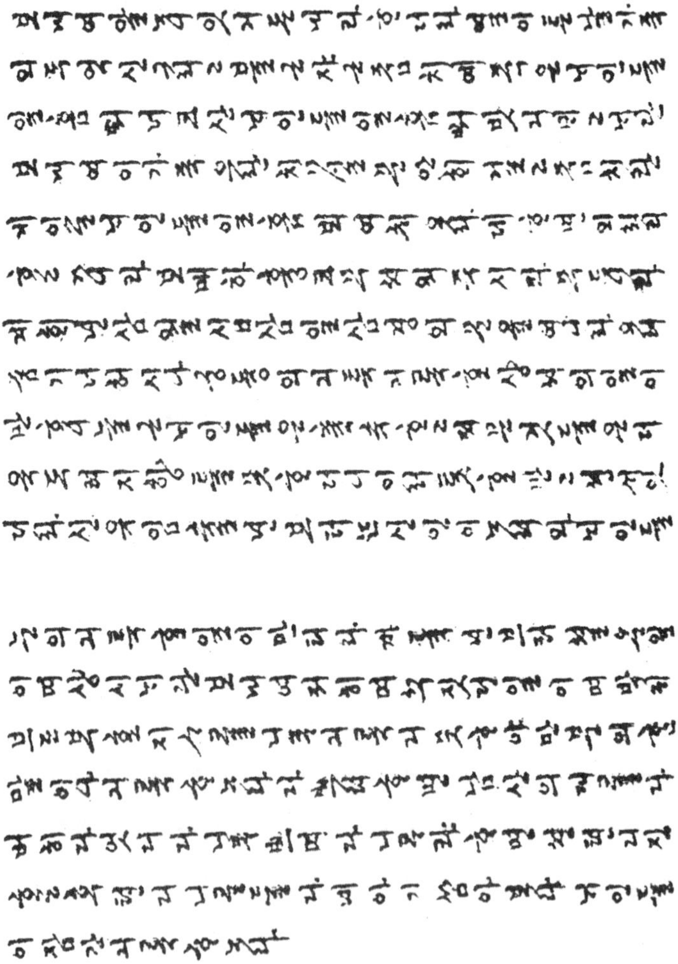

11-93

11-94

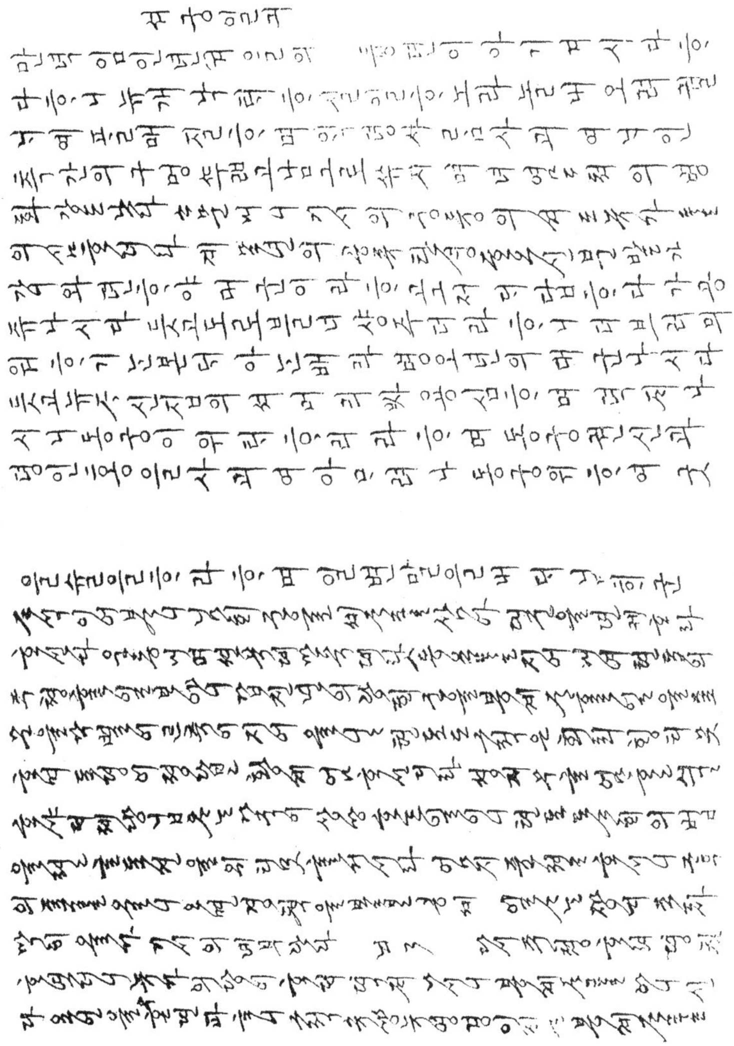

天-1

天-2

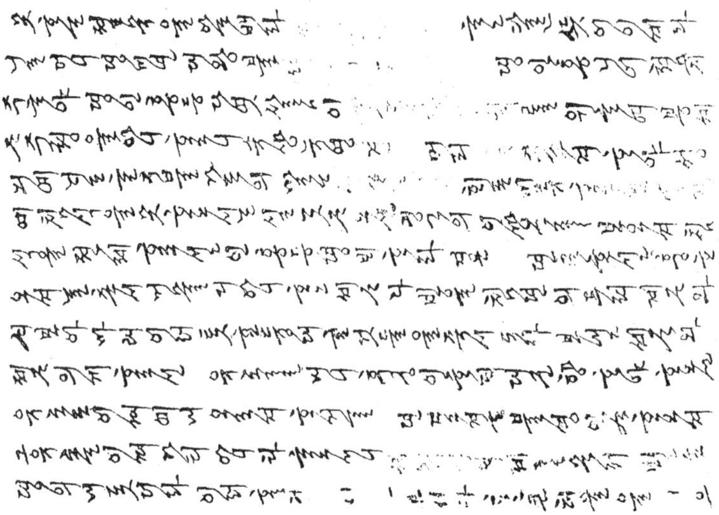

天-3

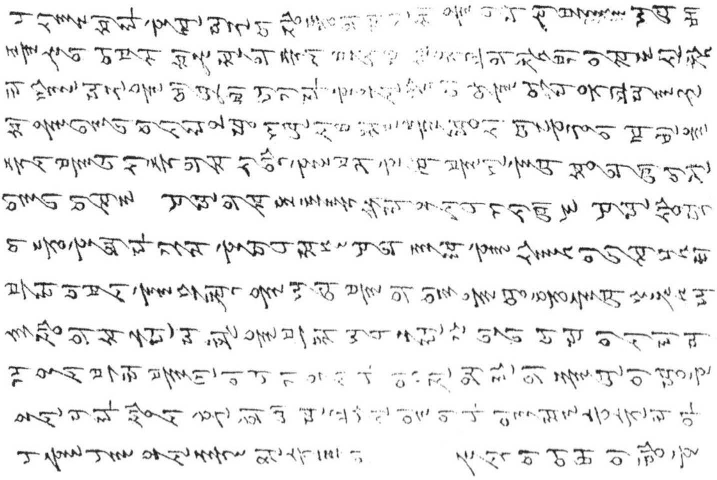

天-4

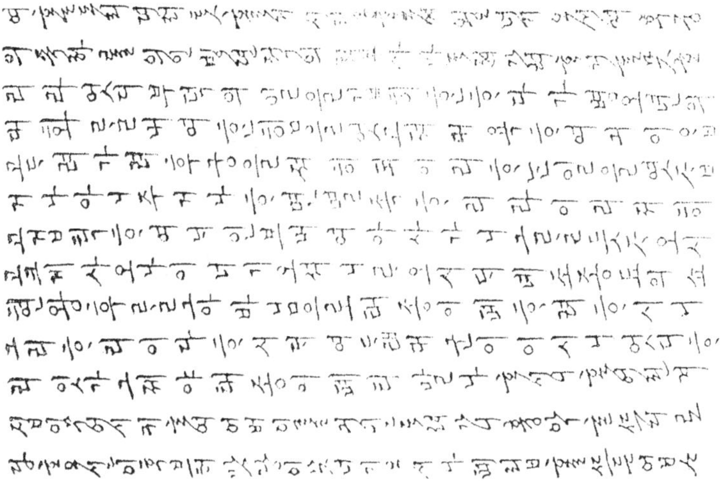

天-5

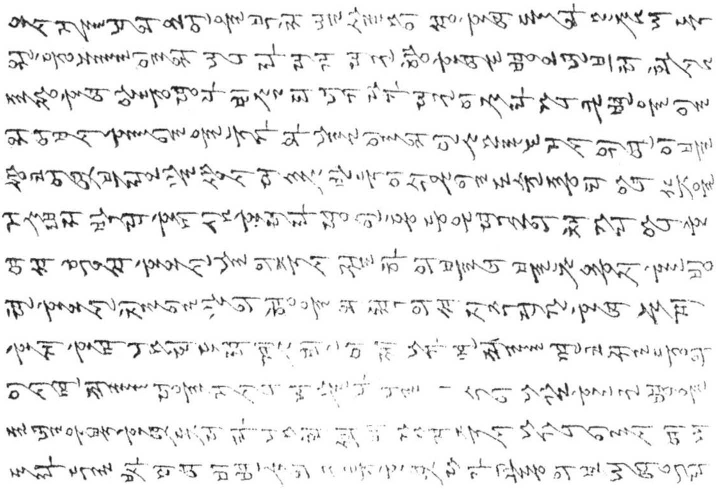

天-6

안ᄐᆡ ᄒᆞ엿더니 어ᄂᆞ 당장이 [illegible] 나셔셔 젹신블슌
ᄒᆞᆫ 톄ᄒᆞ여야 쳑족와 ᄒᆞᆫ [illegible] 아니ᄒᆞᆫ 셩족이 되리라 ᄒᆞ
고 ᄋᆞ빙손ᄒᆞ오라 ᄒᆞ기 [illegible] 은근이 ᄀᆞ리오니 ᄀᆞᆮᄐᆞᆫ 니ᄅᆞ
대로 ᄒᆞ니 당장이 [illegible] 의 ᄂᆞᆷ여 큰 죽ᄒᆞ여 ᄀᆞ기
니라 낫 ᄒᆞᆫ 적의 [illegible] ᄒᆞᆫ면의 ᄉᆞ셰예 언ᄌᆞ니도
엿이 ᄒᆞ시ᄆᆡ ᄒᆞ니 [illegible] 쳥ᄒᆞ라 ᄒᆞ오시니
어ᄇᆞ시ᄀᆡ 어졋ᄂᆞ다 ᄒᆞ고 [illegible] 아ᄂᆞᆫ 톳더니 샹셔 ᄇᆞᆫ안
울ᄌᆞᆯᄒᆞᆯ 톄 ᄒᆞ려니 졀ᄒᆞᆫ [illegible] ᄒᆞᆯ며 ᄒᆞᆫ연ᄒᆞ이셔면
커실 ᄒᆞᄂᆞᆫ 때도록 ᄃᆞᆺ닫ᄉᆞ이나 시셰 [illegible] 이나 이ᄅᆞ가 외온 ᄒᆡ
리 아녀 ᄒᆞ오시면 [illegible] ᄒᆞ니 ᄒᆞᆯ 아ᄆᆞ란 ᄒᆞ여 지라 ᄒᆞ
우시ᄂᆞᆫ 이ᄅᆞ울의ᄂᆞᆫ ᄒᆞᆫ [illegible] ᄂᆞ려 [illegible] 교잔ᄒᆞ려 아니ᄒᆞᆫ
나ᄯᅢ며 니러 ᄉᆞᆷ 오ᄒᆞᆫ셔 아ᄉᆞᆫ안 [illegible] 아니ᄒᆞᆯ 안ᄂᆞᆫ 톳니러
니ᄒᆡ라 ᄀᆞᆺ쳥ᄒᆞ니ᄂᆞᆫ [illegible] 이 되리니 방ᄀᆞᆼ현ᄒᆞᆫ ᄒᆞ오신 ᄋᆞᆺ

쳘ᄒᆞᆯ 아ᄀᆞᆺ의 취ᄋᆞᆸ올 ᄋᆞᆫ ᄋᆞᆫ ᄃᆞ니 샹셔 버티 ᄃᆞ샹ᄒᆞᆯ 쳐ᄋᆞᆸ ᄆᆞᆺ나 면ᄒᆡ
예 ᄅᆞᄋᆞᆸᄒᆞᄂᆞᆫ이라 어ᄅᆞᆯ우히 외ᄂᆞᆫ ᄒᆞ오셔니 ᄃᆞ리 ᄃᆞᄅᆞ며 손을 헤져
어시위 인ᄃᆞ려 우리 ᄆᆞᆺ오시게 ᄒᆞ라 더ᄋᆞᆨ 어리ᄂᆞᆫ ᄀᆞᄀᆞᆯᄒᆞᆷ니와 ᄎᆞᆫᄉᆞ
도인 졀ᄀᆞ 지ᄋᆞᆼ이 어ᄇᆞ시니 인ᄌᆞ 지쳥은 어ᄇᆞ거니와 쳑인들 샹ᄀᆞᆺ의
ᄒᆞᆯ외 ᄋᆞ셔ᄂᆞᆫ 즐거시라 크게 비인쳥이 러라 대왕ᄆᆞᄅᆞᆫ ᄒᆞᆯ 적
우히 나를 우셔ᄅᆡ 입ᄂᆞᆫ 진외 잔의 ᄃᆞᆼᄒᆞᆼ 지ᄋᆞᆼ은 나를 ᄋᆞᆸ되 ᄆᆞᆯ여 나
와 ᄒᆞᆯᄋᆞᆼ 망죽피ᄉᆞ리 중지ᄋᆞᆼ은 ᄆᆞᆺ대 ᄒᆞᆫ니 창어ᄇᆞ지 죽의셔 셔ᄀᆡ
시리 이ᄉᆞᆯ 뭇ᄉᆞᆯ 톄ᄋᆞ여 시ᄀᆞ 샹이 ᄆᆞᆯ 초셔 ᄒᆞ오셔니 우ᄒᆡ 셩
ᄌᆞᆨ나가 더ᄋᆞᆺ 오ᄂᆞᆫ 미ᄅᆞᆨᄒᆞᆼ어 겨시ᄃᆞ니 우진 외잔울 ᄌᆞᄌᆞᆼ이 평ᄉᆞᆫ
이 ᄂᆞᆺ디여여 겨시니 어ᄂᆡ ᄒᆞ이 ᄃᆡ시ᄃᆞ니 ᄒᆞᄅᆡ 이ᄀᆞ가 ᄃᆡ셔 ᄆᆞᄋᆞᆷ을 ᄆᆞᆺᄌᆞᆯ
ᄒᆞ여라 우히 의ᄂᆞᆫ ᄒᆞ오셔ᄂᆞ 다시 옴ᄭᆡ옷ᄒᆞᆫ 오셔 미셔 ᄇᆡᆼ나를 ᄋᆞ시리
ᄆᆞᄋᆞᆷ 니ᄃᆞᄅᆡ 아니 ᄒᆞᆫ ᄌᆞᆼᄌᆞ ᄃᆞᆯ가치 셔ᄂᆞᆫ ᄃᆞᄅᆡ 아니 ᄒᆞ니 이라ᄒᆞᆯ

天-7 天-8

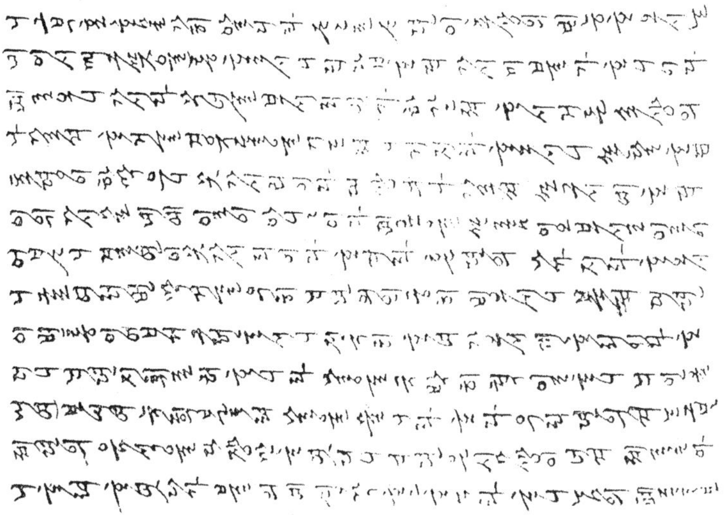

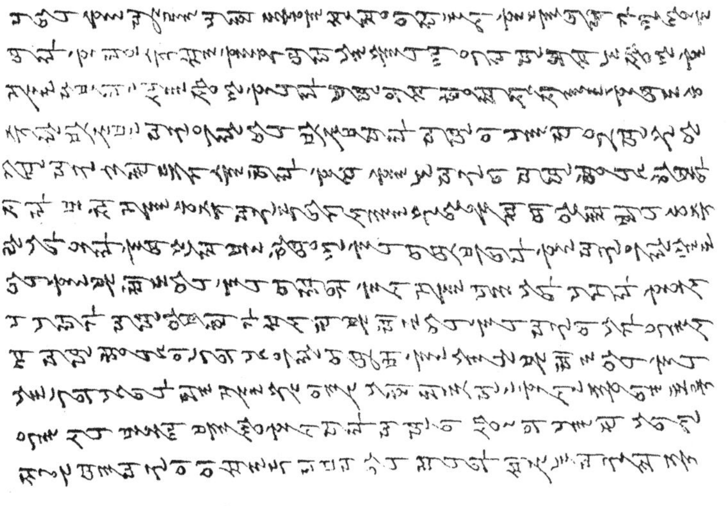

天-9

天-10

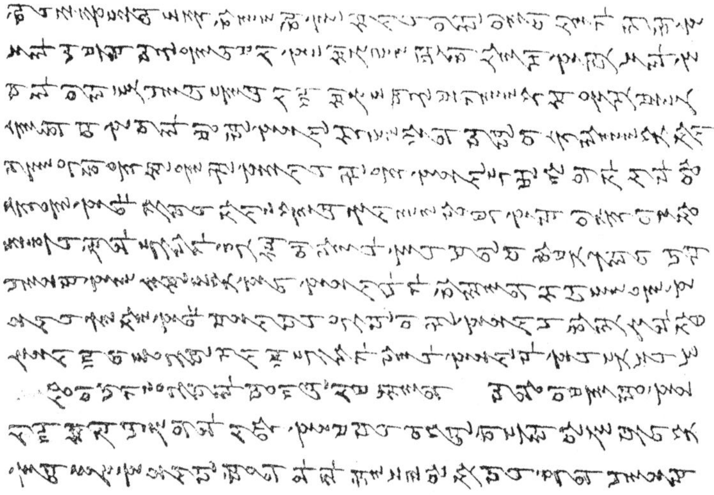

天-11

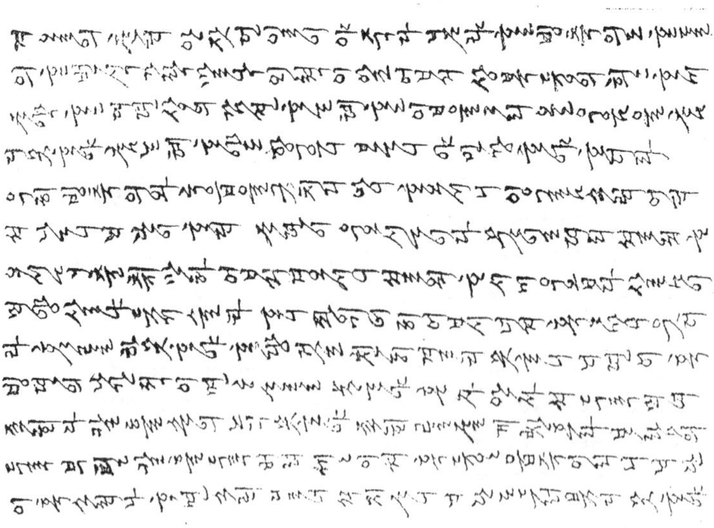

天-12

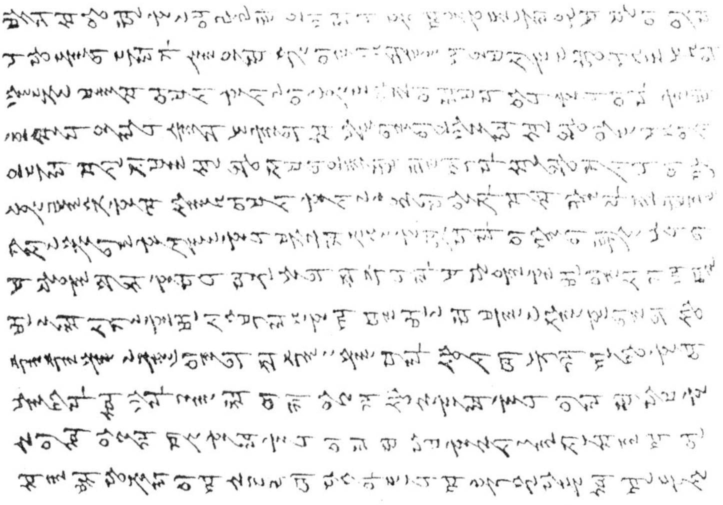

天-13

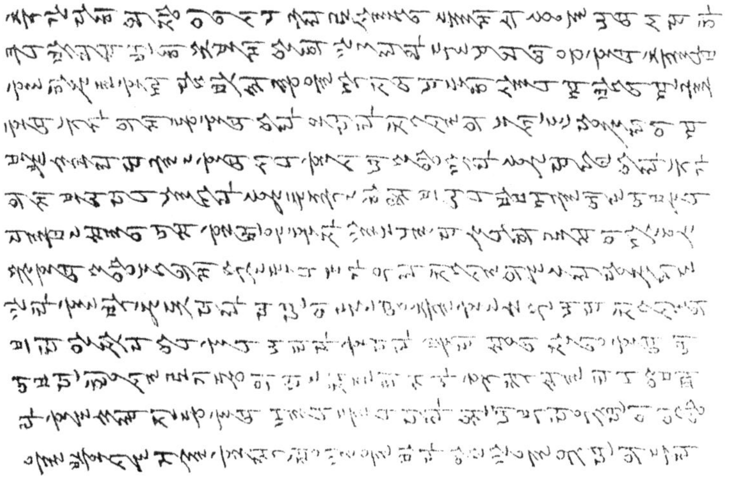

天-14

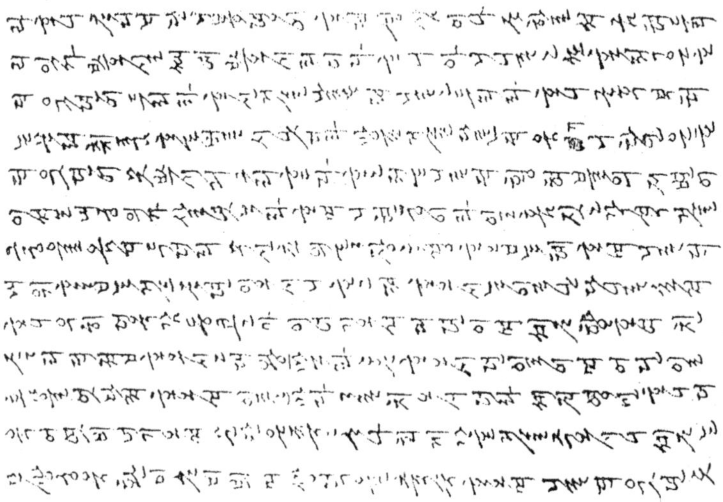

天-15

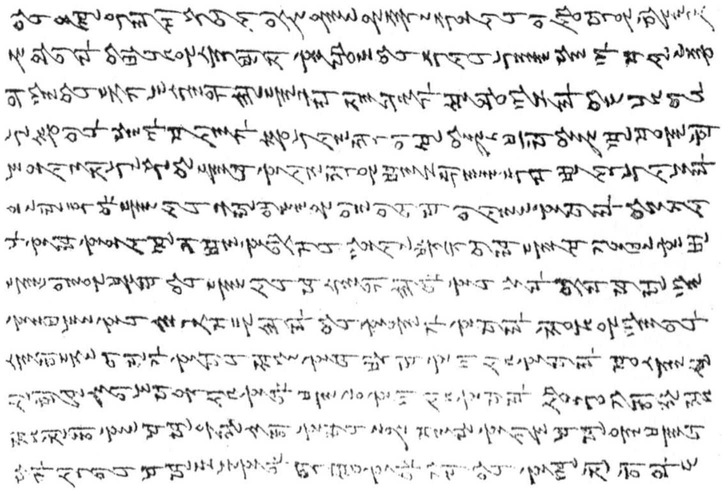

天-16

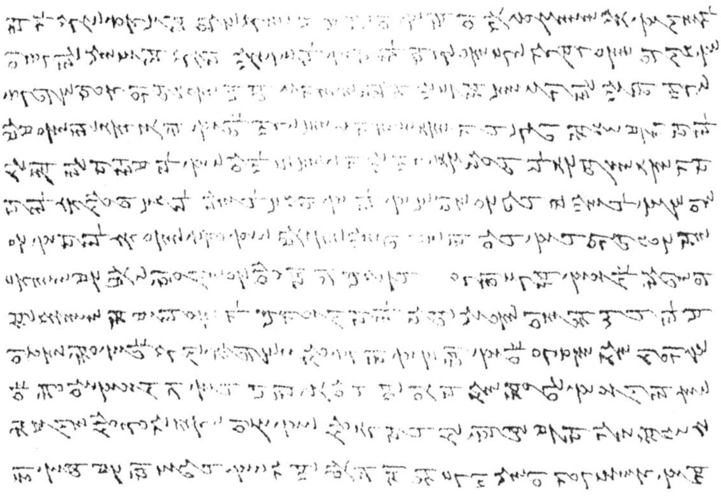

天-17

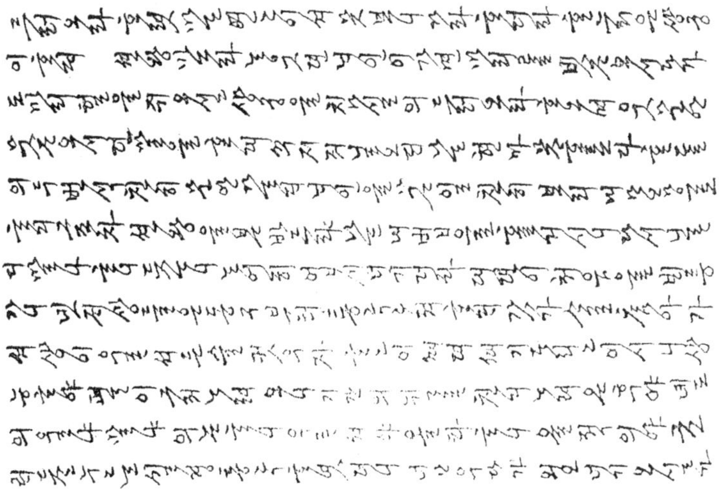

天-18

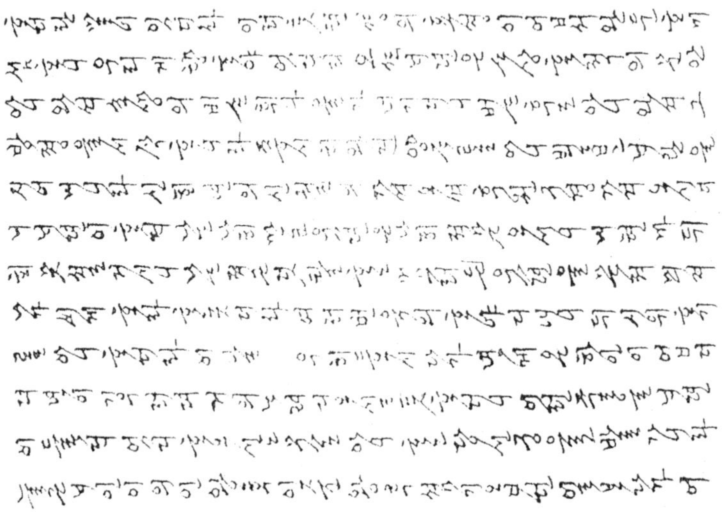

天-19

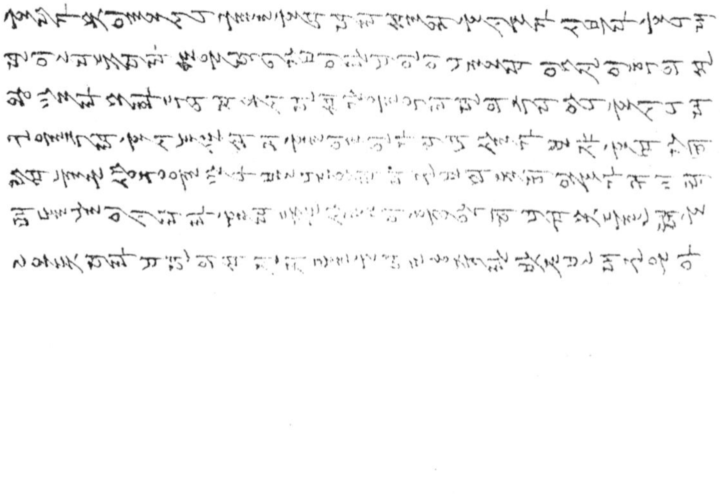

天-20

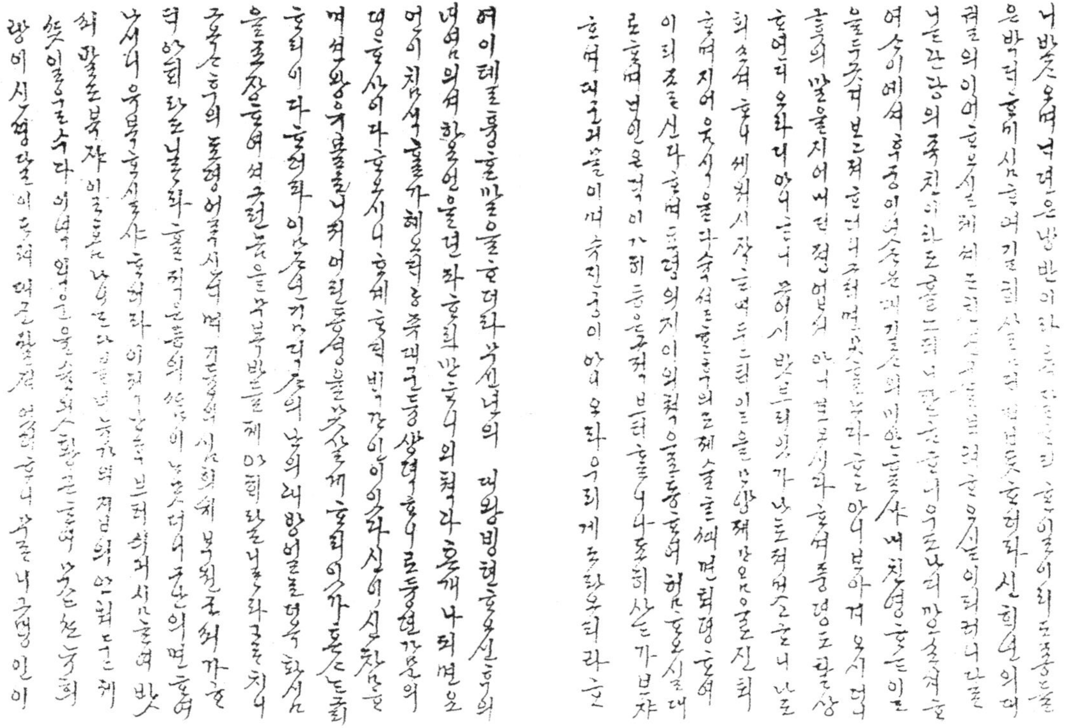

天-21

天-22

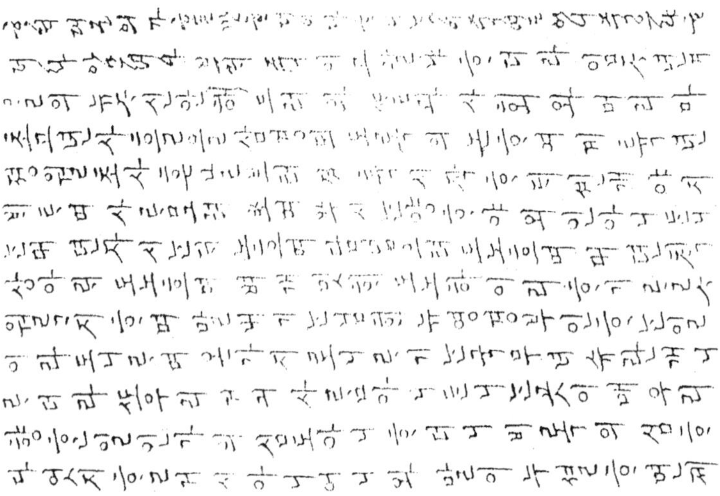

天-23

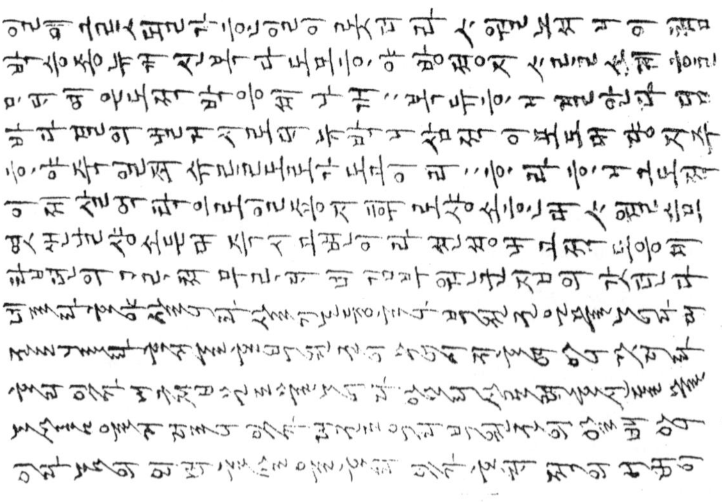

天-24

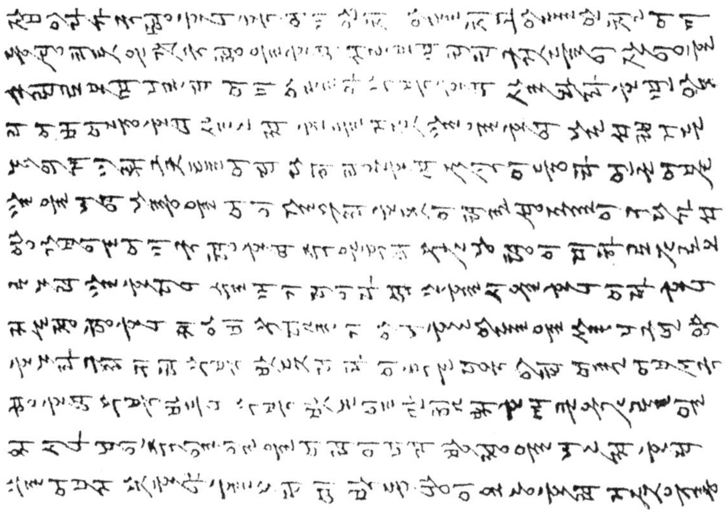

天-25

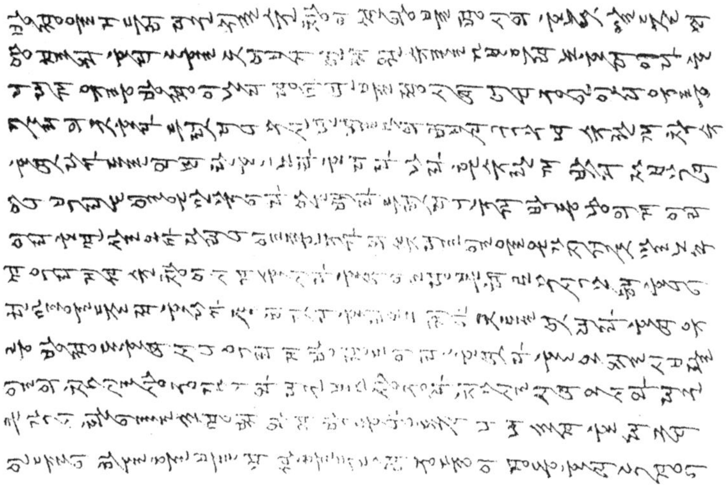

天-26

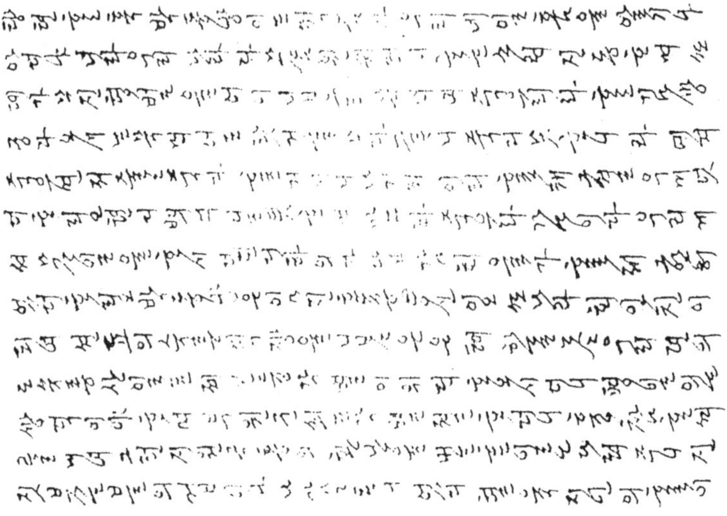

天-27

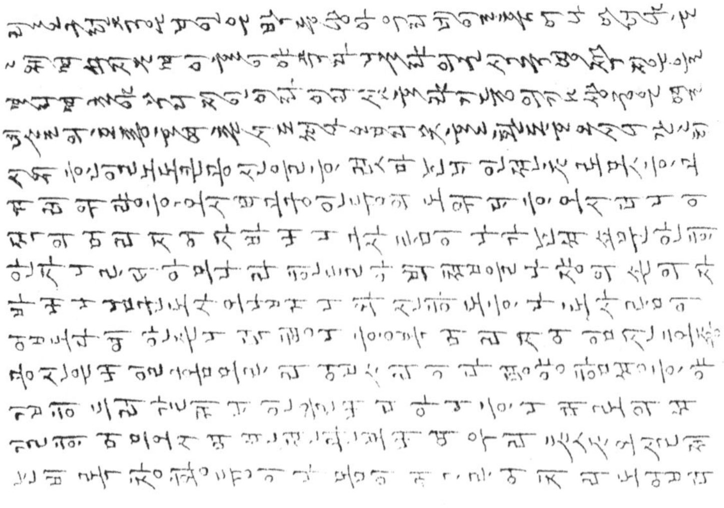

天-28

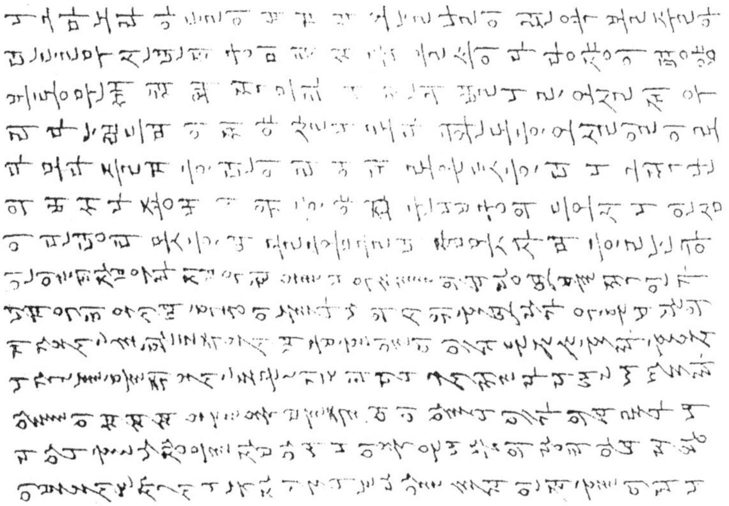

天-29

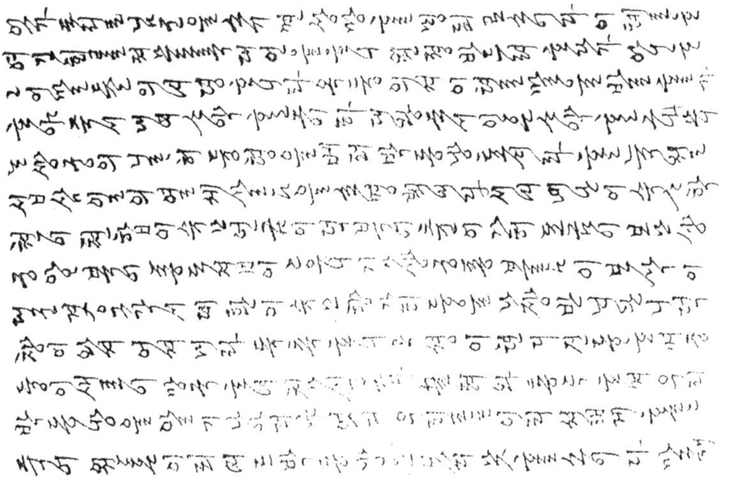

天-30

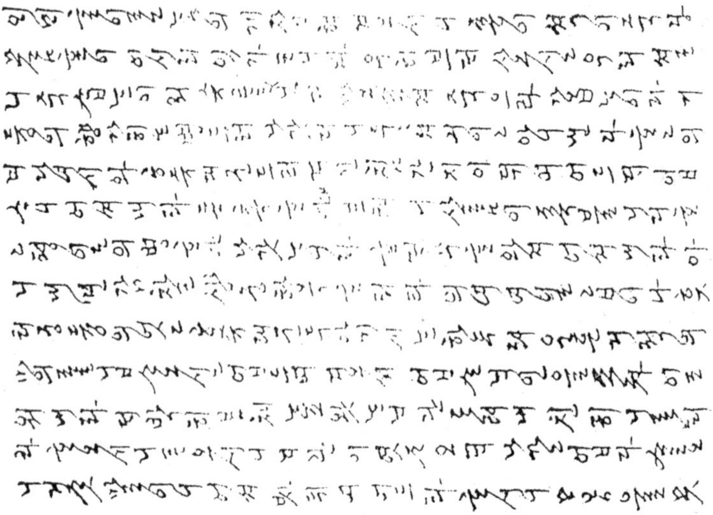

天-31

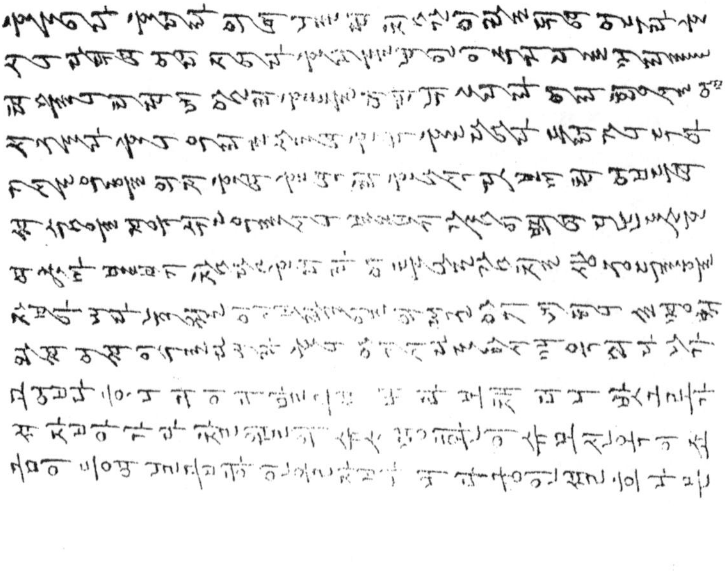

天-32

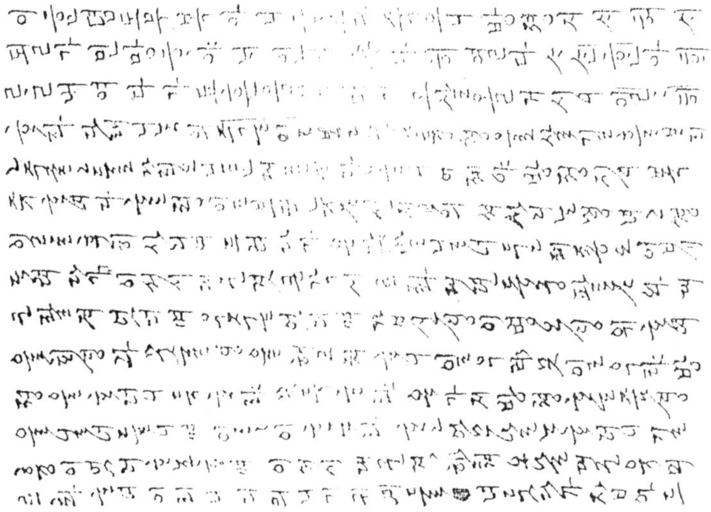

天-33

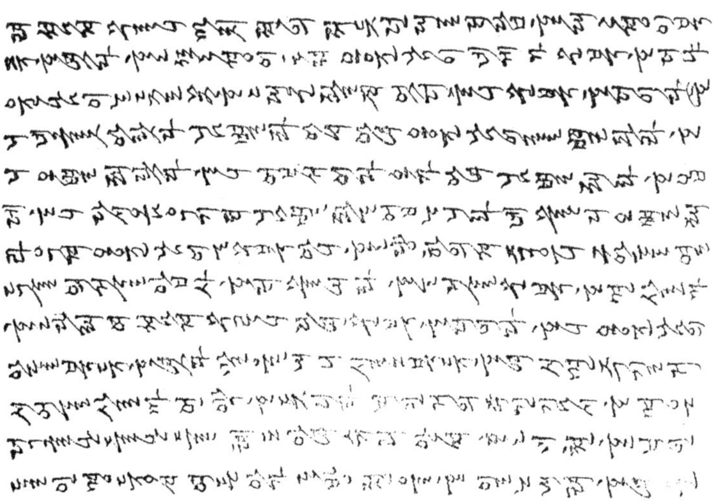

天-34

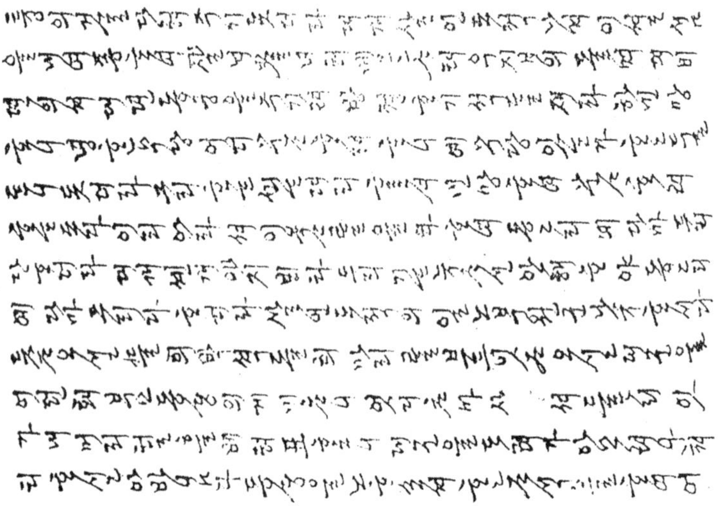

天-35

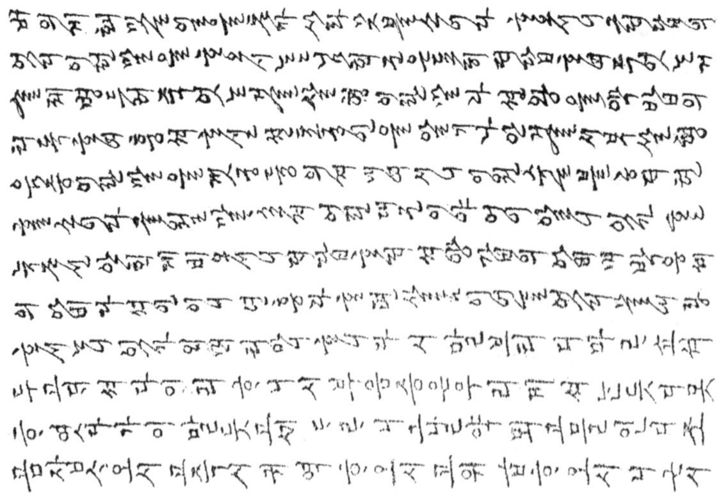

天-36

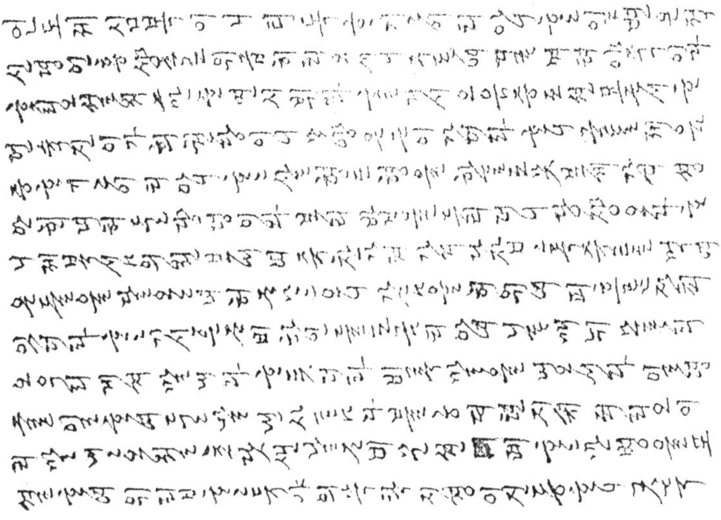

天-37

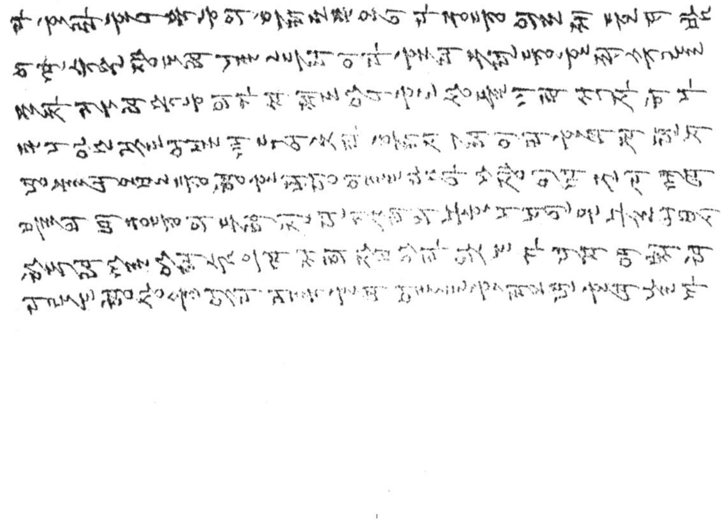

天-38

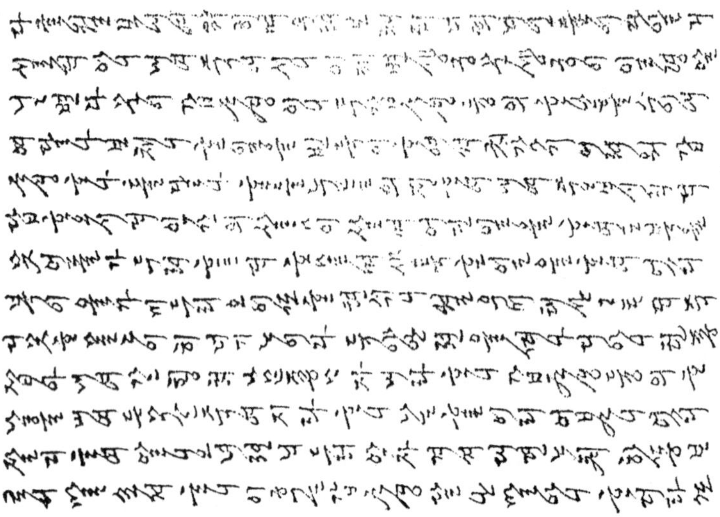

天-39

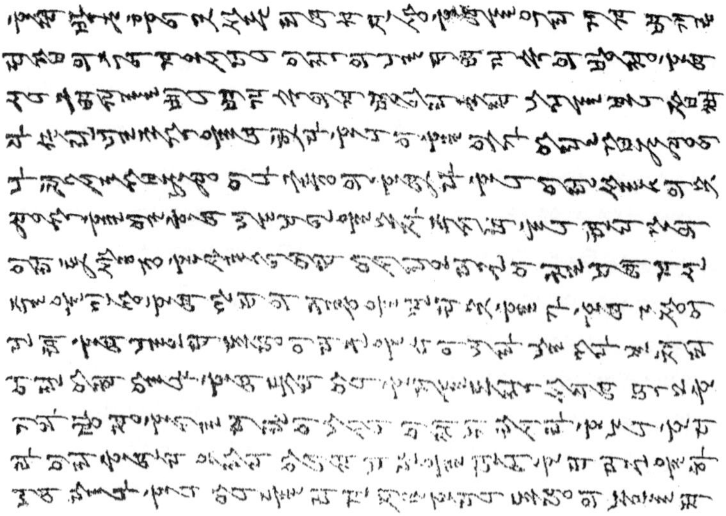

天-40

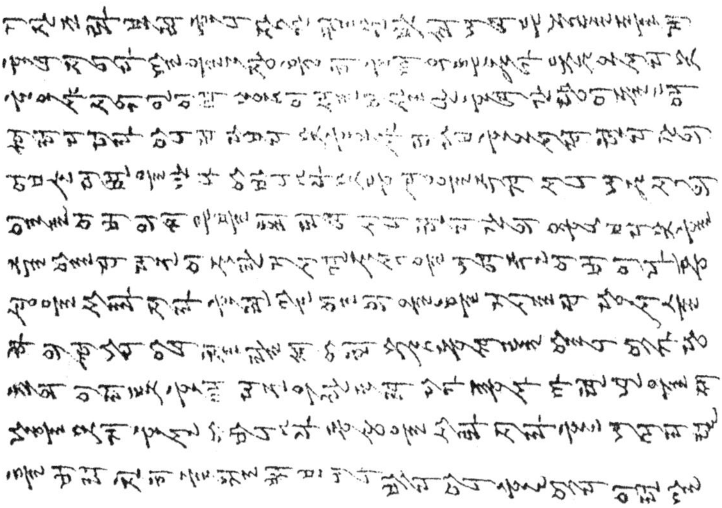

天-41

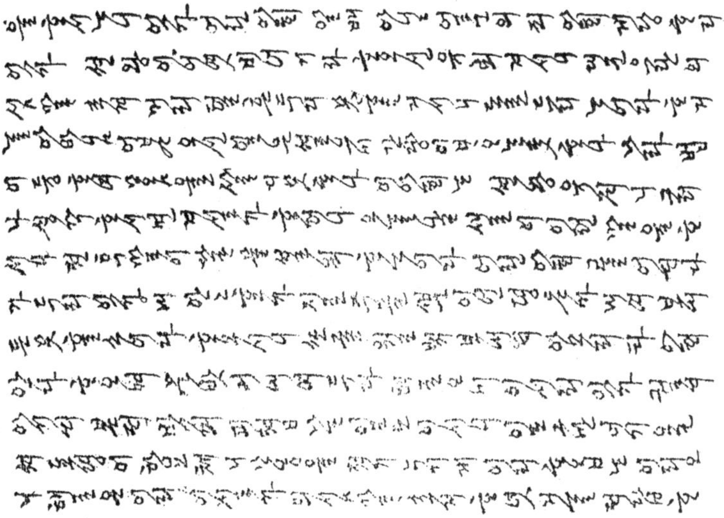

天-42

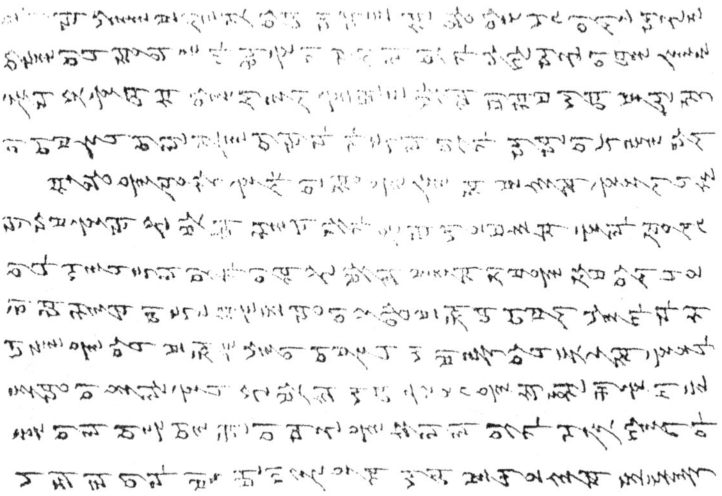

天-43

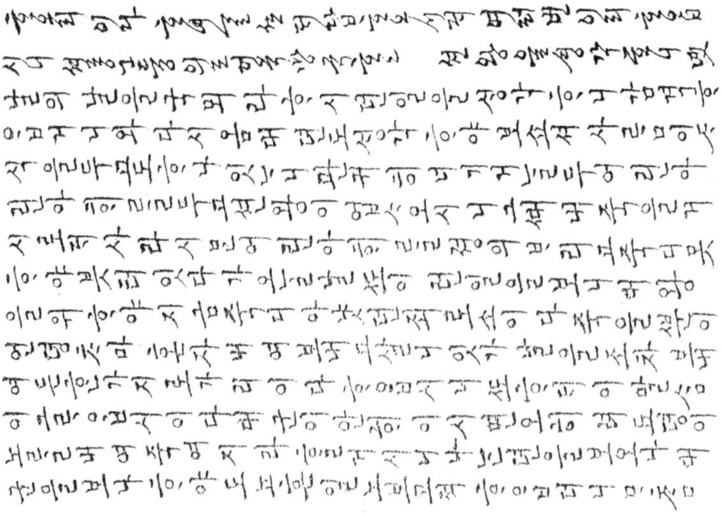

天-44

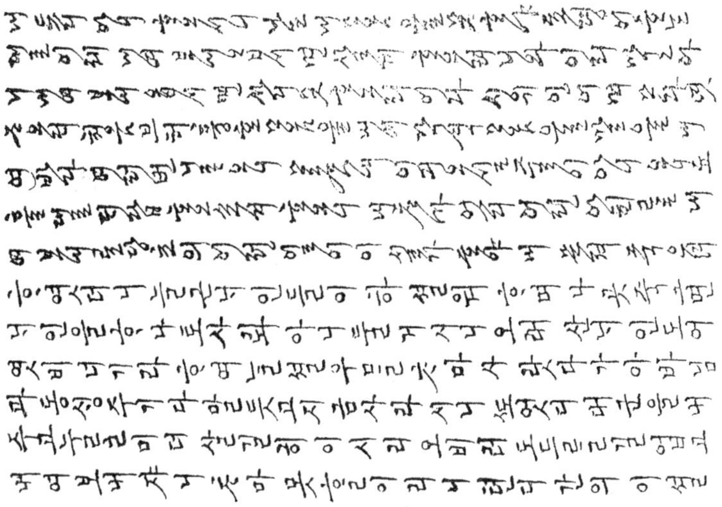

天-45

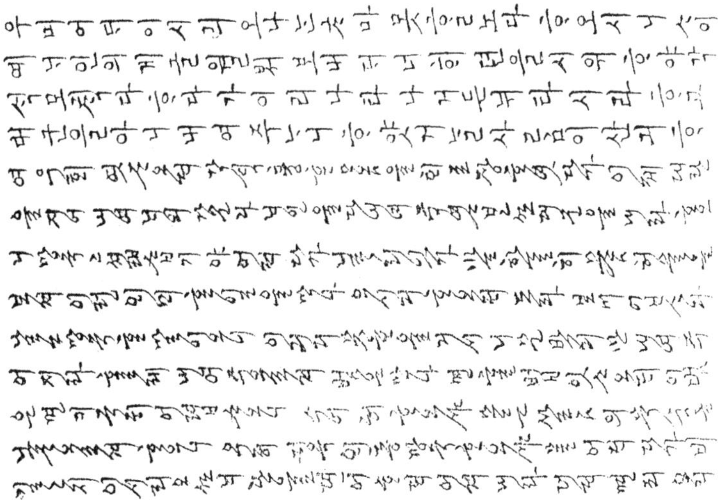

天-46

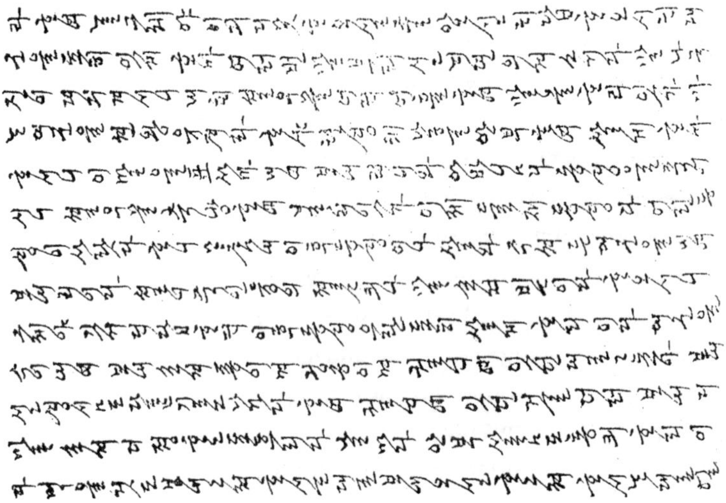

天-47

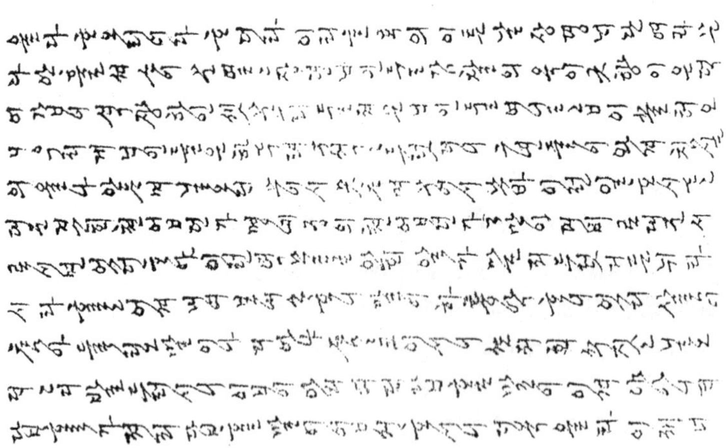

天-48

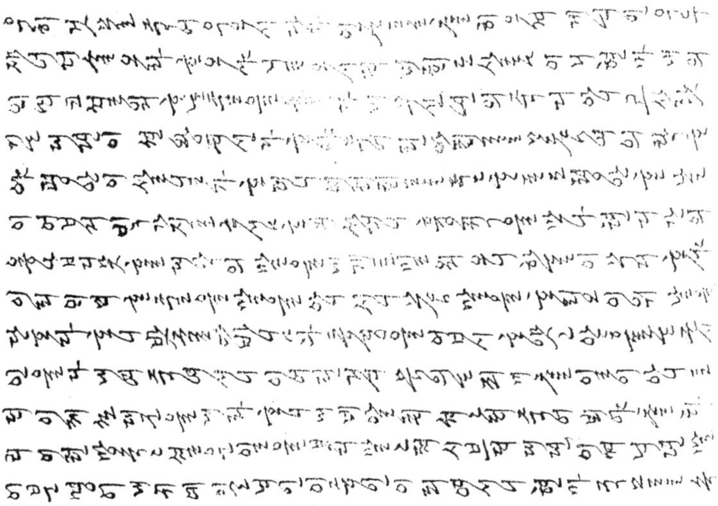

天-49

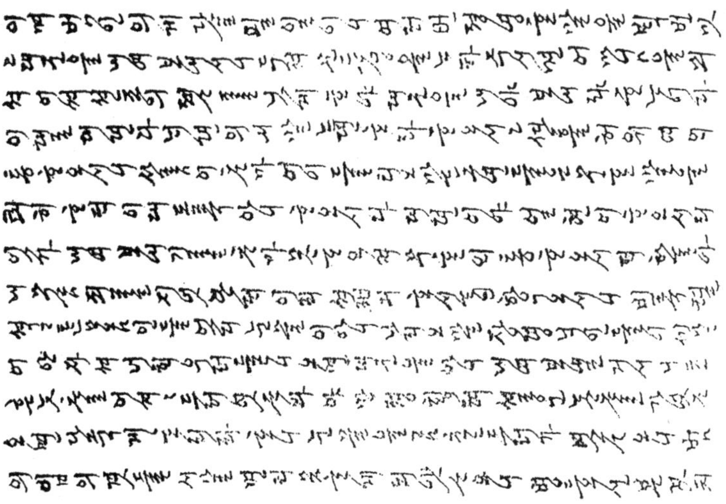

天-50

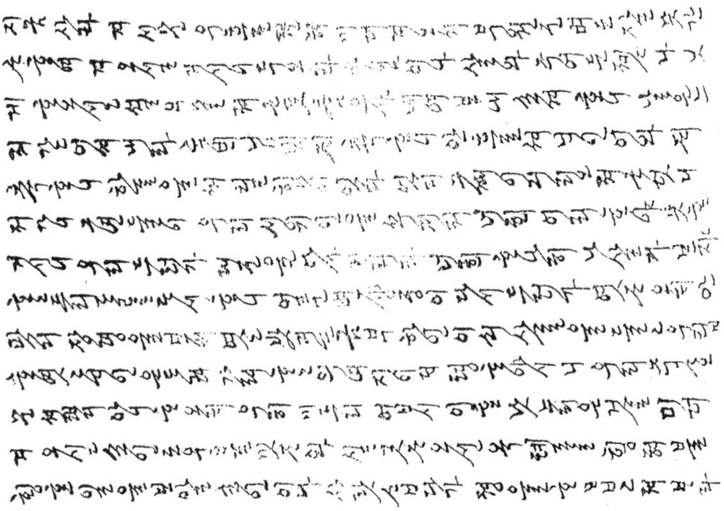

天-51

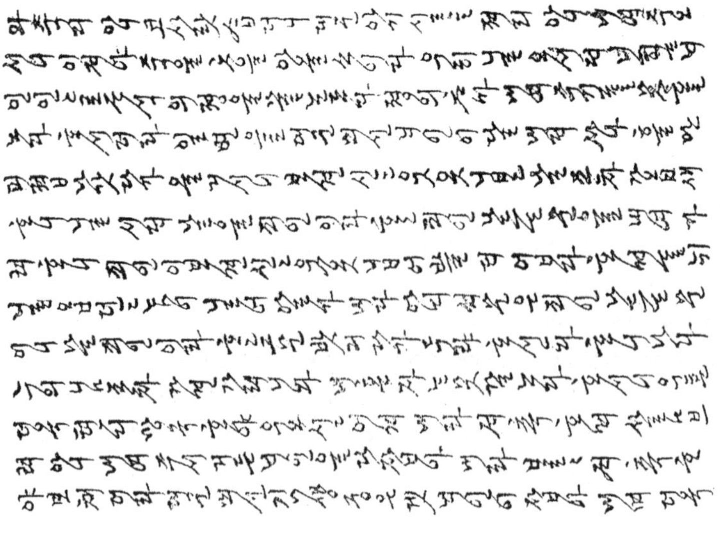

天-52

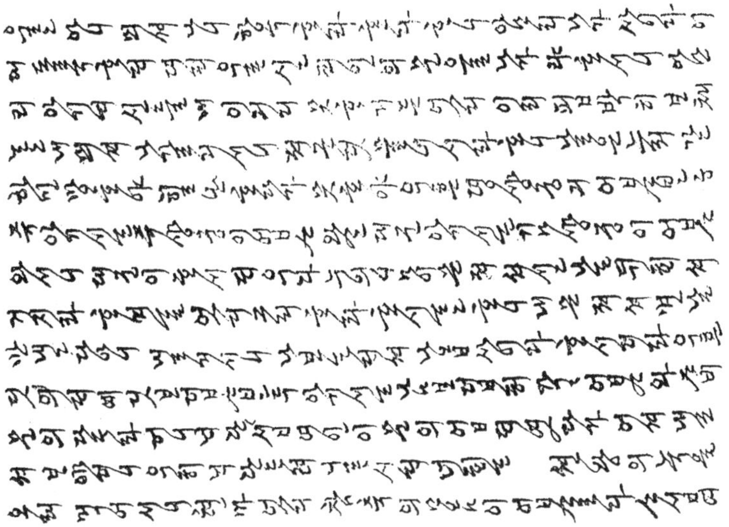

天-53

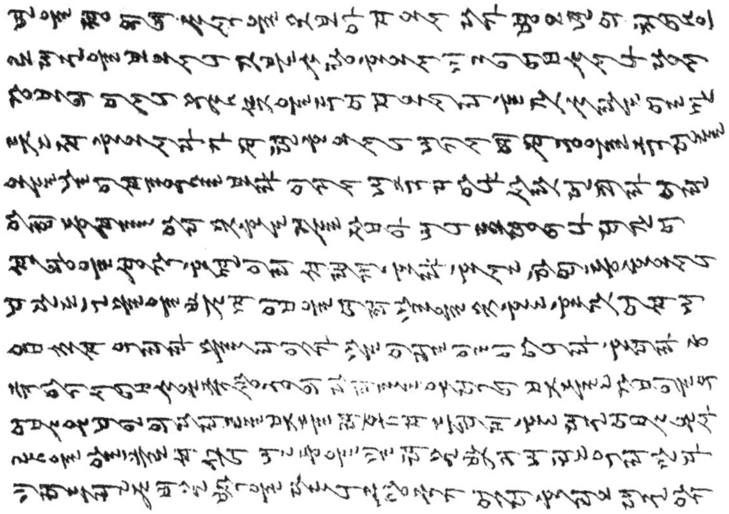

天-54

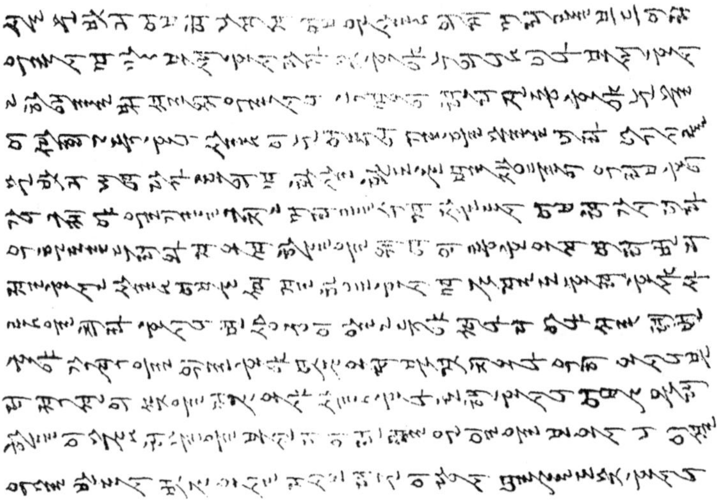

天-55

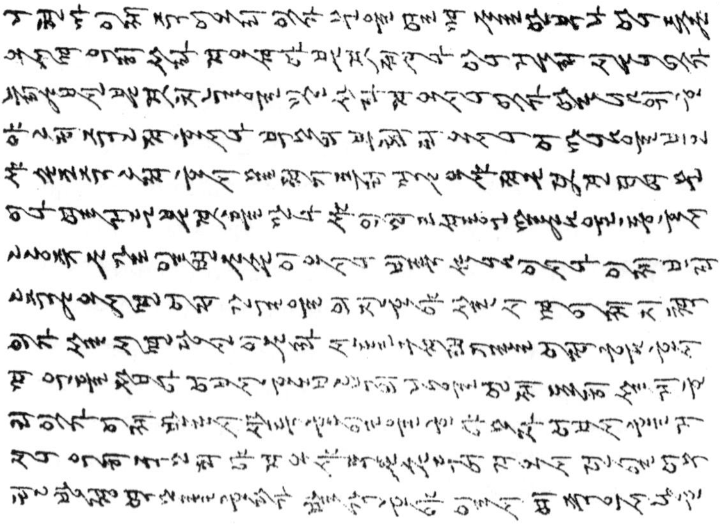

天-56

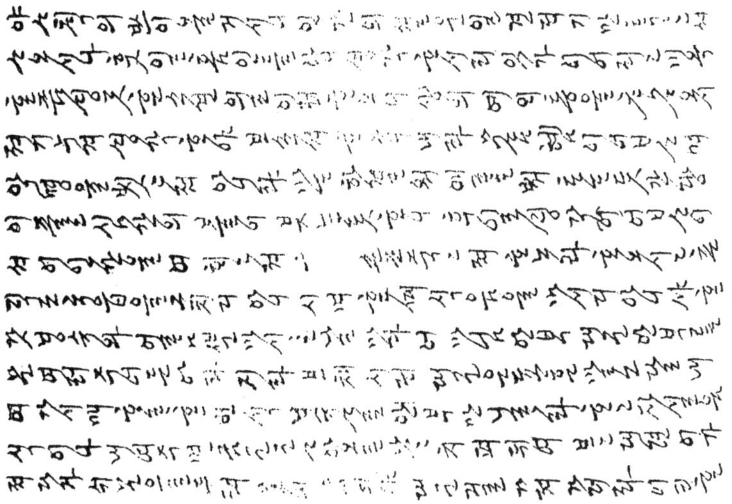

天-57

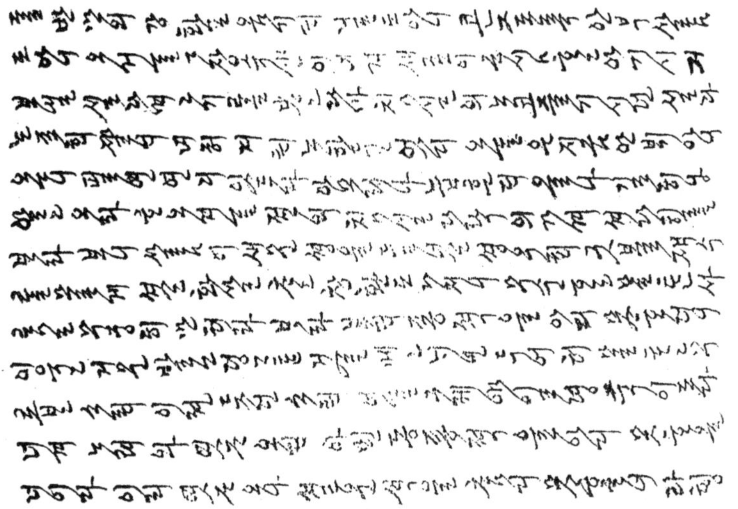

天-58

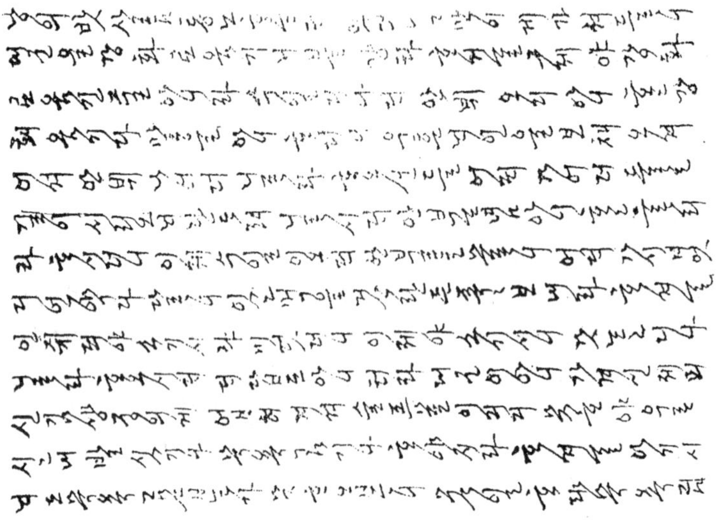

天-59

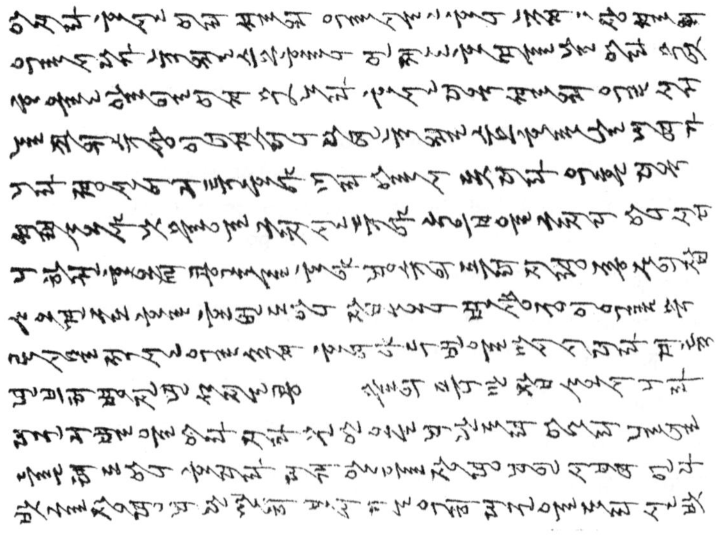

天-60

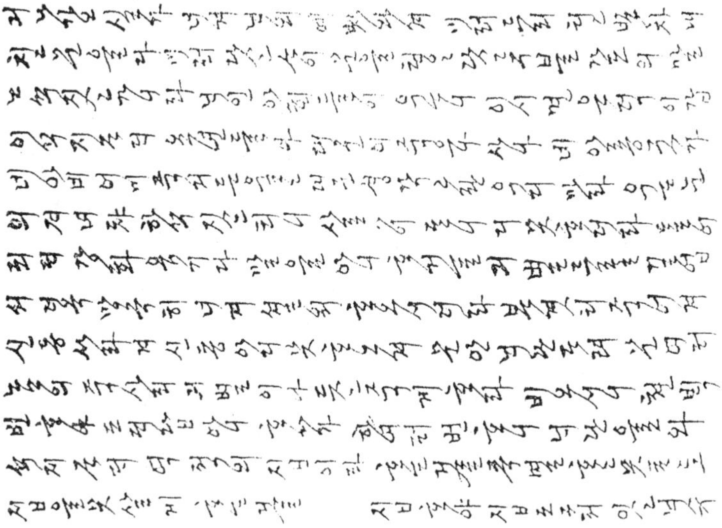

天-61

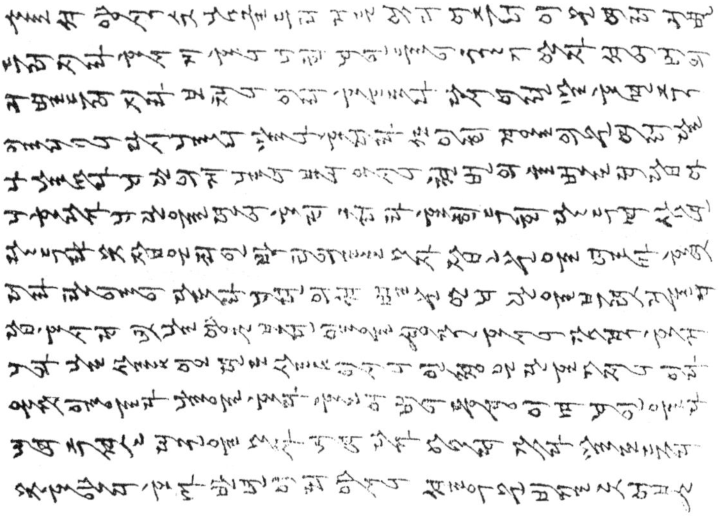

天-62

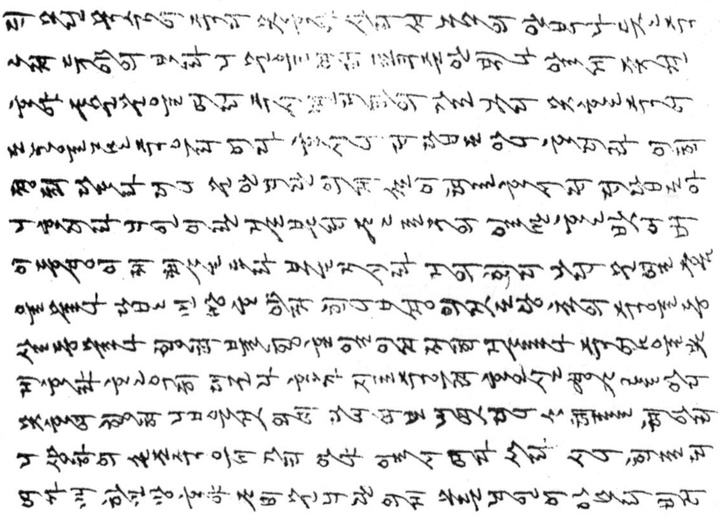

天-63

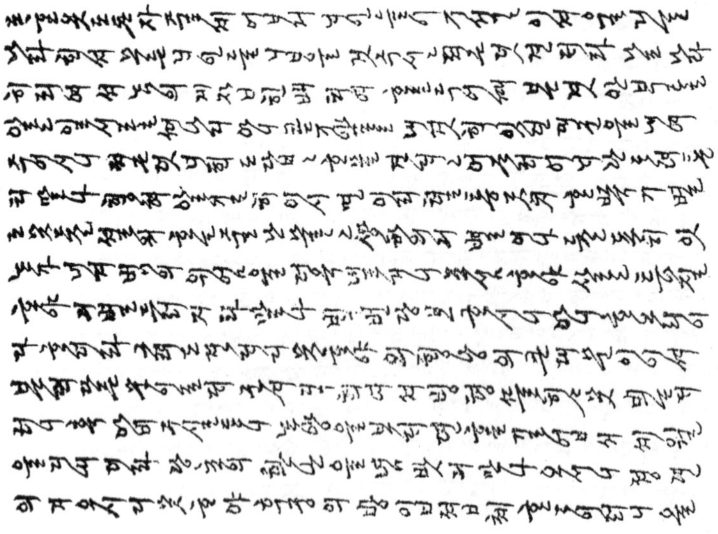

天-64

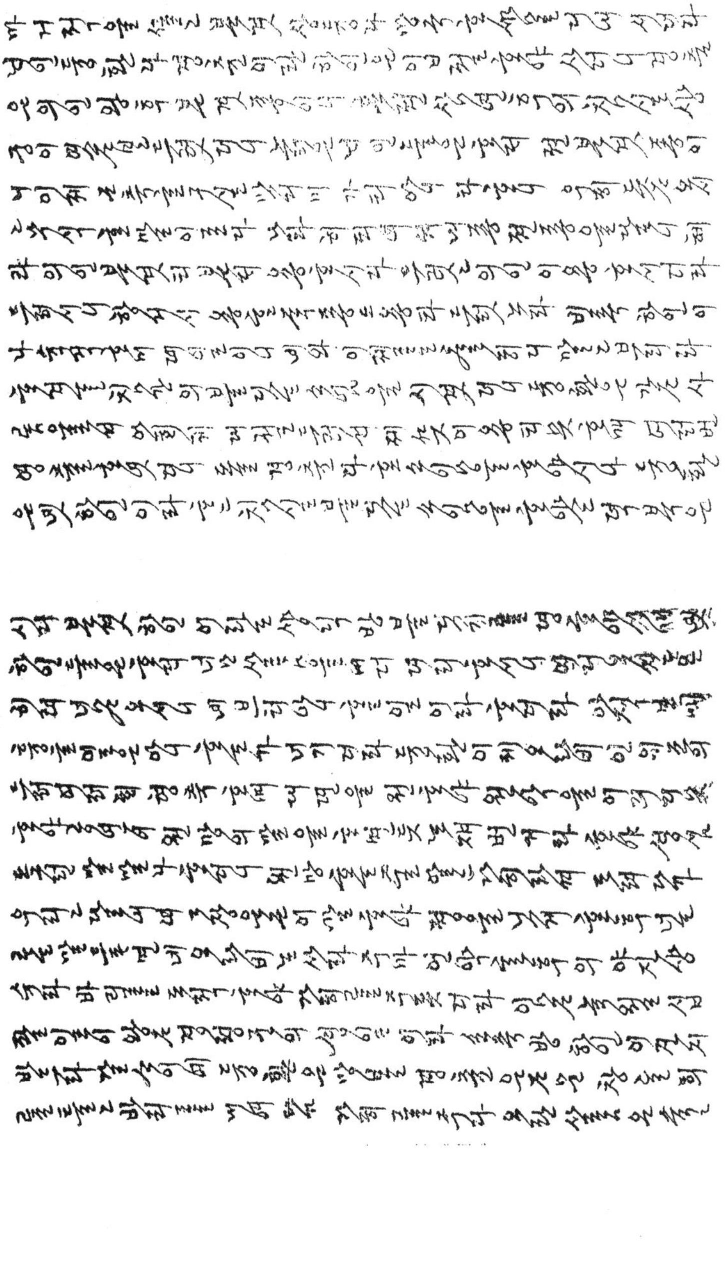

天-65

天-66

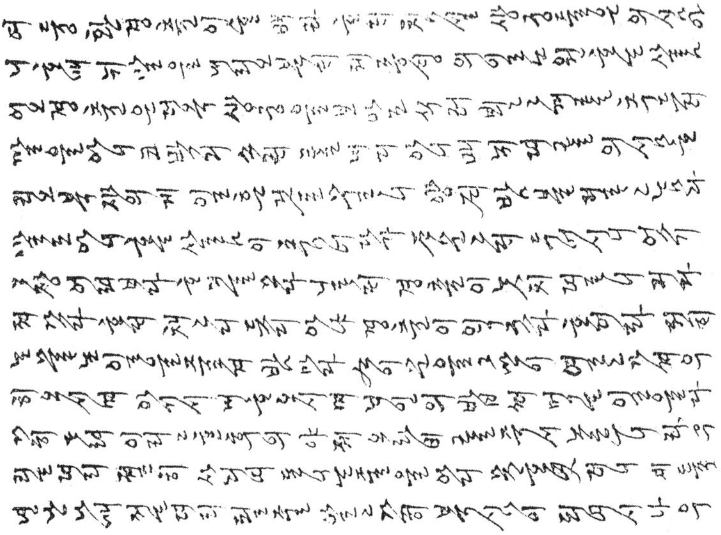

天-67

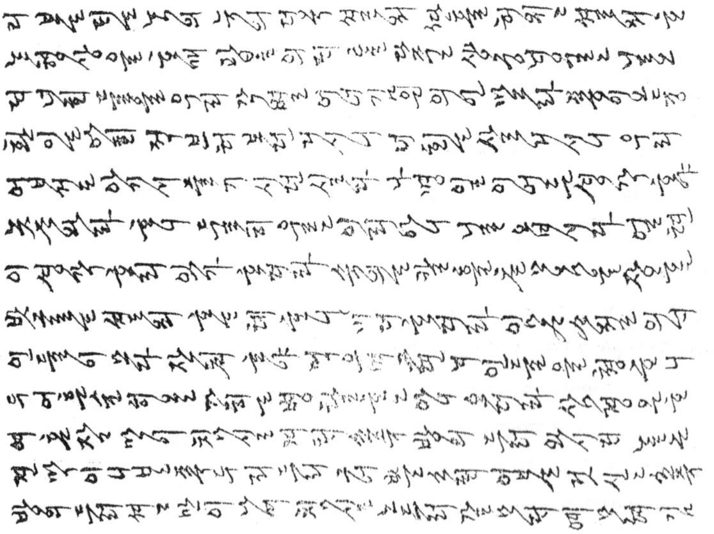

天-68

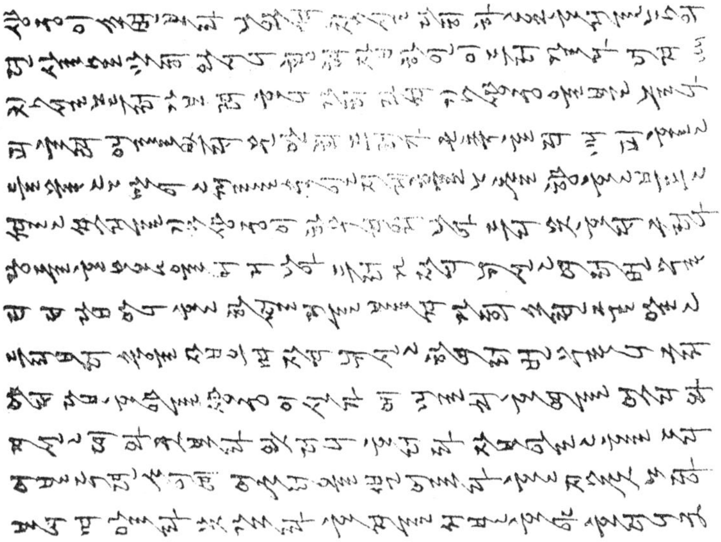

天-69

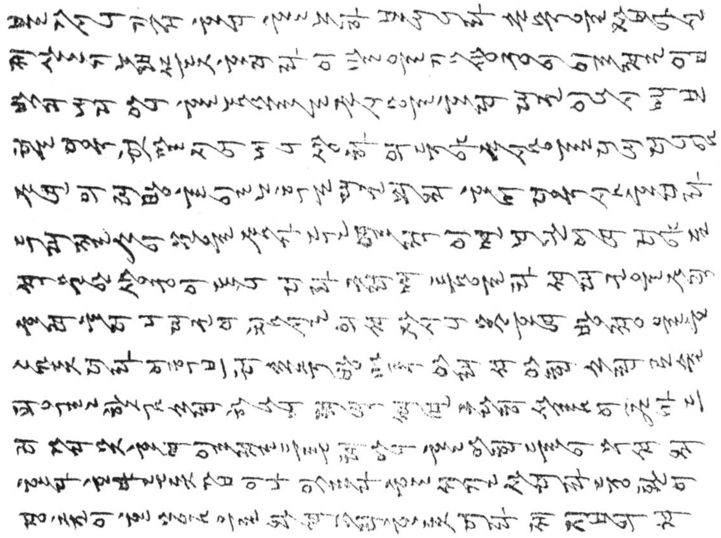

天-70

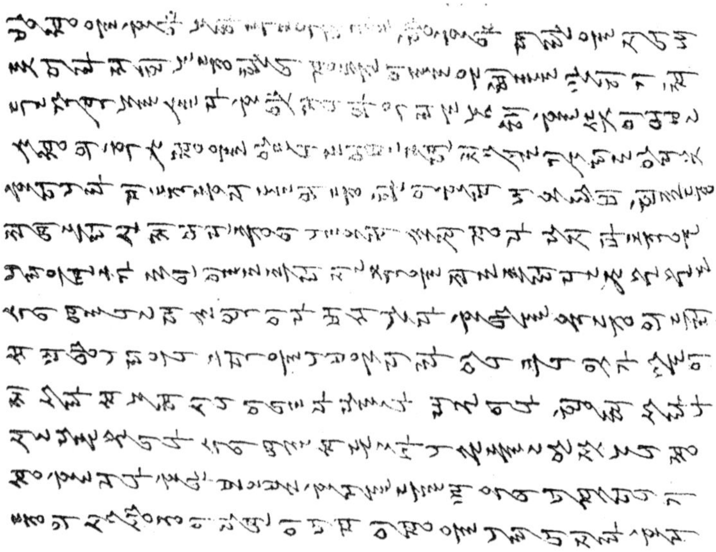

天-71

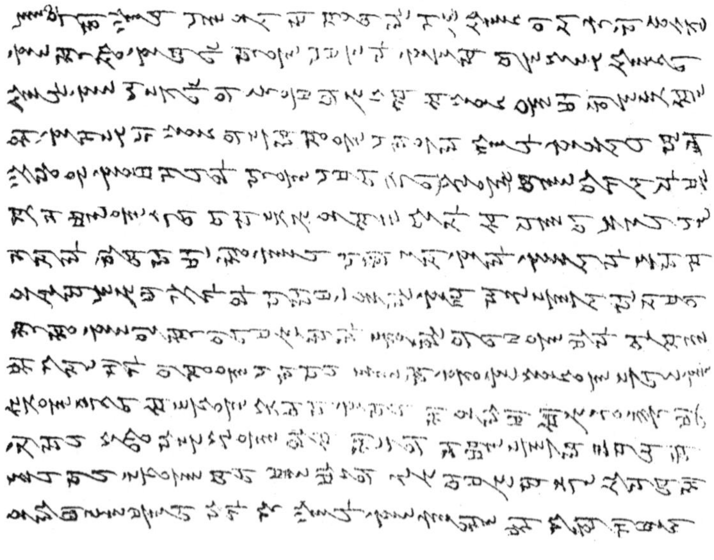

天-72

天-73

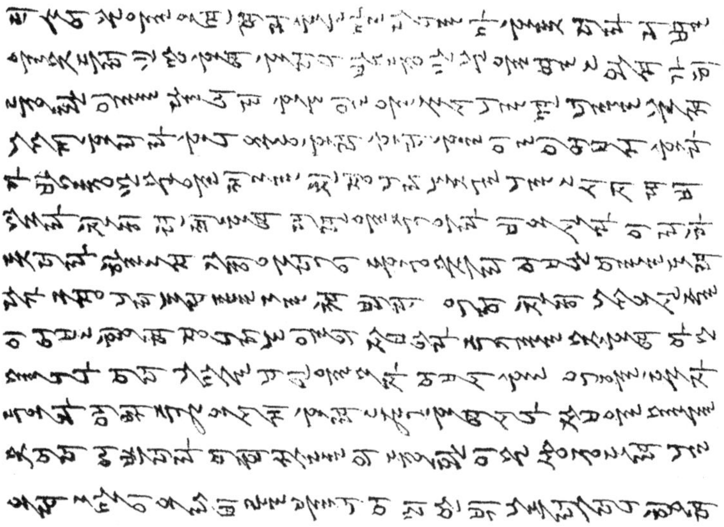

天-74

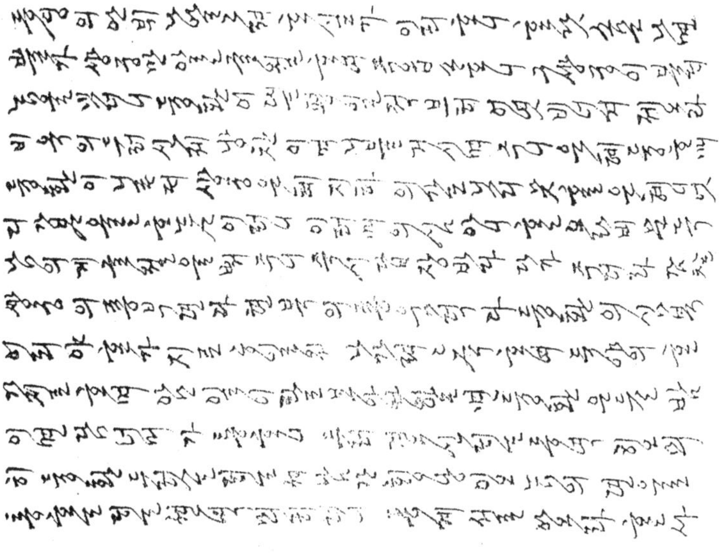

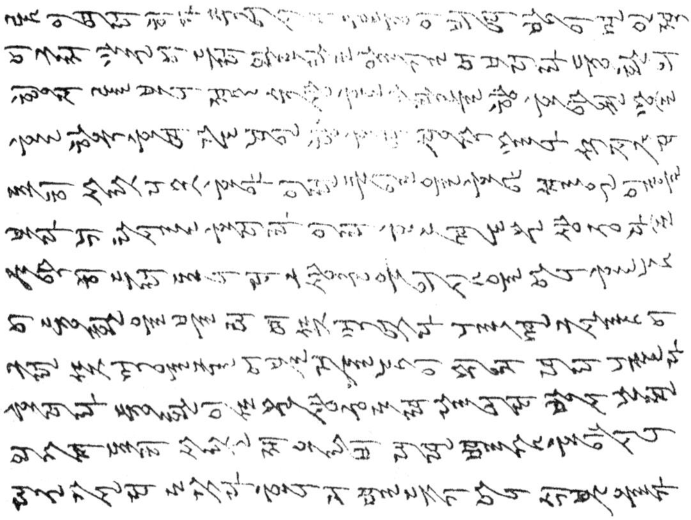

天-75

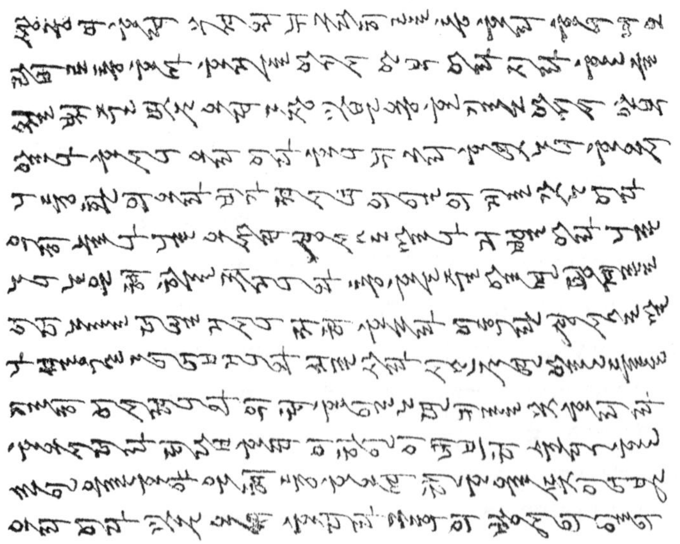

天-76

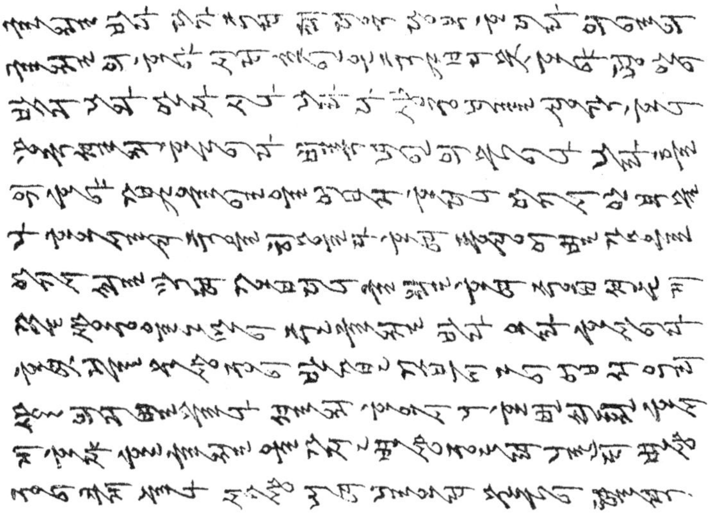

天-77

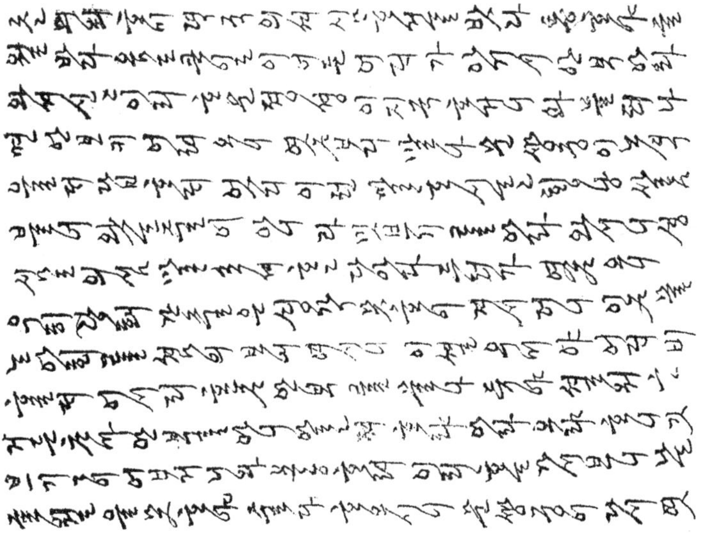

天-78

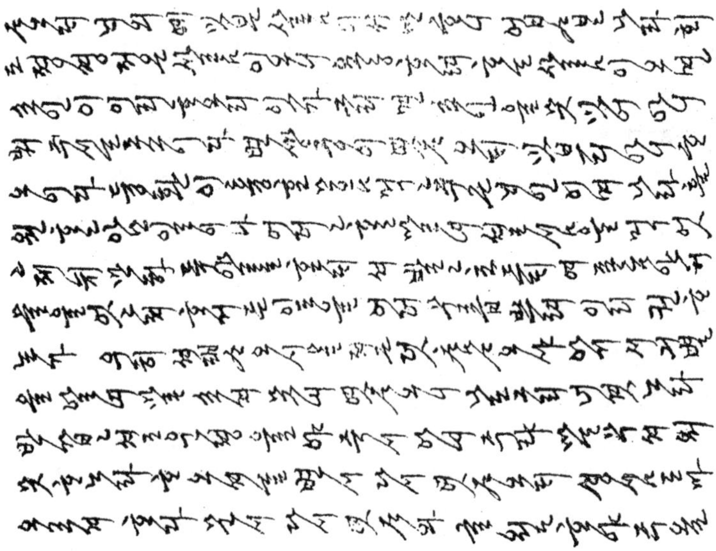

天-79

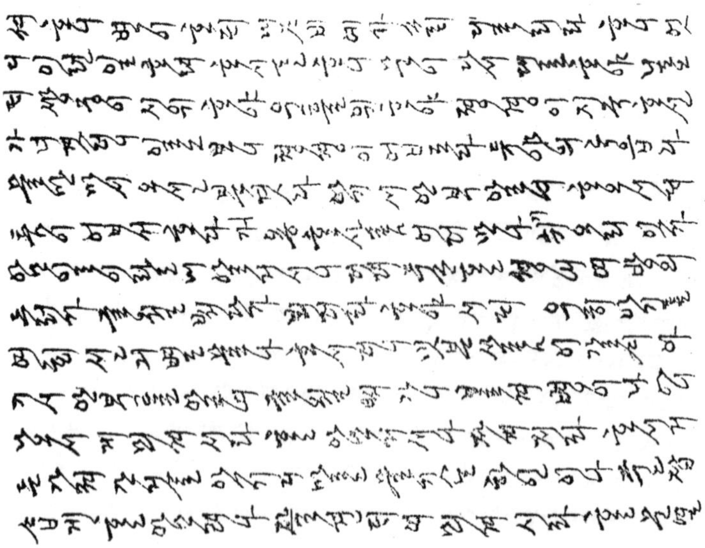

天-80

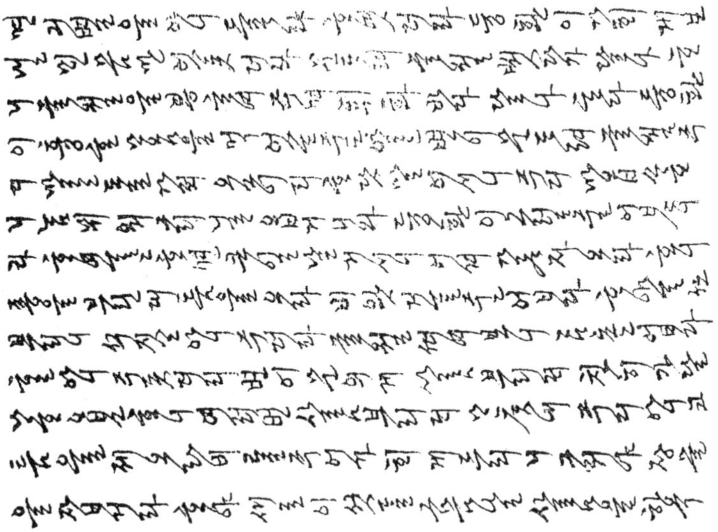

天-81

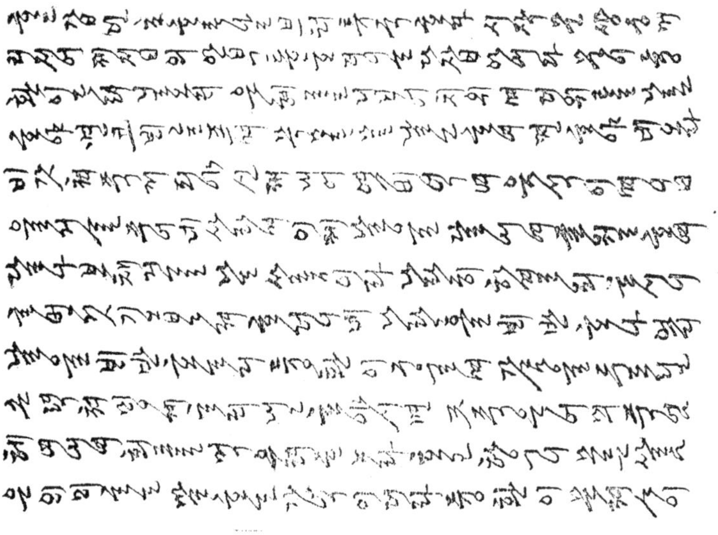

天-82

天-83

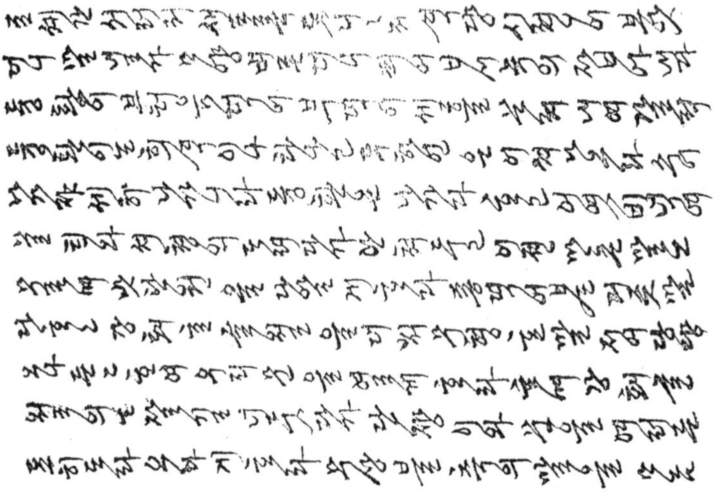

天-84

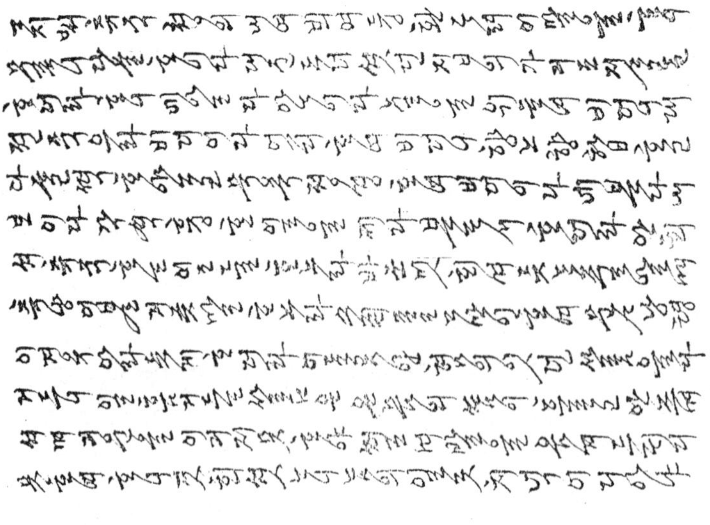

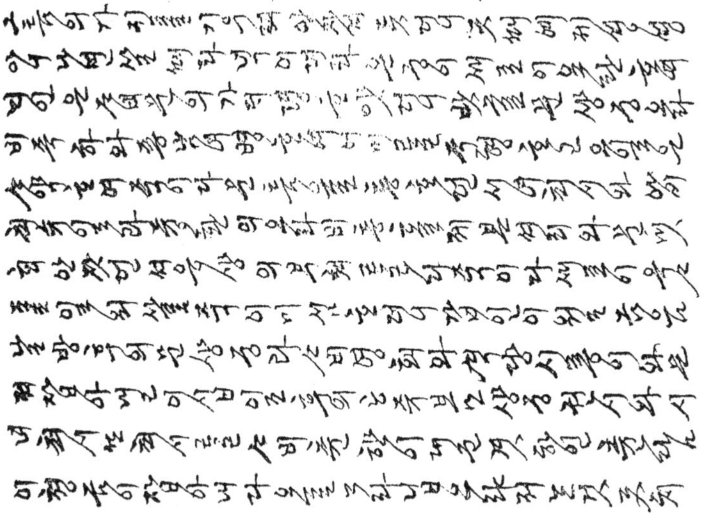

天-85

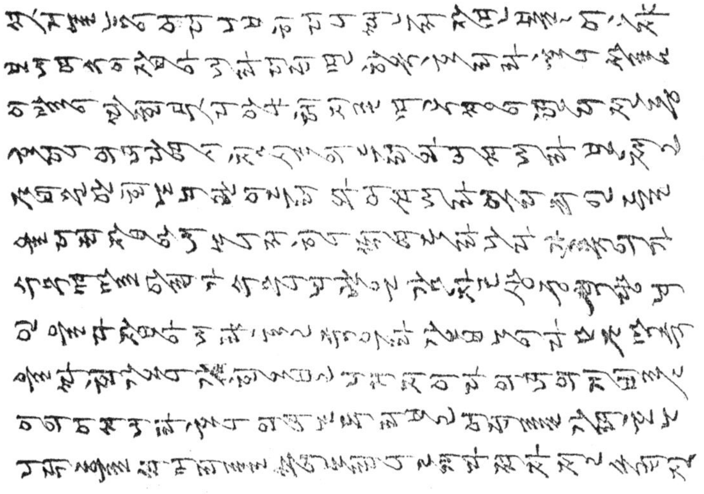

天-86

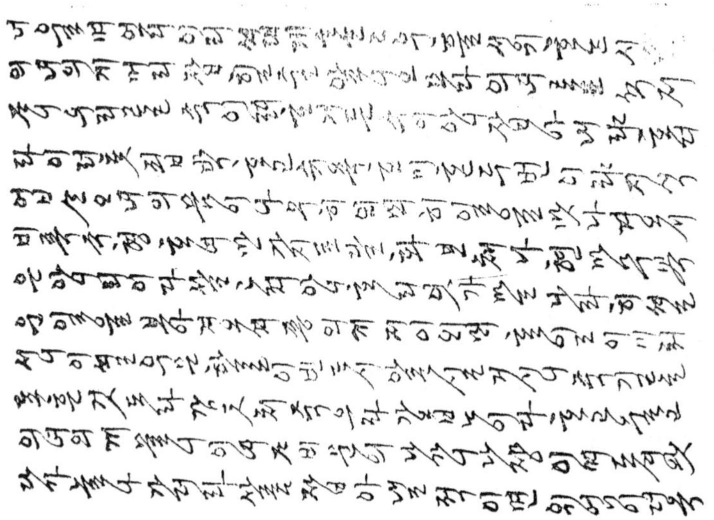

天-87

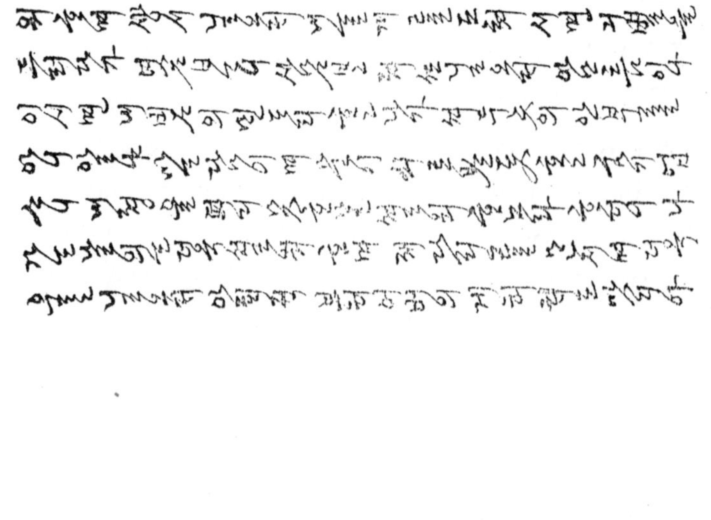

天-88

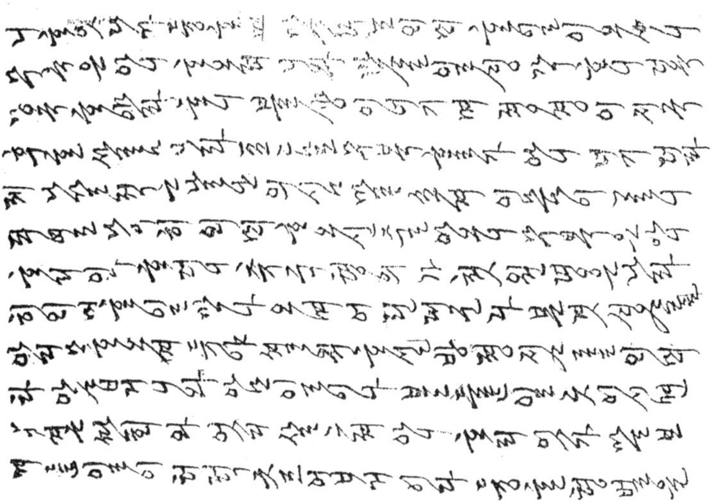

天-89

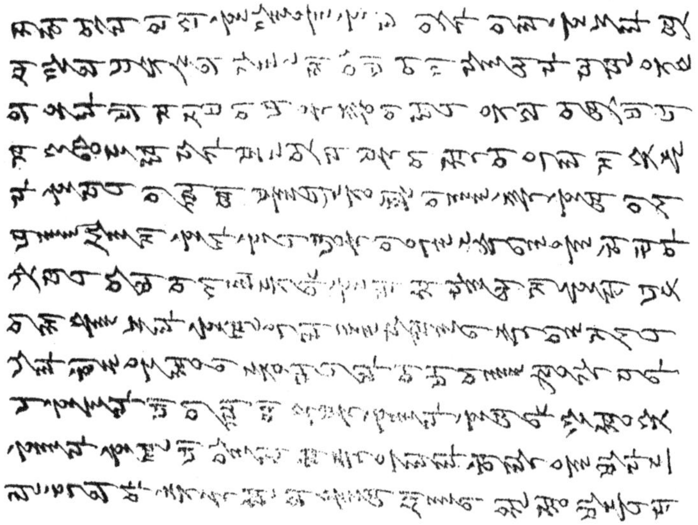

天-90

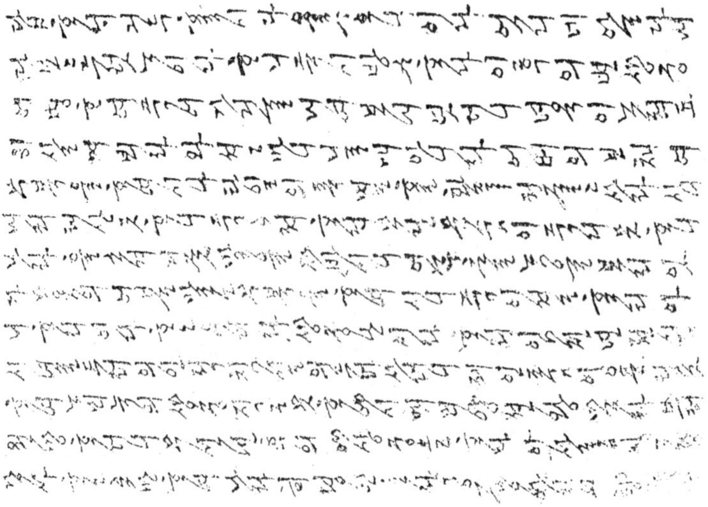

地-1

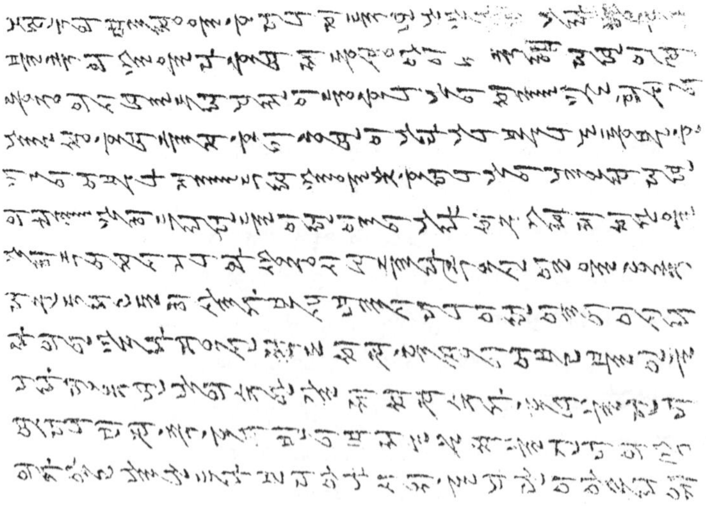

地-2

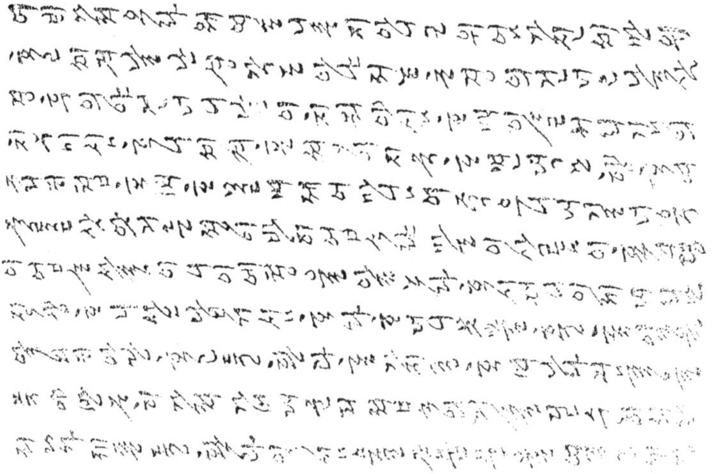

地-3

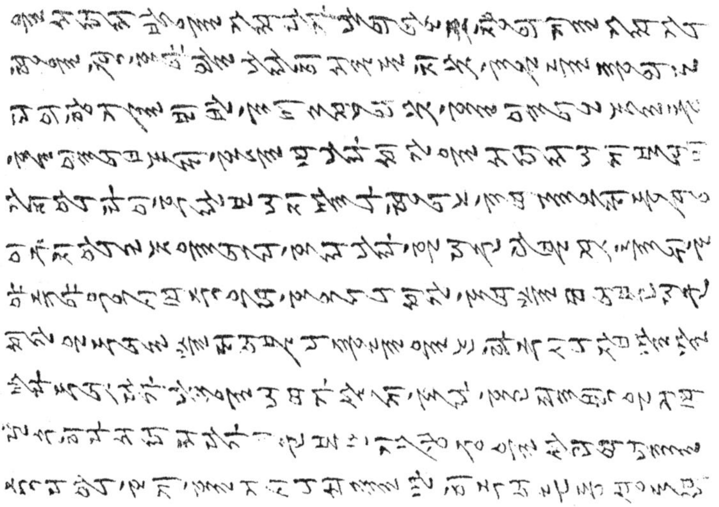

地-4

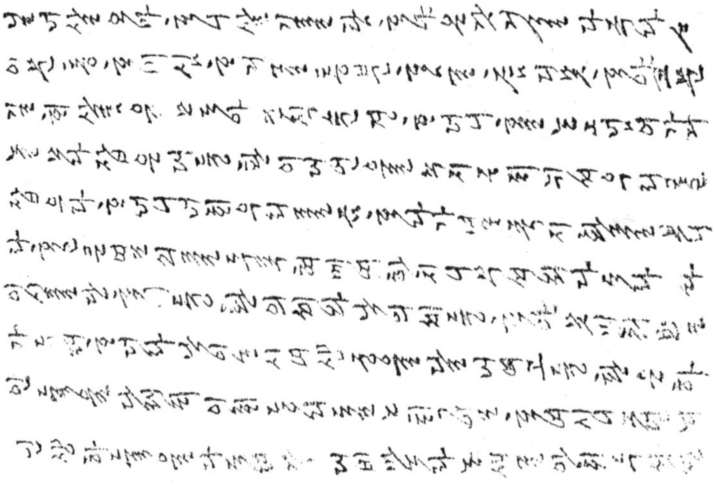

地-5

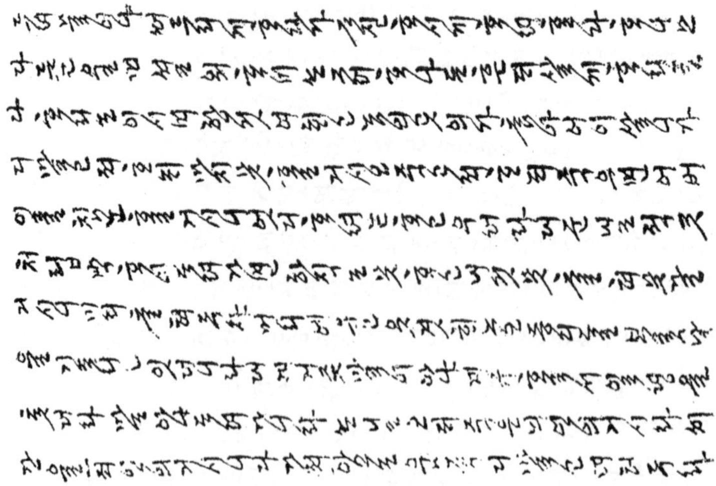

地-6

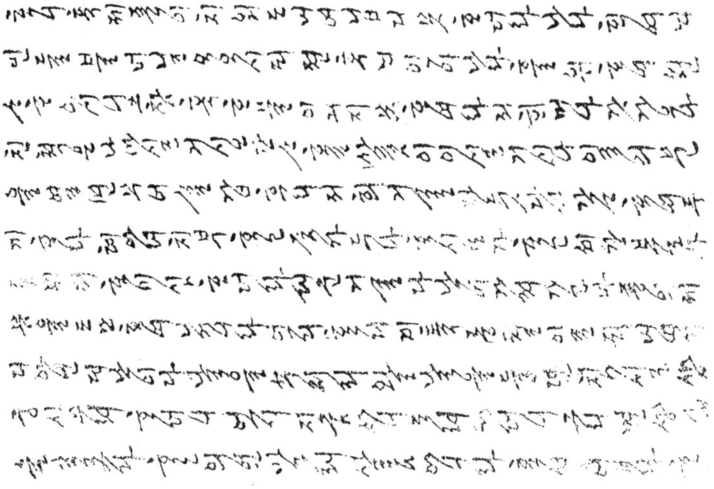

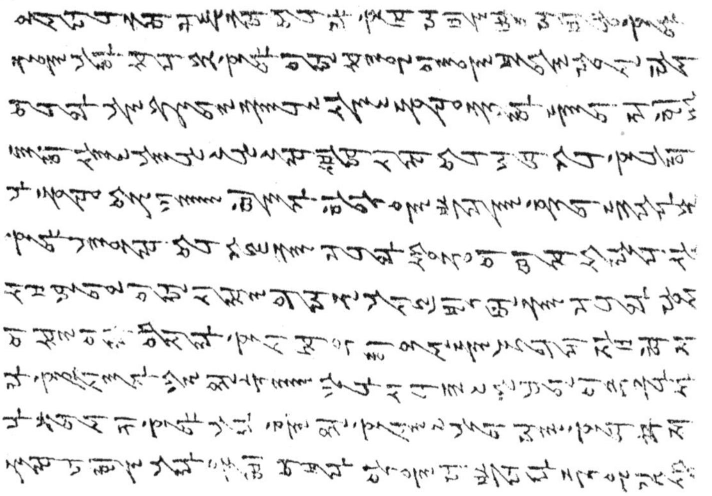

地-7

地-8

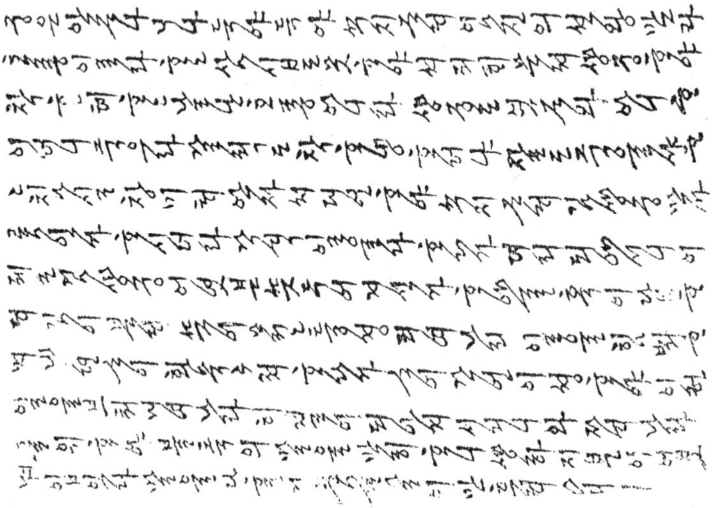

地-9

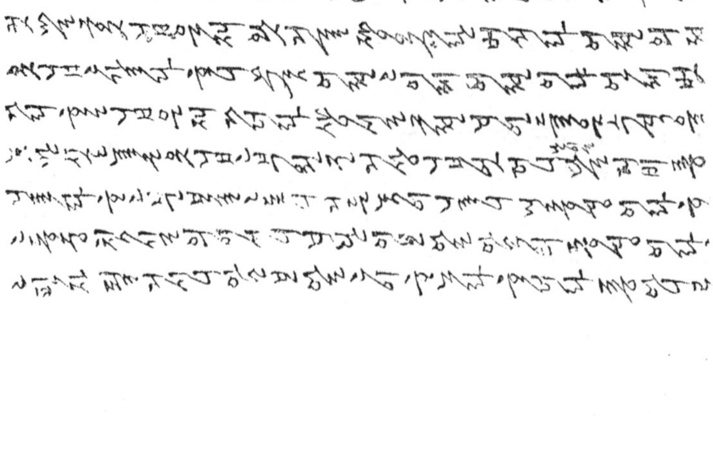

地-10

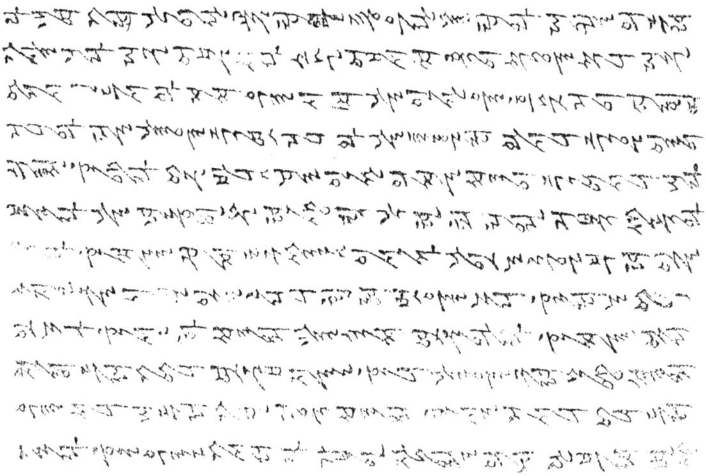

地-11

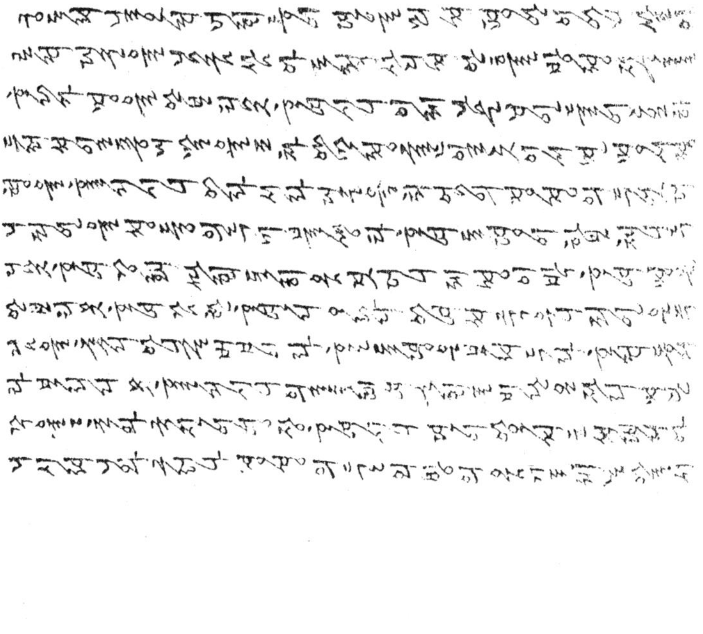

地-12

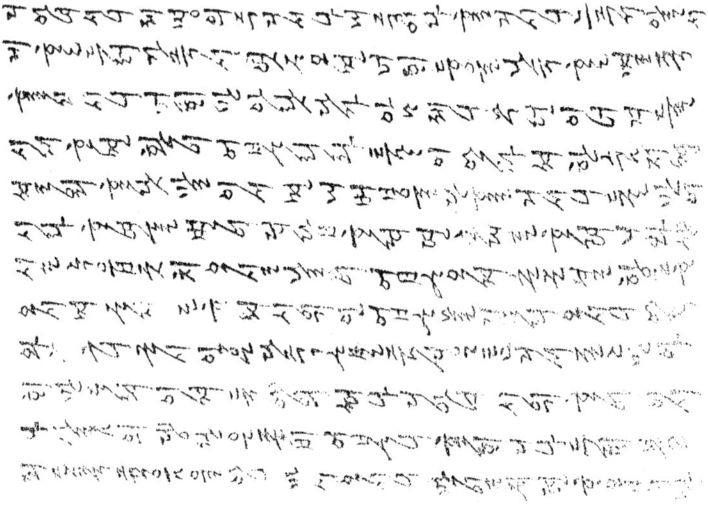

地-13

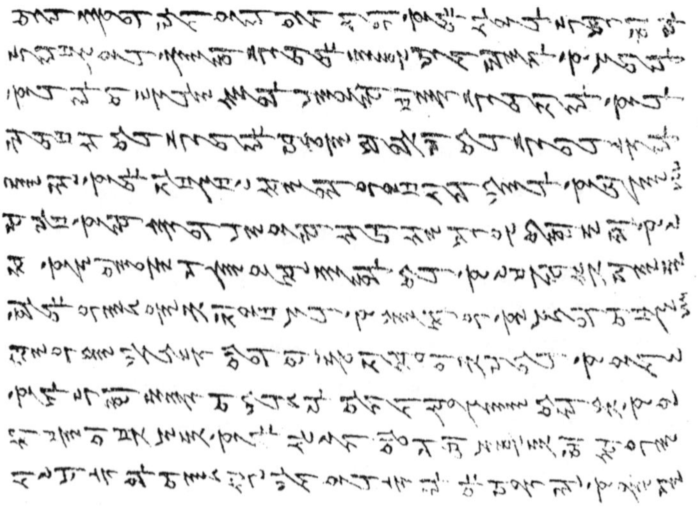

地-14

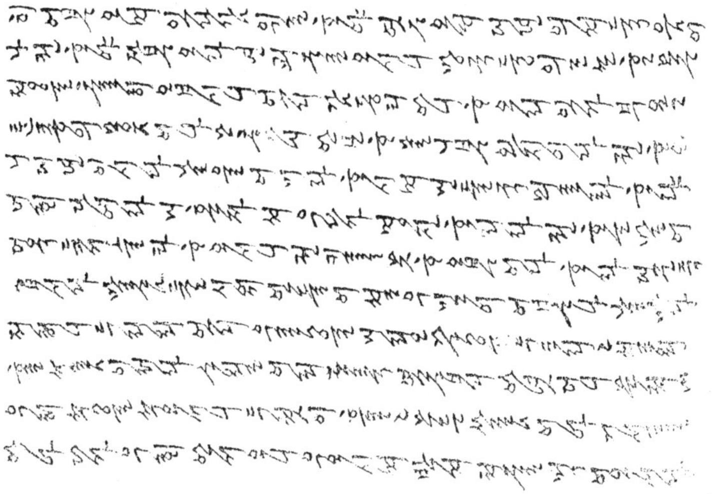

地-15

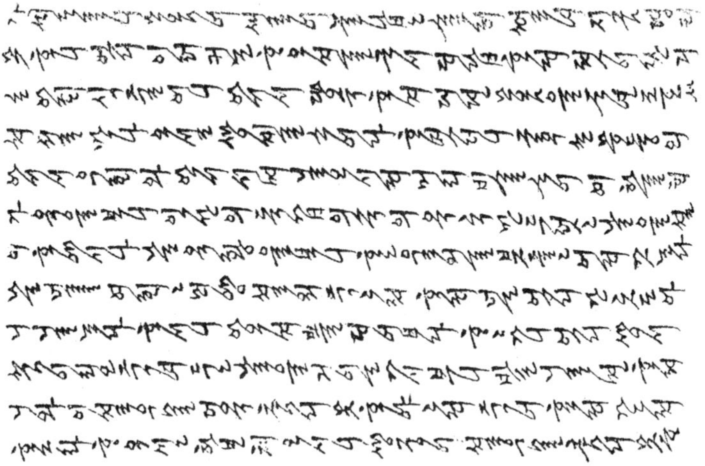

地-16

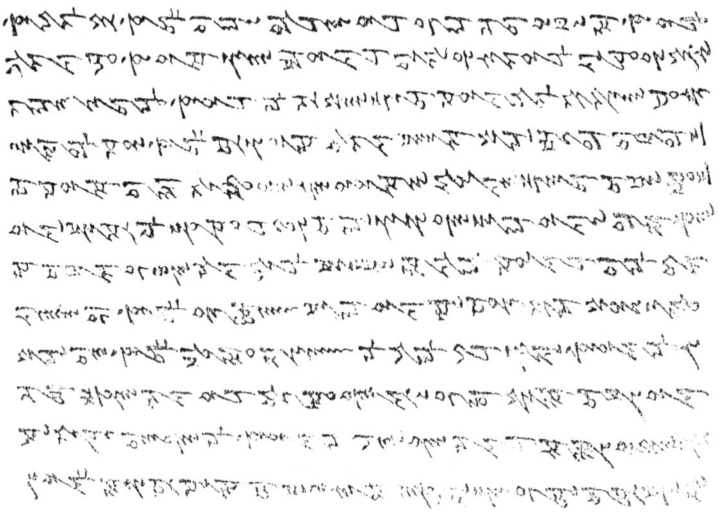

地-17

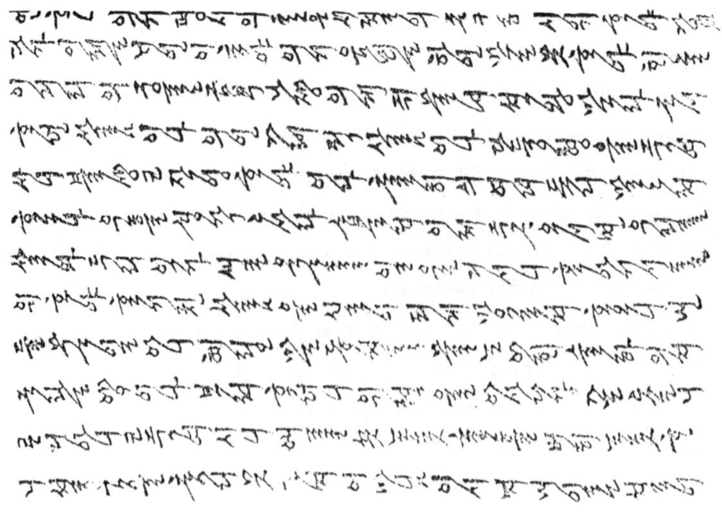

地-18

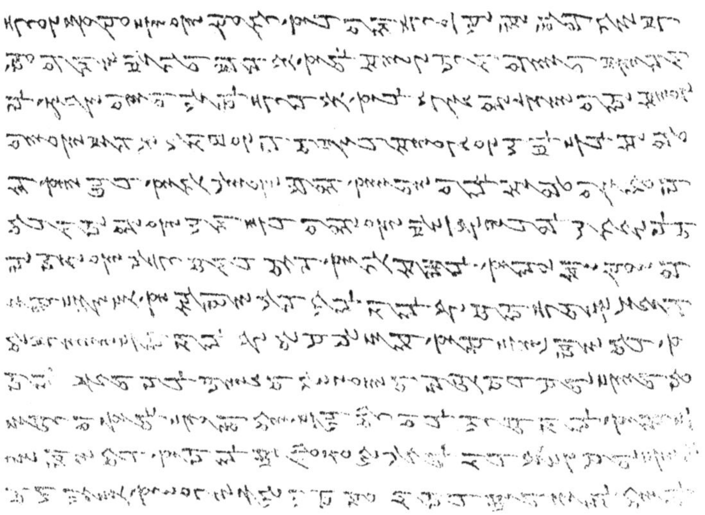

地-19

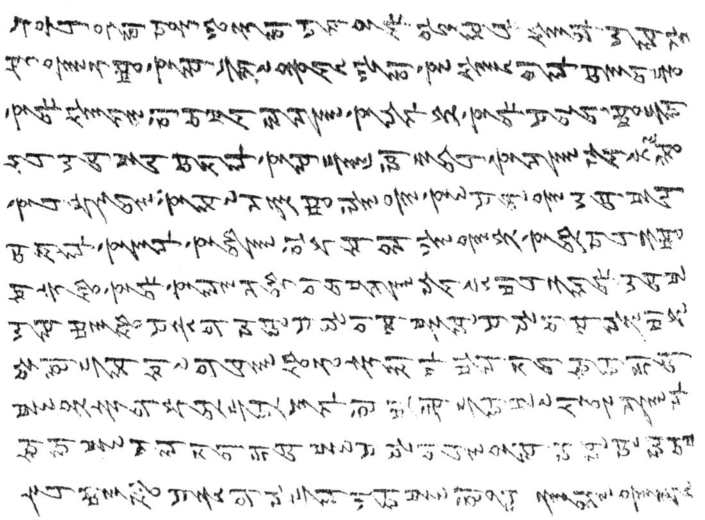

地-20

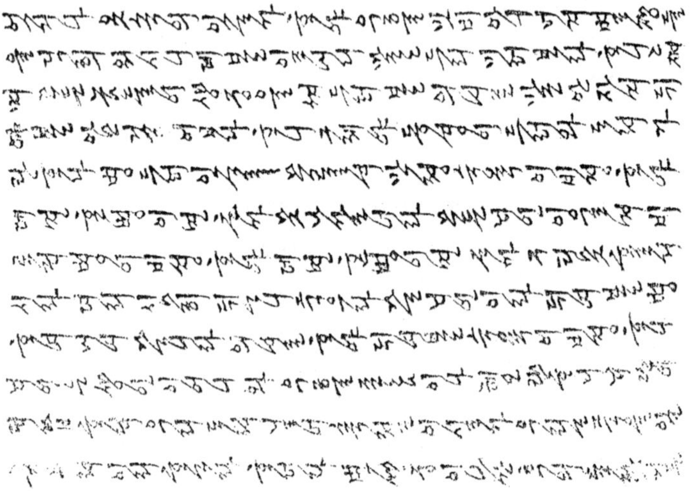

地-21

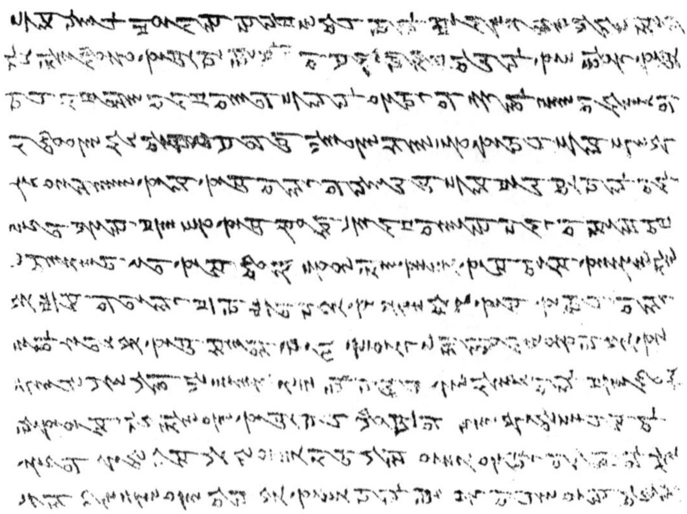

地-22

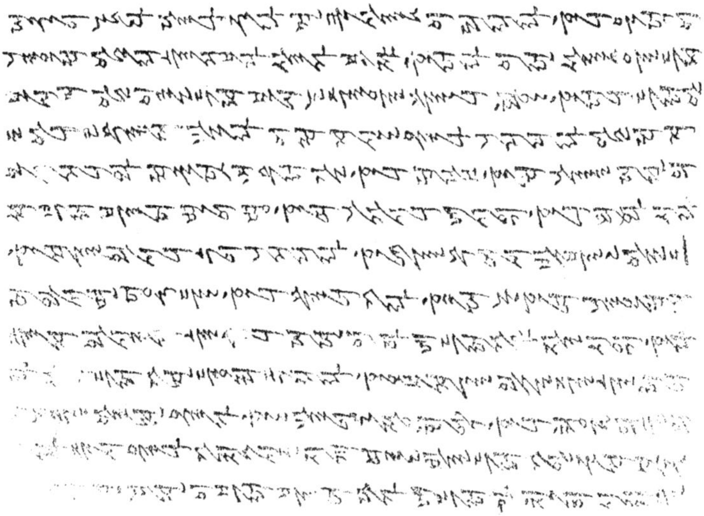

地-23

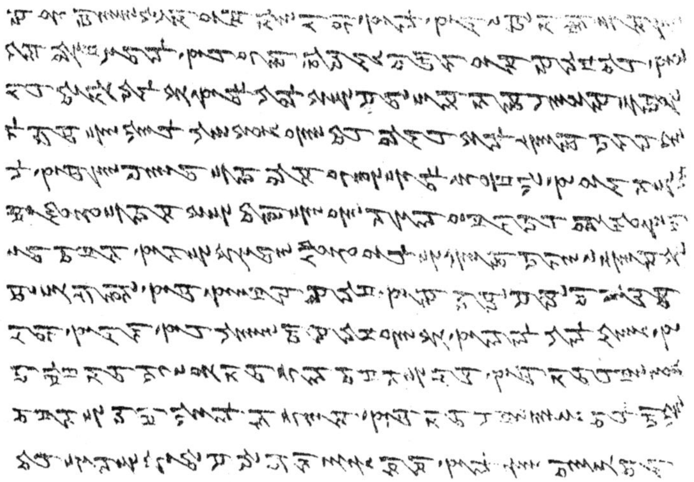

地-24

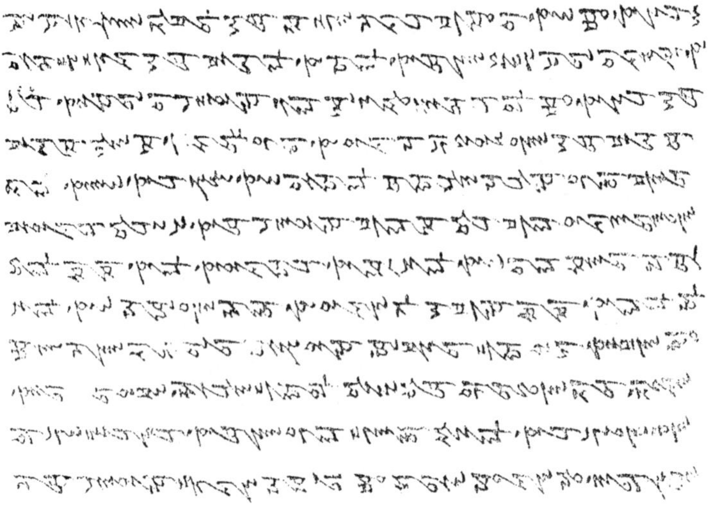

地-25

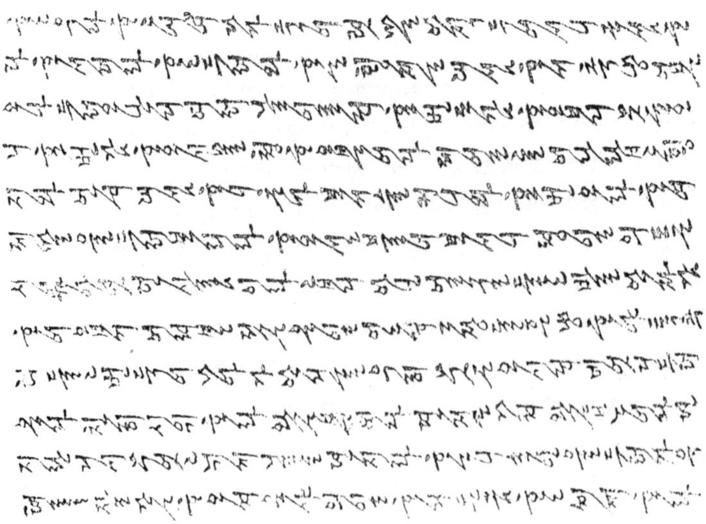

地-26

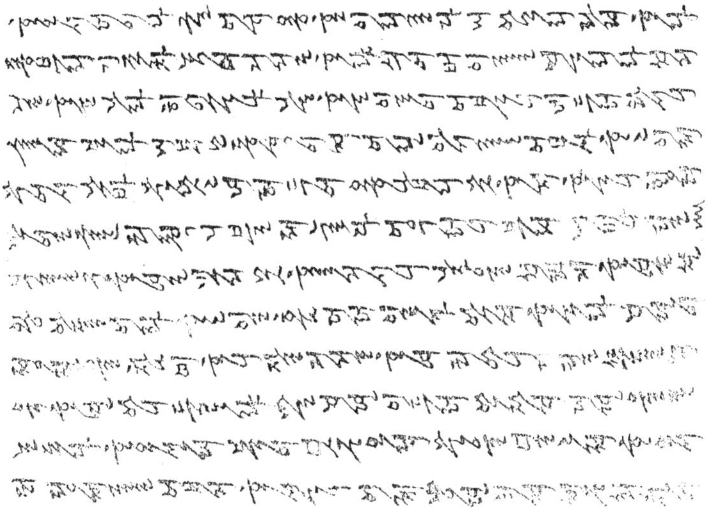

地-27

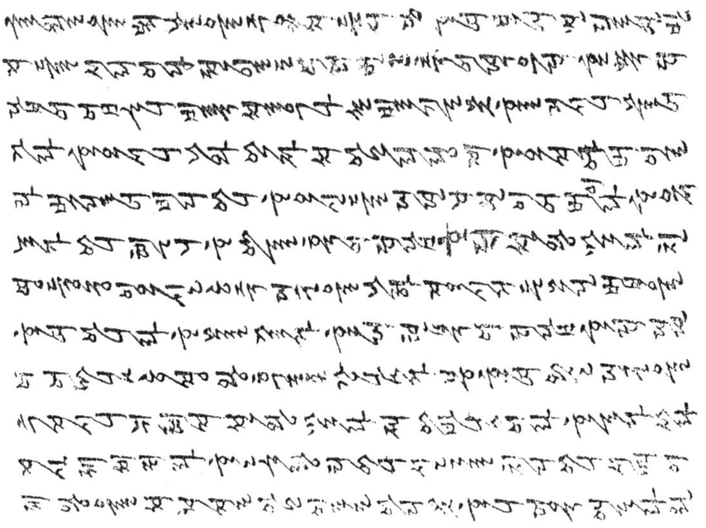

地-28

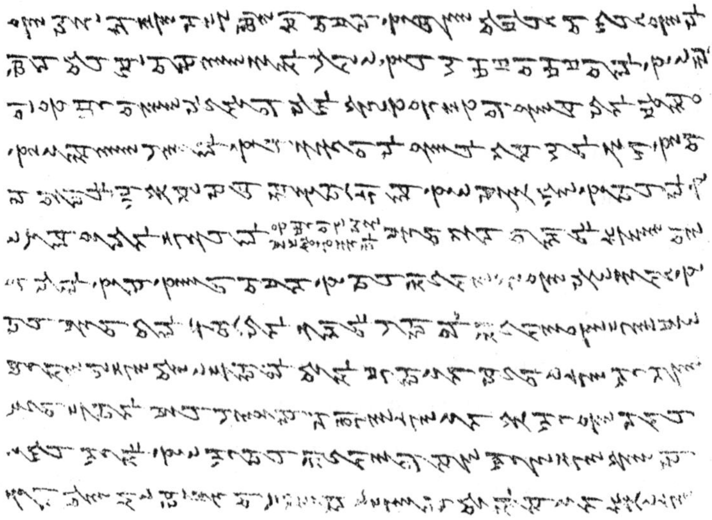

地-29

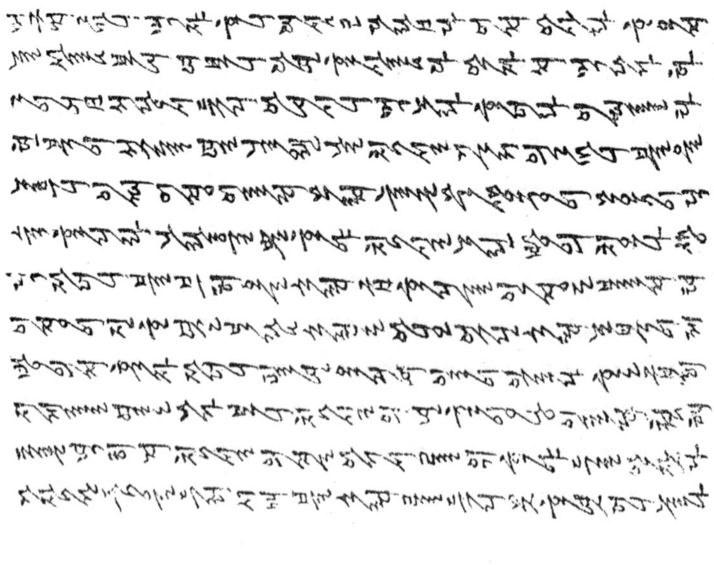

地-30

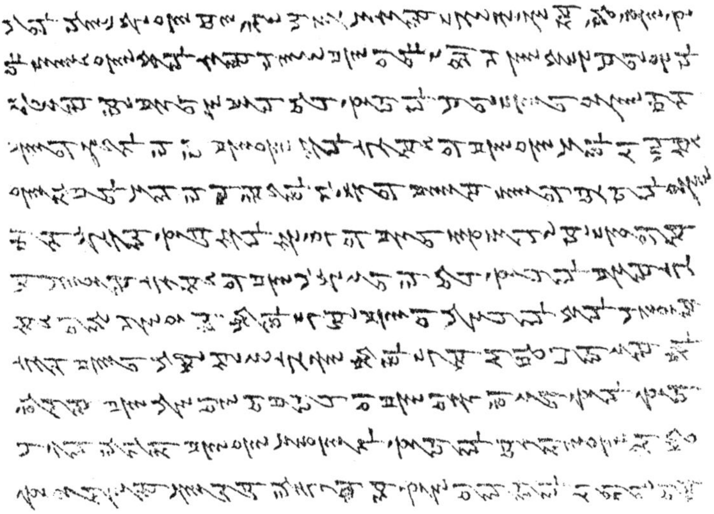

地-31

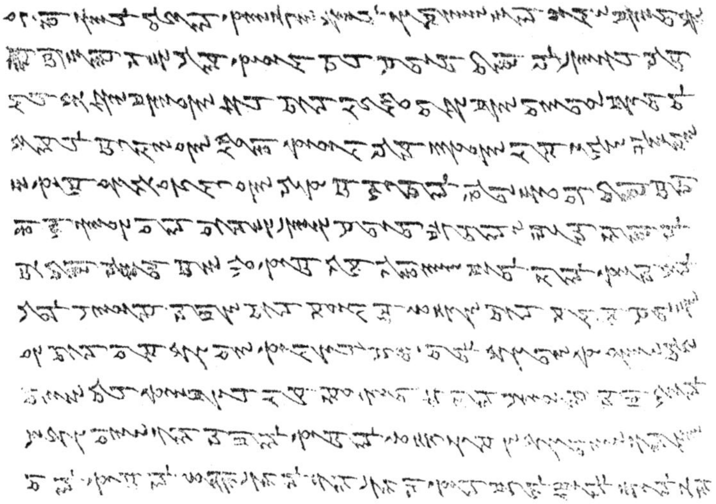

地-32

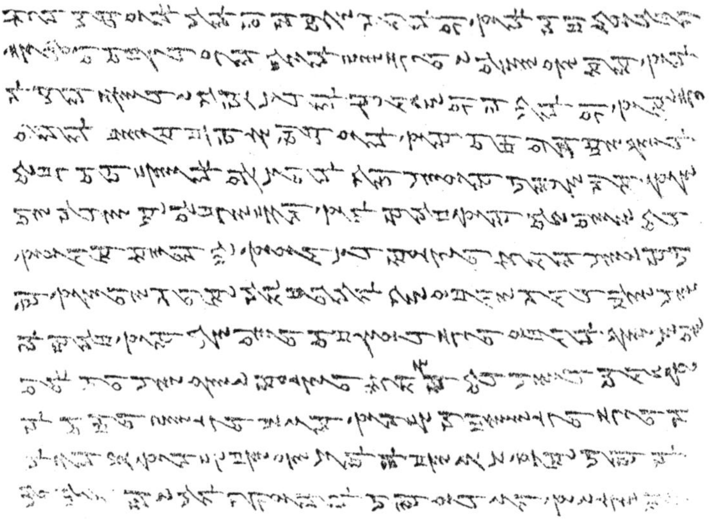

地-33

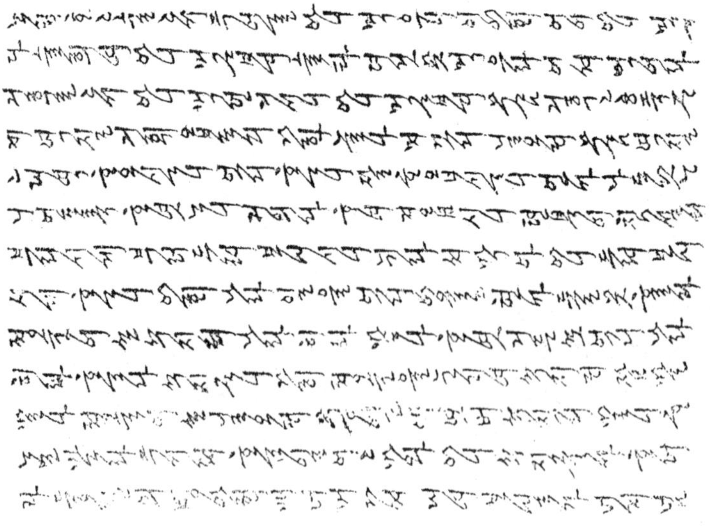

地-34

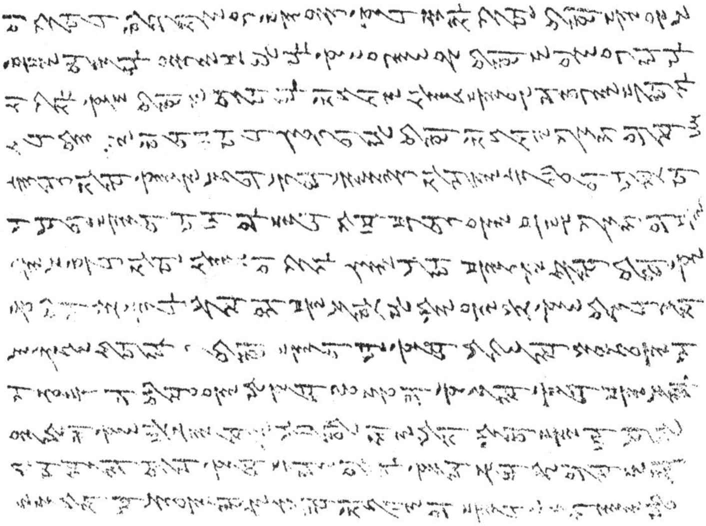

地-35

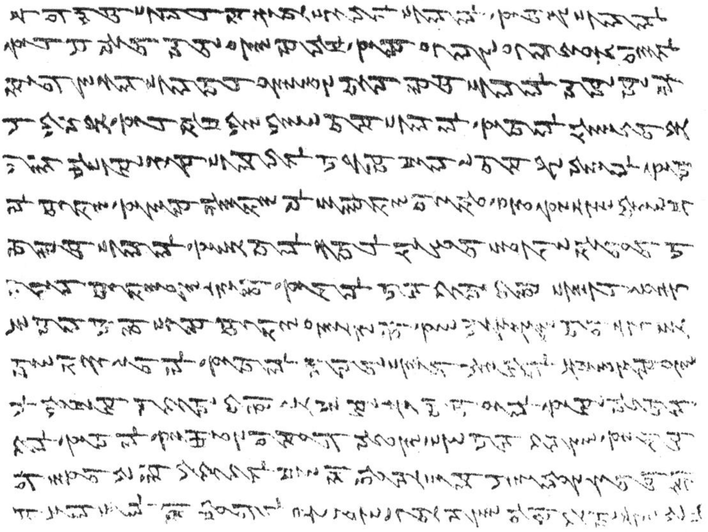

地-36

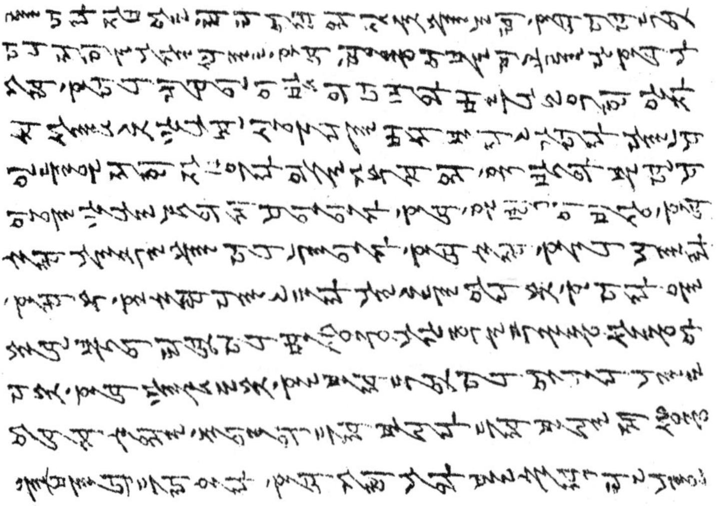

地-37

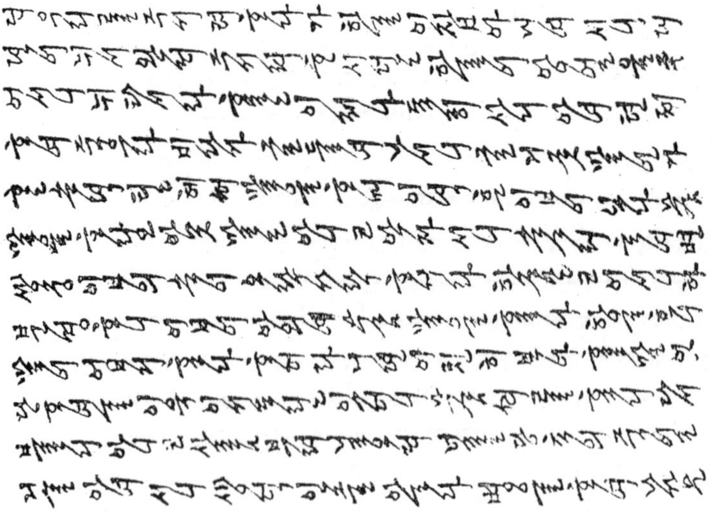

地-38

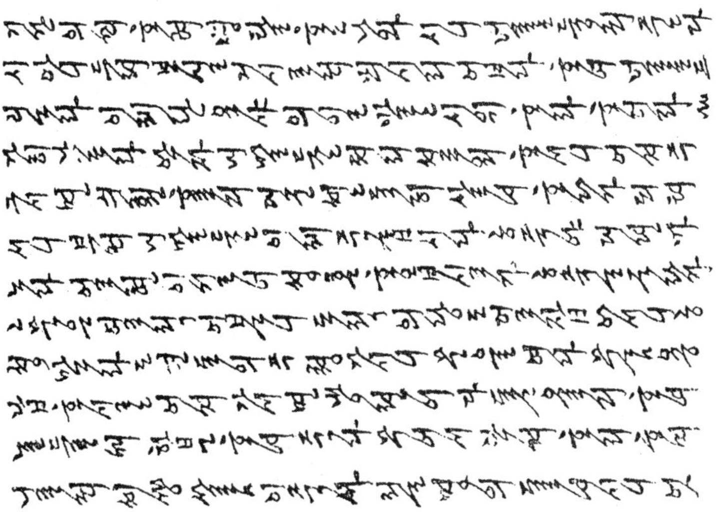

地-39

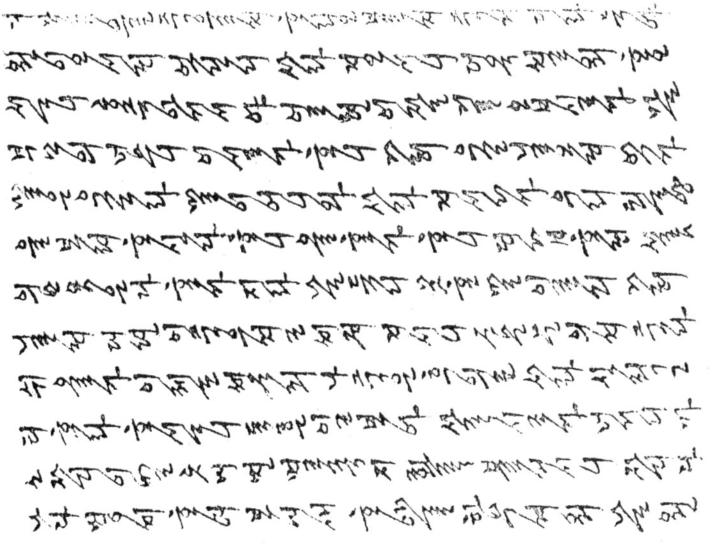

地-40

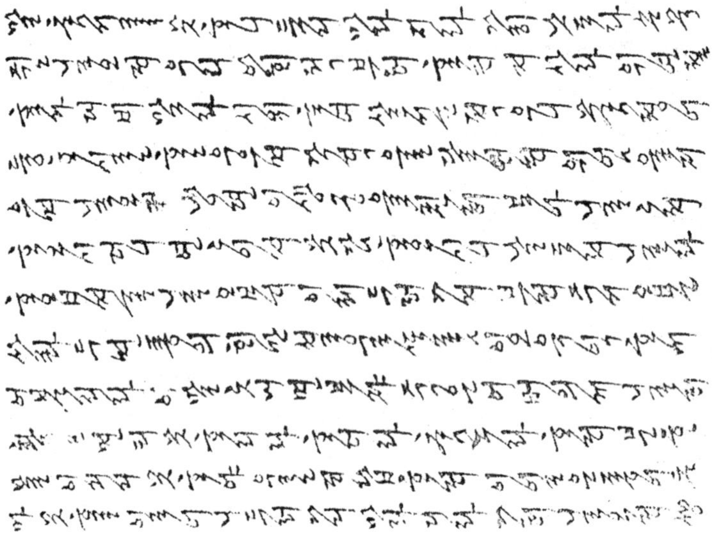

地-41

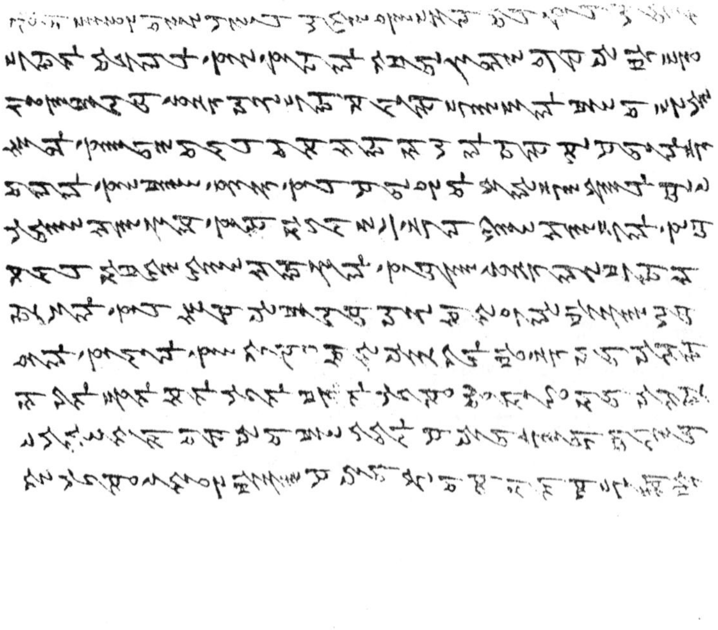

地-42

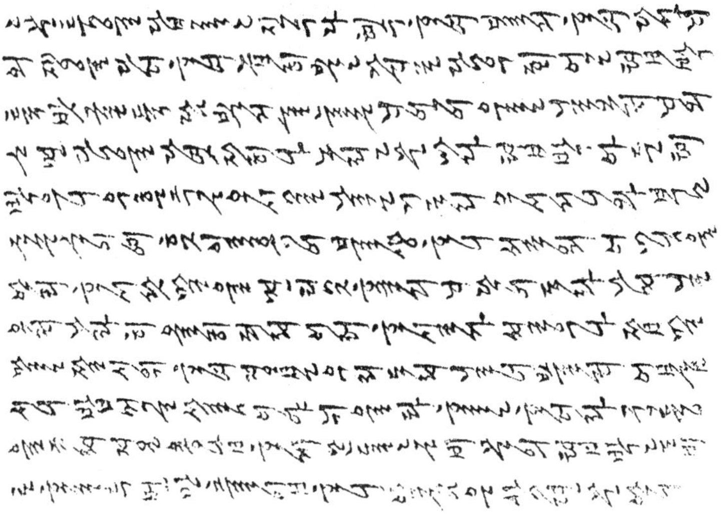

地-43

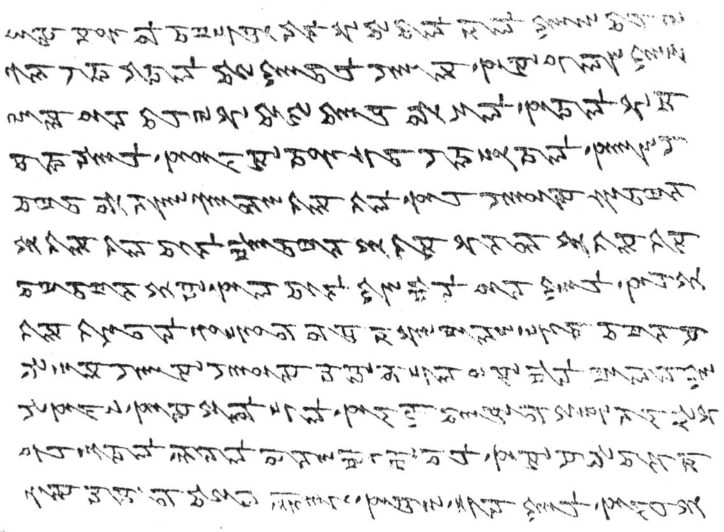

地-44

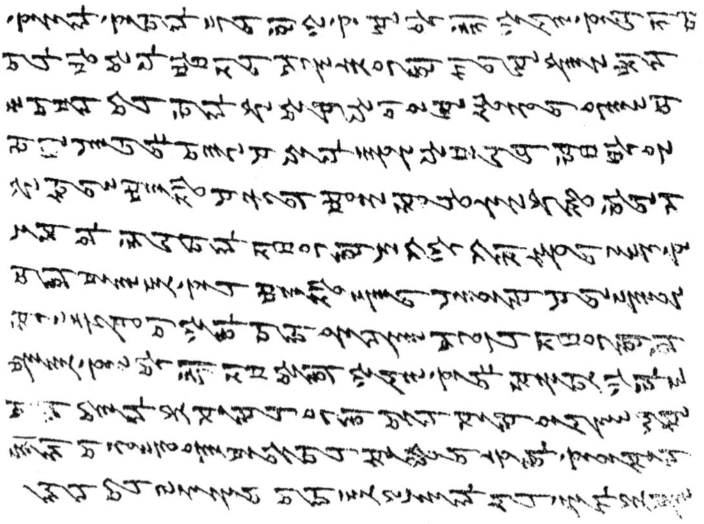

地-45

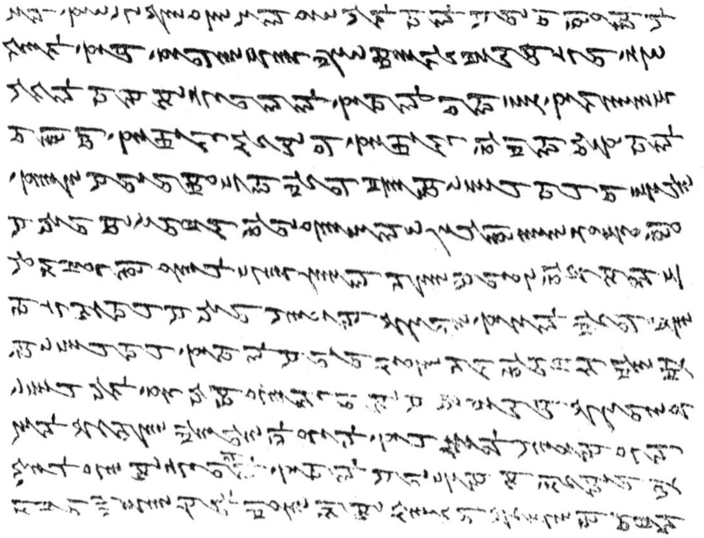

地-46

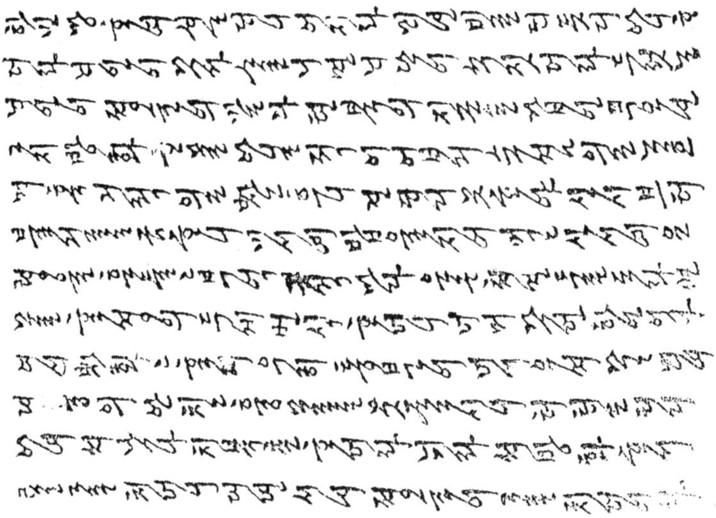

地-47

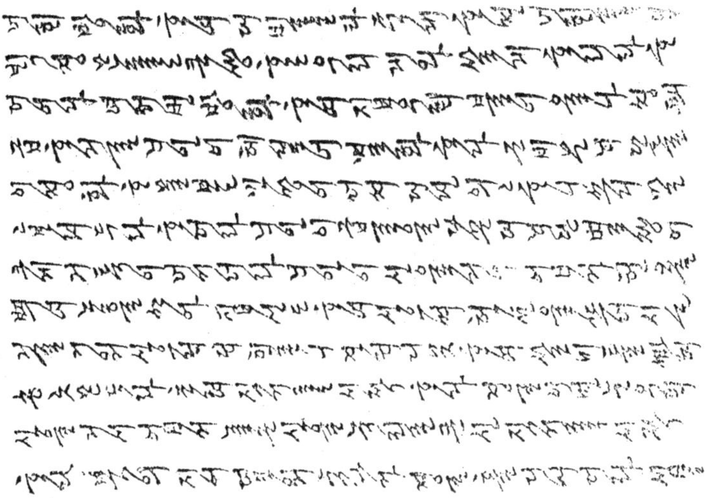

地-48

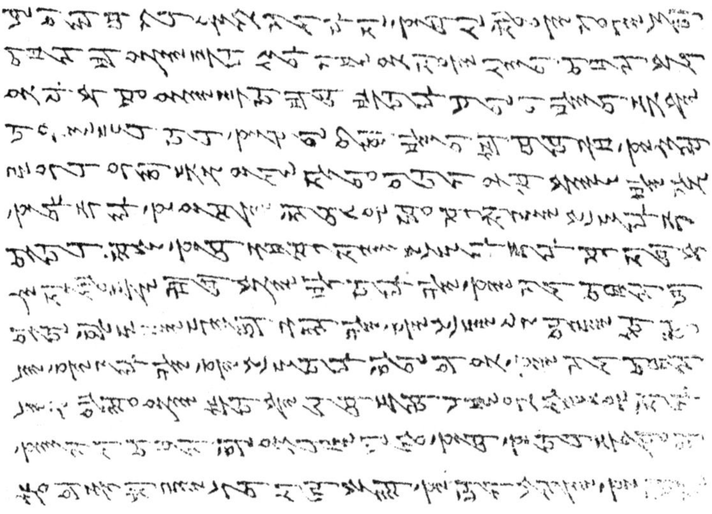

地-49

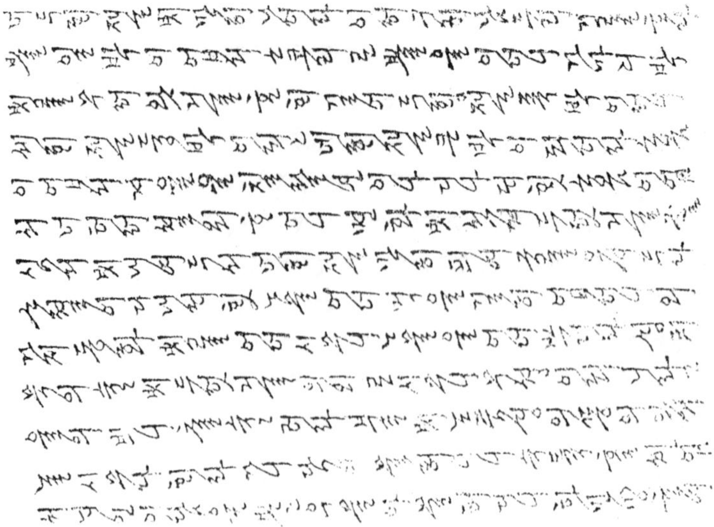

地-50

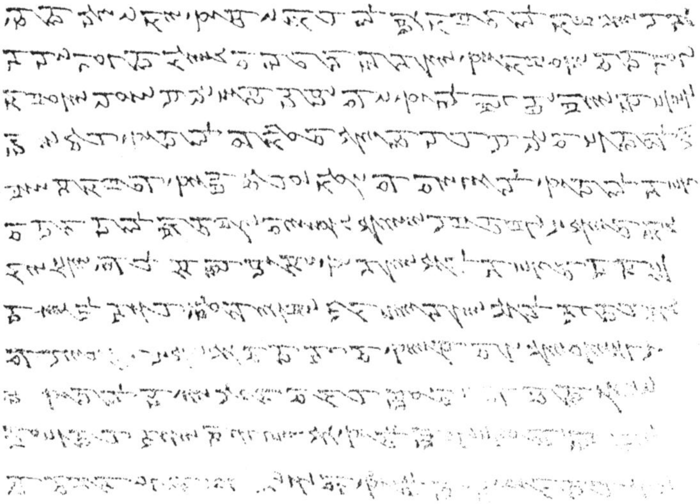

地-51

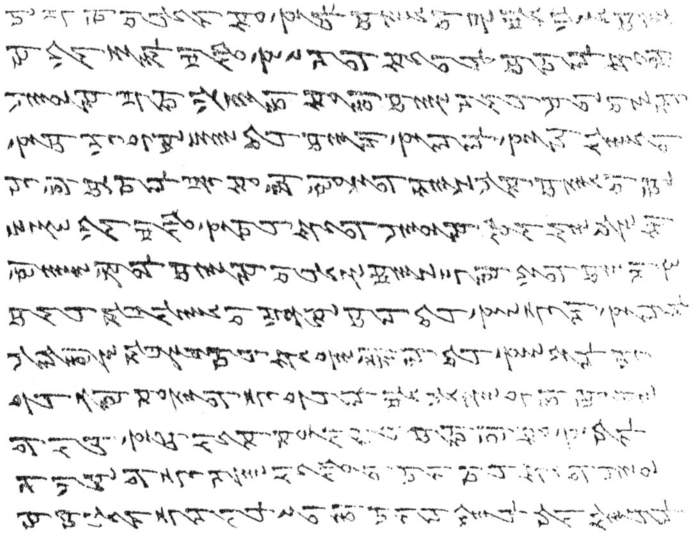

地-52

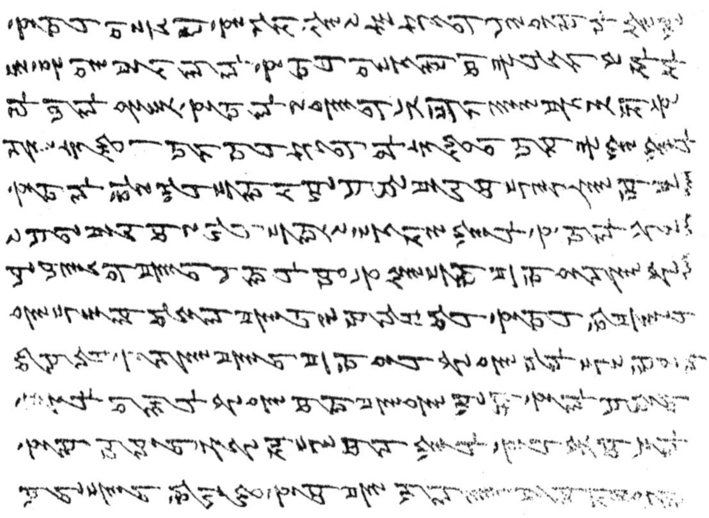

地-53

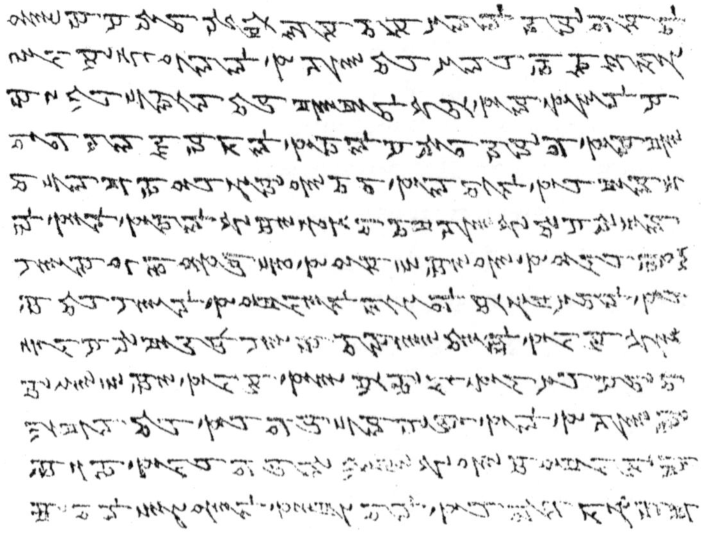

地-54

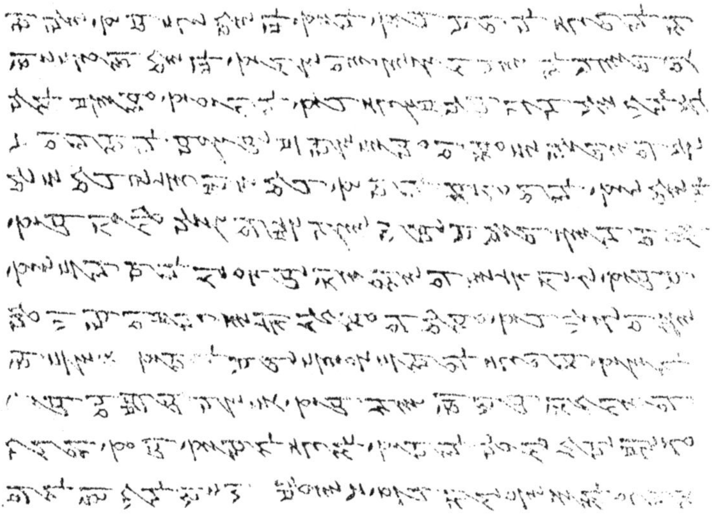

地-55

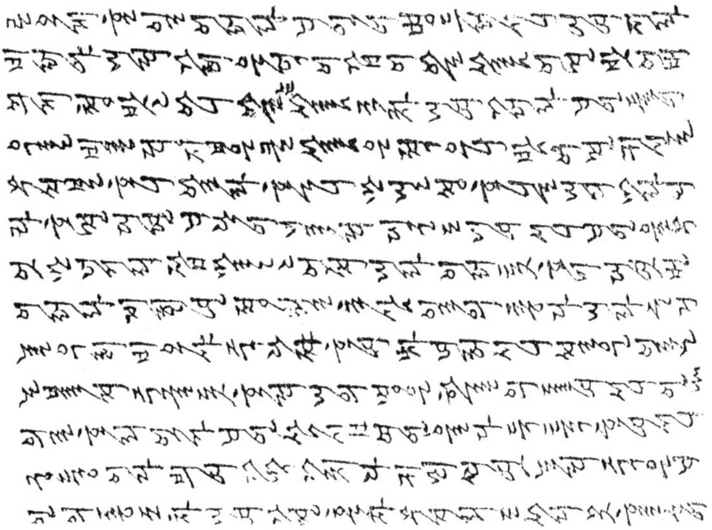

地-56

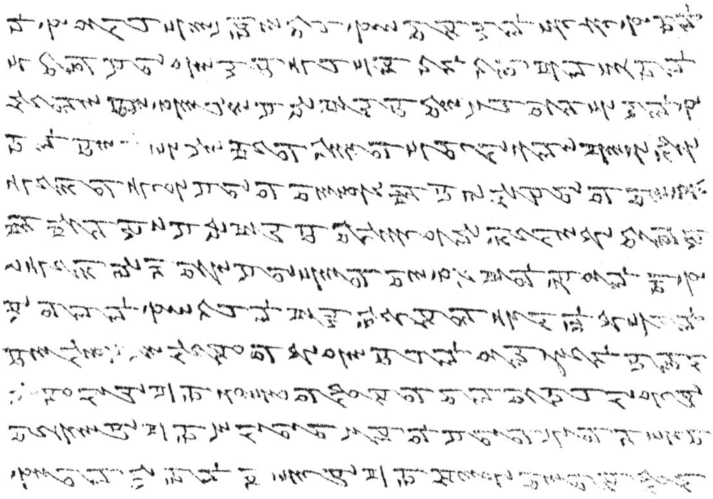

地-57

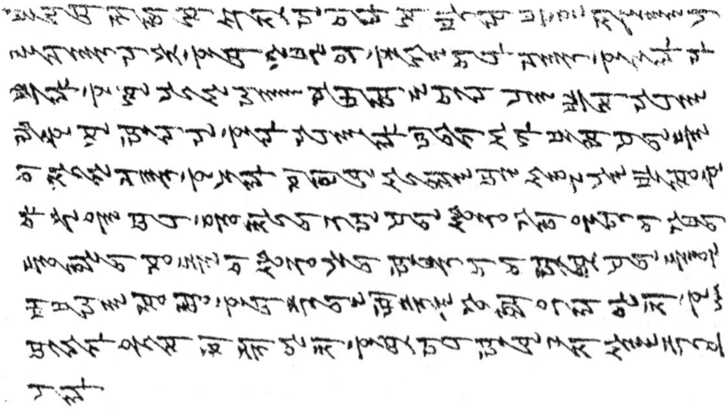

地-58

제14대 선조 가계도

중종					
	9남	덕흥대원군	3남	제14대 선조	(하성군, 1552~1608) 재위기간 : 1567. 7~1608. 2, 40년 7개월 부인 : 8명, 자녀 : 14남 11녀
창빈 안씨					
	의인왕후 박씨(자식 없음)				
	인목왕후 김씨			1남 1녀	영창대군 정명공주
	공빈 김씨			2남	임해군 제15대 광해군

인빈 김씨	4남 5녀	의안군
		신성군
		원종(정원군, 인조 아버지)
		의창군
		정신옹주
		정혜옹주
		정숙옹주
		정안옹주
		정휘옹주
순빈 김씨	1남	순화군
정빈 민씨	2남 3녀	인성군
		인흥군
		정인옹주
		정선옹주
		정근옹주
정빈 홍씨	1남 1녀	경창군
		정정옹주
온빈 한씨	3남 1녀	흥안군
		경평군
		영성군
		정화옹주

제15대 광해군 가계도

선조			
	차남	제15대 광해군	(1575~1641) 재위기간 : 1608. 2~1623. 3, 15년 1개월 유배기간 : 18년 / 부인 : 2명, 자녀 : 1남 1녀
공빈 김씨			
		문성군부인 유씨	질(폐세자)
		숙의 윤씨	女

제16대 인조 가계도

선조			
	5남 원종(정원군)		
인빈 김씨		장남 제16대 인조	(능양군, 1595~1649) 재위기간 : 1623. 3~1649. 5, 26년 2개월 부인 : 3명, 자녀 : 6남 1녀
	인헌왕후 구씨		
	인렬왕후 한씨	4남	소현세자 제17대 효종(봉림대군) 인평대군 용성대군
	장렬왕후 조씨(자식 없음)		
	귀인 조씨	2남 1녀	숭선군 낙선군 효명옹주

주요사건 연대표

서기	왕력	선조	의인왕후	인목왕후	영창대군	광해군	임해군	주요사건	비고
1552 (임자)	명종 7	1세						11.11- 선조 탄생. 이름은 균(鈞).	
1555 (을묘)	명종 10		1세					4.15- 의인왕후 탄생. 5. - 전라도 달량포(達梁浦)에 왜변이 일어남.	
1567 (정묘)	선조 즉위년	16세	13세					6. - 명종 승하. 선조 즉위.	
1569 (기사)	선조 2년	18세	15세					12.29- 의인왕후 중전으로 입궁.	
1574 (갑술)	선조 7	23세	20세				1세	- 진(임해군, 공빈 김씨 소생) 출생.	
1575 (을해)	선조 8	24세	21세			1세	2세	4. - 혼(광해군, 공빈 김씨 소생) 출생.	
1576 (병자)	선조 9	25세	22세			2세	3세	- 공빈 김씨 졸.	
1577 (정축)	선조 10	26세	23세			3세	4세	11. - 공의왕대비(인성왕후) 승하.	
1584 (갑신)	선조 17	33세	30세	1세		10세	11세	11. - 인목왕후 탄생.	1.1 - 율곡 이이 졸.
1585 (을유)	선조 18	34세	31세	2세		11세	12세		- 여진족 함경도에 침입.

서기	왕력	선조	의인왕후	인목왕후	영창대군	광해군	임해군	주요사건	비고
1587 (정해)	선조 20	36세	33세	4세		13세	14세	- 왜구 전라도에 침입.	
1589 (기축)	선조 22	38세	35세	6세		15세	16세	11.18- 황윤길, 김성일을 일본통신의 상사·부사로, 허성을 서장관으로 차출.	8. - 일본 국사를 접견함.
1590 (경인)	선조 23	39세	36세	7세		16세	17세	3.6 - 황윤길, 김성일 등 일본통신사 일행 일본으로 출발.	
1591 (신묘)	선조 24	40세	37세	8세		17세	18세	2.1 - 경연장에서 정철이 선조에게 왕자 혼(광해군)을 세자로 세울 것을 주청.	3.1 - 통신사 일행 돌아옴. 6.23- 정철이 붕당을 조성했다하여 진주로 유배.
1592 (임진)	선조 25	41세	38세	9세		18세	19세	4.13- 임진왜란 발발. 4.29- 왕자 혼(광해군)을 왕세자로 책봉. 6.22- 평양 침략. 선조 의주성으로 피난. 9. - 임해군이 포로가 되어 왜장 가토에게 넘겨져 고원에 수감됨.	5.2 - 수도 한양이 침략됨. 선조 개성부에서 유숙. 5.7 - 선조 평양 도착. 11.5 - 신성군 졸.
1593 (계사)	선조 26	42세	39세	10세		19세	20세	2.12- 평양성 수복. 2.24- 전라 관찰사 겸 순찰사인 권율이 행주에서 왜적 대파. 4.19- 한양 탈환.	12.21- 인성부원군(寅城府院君) 정철 졸.
1594 (갑오)	선조 27	43세	40세	11세		20세	21세	- 윤근수를 명에 보내 세자 책봉을 주청함.	
1595 (을미)	선조 28	44세	41세	12세		21세	22세	1.15- 빈청의 대신이 세자책봉이 인가 받지 못한 일을 아뢰다.	3.1 - 주청사 윤근수 등이 중국경사에서 황제의 칙서를 가지고 돌아옴.
1597 (정유)	선조 30	46세	43세	14세		23세	24세	1.15- 정유재란 발발.	

서기	왕력	선조	의인왕후	인목왕후	영창대군	광해군	임해군	주요사건	비고
1598 (무술)	선조 31	47세	44세	15세		24세	25세	11.1 - 통제사 이순신이 수군을 거느리고서 적의 구원병을 패퇴하고 전사.	8.18- 도요토미 히데요시(豊臣秀吉) 병으로 졸.
1600 (경자)	선조 33	49세	46세	17세		26세	27세	6.27- 의인왕후 홍(薨).	- 의인왕후 비전 때 후궁의 조카를 첩 삼으려 함.(선조 허락하지 않음).
1602 (임인)	선조 35	51세		19세		28세	29세	7.13- 연흥부원군 김제남의 딸(인목왕후) 선조 계비로 입궁.	- 겨울 궁전이 아기를 잉태하자 유가가 낙태시키려고 여러 가지 방법을 사용함.
1603 (계묘)	선조 36	52세				29세	30세	5.19- 정명공주 탄생(인목왕후 소생). 유가는 대군이 태어났다는 소식을 듣고 걱정하다가 공주가 태어났다는 소식을 듣고 기뻐 선물을 보냄.	
1604 (갑진)	선조 37	53세				30세	31세	- 광해군 세자책봉 내용을 표문으로 지어 중국에 올림.	11.25- 광해군 세자 책봉요청에 관한 예부의 자문.(장유의 질서는 막대한 예이고 세자를 세우는 것은 박중한 예이니 맏아들을 버려두고 작은 아들을 세우는 것은 예의에 어긋남)
1606 (병오)	선조 39	55세			1세	32세	33세	3.6 - 영창대군 탄생(인목왕후 소생). - 광해군이 영창대군을 눈엣가시와 같이 생각하기 시작하여 유가(광해군의 장인)와 도모함.	- 광해군이 선조 후궁의 조카를 첩으로 삼으려 빼어감.
1607 (정미)	선조 40	56세			2세	33세	34세	10. - 선조 병환 시 찬 곳에 앉았던 일을 잊을 수 없다는 불공한 말을 함. 선조 병환 중에 동궁과 빈을 부름.	10.13- 선조가 전섭(傳攝)한다는 전교를 영의정 유영경에게 내림.
1608 (무신)	선조 41 (광해군 즉위년)	57세			3세	34세	35세	2.1 - 선조대왕 정릉동 행궁에서 승하. 2.2 - 인목왕후의 언문교지에 따라 광해군 왕위 등극.	1.18- 정인홍이 유영경이 선조의 전섭 전교를 공포하지 않음의 죄를 묻는 상소를 올림.

서기	왕력	선조	의인왕후	인목왕후	영창대군	광해군	임해군	주요사건	비고
1608 (무신)	선조 41 (광해군 즉위년)	57세			3세	34세	35세	2.25- 선조에게 묘호(대행 대왕의 휘호(徽號)를 소문의무성경달효대왕(昭文毅武聖敬達孝大王)이라고 올리고, 묘호(廟號)는 선종(宣宗)이라고 하고, 전호(殿號)는 영모전(永慕殿)이라고 하고, 능호(陵號)는 숙릉(肅陵)이라고 하였다)를 올림. 3.1 - 정인홍, 이이첨 등 유배에서 풀려나 벼슬에 오름. - 임해군을 죽이라는 상소. - 선조의 소상. - 광해군이 수라를 못 드시니 대비께서 육선을 권함.	1.26- 정언 구혜가 정인홍이 유영경을 모함한다하여 귀양 요청. 2.2 - 명나라에서 조선 세자 책봉 과정에 대한 진상조사단 파견. 2.14- 임해군의 집을 엄히 지키고 출입하는 사람을 금하게 함. 임해군이 집을 나가다 발각되어 비변사에 가둠. 임해군을 진도에 정배. 2.20- 임해군을 강화 교동으로 이배. 2.21- 유영경 문외 송출. 9.5 - 유영경 사사.
1609 (기유)	광해군 1				4세	35세	36세	2.1 - 선조의 소상. - 왕이 처음으로 선조의 능에 배릉. 4.29- 임해군을 위소에서 목 졸라 죽임. 6.2 - 중국의 사신의 칙서를 통해 광해군이 중국으로부터 왕으로 인정받음.	7.13- 선조실록 편찬을 위한 실록청 설치. 10.16- 궁궐공사 완료.
1610 (경술)	광해군 2				5세	36세		2.1 - 선조의 대상. 4.22- 중궁 유씨를 왕비로 책봉. 5.11- 인정전에서 왕세자의 책봉례를 행함.	8.6 - 허준의 『동의보감』 25권 25책 완성.
1611 (신해)	광해군 3				6세	37세		10.4 - 창덕궁으로 이어 함. 10.24- 세자가 친영하는 것을 대비에게 보지 말 것을 권함. 이를 두고 후에 정이 없어 보지 않으셨다고 함.	3.26- 정인홍이 이언적, 이황의 문묘종사를 반대하는 상소를 올림. 4.12- 왕이 성균관 유생 중에 청금록에서 정인홍의 이름을 삭제하라 명함. 4.13- 유생들이 성균관에서 쫓겨남.

서기	왕력	선조	의인왕후	인목왕후	영창대군	광해군	임해군	주요사건	비고
1612 (임자)	광해군 4				7세	38세		6.18- 경평군 생일. 冬 - 유자신의 아내 정씨가 딸과 사위와 함께 궐에 들어와 대비전 저주 음모를 꾸밈.	4. - 나인들의 잔치가 있음. 가희는 병을 빙자하여 오지 않음.
1613 (계축)	광해군 5				8세	39세		4. - 새재(鳥嶺)의 적 박응서 등을 잡음. - 적 서양갑, 역모가 김제남으로부터 나왔다고 진술. 5.16- 박동량의 초사. 선조가 죽을 당시 인목대비의 사주로 궁녀들이 유릉에 저주한 사실을 발설. 5.18- '박동량 초사'라며 대군 보모 상궁과 침실시녀 오씨, 대군 큰 각시 환이를 잡아감. 6.1 - 김제남 사형. 6.13- 시녀 계난이 등 열세명이 임금의 소명장을 받고 잡혀감. 6.14- 대비전 감찰상궁 둘을 잡아감. 6.28- 영창대군의 유모 넷을 잡아감. 7.3 - 왕이 친히 나인 경춘을 국문함. 7. - 수사 명환이 등 여남은 명을 잡아감. 6.21- 영창대군 궁궐을 나감. 8.2 - 영창대군을 강화에 유배. 12. - 대비전 문상궁이 중환이의 꾐에 빠져 영창대군의 안부를 묻는 글월을 쓰기 시작. 12.30- 문상궁의 일이 드러나 옥에 갇힘.	1.4 - 유자신 아내 정씨의 저주 시작. 5.21- 영창대군의 봉작을 삭탈. 6.2 - 유릉에서 저주하였다는 박동량의 말에 대해 엄히 국문할 것을 명함. 6.16- 국무 수연개(水蓮介)가 공초를 받음. 6.21- 영창대군을 여염집으로 내보냄. 7.24- 영창대군을 위리안치 시킴. 8.2 - 영창대군을 강화에 위리안치.

서기	왕력	선조	의인왕후	인목왕후	영창대군	광해군	임해군	주요사건	비고
1614 (갑인)	광해군 6				9세	40세		1.1 - 문상궁의 글월 문제를 추국하기 시작. 2.10- 강화부사 정항이 영창대군 살해. 2.15- 문상궁과 차비 영혜, 색장 시종이를 잡아냄. 3. - 공주 보모상궁 권씨, 시녀 최씨, 차비 춘향이, 대군의 곁 하인 춘단이, 청금이를 잡아냄. - 대비 내관이 대비전 변상궁에게 영창대군의 죽음을 알림. 4. - 내관 박충식이 공주와 대군 계시던 곳을 두루 돌아봄. - 대비전 궐의 세간을 모두 꺼내고 담을 높이고 가시 덤불을 얹고 문에는 첩을 박아 외부와 차단시킴.	9. - 대비전 변상궁이 병이 들어 궐을 나감. 10.20- 은덕이 조카를 천복이 양자로 만들어 대비전에 들여보냄. 12.17- 천복이 대비전 침실 기슭에 불을 놓음.
1615 (을묘)	광해군 7					41세		4.(그믐날)- 대비전 변상궁이 다시 궐에 들어옴.	- 소명국이 신경희, 양시우, 소문진, 김정익 등이 능창군을 추대하려는 모반을 획책하고 있다고 고함. - 능창군 유배.
1616 (병진)	광해군 8					42세			- 김제남 부관 참시.
1617 (정사)	광해군 9					43세		- 이 해 설날과 대비 탄일에 조정에서 문안도 없고 숙배도 하지 않음.	8.13- 경덕궁 역사를 신속하게 할 것을 전교.
1618 (무오)	광해군 10					44세		- 인목 대비 폐위. - 서궁에 유폐. 1.28- 대비의 호칭을 없애고 서궁으로 칭함.	夏 - 서궁에 불이 났으나 문이 닫혀 어려움을 겪음.

서기	왕력	선조	의인왕후	인목왕후	영창대군	광해군	임해군	주요사건	비고
1619 (기미)	광해군 11					45세			4.1 - 경덕궁의 역사를 속히 끝내도록 전교.
1621 (신유)	광해군 13					47세		7. - 포수가 서궁 내장사 밑에서 숙직하고 야경을 돌기 시작. - 서궁에 신인(神人)이 내려와 나인들의 눈에 기특한 일이 많았음.	9.9 - 인경궁 짓는 일을 부지런히 하도록 명함.
1623 (계해)	광해군 15					49세		1.3 - 서궁의 나인을 잡으라는 명에 대비가 슬퍼함. 3.2 - 임해군, 능창군, 진릉군, 영창대군, 연흥부원군의 관작 복구. 3.11- 서궁에서 앓는 사람을 내보내라는 명이 내려짐. 3.12- 인조반정. 3.12- 가죽에다 두 마마귀신을 그리고 붉은 빛 나는 작은 주머니에 죽은 나인의 이름을 써 넣고 산 나인들의 이름은 밖에 써서 내관 편에 보냄. 3.13- 서궁 문 열림. 3.14- 인조 즉위. 광해를 폐하여 군(君)으로 봉함. 3.23- 광해군과 폐세자를 강화에 옮겨 안치. 6.25- 폐세자를 사사(賜死).	4.5 - 박동량의 관작을 삭탈하고 문외송출함. 4.10- 박동량을 위리안치. 4.11- 왕대비가 광해군 죄목 36을 나열. 5.22- 폐세자가 땅굴을 파고 도망치다 붙잡히고 폐빈은 자결. 10.8 - 폐비 유씨 졸. 10.29- 문성군부인 유씨(폐비)의 장사를 지냄.
1624 (갑자)	인조 2					50세		- 광해군 일기 편찬을 위한 실록청 설치.	
1632 (임신)	인조 10			49세		58세		6.28- 인목대비 인경궁 흠명전에서 승하.	

서기	왕력	선조	의인왕후	인목왕후	영창대군	광해군	임해군	주요사건	비고
1641 (신사)	인조 19					67세		7.10- 광해군 승하.	
1685 (을축)	숙종 11							8.9 - 정명공주 졸.	

주요 등장인물

▣ 광해군(光海君)

1575년(선조 8)~1641년(인조 19). 조선 제15대 왕. 재위 1608년~1623년. 본관은 전주(全州). 이름은 혼(琿). 선조의 둘째 아들. 어머니는 공빈 김씨(恭嬪金氏). 비(妃)는 판윤 유자신(柳自新)의 딸이다. 의인왕후 박씨(懿仁王后 朴氏)에게 소생이 없자, 공빈 김씨 소생의 제1왕자 임해군 진(臨海君 珒)을 세자로 삼으려 하였으나 광패(狂悖)하다고 하여 보류하고, 1592년(선조 25) 임진왜란이 일어나자 피란지 평양에서 서둘러 세자에 책봉되었다. 선조와 함께 의주로 가는 길에 영변에서 만약의 사태에 대비해 분조(分朝)를 위한 국사권섭(國事權攝)의 권한을 위임받았다. 그 뒤 7개월 동안 강원·함경도 등지에서 의병모집 등 분조활동을 하다가 돌아와 행재소(行在所)에 합류하였다. 서울이 수복되고 명나라의 요청에 따라 조선의 방위체계를 위해 군무사(軍務司)가 설치되자 이에 관한 업무를 주관하였다. 그리고 1597년 정유재란이 일어나자 전라도에서 모병·군량조달 등의 활동을 전개하였다. 1594년 윤근수(尹根壽)를 파견하여 세자책봉을 명나라에 주청하였으나, 장자인 임해군이 있음을 이유로 거절당하였다. 1608년 선조가 죽자 왕위에 오르고 이듬해 왕으로 책봉되었다. 이에 앞서 1606년 선조의 계비 인목왕후 김씨(仁穆王后 金氏)에게서 영창대군(永昌大君)이 탄생하자, 서자이며 둘째 아들이라는 이유로 영창대군을 후사(後嗣)로 삼을 것을 주장하는 소북(小北)과 그를 지지하는 대북(大北) 사이에 붕쟁이 확대되었다. 1608년 선조가 병이 위독하자 그에게 선위(禪位)하는 교서를 내렸으나 소북파의 유영경(柳永慶)이 이를 감추었다가 대북파의 정인홍(鄭仁弘) 등에 의해 음모가 밝혀져 왕위에 즉위하자 임해군을 교동(喬洞)에 유배하고 유영경을 사사(賜死)하였다. 그는 붕당정치의 폐해를 막기 위해 이원익(李元翼)을 등용하고

초당파적으로 정국을 운영하려 하였으나 대북파의 계략에 빠져 뜻을 이루지 못하였다. 1611년(광해군 3) 이언적(李彦迪)·이황(李滉)의 문묘종사(文廟從祀)를 반대한 정인홍이 성균관 유생들에 의하여 청금록(青衿錄: 儒籍)에서 삭제당하자 유생들을 모조리 퇴관(退官)시켰다. 이듬해에는 김직재(金直哉)의 무옥(誣獄)으로 100여 명의 소북파를 처단하였으며, 1613년 조령에서 잡힌 강도 박응서(朴應犀) 등이 인목왕후의 아버지 김제남(金悌男)과 역모를 꾀하려 하였다는 허위진술에 따라 김제남을 사사하고 영창대군을 서인(庶人)으로 삼아 강화에 위리안치를 하였다가 이듬해 살해하였다. 그는 전란으로 인한 전화(戰禍)를 복구하는 데 과단성 있는 정책을 펴기도 하였다. 1608년 선혜청(宣惠廳)을 두어 경기도에 대동법(大同法)을 실시하고, 1611년 양전(量田)을 실시하여 경작지를 넓혀 재원(財源)을 확보하였으며, 선조 말에 시역한 창덕궁을 그 원년에 준공하고 1619년에 경덕궁(慶德宮: 慶熙宮), 1621년에 인경궁(仁慶宮)을 중건하였다. 이 무렵 만주에서 여진족의 세력이 커져 마침내 1616년 후금(後金)을 건국하자 그 강성에 대비하여 대포를 주조하고, 평안감사에 박엽(朴燁), 만포첨사에 정충신(鄭忠臣)을 임명하여 국방을 강화하는 한편, 명나라의 원병요청에 따라 강홍립(姜弘立)에게 1만여 명을 주어 명나라와 연합하였으나, 부차(富車) 싸움에서 패한 뒤 후금에 투항하게 하여 명나라와 후금 사이에 능란한 양면 외교 솜씨를 보였다. 또한 1609년에는 일본과 일본송사약조(日本送使約條: 乙酉約條)를 체결하고 임진왜란 후 중단되었던 외교를 재개하였으며, 1617년 오윤겸(吳允謙) 등을 회답사(回答使)로 일본에 파견하였다. 또 병화로 소실된 서적의 간행에 노력하여 『신증동국여지승람』 『용비어천가』 『동국신속삼강행실(東國新續三綱行實)』 등을 다시 간행하고, 『국조보감』 『선조실록』을 편찬하였으며, 적상산성(赤裳山城)에 사고(史庫)를 설치하였다. 허균의 『홍길동전』, 허준(許浚)의 『동의보감』 등의 저술도 이때 나왔다. 외래문물로는 담배가 1616년에 류큐[琉球]로부터 들어와 크게 보급되었다. 세자로 있을 무렵부터 폐위될 때까지 성실하고 과단성 있게 정사를 처리했지만, 그의 주위를 에워싸고 있던 대북파의 장막에 의하여 판단이 흐려졌고, 인재를 기용함에 있어 파당성이 두드러져 반대파의 질시와 보복심을 자극하게 되었다. 뒷날 인조반정을 정당화하기 위한 책략과 명분에 의하여 패륜적인 혼군(昏君)으로 규정되었지만, 실은 붕당정치의 소용돌이 속에서 희생되었다고 보아야 할 것이다. 따라서 같은 반정에 의하여 희생된 연산군과는 성격을 달리해야 할 것이다. 묘는 경기도 양주군 진건면 사

능리에 있다.

▣ 김개(金闓)

1582년(선조 15)~1618년(광해군 10). 조선 중기의 문신. 본관은 상주. 자는 계숙(啓叔). 아버지는 우의정 귀영(貴榮)이다. 처음에는 무반으로 출사하여 어모장군(禦侮將軍)이 되었다가 1610년(광해군 2) 알성문과에 갑과로 급제하였다. 1614년 예조참의, 이듬해 동부승지·우부승지 등을 거쳐, 1617년 좌윤에 올랐다. 1614년에는 전주 경기전(慶基殿)의 중건작업에 참여하였으며, 1615년에는 문신정시(文臣庭試)에서 높은 성적으로 상을 받았다. 허균(許筠)의 심복으로서, 1617년에는 인목대비(仁穆大妃)의 폐비를 앞장서서 주장하고, 그 여론을 일으키는 공작을 담당하였다. 1618년 허균이 역모의 혐의를 받고 처형당할 때 심문을 받다 장살(杖殺)되었다. 1678년(숙종 4) 결정적인 단서 없이 죽었다는 김석주(金錫胄)의 주장에 의하여 신원되었다.

▣ 김권(金權)

1549년(명종 4)~1622년(광해군 14). 조선 중기의 문신. 본관은 청풍(淸風). 자는 이중(而中), 호는 졸탄(拙灘). 아버지는 참봉 덕무(德懋)이며, 어머니는 파평 윤씨로 인(麟)의 딸이다. 성혼(成渾)의 문인이다. 1580년(선조 13) 별시문과에 을과로 급제, 헌납(獻納)으로 재임 중에 이이(李珥)를 비난하는 정여립(鄭汝立)을 논박하다가 파직당하였다. 1590년 지평(持平)으로 복직되었으나 이듬해 정철(鄭澈) 등이 축출당할 때 다시 파면되었다. 1592년 임진왜란 때 문학·교리·지평·사간 등을 역임하고, 난이 끝난 뒤 사인(舍人)·수찬(修撰)·직강(直講)·연안부사·사복시첨정 등을 거쳐 호조참판이 되었다. 1612년(광해군 4)에는 임진왜란 때 전주로 광해군을 호종한 공으로 청풍군(淸風君)에 봉해졌다. 1615년 사은사(謝恩使)가 되어 명나라에 다녀온 뒤에는 정치가 문란하여 사직하였다. 1617년 폐모론에 반대하다가 강계로 유배되었으며, 무안으로 이배되어 5년 뒤 그곳에서 죽었다. 인조 때 영의정에 추증되었고, 청풍의 봉강서원(鳳岡書院)과 무안의 송림서원(松林書院) 등에 제향되었다. 시호는 충간(忠簡)이다.

▣ 김덕함(金德諴)

1562년(명종 17)~1636년(인조 14). 조선 중기의 문신. 본관은 상주. 자는 경화(景和), 호는 성옹(醒翁). 아버지는 홍(洪)이다. 어릴 때 부모를 잃었으나, 스스로 문예에 힘써 1588년(선조 21) 진사가 되고 다음해 증광문과에 병과로 급제하였다. 이후 관직생활을 하는 동안 여러 번 이항복(李恒福)의 후원을 받았다. 1592년 임진왜란이 일어나자 연안(延安)에서 초토사 이정암(李廷馣)을 도와 의병을 모집하고 군량을 조달하는 일을 맡았다. 1594년 군공청(軍功廳)이 세워지자 도청(都廳)이 되어 공을 세웠다. 이밖에 예조와 공조의 좌랑과 비변사낭청·호조정랑·직강·사예 등의 중앙관직과 선천·청풍·단천·성천·장단·안주의 지방관을 역임하였다. 광해군 때 군기시저에 이르렀으나 1617년(광해군 9) 인목대비(仁穆大妃)에 대한 폐모론이 일자 이항복·정홍익(鄭弘翼)의 의견을 좇아 반대하다가 남해(南海)에 유배되었으며, 명천·온성·사천 등지에 이배되었다. 1622년 인조반정으로 풀려나 집의와 예조·병조·형조·공조의 참의와 승지·부제학·대사성·대사간·여주목사·춘천부사를 거쳐 1636년 대사헌에 이르렀다. 왕에게 사치를 경계하고 김공량(金公諒)의 신원을 반대하여 인조의 미움을 사기도 하였다. 1627년 정묘호란 때는 호소사(號召使)로 활약하였으며 청나라에 대한 척화를 강력히 주장하였다. 청백리로 뽑혔으며 이조판서에 추증되었다. 사천의 구계서원(龜溪書院), 온성의 충곡서원(忠谷書院), 배천의 문회서원(文會書院), 북청의 노덕서원(老德書院), 안주의 청천사(淸川祠)에 제향되었다. 문집으로 『성우유고』가 전한다. 시호는 충정(忠貞)이다.

▣ 김예직(金禮直)

생몰년 미상. 조선 중기의 무신. 본관은 김해. 자는 문백(文伯). 첨정 희철(希哲)의 아들이며, 광해군의 어머니인 공빈 김씨(恭嬪 金氏)의 남동생이다. 1592년(선조 25) 임진왜란 때 평범한 선비로서 왕을 의주까지 호종하였다. 다음해 무과에 급제, 1604년 평안도 용천군수를 거쳐 1610년(광해군 2) 첨지중추부사(僉知中樞府事)가 되고, 1616년 함경도병마절도사가 되었다. 탐학한 정치가 많아 삭직을 당하였다가 이어 포도대장을 거쳐 삼도수군통제사를 역임하였다. 그는 광해군의 외숙으로 1618년 광해군이 인목대비를 폐위하려고 하자, 이를 극간하다가 파직되었으며, 임해군·영창대군의 옥사 때도 이의 부당함을 주장하다가

쫓겨났다. 1623년 인조반정으로 임금에게 죄를 청하였으나, 광해군 때에 대북파의 무고로 여러 차례 관직을 물러난 사실이 있었음을 가상히 여겨 오히려 상을 내렸다. 시호는 의헌(毅憲)이다.

▣ 김제남(金悌男)

1562년(명종 17)~1613년(광해군 5). 조선 중기의 문신. 본관은 연안. 자는 공언(恭彦). 아버지는 증영의정 오(褀)이며, 어머니는 안동 권씨로 상(常)의 딸이다. 선조의 장인이다. 1585년(선조 18) 사마시에 합격하고 1594년 의금부도사·공조좌랑을 거쳐 1596년 연천현감을 지냈다. 1597년 별시문과에 병과로 급제한 뒤, 1601년 정언·헌납·지평을 거쳐 이조좌랑이 되었다. 1602년 둘째 딸이 선조의 계비(仁穆王后)로 뽑힘으로써 돈녕도정이 되고, 책비(冊妃)되자 영돈녕부사에 연흥부원군(延興府院君)으로 봉해졌다. 1613년 이이첨(李爾瞻) 등에 의해 인목왕후 소생인 영창대군(永昌大君)을 추대하려 했다는 공격을 받아 사사되었으나, 1616년에 폐모론이 일어나면서 다시 부관참시되었다. 1623년 인조반정 뒤에 관작이 복구되고 왕명으로 사당이 세워졌다. 영의정에 추증되었으며, 시호는 의민(懿愍)이다.

▣ 김직재(金直哉)

?~1612년(광해군 4). 조선 광해군 때 옥사로 죽은 사람. 흠(欽)의 아들이다. 선조 때 성균관학록으로 있다가 그만두었다. 1592년(선조 25) 임진왜란이 일어나자 왜적에게 팽살(烹殺)당한 아버지의 원수를 갚는다고 하여 기복종군(起復從軍)하였는데, 토적(討賊)에는 마음을 쓰지 않고 상중의 선비가 고기와 술을 마음대로 먹고 마셔 양반의 체통을 잃었다고 하여 직첩(職牒)이 환수되었다. 광해군 때는 다시 늙은 어머니를 학대했다 하여 돌려받았던 직첩을 다시 환수당하였다. 1612년 아들 백함(白緘)이 왕을 제거하고 진릉군 태경(晉陵郡泰慶)을 추대하려는 역모에 연루되어 능지처사되고 가산이 적몰되었다. 이것이 이른바 김직재의 옥으로 이어지는 대·소북파 사이의 정쟁(政爭)에 당시 불평객이었던 이들 부자가 희생된 무옥(誣獄)이었다.

■ 명종(明宗)

1534년(중종 29)~1567년(명종 22). 조선 제13대 왕, 재위 1545년~1567년. 대양(對陽). 이름 환(峘). 시호 공헌(恭憲). 중종·문정왕후(文定王后)의 둘째 아들이며, 인종의 아우이다. 비(妃)는 청릉부원군(靑陵府院君) 심강(沈鋼)의 딸 인순왕후(仁順王后). 처음에 경원군(慶源君)으로 봉해졌다가, 1545년(인종 1) 경원대군이 되었다. 인종이 죽자 12세로 왕위에 올랐으며, 처음에는 문정왕후가 수렴청정(垂簾聽政)하였다. 문정왕후의 남동생 윤원형(尹元衡) 등 소윤(小尹) 일파가 을사사화를 일으켜, 윤임(尹任) 등의 대윤(大尹) 일파를 몰아내고 정권을 잡았다. 1547년 양재역(良才驛)의 벽서(壁書)사건, 1548년 사관(史官) 안명세(安命世)의 『시정기(時政記)』 필화(筆禍)사건, 1549년 이홍윤(李洪胤)의 옥사(獄事) 등으로 인하여 을사사화 이후 100여 명의 선비들이 참화를 당하였다. 한편 불교를 독신(篤信)하는 문정왕후는, 승려 보우(普雨)를 중용하여 높은 벼슬을 주었고 불교를 중흥시켰다. 1553년 친정(親政)이 시작되나, 문정왕후와 윤원형의 간섭이 여전하였다. 이를 견제하기 위하여, 1563년 비(妃)의 외숙 이량(李樑)을 등용하였다. 그러나 이량도 당파를 조성하여 선비들을 숙청하려 하므로, 기대항(奇大恒)에게 밀계(密啓)를 내려 이들을 추방하였다. 1565년 문정왕후가 죽자 윤원형 일당을 숙청하고, 보우를 장살(杖殺)한 뒤 불교를 탄압하였다. 1552년 황해도 일대에서 소란을 피운 임꺽정(林巨正)을 포살(捕殺)하였다. 1555년 을묘왜변이 일어나 남해안 일대가 소란하였으며, 여진족의 빈번한 침입으로 북쪽지방도 불안하였다. 그러나 수차(水車)를 제조하여 농사일의 편의를 도모하였고, 전함을 건조하여 외침에 대비하였다. 1554년 비변사(備邊司)를 다시 설치하였고, 수륙병(水陸兵)을 관찰사의 지휘 아래 두어 공동출전하게 하는 등 국방대책을 수립하였다. 또 여러 가지 간행(刊行)사업을 전개하여 1548년『속무정보감(續武定寶鑑)』, 1555년 경국대전의 원전(原典)·속전(續典) 등을 간행하였다. 1551년에는 권문세가들이 불법으로 겸병(兼倂)한 토지를 몰수하여, 이를 공정하게 재분배하는 등 치안·국방·문화창달·경제개혁 등에 걸쳐 많은 업적을 남겼다. 능은 양주(楊州)의 강릉(康陵)이다.

■ 문천상(文天祥)

1236년~1282년. 중국 남송의 정치가, 시인. 자 송서(宋瑞)·이선(履善). 호

문산(文山). 장시성[江西省] 지수이현[吉水縣] 출생. 1255년 진사에 수석합격을 하였다. 1259년 몽골군의 쓰촨성[四川省] 침입으로 합주(合州)가 포위되고 천도설이 유력하게 대두되자 지방관으로 있으면서 천도를 강경히 반대하는 글을 올려 그날로 면직되었다. 후에 복직하였으나, 가사도(賈似道)와 의견이 맞지 않아 사직하였다. 이듬해 원(元)나라 군대가 남하하여 수도 임안(臨安)에 다다르자 문관으로서 근왕병(勤王兵) 1만을 이끌고 임안 방위에 급히 참가, 분전(奮戰)하였다. 송(宋)나라가 원나라에 항복하자 공제(恭帝)의 명을 받아 원나라로 가서 강화를 청하였다. 원나라의 총수(總帥) 백안(伯顔)과 회견, 항론(抗論)하다가 구류되었다. 그 동안에 임안은 함락되고, 송나라는 멸망하였다. 포로가 되어 북송(北送)되던 중 탈주하여 푸젠성[福建省] 푸저우[福州]에서 제왕을 칭하고 있던 탁종(度宗)의 장자 익왕(益王)을 받들었다. 잔병(殘兵)을 모아 싸웠으나 광둥성[廣東省] 오파령(五坡玲)전투에서 다시 체포되었다. 독약을 먹고 자살을 기도하였으나 실패하고, 대도(大都: 北京)로 송치되어 3년간 감옥에 갇혔다. 원나라의 세조가 벼슬을 간절히 권하였으나 끝내 거절, 사형되었다. 시(詩)에도 능하여 옥중(獄中)의 작 『정기가(正氣歌)』로 유명하다. 문집에 『문산전집』이 있다.

■ 박동량(朴東亮)

1569년(선조 2)~1635년(인조 13). 조선 중기의 문신. 본관은 반남(潘南). 자는 자룡(子龍), 호는 기재(寄齋)·오창(梧窓)·봉주(鳳洲). 대사헌 응복(應福)의 아들이다. 1589년(선조 22) 진사시에 합격, 이듬해 증광문과에 병과로 급제하고 승문원부정자로 등용되어 검열, 호조·병조의 좌랑 등을 역임하였다. 1592년 임진왜란 때 병조좌랑으로 왕을 의주로 호종(扈從)하였다. 중국어에 능통하여 의주에 주재하는 동안 왕이 중국의 관원이나 장수들을 만날 때는 반드시 곁에 있게 하여 대중외교(對中外交)에 이바지하였으며, 왕의 신임도 두터웠다. 이듬해 동부승지·좌승지를 거쳐 다시 도승지에까지 이르렀다. 1596년 이조참판으로 동지사(冬至使)가 되어 명나라에 다녀오고, 이듬해 정유재란 때는 왕비와 후궁 일행을 호위하여 황해도 수안(遂安)에 진주, 민폐를 제거하고 주민들의 생활을 살폈다. 이어 연안부사·경기도관찰사·강원도관찰사 등을 역임하면서도 전란뒤의 민생회복에 힘을 기울였다. 1604년 호성공신(扈聖功臣) 2등으로 금계

군(錦溪君)에 책봉되고 호조판서에 임명되었다. 1608년 선조가 죽자 수릉관(守陵官)으로 3년간 수묘(守墓)하고, 1611년(광해군 3) 판의금부사가 되었다. 그런데 일찍이 선조 때부터 한응인(韓應寅)·유영경(柳永慶)·서성(徐渻)·신흠(申欽)·허성(許筬)·한준겸(韓俊謙)과 함께 영창대군을 잘 보호하라는 부탁을 받은, 이른바 유교7신의 한 사람으로 대북파(大北派)의 질시 대상이 되었다. 1612년 김직재무옥사건(金直哉誣獄事件)이 일어나자 추관(推官)으로 있던 그가 무고임을 알고 연루자들을 용서하려 하다가 더욱 미움을 받아, 그 뒤 자주 탄핵을 받아 문외출송(門外黜送)당하였다. 곧 풀려나와 복관되었으나 이듬해 계축옥사 때 모반혐의로 심문을 받다가 혐의가 희박하여 극형은 받지 않았는데, 이때 반역관계는 극구 부인하면서 선조가 죽을 당시 인목대비(仁穆大妃)의 사주로 궁녀들이 유릉(裕陵: 懿仁王后의 능)에 저주한 사실은 시인하는 태도를 취하였다. 1623년 인조반정이 일어나자 계축옥사 때 유릉저주사건이 무고임을 알면서도 시인해서 인목대비로 하여금 유폐생활의 곤욕을 치르게 한 죄로 부안에 유배되었다가 4년 뒤 충원으로 옮겨지고, 1632년(인조 10) 전리에 방귀되었다. 뒤에 아들 미(瀰)와 의(漪)의 상언(上言)으로 복관되고, 좌의정에 추증되었다. 김상용(金尙容)·상헌(尙憲) 형제와 친교가 두터웠다. 저서로는 『기재사초』, 『기재잡기(寄齋雜記)』, 『방일유고(放逸遺稿)』 등이 있다. 시호는 충익(忠翼)이다.

▣ 박미(朴瀰)

1592년(선조 25)~1645년(인조 23). 조선 중기의 문신. 본관은 반남(潘南). 자는 중연(仲淵), 호는 분서(汾西). 참찬 동량(東亮)의 아들이며, 선조의 부마이다. 이항복(李恒福)의 문인으로, 1603년(선조 36) 선조의 다섯째 딸인 정안옹주(貞安翁主)와 혼인항여 금양위(錦陽尉)에 봉하여졌다. 1605년 친공신적장자(親功臣嫡長子)의 자격으로 2계(二階)를 초자(超資) 받아 숭덕대부(崇德大夫)에 올랐으나, 사간원의 탄핵을 받기도 하였다. 1613년(광해군 5) 폐모에 관한 논의가 일어났을 때, 아버지가 국구인 김제남(金悌男)과 친교가 깊다 하여 화를 입었다. 자신도 폐모론의 정청(政廳)에 불참하였다 하여 김류(金瑬) 등과 함께 10사(十邪)로 불리면서 관작을 삭탈당하였다. 인조반정 후 1625년(인조 3) 회맹공신(會盟功臣) 책봉 때 구공신적장자(舊功臣嫡長子)로 가자(加資)되었으며, 혜민서제조(惠民署提調)에 서용되었다. 1638년 동지 겸 성절사(冬至兼聖節使)로 청

나라에 다녀온 뒤 금양군(錦陽君)으로 개봉(改封)되었다. 어려서부터 문예에 능하였고, 특히 서도에서 일가를 이루었다. 그의 서법은 중국의 오홍(吳興)을 따랐는데, 지금까지 참판 박이서비(朴彝敍碑), 영흥부사 이수준갈(李壽俊碣) 등의 유필이 남아 있다. 장유(張維)·정홍명(鄭弘溟)과 교유하였다. 조카 세채(世采)가 행장을 짓고, 송시열(宋時烈)이 비명을 지었다.

■ 박순(朴淳)

1523년(중종 18)~1589년(선조 22). 조선 중기의 문신·학자. 본관은 충주. 자는 화숙(和叔), 호는 사암(思菴). 우윤(右尹) 우(祐)의 아들이며, 목사 상(祥)의 조카이다. 1553년(명종 8) 정시문과에 장원한 뒤 성균관전적·홍문관수찬·교리·의정부사인(舍人) 등을 거쳐, 1561년 홍문관응교로 있을 때 임백령(林百齡)의 시호 제정 문제에 관련, 윤원형(尹元衡)의 미움을 받고 파면되어 향리인 나주로 돌아왔다. 이듬해 다시 기용되어 한산군수(韓山郡守)로 선정을 베풀었고, 홍문관직제학·승정원동부승지·이조참의 등을 지냈다. 1565년 대사간이 되어 대사헌 이탁(李鐸)과 함께 윤원형을 탄핵함으로써 포악한 척신 일당의 횡포를 제거한 주역이 되었다. 그 뒤 대사헌·대제학·이조판서·우의정·좌의정 등을 두루 거친 다음 1572년(선조 5) 영의정에 올라 약 15년간 재직하였다. 이이(李珥)가 탄핵되었을 때 그를 옹호하다가 도리어 양사(兩司)의 탄핵을 받고 스스로 관직에서 물러나 영평(永平) 백운산(白雲山)에 암자를 짓고 은거하였다. 일찍이 서경덕(徐敬德)에게 학문을 배워 성리학에 박통하고, 특히 『주역』에 연구가 깊었고, 문장이 뛰어나고 글씨를 잘 썼으며, 시에 더욱 능하여 당시(唐詩) 원화(元和)의 정통을 이었다. 중년에 이황(李滉)을 사사(師事)하였고, 만년에 이이·성혼(成渾)과 깊이 사귀어 '이 세 사람은 용모는 달라도 마음은 하나이다.' 라고 할 정도였으며, 동향의 기대승(奇大升)과도 교분이 두터웠다. 나주 월정서원(月井書院), 광주(光州) 월봉서원(月峰書院), 개성 화곡서원(花谷書院), 영평 옥병서원(玉屛書院)에 제향되었고, 저서로는 『사암집』 7권이 있다. 시호는 문충(文忠)이다.

■ 박승종(朴承宗)

1562년(명종 17)~1623년(인조 1). 조선 중기의 문신. 본관은 밀양. 자는 효

백(孝伯), 호는 퇴우당(退憂堂). 판서 계현(啓賢)의 손자이고, 안세(安世)의 아들이다. 1585년(선조 18)에 진사가 되고, 다음해 별시문과에 병과로 급제하여 1589년 봉교(奉敎), 이어 지제교(知製敎)·병조정랑을 역임하고, 1600년 동지사(冬至使)로 명나라에 갔다. 1604년 부제학, 1607년 병조판서, 1610년(광해군 2) 형조판서를 거쳐 판의금부사(判義禁府事)가 되고, 1618년 우의정으로 도체찰사(都體察使)를 겸하였다. 이어 좌의정이 되고, 이듬해 영의정에 올라 밀양부원군(密陽府院君)에 봉하여졌다. 상위(相位)에 오르자 항상 차고 다니는 주머니 속에 오리알만큼 큰 비상을 넣어두고 말하기를 "불행한 시대를 만나 조석으로 죽기를 기다리는데 어찌 이 물건이 없어서 되겠느냐." 하고 번번이 진정하지 못하고 고요한 방안에 한가히 있으면서 흐느껴 울었다. 앞서 1612년 이이첨(李爾瞻)의 사주로 윤인(尹訒)·이인경(李寅卿) 일당이 경운궁에 난입, 인목대비(仁穆大妃)를 죽이려 할 때 일신의 위협을 돌보지 않고 한결같이 수위(守衛)하여 불측한 변을 방비하였으며, 정청(庭請)하는 날에도 끝까지 불참하였고, 1617년 폐모론(廢母論)이 제기되자 극력 반대하였다. 늘 나랏일을 생각하며 폭음을 하고 말하기를 "내가 술을 즐겨함이 아니고 속히 죽기를 원하여 그러는 것이다." 라고 하였다. 또 시를 짓기를 "한 말로 임금을 깨우칠 수 없고, 만 번 죽어 은혜에 보답하여도 오히려 남음이 있겠네."라고 하였는데, 이 시가 한때 전송(傳誦)되었다. 1623년 인조반정 때 미처 일을 자세히 알지 못하고 황급히 성문을 나갔으나 군사를 모으려는 아들의 행동을 중지시키고, 아들 자흥(自興)의 딸이 광해군의 세자빈(世子嬪)으로서 그 일족이 오랫동안 요직에 앉아 권세를 누린 사실을 자책하여, 아들과 같이 한낮에 목매어 자결하였다. 반정 후 관작이 삭탈되고 가산이 적몰되었으나, 뒤에 신원(伸寃)되었다. 시호는 숙민(肅愍)이다.

■ 박응서(朴應犀)

?~1623년(인조 1). 조선 중기의 문사(文士). 영의정 순(淳)의 서자(庶子)이다. 시문(詩文)에 능하고 학문이 깊은 쟁쟁한 문사였으나 서출(庶出)이어서 출세의 길이 막혀 있었다. 서얼차대(庶孼差待)에 불만을 품고 같은 명문의 서자들인 서양갑(徐羊甲)·심우영(沈友英)·박치의(朴致毅)·박치인(朴致仁)·이경준(李耕俊)·김평손(金平孫) 등과 경변칠우(江邊七友) 또는 죽림칠우(竹林七友)라 자처하며, 여주의 북한강 근처에서 시주(詩酒)로 세월을 보냈으며, 정자(亭

子)의 이름을 무륜당(無倫堂)이라 하였다. 또 이재영(李再榮)·허균(許筠) 등과도 교유하였다. 광해군 즉위 초에 이들이 연명상소(連名上疏)하여 서얼허통(庶孼許通)을 청하였으나 허락되지 않았다. 1612년(광해군 4) 조령(鳥嶺)에서 은상인(銀商人)을 죽이고 6~700냥을 약탈하였다. 이 사실이 발각되어 이듬해 일당과 함께 검거되었다. 이 사건으로 자신의 화를 면하게 해주겠다는 대북파(大北派) 이이첨(李爾瞻) 등의 꾐에 빠져서 영창대군(永昌大君)을 옹립하기 위한 자금을 조달하고자 강탈하였다고 거짓자백을 하였다. 이로 말미암아 영창대군은 강화에 유배되고 인목대비의 아버지이며 영창대군의 외할아버지인 김제남(金悌男)은 사형, 기타 소북파(小北派)들이 숙청당한 계축옥사가 일어났다. 칠서일당(七庶一黨)이 모두 연루되어 치죄되었으나 그 혼자만 죄가 용서되어 석방되었다. 이들의 활약이 〈홍길동전〉의 주제가 되었다고 한다. 1623년 인조반정 때 잡혀 주살되었다.

▣ 박자흥(朴自興)

1581년(선조 14)~1623년(인조 1). 조선 중기의 문신. 본관은 밀양. 자는 인길(仁吉). 초명은 홍립(興立). 영의정 승종(承宗)의 아들이다. 1610년(광해군 2) 별시문과에 병과로 급제하였으나 이때 고시관이 아버지와 장인인 이이첨(李爾瞻)이어서 물의가 분분하였다. 1611년 5월 설서(說書)가 되고, 7월에는 딸이 세자빈으로 책정되자 벼슬이 정 6품인 전적으로 올랐다. 그 뒤 정언·사서·이조정랑·동부승지·형조참의·전라감사·부제학·형조참판 등을 지냈다. 1621년 대사성이 되고 다음해 경기감사로 재직 시에 인조반정이 일어나자 아버지와 함께 군사를 일으키려 하였으나 뜻대로 되지 않자, 함께 과천에 있는 절에서 목을 매어 죽었다. 이이첨의 사위였으나 서로 반목하였고 인목대비(仁穆大妃) 폐비 때에는 형조참판으로 폐비절목(廢妃節目)을 정하는 데 앞장섰고, 딸이 세자빈이 된 뒤 권세를 얻어 민전(民田)을 탈취하고 사치하여 백성들의 원망을 샀다.

▣ 박치의(朴致毅)

생몰년 미상. 조선 중기의 유생. 강변칠우(江邊七友)의 한 사람이다. 충간(忠侃)의 서자이다. 서얼차대(庶孼差待)로 서자는 관리 등용의 길이 막혀 있음에 불만을 품고 동생 치인(致仁)과 함께 명문의 서자들인 박응서(朴應犀)·심우영

(沈友英) · 이경준(李耕俊) · 김평손(金平孫) · 서양갑(徐羊甲) 등과 강변칠우 · 죽림칠우(竹林七友)를 자처하여 여주의 북한강(北漢江) 근처에 무륜(無倫)이라는 정자(亭子)를 짓고 시주(詩酒)로 교우(交友)하다가, 1612년(광해군 4) 조령(鳥嶺)에서 은상인(銀商人)을 죽이고 은 600~700냥을 강탈하였다. 이듬해 모두 체포되었으나, 혼자 도주하여 행방을 감추었다.

■ 서성(徐渻)

1558년(명종 13)~1631년(인조 9). 조선 중기의 문신. 본관은 대구(大邱). 자는 현기(玄紀), 호는 약봉(藥峯). 대제학 서거정(徐居正)의 현손으로, 해(嶰)의 아들이다. 이이(李珥) · 송익필(宋翼弼)의 문인이다. 1586년(선조 19) 별시문과에 을과로 급제하고 권지성균학유(權知成均學諭)가 되었다. 이어 인천부교수(仁川府敎授) · 검열 · 대교(待敎) · 봉교(奉敎) · 전적을 거쳐, 감찰과 예조좌랑을 지냈다. 병조좌랑을 거쳐 1592년 임진왜란이 일어나자 선조를 호종하다가 호소사(號召使) 황정욱(黃廷彧)의 요청으로 그의 종사관(從事官)이 되어, 함경도로 길을 바꾸었다가 국경인(鞠景仁)에 의하여 임해군(臨海君) · 순화군(順和君) · 황정욱 등과 함께 결박되어 왜장 가토 기요마사[加藤清正]에게 가게 되었으나 탈출하였다. 왕의 명령으로 행재소에 이르러 지평 · 병조정랑 · 직강(直講)을 역임하고 명나라 장수 유정(劉綎)을 접대하였다. 다시 지평과 직강을 거쳐 삼남지역(三南地域)에 암행어사로 파견되어 민정을 살피고 돌아온 뒤 전수(戰守)의 계책을 아뢰었다. 이로 인하여 제용감정(濟用監正)으로 승진하고, 경상감사에 발탁되었으나 대간의 반대로 내섬시정(內贍寺正)으로 바뀌었다. 그 뒤 경사우도감사로 내려가 삼가(三嘉) 악견산성(嶽堅山城)을 수리하고 민심을 진정시켰다. 이어 동부승지 · 병조참의 · 비변사유사당상(備邊司有司堂上) · 승문원부제조(承文院副提調)를 겸하였다. 다시 병조참의 · 도승지 · 황해감시 · 함경감사가 되었으나 병으로 사직하고 있다가 평안감사로 나아가 당시 평양의 아전들의 환심을 얻었다. 이어 도승지가 되어 경연에서 이항복(李恒福) · 이덕형(李德馨)을 신구(伸救)하고, 성혼(成渾)과 정철(鄭澈)을 헐뜯는 정인홍(鄭仁弘) 일파를 배척하다가 왕의 미움을 받았다. 이어 판윤(判尹)으로 비변사와 훈련도감의 제조를 겸하고, 형조판서 · 병조판서 · 지중추부사를 거쳐 함경감사로 나갔다. 다시 호조판서로 지의금부사를 겸하다가 경기감사가 되고, 그 뒤 우참찬을 거쳐 개성유

수가 되었다. 1613년(광해군 5) 계축옥사가 일어나자 이에 연루되어 단양에 유배되었다가 다시 영해와 원주 등지로 옮겨지는 등 11년간이나 귀양살이를 하다가, 1623년 인조반정으로 방환되었다. 이어 형조판서·대사헌·경연성균관사를 겸하고, 1624년(인조 2) 이괄(李适)의 난 때 왕을 호종하고 판중추부사·병조판서 등을 역임하였다. 1627년 정묘호란 때도 왕을 강화도까지 호종하였고, 숭록대부(崇祿大夫)로 승격하였다. 학문을 즐겨 이인기(李麟奇)·이호민(李好閔)·이귀(李貴) 등과 남지기로회(南池耆老會)를 조직하여 역학(易學)을 토론하였고, 서화(書畵)에도 뛰어났다. 영의정에 추증되고 대구의 구암서원(龜巖書院)에 제향되었다. 저서로는 『약봉집(藥峯集)』이 있다. 시호는 충숙(忠肅)이다.

▣ 서양갑(徐羊甲)

?~1613년(광해군 5). 조선 중기의 유생. 본관은 부여(扶餘). 강변칠우(江邊七友)의 한 사람으로, 목사 익(益)의 아들이다. 서자 출신으로 어려서부터 재주가 있었으나 서얼차대(庶孼差待)로 관리에 등용되지 못함을 불만으로 여겨오던 중, 같은 서출인 박응서(朴應犀)·심우영(沈友英)·박치의(朴致毅)·박치인(朴致仁)·이경준(李耕俊)·김평손(金平孫) 등과 소양강 부근을 근거로 강변칠우·죽림칠우(竹林七友)를 자처하며 시와 술로 교유하였다. 1612년(광해군 4) 조령(鳥嶺)에서 은상인(銀商人)을 살해하고 은 600~700냥을 강탈하다가 체포되었다. 이때 목숨을 살려준다는 이이첨(李爾瞻)·정인홍(鄭仁弘) 등 대북파의 꾐에 빠져 인목대비(仁穆大妃)의 아버지이자 영창대군(永昌大君)의 외조부인 김제남(金悌男)과 모의하여 영창대군을 옹립하려는 계획을 하였다고 허위진술을 하여 계축옥사를 불러일으키고 자신도 죽임을 당하였다.

▣ 서익(徐益)

1542년(중종 37)~1587년(선조 20). 조선 중기의 문신. 본관은 부여(扶餘). 자는 군수(君受), 호는 만죽(萬竹)·만죽헌(萬竹軒). 아버지는 진사 진남(震男)이며, 어머니는 광주 이씨(廣州 李氏)로 직제학 약해(若海)의 딸이다. 1554년(명종 9) 13세 때 향시(鄕試)에 장원하고, 1564년 생원시에 합격하였다. 1569년(선조 2) 별시문과에 병과로 급제, 병조·이조좌랑, 교리, 사인(舍人)을 역임하고, 외직으로 서천군수·안동부사·의주목사 등을 지냈다. 문장과 도덕, 그리고

기절(氣節)이 뛰어나 이이(李珥) · 정철(鄭澈)로부터 지우(志友)로 인정받았다. 의주목사로 있을 때에는 정여립(鄭汝立)으로부터 탄핵을 받은 이이와 정철을 변호하는 소를 올렸다가 파직되기도 하였다. 의주에서는 이이의 영향을 받아 육조방략(六條方略)으로써 북방을 선무(宣撫)하였으며, 돌아와서는 12책(策)을 올리기도 하였다. 충청남도 은진(恩津)의 갈산서원(葛山書院)에 배향되었다. 저서로는 『만죽헌집(萬竹軒集)』 1권과 시조 2수가 있다.

▣ 서인(西人)

조선 중기의 정파. 15세기 말 이후 중앙에 진출하여 훈구파(勳舊派)의 심한 탄압을 이겨내고 16세기 중엽 선조 즉위 후 중앙정계를 장악한 사림파(士林派)들 가운데서, 훈구정치(勳舊政治)의 인물과 체제를 급격히 청산하려는 후배 관인들인 동인(東人)에 대립한 선배 세대들을 중심으로 성립되었다. 명칭은 분파의 중심인물이었던 심의겸(沈義謙)의 집이 도성 안 서쪽에 있었던 데서 기인하였다.

초기에는 학문적 구심이나 확고한 중심인물이 없었지만, 중립적 입장에 서서 양파의 대립을 조정하려던 이이(李珥)가 동인 일부의 극단적인 주장에 그 노력을 포기하고 서인임을 자처하게 되자 그와 성혼(成渾)이 중심을 이루게 되었다. 선조대 중반까지 적극적인 체제 개혁을 내세운 동인의 공격을 받는 수세적인 입장에 있다가, 1588년(선조 21) 모반을 기도했다는 정여립(鄭汝立)의 옥사를 계기로 정철(鄭澈)이 중심이 되어 동인을 숙청하고 정권을 잡았다. 그러나 정철이 국왕의 후계를 세우자고 건의한 것이 선조의 뜻을 거스르게 되어 곧 실세하였다. 그 후 정치의 주도권을 남인과 북인에게 넘겨 준 상태에 있었으나, 광해군대 북인이 무리한 정책을 추진하면서 입지가 좁아지자 1623년에 무력을 동원하여 인조를 추대함으로써 권력을 장악하였다. 이 사건은 바로 인조반정이다.

인조대에는 공신세력과 일반 사류들의 대립이 계속되어 통일된 정파적 입장을 가지고 정치를 운영하지는 못하였고, 효종 즉위 후에 공신세력을 축출함으로써 강력하게 정치를 주도하게 되었다. 그러나 이때에도 김육(金堉)과 김집(金集)의 대립 등 그 내부에 정치적 입장의 차이는 나타나기 마련이었다. 그 후 현종대 왕실 상례(喪禮)문제 등을 쟁점으로 남인과 크게 대립하였고[禮訟] 숙종대에 들어가서도 계속되는 공방전에 진퇴를 거듭하였으나 1694년의 남인 축

출로 권력을 확고히 함으로써 조선 후기까지 중앙권력은 대개 이들의 후계세력이 장악하였다. 숙종 초기에 이미 그 내부에서 노론(老論)과 소론(少論)이 분파되었고, 영조와 정조의 탕평책(蕩平策) 밑에서 정치세력과 명분의 재편이 이루어졌으므로, 한 정파로서 어느 정도 통일된 입장을 유지한 것은 숙종대가 마지막이라고 할 수 있다.

▣ 선조(宣祖)

1552년(명종 7)~1608년(선조 41). 조선 제14대 왕. 재위 1567년~1608년. 초명은 균(鈞), 뒤에 연(昖)으로 개명하였다. 1552년 11월 11일 한성(漢城) 인달방(仁達坊)에서 출생하였다. 중종의 손자이며, 덕흥대원군(德興大院君) 초(岧)의 셋째 아들이고, 어머니는 증영의정(贈領議政) 정세호(鄭世虎)의 딸인 하동부대부인(河東府大夫人) 정씨(鄭氏)이다. 비는 박응순(朴應順)의 딸 의인왕후(懿仁王后)이며, 계비는 김제남(金悌男)의 딸 인목왕후(仁穆王后)이다. 명종의 사랑을 받았으며 성장하자 하성군(河城君)에 봉해졌고, 1567년 명종이 후사 없이 죽자 즉위하였다. 즉위 초년에 오로지 학문에 정진하여 매일 강연(講筵)에 나가 경사(經史)를 토론하였고, 밤늦도록 독서에 열중하여 제자백가서(諸子百家書)를 읽지 않은 것이 없었으며, 만년에는 특히 『주역』 읽기를 좋아했다. 훈구세력(勳舊勢力)을 물리치고 사림(士林)들을 대거 등용하였으며, 명유(名儒) 이황(李滉)과 이이(李珥) 등을 극진한 예우로 대하여 침체된 정국에 활기를 불러일으키고자 힘을 다하였다. 당시 사유(師儒)를 선발함에 문사(文詞)에만 치중하는 경향이 두드러져 있는 데다 관리를 뽑는데도 오직 과거에 의거하여 선비의 습속이 문장에만 치우치게 되어 이러한 병폐를 없애기 위하여 학행(學行)이 뛰어난 사람을 발탁하여 각 고을을 순행하며 교회(教誨)에 힘쓰도록 하였다. 한편 유일(遺逸)을 천거하도록 하여 징사(徵士) 조식(曺植)·성운(成運) 등 유능한 인재는 관계(官階)에 구애받지 않고 초서(超敍)하기도 하였으며, 『유선록(儒先錄)』·『근사록(近思錄)』·『심경(心經)』·『소학』 등 치도(治道)에 관계되는 서적과 윤기(倫紀)를 부식(扶植)하기 위하여 『삼강행실(三綱行實)』을 짓도록 하고 이것을 모두 간행하여 널리 읽히도록 하였다. 또 기묘사화 때 화를 당한 조광조(趙光祖)에게 증직(贈職)하는 등 억울하게 화를 입은 사림들을 신원(伸寃)하고 그들에게 해를 입힌 남곤(南袞) 등의 관작을 추탈하여 민심을 수습

하기도 하였으며, 을사사화를 일으켜 윤임(尹任)·유관(柳灌) 등을 죽이고 녹훈(錄勳)의 영전(榮典)까지 받았던 이기(李芑)·윤원형(尹元衡) 등을 삭훈(削勳)하였다. 또한, 명나라 『대명회전(大明會典)』 등 중국의 역사에 이성계(李成桂)가 고려의 권신(權臣) 이인임(李仁任)의 후예라는 그릇된 사실이 선조대까지 200년간이나 전해 내려온 것을 윤근수(尹根壽) 등을 사신으로 보내어 시정하도록 하였다. 그러나 선조대에 들어와 정국을 주도하던 사림들이 1575년(선조 8)에 이르러 김효원(金孝元)·심의겸(沈義謙)을 각각 중심인물로 하는 당쟁이 시작되어 동인(東人)·서인(西人)으로 분당되었으며, 정론(政論)이 둘로 갈라져 조정이 시끄러워졌고, 이이의 양파조정에도 별로 효과를 보지 못하다가 1591년 세자책봉문제로 집권한 동인도 서인들에 대한 논죄문제로 남북으로 다시 분열되어 정계는 당쟁에 휘말려 국력은 더욱 쇠약해졌다. 1583년과 1587년 2회에 걸쳐서 이탕개(李蕩介)가 주동이 된 야인(野人)들이 반란을 일으켜 경원부가 함락되고 부내(府內)의 모든 진보(鎭堡)가 그들의 손에 들어가자 온성부사 신립(申砬)과 첨사 신상절(申尙節) 등을 시켜 그들을 무너뜨리고 두만강을 건너 그들의 소굴을 소탕시켰다. 1590년 일본의 동태가 수상하여 통신사 황윤길(黃允吉), 부사 김성일(金誠一) 등을 일본에 파견하여 그곳 동향을 살펴오게 하였으나, 다음해 돌아온 두 사람이 서로 상반된 보고를 함으로써 국방대책을 제대로 세우지 못하고 있던 중, 1592년 4월에 임진왜란이 일어나 부산진을 필두로 각 고을이 무너지고 왜군이 침략한 지 보름 만에 서울도 위급하게 되자 수성(守城)의 계획을 포기하고 개성으로 물러갔다가 적이 한강을 건너 도성이 무너지자 다시 평양으로 퇴각했으며, 임진강의 방어선도 무너지자 의주로 피난하여 고급사(告急使)를 명나라에 보내어 원병을 청하고, 세자 광해군(光海君)으로 하여금 분조(分朝)를 설치하게 하여 의병과 군량을 확보하는데 열중하도록 하였다. 각처에서 의병이 봉기하여 적의 후방을 위협하였고 무기력하였던 관군도 전력을 가다듬어 각처에서 승첩(勝捷)을 거두고, 바다에서 이순신(李舜臣) 등 우리 수군이 제해권(制海權)을 완전 장악하였고, 명나라 원군이 와서 우리 관군과 함께 빼앗겼던 평양성을 수복하였다. 권율(權慄)의 행주대첩으로 적의 사기가 꺾여 1593년 4월에 강화를 조건으로 한성에서 철수하여 남으로 퇴각하자 이해 10월 왕이 환도하였다. 다음해 훈련도감을 설치하여 군사훈련을 강화시키고 투항해온 왜군으로 하여금 조총(鳥銃)쏘는 방법과 탄환 만드는 기술을 관군에게 가르치도록 하였다. 임진왜란 초기에는 왜군을 격퇴하는 것이 급선무였으

므로 군공사목(軍功事目)을 규정하여 군공을 세운 자는 신분에 따라 응분의 논공(論功)을 시행하는 등 비상 책을 강구하였는데, 전쟁이 장기화되고 명나라 원군이 오랜 기간 머물게 되어 군량미조달이 심각한 국면에 이르게 되자 납속(納粟)을 한 자에게도 납속사목(納粟事目)을 규정한 논공을 실시하도록 하였다. 군공을 세운 자나 납속한 자는 논공을 할 때 주로 공명첩(空名帖)이나 실직(實職)을 주었으므로 하층 신분을 가진 자가 양반으로 격상되는 일이 허다하여 조선 후기 신분변화의 계기를 마련해주었다.

임진왜란 중에 굶어 죽는 사람이 속출하고 심지어 사람끼리 서로 잡아먹는 일까지 있어 백성들의 생활이 극도에 이르게 되자 매일 왕에게 공급되는 쌀의 양을 줄여서 굶주리는 사람을 진휼하는데 보태도록 하였으며, 곳곳에 산재한 유해(遺骸)를 수집해서 단을 설치하고 제사를 올리게끔 하였다. 1597년 명나라와 일본 간에 진행되던 강화회담이 깨어지고 재차 왜군이 침입하자(丁酉再亂), 또 명나라에 원병을 청하는 한편 관군의 정비를 촉구하였다. 왜란 중에 3궁(三宮)이 소진되고 귀중한 전적(典籍)을 보관한 춘추관(春秋館)이 불타서 귀중한 도서가 소실된 것을 애석해 하며 각처에 흩어져 있는 서적들을 거두어 모아 운각(芸閣)에 보관하도록 하였으며, 불타서 없어진 문묘(文廟)에 설단(設壇)하고 제사를 드려 전쟁 중에도 윤기(倫紀)의 소중함을 대내외에 알렸다. 궁궐이 불타서 왕이 정릉동(貞陵洞) 행궁(行宮)에 거처를 정하고 있을 때 실의에 잠긴 선조는 불에 탄 옛 궁궐터에 초가를 얽어 옮기려고 하였으며, 명나라 장수가 왕의 거처가 초라함을 보고 궁궐의 영건(營建)을 권하였으나 왜군의 깊은 원수를 갚기 전에는 지을 수 없음을 분명히 하였다. 정유재란 때 우리 수군함대가 부산에 총집결하자 이를 염려하고 병(兵)은 뜻하지 않은 곳에 나올 수 있는 것이니 부산에만 강한 군사를 집결시킬 것이 아니라 호남지역도 소홀해서는 안 되며 육지에도 험한 곳에 군대를 배치하는 것이 계책임을 역설하였다는데 그 추측은 들어맞았다. 두 대비 모시기를 친어머니 섬기듯 효도가 지극하였고, 성품이 본디 검소하여 화려한 것을 좋아하지 않았으며, 성색(聲色)이나 오락에 괘념하지 않았고, 음식과 의복도 절제하여 비빈이나 궁인들이 감히 사치하지 못하였다. 항상 절용(節用)하고 농민들의 노고를 생각하여 한 톨의 낟알을 땅에 떨어뜨리는 것도 용납하지 않았다. 왜란이 끝난 뒤 164년에 호성(扈聖)·선무(宣武)·청난(淸難) 등의 공신을 녹훈하여 전쟁의 마무리를 짓고 전후복구사업에 힘을 기울였으나, 흉년이 거듭되고 동인·서인의 당쟁은 더욱 격심해져서 커다란 시

련을 받게 되었다. 더욱이, 왕이 죽기 직전에 측근을 불러 적자 영창대군을 보필해달라는 유언은 뜻을 이루지 못하고 바로 광해군이 즉위하자 영창대군의 수명을 단축하는 결과가 되었다. 서화에 뛰어났는데, 명나라 이여송(李如松)이 그것을 알고 선조의 어필(御筆)을 받기를 청하였으나 이를 거절하였다. 능은 목릉(穆陵)이며 전(殿)은 영모전(永慕殿), 시호는 소경(昭敬)이다.

■ 세종(世宗)

1397년(태조 6)~1450년(세종 32). 조선 제4대 왕. 제위 1418년~1450년. 휘는 도(祹), 자는 원정(元正), 시호는 장헌(莊憲). 태종의 셋째 아들. 1408년(태종 18) 왕세자에 책봉, 그 해 8월 즉위하니 나이 22세였다. 세종은 내치·외교·문화 등 여러 방면으로 크게 치적을 올려 조선왕조의 기틀을 더욱 튼튼히 하였다. 왕은 즉위한 뒤 정음청(正音廳)을 두어 훈민정음을 창제하고, 집현전(集賢殿)을 설치, 국내의 우수한 학자를 총망라하여 학문을 강론케 하였고, 활자를 개량하여 학자들을 지도해서 많은 책을 편찬케 하였으니, 친히 지은 〈월인천강지곡(月印千江之曲)〉을 비롯하여 〈용비어천가(龍飛御天歌)〉, 〈농사직설(農事直說)〉, 〈고려사(高麗史)〉, 〈삼강행실도(三綱行實圖)〉, 〈팔도지리지(八道地理志)〉, 〈치평요람(治平要覽)〉, 〈석보상절(釋譜詳節)〉, 〈의방유취(醫方類聚)〉 등이 대표적인 것이었다. 불교를 개혁하고 불서의 간행과, 과거에 승과(僧科)를 설치하는 등 불교 발달에도 도움을 주었다. 전제상정소(田制詳定所)를 두어 전제·세제를 정비, 〈경제육전(經濟六典)〉을 반포하여 농업을 장려하는 한편, 측우기를 친히 고안하고, 장영실(蔣英實)·이천(李蕆) 등을 시켜 해시계·물시계·혼천의(渾天儀) 등 각종 과학기구를 발명·제작하여 천체를 측정하고, 역서(曆書)를 만들었고, 박연(朴堧)으로 하여금 음악을 정리 아악의 기초를 확립하여 악보를 제작케 했다. 밖으로는 북변 국경 지대를 크게 개척하여 두만강 변에 6진(鎭)을, 압록강 상류에 4군(郡)을 설치하고 남방의 주민을 이주시켜 국방을 튼튼히 하였으며, 일본에 대해서는 세견선(歲遣船)을 허락, 삼포(三浦)를 개항하는 등 회유정책을 써서 오랫동안 수교가 계속되었다. 능은 영릉(英陵)이다.

▣ 소헌왕후(昭憲王后)

1395년(태조 4)~1446년(세종 28). 본관 청송(青松). 청천부원군(青川府院君) 심온(沈溫)의 딸. 1408년(태종 8)에 가례를 올리고 경숙옹주(敬淑翁主)에 봉해졌다. 1417년에 삼한국대부인(三韓國大夫人)에 봉해졌으며, 경빈(敬嬪)에 진봉(進封)되었다가 공비(恭妃)로 개봉되었고, 1432년(세종 14)에 왕비로 승봉(陞封)되었다. 아버지 심온이 역적으로 몰려 한때 왕후의 지위가 위태로웠으나 비(妃)로서의 내조의 공이 컸으므로 무사하였다. 문종·세조 등 8남 2녀의 소생이 있었다. 1452년(문종 2)에 휘호 선인제성(宣仁齊聖)이 추상(追上)되었고, 능은 영릉(英陵: 驪州)이다.

▣ 신종(神宗)

1563년~1620년. 신종(神宗) 만력황제(萬曆皇帝)는 명(明)나라 제13대 황제로 이름이 주익균(朱翊鈞)이고, 목종(穆宗)의 셋째 아들이다. 재위 1572년~1620년. 목종이 병사한 후 황위를 계승하여 48년간 재위하였으며 58세에 병사하였다. 장지는 정릉(定陵: 지금의 북경시 13릉)에 있다.

주익균은 어릴 때부터 매우 총명하여 일찍이 목종의 사랑을 받고 태자로 책봉되었다. 1572년 윤 3월에 목종이 병사하자 그는 동년 6월 갑자일(甲子日)에 황제에 즉위하였으며, 그 이듬해에 연호를 “만력(萬曆)”으로 개칭하였다. 신종은 불과 10세의 어린나이로 황제에 즉위하였기 때문에 고공(高拱), 장거정(張居正), 고의(高儀) 등이 정무를 잘 보좌하였다. 특히 장거정은 신종의 학문을 지도하면서 유능한 대신을 선발하여 그에게 치국의 도리를 교육하게 하였다. 그리고 전국의 토지를 측량하여 “일조편법(一條鞭法: 田賦, 丁役 등 여러 세역을 一條로 간편하게 하여 은납제로 징수한 세법)”을 추진하고, 관리들의 행정업무 정돈과 불필요한 인원의 감축, 황하(黃河) 치수사업을 성공적으로 이끌어 정치적 위기를 무사히 극복하고 정국을 안정시켰다.

그러나 신종은 성년이 되어 친정을 펴면서 궁궐의 정원을 수축하는 등 대단위 토목공사를 일으키고 주색에 탐닉하여 정사를 팽개쳤다. 게다가 장거정의 죽음으로 개혁이 중단되면서 조정은 또다시 보수적으로 돌아갔으며 국력은 쇠퇴의 길로 접어들었다. 신종은 재물에 눈이 먼 탐욕스런 군주였기에 갖은 방법을 동원하여 백성들의 재물을 탈취하였다. 그는 환관들을 광감세리(鑛監稅吏)

에 임명한 후 그들을 사방으로 파견하여 백성들의 재물을 착취해 오게 하였다. 이에 조정 내부에서는 광감세리를 파면해야 한다는 여론이 들끓어 당쟁이 끊이지 않았다.

신종의 탐욕으로 극히 부패해진 명나라 조정은 마침내 국고가 탕진되는 위기를 맞이하였다. 이러한 기회를 틈타 1616년(만력 44) 동북지역에서는 누르하치(努爾哈赤)가 만주 여진족의 각 부락을 통일한 후 후금(後金)을 세우고 명나라와 대치하였다. 이로써 명 왕조는 이미 멸망의 조짐이 보이기 시작했다. 후세 역사가들은 명의 멸망 이유를 신종에게 있다고 평한다. 1620년 7월 신종은 병이 들어 보름간 식음을 전폐하다 8월 병신일(丙申日)에 향년 57세로 세상을 떠났다.

만력황제는 생전에 자신의 무병장수를 기원하기 위하여 직접 지하궁전 정릉을 수축할 구상을 하였다고 한다. 정릉은 지하 깊이 27m, 총면적 1195㎡으로 전부 돌로 이루어진 아치형 건축이다. 지하궁전은 전(前), 중(中), 후(後), 좌(左), 우(右) 5개의 크고 넓은 전당(殿堂)으로 연결되어 있다. 중전(中展)에는 한백옥(漢白玉)으로 조각한 3개의 보좌(寶座)가 놓여 있고, 좌전(左殿)과 우전(右殿)에는 관을 놓은 침상만 있고 관은 없으며, 후전(後殿)에는 만력황제와 효단황후(孝端皇后), 효정황후(孝靖皇后)의 관(모형 관)이 놓여 있다. 또 지하궁전 안에는 두 개의 전청(殿廳)이 있는데, 첫 번째 진열장에는 주로 만력황제와 두 황후에 대하여 소개하고 대량의 출토 문물과 일부 모형품을 진열해 놓고 있다. 두 번째 진열장에는 대부분 일상용품들을 진열해 놓고 있다.

▣ 신흠(申欽)

1566년(명종 21)~1628년(인조 6). 조선 중기의 문신. 본관은 평산(平山). 자는 경숙(敬叔), 호는 현헌(玄軒)·상촌(象村)·현옹(玄翁). 아버지는 개성도사 승서(承緖)이며, 어머니는 은진 송씨(恩津 宋氏)로 좌참찬 인수(麟壽)의 딸이다. 송인수와 이제민(李濟民)의 문하에서 수학하였으며, 1585년(선조 18) 진사시와 생원시에 차례로 합격하고 1586년 승사랑(承仕郎)으로서 별시문과에 병과로 급제하였으나, 1583년에 외숙인 송응개(宋應漑)가 이이(李珥)를 심히 비판하는 탄핵문을 보고 "이이는 사림(士林)의 중망을 받는 인물이니 심하게 비난하는 것은 불가하다."고 한 말로 인하여 당시의 정권을 장악한 동인으로부터 이

이의 당여라는 배척을 받고 겨우 종9품직인 성균관학유에 제수되었으며, 곧 경원훈도(慶源訓導)로 나갔다가 광주훈도(廣州訓導)를 거쳐 사재감참봉이 되었다. 1589년 춘추관 관원에 뽑히면서 예문관봉교·사헌부감찰·병조좌랑 등을 역임하였다. 1592년 임진왜란의 발발과 함께 동인의 배척으로 양재도찰방(良才道察訪)에 좌천되었으나 전란으로 부임하지 못하고, 삼도순변변사(三道巡邊使) 신립(申砬)을 따라 조령전투에 참가하였고, 곧 도체찰사(都體察使) 정철(鄭澈)의 종사관으로 활약하였으며, 그 공로로 지평으로 승진되었다. 1593년 이조좌랑에 체직 송유진(宋儒眞)의 옥사를 다스리고 그 공로로 가자되면서 사복시첨정으로 승진하였으며, 곧 집의에 초수(超授)되었다. 같은 해 광해군의 세자책봉을 청하는 주청사 윤근수(尹根壽)의 서장관(書狀官)이 되어 명나라에 다녀와 그 공로로 군기시정에 제수되었다. 1595년 함경도 어사와 의정부사인을 거쳐 장악원정·성균관사예·종부시정·세자시강원필선·홍문관전한을 차례로 역임하였다. 1599년 선조의 총애를 받아 장남 익성(翊聖)이 선조의 딸인 정숙옹주(貞淑翁主)의 부마로 간택됨과 함께 동부승지에 발탁되었고, 같은 해 형조참의 겸 승문원부제조를 거쳐 병조참지·우부승지·이조참의·예조참의·대사간·병조참의를 역임하였다. 1601년『춘추제씨전(春秋諸氏傳)』을 합찬한 공으로 가선대부(嘉善大夫)에 승자되고 곧 예문관제학이 되었다. 1602년 충무위부호군(忠武衛副護軍)으로 좌천되었다가 곧 오위도총부부총관을 거쳐 예조참판에 발탁되었고, 그 뒤 병조판서·홍문관부제학·성균관대사성·도승지·예문관제학 등을 차례로 역임하였다. 1604년에 자헌대부(資憲大夫)에 오르면서 한성부판윤이 되었고, 그 뒤 병조판서·예조판서·상호군·경기관찰사 등을 역임하였다. 1608년(광해군 즉위년) 선조애책문(宣祖哀冊文)을 짓고 한성부판윤·예조판서를 역임하였다. 이듬해 세자의 책봉을 청하는 주청시가 되어 명나라에 다녀왔으며 그 공로로 숭정대부(崇政大夫)에 승자되었고, 1610년에는 동지경연사·동지성균관사·예문관대제학을 겸대하였다. 그러나 1613년 계축옥사가 일어나자 선조로부터 영창대군(永昌大君)의 보필을 부탁받은 유교칠신(遺敎七臣)으로서 이에 연루되어 파직되었다. 1616년 인목대비(仁穆大妃)의 폐비 및 이와 관련된 김제남(金悌男)에의 가죄(加罪)와 함께 다시 논죄된 뒤 춘천에 유배되었다가 1621년에 사면되었다. 1623년(인조 1) 3월 인조의 즉위와 함께 이조판서 겸 예문관·홍문관의 대제학에 중용되었고, 같은 해 7월 우의정에 발탁되었으며, 1627년 정묘호란이 일어나자 좌의정으로서 세자를 수행하고 전주에 피란하였으며, 같은 해 9월

영의정에 올랐다가 죽었다. 그는 일찍이 부모를 여의었으나 학문에 전념하여 벼슬하기 전부터 이미 문명을 떨쳤고, 벼슬에 나가서는 서인인 이이와 정철을 옹호하였으므로 동인의 배척을 받았으나, 장중하고 간결한 성품과 뛰어난 문장으로 선조의 신망을 받으면서 항상 문한직(文翰職)을 겸대하고 대명외교문서의 제작, 시문의 정리, 각종 의례문서의 제작에 참여하는 등 문운의 진흥에 크게 기여하였다. 또한, 사림의 신망을 받음은 물론, 이정구(李廷龜)·장유(張維)·이식(李植)과 함께 조선 중기 한문학의 정종(正宗) 또는 월상계택(月象谿澤)으로 칭송되었다. 묘는 경기도 광주군에 있다. 1651년(효종 2) 인조묘정정에 배향되었고, 강원도 춘천의 도포서원(道浦書院)에 제향되었다. 저서·판서로는 『상촌집』, 『야언(野言)』 등과 〈현헌선생화도시(玄軒先生和陶詩)〉, 〈낙민루기(樂民樓記)〉, 〈고려태사장절신공충렬비문(高麗太師壯節申公忠烈碑文)〉, 〈황화집령(皇華集令)〉 등이 있다. 시호는 문정(文貞)이다.

■ 심희수(沈喜壽)

1548년(명종 3)~1622년(광해군 14). 조선 중기의 문신. 본관은 청송(青松). 자는 백구(伯懼), 호는 일송(一松) 혹은 수뢰루인(水雷累人). 정자(正字) 건(鍵)의 아들이며, 인순왕후(仁順王后)의 종제이고, 이연경(李延慶)의 외손자이다. 노수신(盧守愼)의 문인으로, 1570년(선조 3) 진사시에 합격하여 성균관에 들어갔다. 이 해 이황(李滉)이 죽자 성균관을 대표하여 장례에 참여하였고, 1572년 별시문과에 병과로 급제하여 승문원(承文院)에 보임되고 1583년 호당(湖堂)에 뽑혀 사가독서(賜暇讀書)하였다. 1589년 헌납으로 있을 때 정여립(鄭汝立)의 옥사가 확대되는 것을 막으려다 조정과 뜻이 맞지 않아 한때 사임하였다가 이듬해 부응교가 되었다. 1591년에는 응교로서 선위사(宣慰使)가 되어 동래에서 일본사신을 맞았으며, 이어 간관이 되어 여러 차례 직언을 하다가 선조의 비위에 거슬려 사성으로 전직되었다. 1592년 임진왜란 때는 의주로 선조를 호종하여 도승지로 승진하고, 대사헌이 되었다. 때마침 명나라 조사(詔使)가 오자 다시 도승지가 되어 응접하였는데, 그가 중국어를 잘 하였기 때문이다. 이 해 겨울 형조판서를 거쳐 호조판서가 되어 명나라 경략(經略) 송응창(宋應昌)의 접반사(接伴使)가 되어 오래도록 서도(西道)에 있었으며, 송응창을 설득하여 관서의 기민구제(饑民救濟)에 진력하였다. 1599년 예문관제학·예조판서를 거쳐 이조

판서가 되고, 홍문관·예문관의 대제학을 겸하고서 안으로는 사명(辭命)을 장악하고 밖으로는 접빈(接賓)에 힘썼다. 좌찬성·우찬성 등을 거쳐 우의정에 올랐으며, 청백리(淸白吏)에 뽑혔다. 1606년 성균관에서 익명의 투서가 나왔는데, 선조가 이를 색출하기위하여 유생들의 심문을 고집하자 그는 불가함을 말하여 뜻을 관철시켰으며, 그해 가을에 좌의정에 올랐다. 이듬해 선조의 생부인 덕홍대원군(德興大院君)을 추숭하려 하자 예전(禮典)에 어긋남을 강력하게 표하여 그 논의를 중지시켰다. 1607년 선조가 죽고 광해군이 즉위하자 다시 좌의정으로 입상(入相)하였다. 그러나 권신 이이첨(李爾瞻) 등이 국정을 장악하여 임해군(臨海君)을 극형에 처하여 하자 이의 부당함을 주장하였다. 1613년(광해군 5) 계축옥사가 일어나 부원군 김제남(金悌男)이 죽고 이이첨 등이 영창대군(永昌大君)을 옥사의 주모자로 몰아 해치려 하자 이항복(李恒福)·이덕형(李德馨) 등과 강력하게 그 부당성을 논하였으나 뜻을 이루지 못하였다. 이듬해에 영창대군의 처형은 인륜에 어긋나며, 그 가해자인 강화부사 정항(鄭沆)을 참수하라고 주장하다가 광해군의 노여움을 산 정온(鄭蘊)을 적극 변호하여 귀양에 그치게 하였다. 1615년 영돈녕부사(領敦寧府事)로 있을 때 명나라에 사신으로 다녀온 허균(許筠)과 중국 야사(野史)에 나타난 종계문제(宗系問題)로 다투다가 궐외로 축출되고 이듬해 폐모론이 다시 일자 둔지산(屯之山)에 은거하여 『주역』을 읽고 시를 읊으며 자신의 지조를 지켰다. 1620년 판중추부사에 임명되었으나 끝내 나가지 않았다. 문장에 능하고 글씨를 잘 썼다. 저서로는 『일송집』이 있다. 상주의 봉암사(鳳巖祠)에 제향되었다. 시호는 문정(文貞)이다.

▣ 영창대군(永昌大君)

1606년(선조 39)~1614년(광해군 6). 선조의 적자(嫡子). 본관은 전주(全州). 이름은 의(㼁). 어머니는 인목왕후(仁穆王后)로 연흥부원군(延興府院君) 김제남(金悌男)의 딸이다. 그는 선조의 열네 명의 아들 중 유일한 정비소생으로 왕의 특별한 총애를 받았다. 선조는 임진왜란이 일어나자 권정례(權停例: 절차를 다 밟지 아니하고 거행하는 의식)로 공빈 김씨(恭嬪 金氏) 소생 광해군을 세자로 책봉하였다. 그러나 그 뒤 정비의 소생인 영창대군이 태어나자 선조는 세자 개봉(改封)의 생각을 가지게 되었는데, 당시 실권을 잡고 있던 유영경(柳永慶)을 위시한 소북파(小北派)는 이 뜻에 영합하려 하였으나, 선조의 갑작스런 사

망으로 실현되지 못하였는데 왕은 죽으면서 대신들에게 영창대군을 돌봐달라는 유교(遺敎)를 내려 뒷일을 부탁하였다. 이 사실로 광해군을 지지하던 이이첨(李爾瞻) 등 대북파의 미움을 받게 되었다. 그러던 중 1613년(광해군 5)에 소양강을 무대로 시주(詩酒)를 즐기던 서양갑(徐羊甲)·박응서(朴應犀) 등 7명의 서출들이 역모를 꾸몄다 하여 이른바 '7서의 옥'이 일어났는데, 이이첨 등은 이 역모사건에 그들이 영창대군을 옹립하고 영창의 외조부 김제남도 관계한 것으로 진술을 유도하였다. 이 결과로 영창대군은 서인으로 강등되어 강화도에 위리 안치되었다. 그 뒤 조야에서는 끊임없는 구원의 상소 등이 연이었고, 형제의 의를 따지는 전은설(全恩說)과 여덟 살박에 안 된 유자(幼子)라는 이유로 그를 비호하였으나, 대북파의 계속된 요구로 그 이듬해 봄에 이이첨 등의 명을 받은 강화부사 정항(鄭沆)에 의하여 증살(蒸殺)되었다. 1623년 인조반정 후 관작이 복구되었다.

▣ 유영경(柳永慶)

1550년(명종 5)~1608년(광해군 즉위년). 조선 중기의 상신(相臣). 본관은 전주(全州). 자는 선여(善餘), 호는 춘호(春湖). 참봉 의(儀)의 아들이며, 예조참판 영길(永吉)의 동생이다. 1572년(선조 5) 춘당대문과(春塘臺文科)에 병과로 급제하여 정언등 청요직(淸要職)을 역임하였다. 1592년 임진왜란이 일어나자 사간으로서 초유어사(招諭御使)가 되어 많은 의병을 모집하는 활약을 보였고, 1593년에 황해도순찰사가 되어 해주에서 왜적을 맞아 60여 급을 베는 공을 세웠다. 그 공로로 행재소(行在所)에서 호조참의에 올랐다. 1594년에 황해도관찰사가 되었고, 1597년 정유재란 때에 지중추부사(知中樞府事)로서 가족을 먼저 피란시켰다는 혐의로 파직되었다가 이듬해 병조참판에 서용되었다. 당론이 일어날 때에는 유성룡(柳成龍)과 함께 동인에 속하여 있었는데, 동인이 다시 남인·북인으로 갈라지자 이발(李潑)과 함께 북인에 가담하였다. 1599년 대사헌으로 있을 때에 남이공(南以恭)·김신국(金藎國) 등이 같은 북인인 홍여순(洪汝諄)을 탄핵하면서 대북·소북으로 갈리자, 그는 유희분(柳希奮) 등과 함께 남이공의 당이 되어 영수가 되었다. 이때 그는 대북파에 밀려 파직되었다가 1602년 이조판서에 이어 우의정에 올랐는데, 대북파의 기자헌(奇自獻)·정인홍(鄭仁弘) 등과 심한 마찰을 빚었고 뒤이어 세자문제로 더욱 분란을 일으켰다. 1604년 호성공신

(扈聖功臣) 2등에 책록되고, 전양부원군(全陽府院君)에 봉하여진 뒤 선조에게 존호를 올리고 윤승훈(尹承勳)의 뒤를 이어 영의정에 올랐다. 1606년 선조 즉위 40주년 행사를 앞당겨 하례(賀禮)하고 증광시(增廣試)까지 실시하여 즉위 때와 같이 경축하게 하는 등 왕의 총애를 굳히려 하였다. 오랫동안 집권하여 그의 권력이 증대되고, 그에게 뇌물공여도 횡행하였다. 그 뒤 같은 소북파인 남이공과 불화하여 그는 탁소북(濁小北)으로 분파하였으며, 선조 말년에 왕의 뜻을 따라 영창대군(永昌大君)을 광해군에 대신하여 옹립하려 하였다. 1608년 선조는 죽기 전에 영창대군을 부탁하였는데, 그는 그 유교칠신(遺敎七臣)의 한 사람이었다. 광해군이 즉위하자 그는 대북 이이첨(李爾瞻)·정인홍의 탄핵을 받고 경흥에 유배되었다가 사사(賜死)되었다. 유생의 명단인 청금록(靑衿錄)에서 그의 이름이 삭제되기도 하였다. 1623년 인조반정으로 관작이 복구되었다.

■ 유자신(柳自新)

1541년(중종 36)~1612년(광해군 4). 조선 중기의 문신. 본관은 문화(文化). 자는 지언(止彦). 아버지는 공조판서 잠(潛)이며, 어머니는 증호조참판 정승렴(鄭承廉)의 딸이다. 광해군의 장인이며, 이담(李湛)의 문인이다. 1564년(명종 19) 진사시에 합격, 태릉참봉을 거쳐 돈녕부직장(敦寧府直長)·내자시주부(內資寺主簿)·평강현감·호조좌랑·김포현령 등을 역임하고, 1579년(선조 12) 형조정랑·김제군수를 거쳐 1585년 장악원첨정 겸 내승(掌樂院僉正兼內乘)이 되었다. 1587년 셋째 딸이 왕자군 부인이 되니 이가 후일 광해군의 비다. 1589년 정여립(鄭汝立)의 옥사가 일어나자 특명으로 안악현감에 임명되어 역도들을 잡아 처리하고, 광주목사(廣州牧使)에 제수되었다. 1592년 임진왜란이 일어나 대가(大駕)를 호종하고 평양에서 묘사주(廟社主)를 모시고 광해군을 따라 강원도방면으로 나갔다가 그해 겨울 성천으로 나왔는데 특명으로 동지돈녕부사에 제수되었다. 그 뒤 성천부사·개성유수에 이어 한성부우윤으로 있을 때인 1598년 명군을 구타한 사건으로 파직되었다. 그 뒤 한성판윤·도총부도총관 등을 지냈으며 1608년 광해군이 즉위하자 보국숭록대부 영돈녕부사 문양부원군(輔國崇祿大夫領敦寧府事 文陽府院君)에 진봉되었다. 그러나 평소와 다름없이 근신하고 권문세자로 행세하는 일이 없었다. 1610년(광해군 2) 기로소에 들어갔다. 인조반정 때 관작과 봉호가 추탈되었으며, 아들 희분(希奮)·희발(希發)·희량(希亮) 등

은 처형, 유배되었다.

▣ 유희량(柳希亮)

1575년(선조 8)~1628년(인조 6). 조선 중기의 문신. 본관은 문화(文化). 자는 용경(龍卿), 호는 제교(霽嶠)·봉음(峯陰). 국구(國舅) 문양부원군(文陽府院君) 자신(自新)의 아들이다. 1603년(선조 36) 사마시에 합격하여 생원이 되고, 1608년(광해군 즉위년) 별시문과에 을과로 급제하여, 검열을 거쳐 설서·정언·전한 등을 역임하였다. 이어 이조정랑·교리·수찬을 역임하였고, 지평·사인을 거쳐 직제학에 이르렀다. 1610년 분승지(分承旨)·사복시정(司僕寺正)을 역임하고 예조참판이 되었다. 1623년(인조 1) 인조반정으로 집안이 주살 또는 유배될 때 그도 거제도에 유배되었다. 1628년 귀양가있던 아들 두립(斗立)과 조카 효립(孝立)의 모약사건에 연좌되어 유배지에서 교살되었다. 글씨를 잘 썼다.

▣ 유희분(柳希奮)

1564년(명종 19)~1623년(인조 1). 조선 중기의 문신. 본관은 문화(文化), 자는 형백(亨伯), 호는 화남(華南)이다. 아버지는 광해군의 장인인 문양부원군(文陽府院君) 자신(自新)이며, 어머니는 좌의정 정유길(鄭惟吉)의 딸이다. 남행(南行)으로 관직에 올랐다. 1592년(선조 25) 임진왜란 때 익찬(翊贊)으로 세자를 호종하였다. 1597년 별시문과에 급제하여 예조좌랑이 되었다. 1599년 수찬으로 있을 때 유성룡(柳成龍)을 탄핵했다가 민몽룡(閔夢龍)이 그 부당함을 들어 그를 문책함으로써 오히려 자신이 파직당하였다. 1601년 세자시강원 문학에 등용되었고, 1602년 응교 겸 교서관교리로서 춘추관 편수관이 되어 임진왜란 때 소실된 역대 실록의 재간행에 참여하였다. 그 뒤 정언(正言)·이조좌랑·사서 등을 거쳐 1603년 사옹원정(司饔院正)이 되고 다음해 응교(應教)·전한(典翰) 등을 역임하고 1607년 사성, 이듬해 직제학·동부승지 등을 지냈다. 광해군이 즉위하자 왕의 처남으로 그의 일문이 요직을 차지하였다. 예조참판이 된 유희분은 이이첨(李爾瞻) 등과 함께 소북(小北)의 유영경(柳永慶) 일파를 탄핵하여 숙청한 뒤 정인홍(鄭仁弘)과 함께 대북에 가담하여 정권을 장악하였다. 그 후 대사간·도승지와 이조·병조·형조의 참판 등 요직을 두루 맡았다. 임해군(臨海君)·영창대군(永昌大君) 등을 무고하여 죽이는 데 가담한 공으로 문창부원군

(文昌府院君)에 봉하여졌으며, 1612년(광해군 4) 시인 권필(權韠)을 무고하여 유배당하게 하였다. 1617년(광해군 9) 병조판서로 있으면서 이이첨·박승종(朴承宗) 등과 인목대비(仁穆大妃)를 폐위시키기 위하여 대북에 속한 언관·유생들을 동원하여 폐모론을 일으켰다. 이 해 11월 반대파를 물리치고 인목대비를 서궁에 유폐시키는 데 성공하고, 이에 반대하는 관료·서인·유생들을 모두 투옥하거나 유배하는 등 횡포를 자행하다가, 1623년 인조반정이 성공함으로써 붙잡혀 참형을 당하였다.

▣ 윤인(尹訒)

1555년(명종 10)~1623년(인조 1). 조선 중기의 문신. 본관 파평(坡平). 자 인지(之). 1601년(선조 34) 생원이 되고, 식년문과에 급제, 관관이 되었다. 1605년 형조좌랑을 거쳐, 장악원첨정으로 『선조실록』 편찬에 참여하였다. 1612년 장령·필선이 되었으며, 이이첨(李爾瞻) 등의 사주를 받아 영창대군(永昌大君)의 생모 인목왕후의 유폐(幽廢)를 주장하였는데, 김효성(金孝誠) 등의 탄핵을 받고 삭직되었다. 다시 판교로 기용되어 집의·동부승지 등을 역임하였다. 1618년(광해군 10) 대사간으로 있을 때, 대사헌 이각(李覺)과 함께 다시 폐모론을 내세워 서인(庶人)으로 만들고, 서궁(西宮)에 유폐시켰다. 1623년 인조반정 때 이이첨 등과 함께 주살되었다.

▣ 의인왕후(懿仁王后)

1555년(명종 10)~1600년(선조 33). 조선 제14대왕 선조의 비. 본관은 나주(羅州). 반성부원군(潘城府院君) 박응순(朴應順)의 딸이다. 1569년(선조 2) 왕비에 책봉되어 가례(嘉禮)를 행하였고, 1590년 장성황후(章聖王后)의 존호를 받았다. 죽은 뒤 1604년 휘열(徽烈), 1610년(광해군 2) 정헌(貞憲)의 존호가 가상(加上)되었다. 소생은 없고, 능호는 목릉(穆陵)이다.

▣ 이덕형(李德馨)

1561년(명종 16)~1613년(광해군 5). 조선 중기의 문신. 본관은 광주(廣州). 자는 명조(明甫), 호는 한음(漢陰)·쌍송(雙松)·포옹산인(抱擁散人). 지중추부

사 민성(敏聖)의 아들이며, 영의정 이산해(李山海)의 사위이다. 어려서부터 재주가 있고 침착하였으며, 문학에 통달하여 어린 나이로 양사언(楊士彦)과 막역한 사이였다. 1580년(선조 13) 별시문과에 을과로 급제하여 승문원(承文院)의 관원이 되었으며, 재주 있는 신하로 선발되어 선조로부터 서적을 하사받았다. 1582년 명나라에서 조사(詔使)로 온 왕경민(王敬民)이 그를 만나려 하였으나 사사로이 면대함은 도리에 어긋남을 들어 사양하였다. 이에 왕경민은 만나보지 못함을 아쉬워하며 그의 인격이 출중함을 칭찬하는 글귀를 저하였다. 이어 정자를 거쳐 1583년에 사가독서(賜暇讀書)를 하였고, 이듬해 서총대(瑞葱臺)의 응제(應製)에서 수석에 선발되었고, 이로부터 여러 차례에 걸쳐 수석을 차지하였다. 그 뒤 부수찬·저언·부교리를 거쳐 이조좌랑이 되었고, 1588년 이조정랑으로서 일본사신 겐소[玄蘇] 등을 접대하여 그들의 존경을 받았다. 1590년 동부승지·우부승지·부제학·대사간·대사성 등을 차례로 역임하고, 이듬해 예조참판이 되어 대제학을 겸하였다. 1592년 임진왜란이 일어나 북상중인 왜장 고니시 유키나가[小西行長]가 충주에서 그와 만날 것을 요청하자, 이를 받아들여 단기(單騎)로 적진으로 향하였으나 목적을 이루지 못하였다. 왕이 평양에 당도하였을 때 왜적이 벌써 대동강에 이르러 화의를 요청하자, 그는 단독으로 겐소와 회담하고 대의로써 그들의 침략을 공박하였다. 그 뒤 정주까지 왕을 호종하였고, 청원사(請援使)로 명나라에 파견되어 명군의 파병을 성취시켰다. 돌아와 대사헌이 되어 명군을 맞이하였으며, 이어 한성판윤으로 명장 이여송(李如松)의 접반관(接伴官)이 되었는데, 전란 중 줄곧 그와 행동을 같이하였다. 1593년 병조판서, 이듬해에는 이조판서로 훈련도감당상을 겸하였다. 1595년 경기·황해·평안·함경 4도 체찰부사가 되었으며, 1597년 정유재란이 일어나자 명나라 어사 양호(楊鎬)를 설복시켜 서울의 방어를 강화하는 한편, 스스로 명군과 울산까지 동행, 그들을 위무(慰撫)하였다. 그해에 우의정에 승진되고 이어 좌의정에 올라 훈련도감제조를 겸하였다. 이어 명나라 제독 유정(劉綎)과 함께 순천에 이르러 통제사 이순신(李舜臣)과 함께 적장 고니시의 군사를 대파하였다. 1601년 행판중추부사(行判中樞府事)로 경상·전라·충청·강원 4도체찰사를 겸하여 전란 뒤의 민심수습과 군대의 정비에 노력하였으며, 대마도정벌을 건의하였으나 뜻을 이루지 못하고 이듬해 영의정에 올랐다. 1604년 이항복(李恒福)이 그의 공을 들어 호성관신(扈聖功臣)에 녹훈할 것을 건의하였으나 본인의 사양과 그를 시기하는 자의 반대로 책록되지 못하였다. 1606년 영중추부사가 되었다가, 1608

년 광해군이 즉위하자 진주사(陳奏使)로 명나라에 다녀와서 다시 영의정이 되었다. 1613년(광해군 5) 이이첨의 사주를 받은 삼사에서 영창대군(永昌大君)의 처형과 폐모론을 들고 나오자 이항복과 함께 이를 극력 반대하였다. 이에 삼사가 모두 그를 모함하며 처형할 것을 주장하였으나, 광해군은 관직을 삭탈함으로써 이를 수습하였다. 그 뒤 용진(龍津)으로 물러가 국사를 걱정하다 병으로 죽었다. 남인 출신으로 북인의 영수 이산해의 사위가 되어 남인과 북인의 중간 노선을 지키다가 뒤에 남인에 가담하였다. 어렸을 때 이항복과 절친한 사이로 기발한 장난을 잘하여 많은 일화가 전해지고 있다. 글씨에 뛰어났고, 포천의 용연서원(龍淵書院), 상주의 근암서원(近巖書院)에 제향되었다. 저서로 『한음문고(漢陰文稿)』가 있다. 시호는 문익(文翼)이다.

▣ 이원익(李元翼)

1547년(명종 2)~1634년(인조 12). 조선 중기의 문신. 본관은 전주(全州). 자는 공려(公勵), 호는 오리(梧里). 한성부 유동(楡洞) 천달방(泉達坊) 출신. 태종의 아들 익녕군 치(益寧君 袳)의 4세손으로, 억재(億載)의 아들이다. 키가 작아 키 작은 재상으로 널리 불렸다. 15세에 동학(東學: 4학중의 하나)에 들어가 수학하여 1564년(명종 19)에 사마시에 합격하고, 1569년(선조 2) 별시문과에 병과로 급제하여 그 이듬해 승문원권지부정자로 활동하였다. 사람과 번잡하게 어울리기를 좋아하지 않았고, 공적인 일이 아니면 외출도 잘 하지 않는 성품이었다. 유성룡(柳成龍)이 일찍부터 그의 비범함을 알고 있었다고 한다. 정자・저작 겸봉상직장을 거쳐 1573년 성균관전적이 되었으며, 그해 2월 성절사 권덕여(權德輿)의 질정관(質正官)으로 북경(北京)에 다녀왔다. 그 뒤 호조・예조・형조의 좌랑을 거쳐 그 이듬해 가을 황해도도사에 임명되었다. 이 시기에 병적(兵籍)을 정비하면서 실력을 발휘하였는데, 특히 이이(李珥)에게 인정되어 여러 차례 중앙관으로 천거되었다. 1575년 가을 정언이 되어 중앙관으로 올라온 뒤, 지평・헌납・장령・수찬・교리・경연강독관・응교・동부승지 등을 역임하였다. 1583년 우부승지로 있을 때 도승지 박근원(朴謹元)과 영의정 박순(朴淳)의 사이가 좋지 않아 왕자사부 하락(河洛)으로부터 승정원이 탄핵을 받은 바 있었는데, 다른 승지들은 도승지 박근원과 영의정 박순의 불화문제에서 기인된 것이라고 주장하고 화를 면하려 하였으나, 그는 다른 승지와는 달리 동료를 희생시

키고 자신만이 책임을 면할 수 없는 일이라고 상주하여 파면되어 5년간 야인으로 있었다. 그 뒤 1587년 이조참판 권극례(權克禮)의 추천으로 안주목사에 기용되었다. 그는 양곡 1만여 석을 청하여 기민을 구호하고 종곡(種穀)을 나누어 주어 생업을 안정시켰다. 또, 병졸들의 훈련근무도 연 4차 입번(入番)하던 제도를 6번입번제로 고쳐 시행하였다. 이는 군병을 넷으로 나누어 1년에 2개월씩 하게 함으로써 백성들의 부담을 경감시킨 것이다. 이 6번입번제도는 그 뒤 순찰사 윤두수(尹斗壽)의 건의로 전국적인 병제로 정해지게 되었다. 그리고 이 안주지방에는 뽕을 심어 누에 칠 줄을 몰랐는데, 그가 권장하여 백성들로부터 이공상(李公桑: 이원익에 의하여 계발된 蠶桑이라는 뜻)이라는 별명까지 얻었다. 그 뒤 임진왜란 전까지 형조참판·대사헌·호조와 예조판서·이조판서 겸 도총관·지의금부사 등을 역임하였다. 임진왜란이 발발하자 이조판서로서 평안도도순찰사의 직무를 띠고 먼저 평안도로 향하였고, 선조도 평양으로 파천하였으나 평양이 위태롭게 되자 영변으로 옮겼다. 이때 겨우 3,000여 명으로 평양을 수비하고 있었는데 당시 총사령과 김명원(金命元)의 군통솔이 잘 안되고 군기가 문란함을 보고, 먼저 당하에 내려가 김명원을 원수(元帥)의 예로 대함으로써 군의 질서를 확립하였다. 평양이 실함되자 정주로 가서 군졸을 모집하고, 관찰사 겸 순찰사가 되어 왜병토벌에 전공을 세웠다. 1593년 정월에 이여송(李如松)과 합세하여 평양을 탈환하고 그 공로로 숭정대부(崇政大夫)에 가자되었으며, 선조가 환도한 뒤에도 평양에 남아서 군병을 관리하였다. 1595년에 우의정 겸 4도체찰사로 임명되었으나, 주로 영남체찰사영에서 일하였다. 이때 명나라의 정응태(丁應泰)가 경략(經略) 양호(楊鎬)를 중상모략한 사건이 발생하여 조정에서는 명나라에 보낼 진주변무사(陳奏辨誣使)를 인선하고 있었는데, 당시 영의정 유성룡에게 "내 비록 노쇠하였으나 아직도 갈 수는 있지만, 다만 학식이나 언변은 기대하지 말라." 하고 자원하였다. 그러나 정응태의 방해로 소임을 완수하지 못하고 귀국하였다. 귀국 후 선조로부터 많은 위로와 칭찬을 받았고 영의정에 임명되었다. 그러나 당시 이이첨(李爾瞻) 일당이 유성룡을 공격하여 정도(正道)를 지켜온 인물들이 모두 내몰림을 다하자 이를 상소하고 병을 이유로 사직하고 나오지 않았다. 그 뒤 중추바사에 임명되었다가 그해 9월 영의정에 복직되었다. 이때 정영국(鄭榮國)과 채겸길(蔡謙吉)이 홍여순(洪如諄)·임국로(任國老)를 두둔하면서 조정대신을 공격하였는데 그는 붕당의 폐해로 여기고 이의 근절을 요구하였고, 또 선조가 세자에게 양위하려는 것을 극력 반대하고 영상직을

물러났다. 1600년에 다시 좌의정을 거쳐 도체찰사에 임명되어 영남지방과 서북지방을 순무하고 돌아왔다. 1604년에 호성공신(扈聖功臣)에 녹훈되고 완평부원군(完平府院君)에 봉해졌다. 광해군 즉위 후에 다시 영의정이 되었는데, 그는 전쟁복구와 민생안정책으로 국민의 부담을 경감시키기 위하여 김육(金堉)이 건의한 대동법(大同法)을 경기도지방에 한하여 실시하여 토지 1결(結)당 16두(斗)의 쌀을 공세(貢稅)로 바치도록 하였다. 광해군이 난폭해지자 신변의 위험을 무릅쓰고 대비에 대한 효도, 형제간의 우애, 여색에 대한 근신, 국가재정의 절검 등을 극언으로 간쟁하였고, 임해군(臨海君)의 처형에 극력 반대하다가 실현되지 못하자 병을 이유로 고향으로 내려갔다. 정조(鄭造)·윤인(尹訒) 등에 의하여 대비폐위론이 나오자, 그는 가족의 만류를 뿌리치고 극렬한 어구로 상소문을 초하여, 홍천으로 유배되었으며, 뒤에 여주로 이배되었다. 1623년(인조 1) 인조반정으로 광해군이 축출되고 인조가 즉위하자 제일 먼저 영의정의 부름을 받았으며, 광해군을 죽여야 한다는 여론이 높아지자, 인조에게 자신이 광해군 밑에서 영의정을 지냈으므로 광해군을 죽여야 한다면 자신도 떠나야 한다는 말로 설복하여 광해군의 목숨을 구하기도 하였다. 1624년 이괄(李适)의 난 때에는 80세에 가까운 노구로 공주까지 왕을 호종하였으며, 1627년 정묘호란 때에는 도체찰사로 세자를 호위하여 전주로 갔다가 강화도로 와서 왕을 호위하였으며, 서울로 환도하여 훈련도감제조에 제수되었다. 그러나 고령으로 체력이 쇠하여 사직을 청하고 낙향하였으며, 그 뒤 여러 차례 왕의 부름이 있었으나 응하지 않았다. 성품이 소박하고 단조로워 과장이나 과시할 줄을 모르고, 소임에 충실하고 정의감이 투철하였다. 다섯 차례나 영의정을 지냈으나 그의 집은 두어 칸짜리 오막살이 초가였으며, 퇴관 후에는 조석거리조차 없을 정도로 청빈하였다 한다. 인조로부터 궤장(几杖)을 하사받았다. 저서로는 『오리집』, 『속오리집』, 『오리일기』 등이 있으며, 가사로 〈고공답주인가(雇貢答主人歌)〉가 있다. 인조의 묘정(廟廷)에 배향되었다. 시호는 문충(文忠)이다.

▣ 이위경(李偉卿)

1586년(선조 19)~1623년(인조 1). 조선 중기의 문신. 본관은 전의(全義). 자는 장이(長而). 판서 준민(俊民)의 손자로, 유훈(有訓)의 아들이며, 어머니는 조응공(趙應恭)의 딸이다. 1605년(선조 38) 진사가 되고, 1613년(광해군 5) 계

축옥사가 일어나자 성균관 유생으로서 앞장서 윤인(尹訒)·정조(鄭造) 등과 연이어 소를 올려 인목대비가 안으로 무고를 일으키고 밖으로 역모에 응하였음을 주장하고 폐출할 것을 청하였으나, 대사헌 최유원(崔有源)·이지완(李志完) 등의 반대로 실패하였다. 그해에 증광문과에 을과로 급제, 예문간검열에 등용되고 정언을 거쳐 1618년 동부승지·우승지를 역임하고, 이듬해 대사간이 되었다. 1620년 좌승지·예조참의를 지냈고, 1622년 이이첨(李爾瞻)의 사주로 강원도관찰사 백대형(白大珩)과 결탁하여 경운궁(慶運宮)에 유폐된 인목대비를 시해하고자 하였으나 실패하였다. 조정의 삼사관원과 유생들로부터도 중죄를 내리도록 많은 탄핵을 받았다. 1623년 인조반정이 일어나자 이이첨·백대형·정조·윤인 등과 함께 능지처참되고 동시에 연좌율(緣坐律)이 적용되어 가산이 적몰되고 가족들도 노비로 전락하였다.

■ 이이첨(李爾瞻)

1560년(명종 15)~1623년(인조 1). 조선 중기의 문신. 본관은 광주(廣州). 자는 득여(得與), 호는 관송(觀松)·쌍리(雙里). 좌찬성 극돈(克墩)의 후손이며, 우선(友善)의 아들이다. 1582년(선조 15) 사마시에 합격하고, 1593년 광릉참봉(光陵參奉)을 지냈으며, 이때 어머니의 상을 당하여 그 거상(居喪)을 극진히 함으로써 효자의 정문이 세워졌다. 이듬해 별시문과에 을과로 급제하여, 전적(典籍)에 승진한 뒤 사가독서(賜暇讀書)하였다. 1599년 이조정랑이 되고, 1608년 문과중시에 장원하였다. 이때 선조의 후사문제(後嗣問題)로 대북·소북이 대립하자, 대북의 영수로 정인홍(鄭仁弘)과 짜고 광해군의 옹립을 주장하면서 당시 선조의 뜻을 받들어 영창대군(永昌大君)을 옹립하려는 유영경(柳永慶) 등 소북을 논박하였다. 이로 인하여 선조의 노여움을 사서 갑산에 유배를 당하게 되었는데, 이해 2월에 선조가 갑자기 죽고 광해군이 즉위함으로써 일약 예조판서에 올랐다. 이어 대제학을 겸임하고 광창부원군(廣昌府院君)에 봉하여졌다. 권세를 장악한 그는 정인홍과 함께 자기 심복을 끌어들여 대북의 세력을 강화하는 한편, 임해군 진(臨海君 珒)과 유영경을 사사(賜死)하게 하는 등 소북일파를 숙청하였다. 1612년(광해군 4) 김직재(金直哉)의 무옥(誣獄)을 일으켜 선조의 손자 진릉군 태경(晋陵君 泰慶) 등을 죽이고, 이듬해 강도죄로 잡힌 박응서(朴應犀) 등을 사주, 그로 하여금 영창대군을 옹립하려 하였다고 무고하게 하

여 영창대군을 서인(庶人)으로 떨어뜨려 강화에 안치하게 하고 김제남(金悌男) 등을 사사하게 하였다. 이듬해 영창대군을 살해하고, 1617년 인목대비(仁穆大妃)에 대한 폐모론을 발의하여 이듬해 대비를 서궁(西宮)에 유폐하는 등 생살치폐(生殺置廢)를 마음대로 자행하였다. 1623년 인조반정으로 광해군이 폐위되자 가족을 이끌고 영남지방으로 도망가던 중 광주의 이보현(利甫峴)을 넘다가 관군에게 잡혀 참형당하였다. 아들 원엽(元燁)·홍엽(弘燁)·대엽(大燁) 삼형제도 처형되었다.

▣ 이제신(李濟臣)

1536년(중종 31)~1584년(선조 17). 조선 중기의 문신. 본관은 전의(全義). 자는 몽응(夢應), 호는 청강(淸江). 병마사 문성(文誠)의 아들이며, 영의정 상진(尙震)의 손자사위이다. 어려서부터 영민하여 7세 때에 시를 지어 사람들을 놀라게 하였다. 조식(曺植)이 한 번 보고서 기이하게 여겼다. 17세 때 용문산으로 조욱(曺昱)을 찾아가 학업을 닦고, 1558년 식년문과에 을과로 급제, 승문원 권지정자에 보임되었다. 이어서 예문관검열·성균관전적·형조정랑·공조정랑·호조정랑을 역임하였다. 선조가 즉위하여서는 예조정랑으로서 『명종실록』 편찬에 참여하였고, 사헌부감찰·사간원정언·사헌부지평을 지냈다. 오상상(吳祥常)이 신망하여 사은사의 종사관으로 선발, 명나라에 다녀왔다. 1571년(선조 4) 울산군수가 되어서는 아전들의 탐학을 근절시키고, 백성들의 불편을 없애는 데 힘썼다. 1578년 진주목사가 되어 선정을 펴서 공이 많았는데, 이 때 토호들의 모함으로 병부(兵符)를 잃고 벼슬을 사임, 향리에 은거하였다. 1581년 강계부사로 다시 등용되고, 이어서 함경북도병마절도사가 되었으나, 1583년 여진족 니탕개(尼湯介)가 쳐들어와 경원부가 함락되자, 패전의 책임을 물어 의주 인산진(麟山鎭)에 유배되었다가 그곳에서 죽었다. 시문에 능하고 글씨는 행서·초서·전서·예서에 모두 뛰어났다. 1584년 경연관 이우직(李友直)의 특칭으로 신원되어 병조판서에 추증되었다. 청백리에 책록되었다. 양근의 미원서원(迷原書院), 청주의 송천서원(松泉書院)에 제향되었다. 저서로 『청강집』 『청강소설』 『진성잡기(鎭城雜記)』 등이 있으며, 작품으로는 과천의 〈상붕남묘비(尙鵬南墓碑)〉와 〈이현령인손묘갈(李縣令仁孫墓碣)〉 등이 있다. 시호는 평간(平簡)이다.

▣ 이항복(李恒福)

1556년(명종 11)~1618년(광해군 10). 조선 중기의 문신. 본관은 경주(慶州). 자는 자상(子常), 호는 필운(弼雲)·백사(白沙). 고려의 대학자 제현(齊賢)의 후손으로 참참 몽량(夢亮)의 아들이다. 오성부원군(鰲城府院君)에 봉군되었기 때문에 이항복이나 백사보다는 오성대감으로 널리 알려졌고, 특히 죽마고우인 이덕형(李德馨)과의 기지와 작희(作戱)에 얽힌 허다한 이야기로 더욱 잘 알려져 있다. 9세 때 아버지를 여의고 어머니 슬하에서 자랐는데 소년시절에는 부랑배의 우두머리로서 헛되이 세월을 보냈으나 어머니의 교훈에 영향을 받고 학업에 열중하였다. 1571년(선조 4)에 어머니를 여의고, 삼년상을 마친 뒤 성균관에 들어가 학문에 힘써 명성이 높았다. 영의정 권철(權轍)의 아들인 권율(權慄)의 사위가 되었다. 1575년에 진사초시에 오르고 1580년 알성문과에 병과로 급제하여 승문원부정자가 되었다. 이듬해에 예문관검열이 되었을 때 마침 선조의『강목(綱目)』강연(講筵)이 있었는데, 고문을 천거하라는 왕명에 따라 이이(李珥)에 의하여 이덕형 등과 함께 5명이 천거되어 한림에 오르고, 내장고(內臟庫)의 『강목』한 질씩을 하사받고 옥당에 들어갔으며 1583년에 사가독서의 은전을 입었다. 그 뒤 옥당의 정자·저작·박사, 예문관봉교·성균관전적과 사간원의 정언 겸 지제교·수찬·이조좌랑 등을 역임하였다. 1589년 예조 정랑으로 있을 때 역모사건이 발생하였는데 문사낭청(問事郎廳)으로 친국에 참여하여 선조의 두터운 신임을 받았다. 신료 사이에 비난이나 분쟁이 있을 때 삼사에 출입하여 이를 중재하고 시비를 공평히 판단, 무마하였기 때문에 그의 덕을 입은 사람도 많았다. 대사간 이발(李潑)이 파당을 만들려 함을 공박하였다가 비난을 받고 세 차례나 사직하려 하였으나 선조가 허락하지 않고 특명으로 옥당에 머물게 한 적도 있었다. 그 뒤 응교·검상·사인·전한·직제학·우승지를 거쳐 1590년에 호조참의가 되었고, 정여립(鄭汝立)의 모반사건을 처리한 공로로 평난광신(平難功臣) 3등에 녹훈되었다. 그 이듬해 정철(鄭澈)의 논죄가 있었는데, 모든 사람들이 자신에게 화가 미칠 것이 두려워 정철을 찾지 않았으나, 그는 좌승지의 신분으로 날마다 그를 찾아가 담화를 계속하였다. 이에 정철사건의 처리를 태만히 하였다는 공격을 받고 파직되었다. 이때 대간의 공격이 심했으나 대사헌 이원익(李元翼)의 적극적인 비호로 진정되었다. 1592년 임진왜란이 일어나자 왕비를 개성까지 무사히 호위하고, 또 왕자를 평양으로, 선조를 의주까지 호종

하였다. 그 동안 그는 이조참판으로 오성군에 봉해졌고, 이어 형조판사로 오위도총부도총관을 겸하였으며 곧이어 대사헌 겸 홍문관제학·지경연사·지춘추관사·동지성균관사·세자좌부빈객·병조판서 겸 주사대장(舟師大將)·이조판서 겸 홍문관대제학·예문관대제학·지의금부사 등을 거쳐 의정부우참찬에 승진되었다. 이 동안 이덕형과 함께 명나라에 원병을 청할 것을 건의하기도 하였고 남도지방에 사신을 보내 근왕병을 일으켜야 한다고 하여 윤승훈(尹承勳)을 해로로 호남지방에 보내어 근왕병을 일으키게 하였다. 선조가 의부에 머무르면서 명나라에 구원병을 요청하였는데 명나라에서는 조선이 왜병을 끌어들여 명나라를 핍공하려 한다며 병부상서 석성(石星)이 황응양(黃應暘)을 조사차 보냈는데, 그가 일본이 보내온 문서를 내보여 의혹이 풀려 마침내 구원병의 파견을 보았다. 그리하여 만주의 주둔군 조승순(祖承訓)·사유(史儒)의 3,000명의 병력이 파견되어왔으나 패전하자 그는 중국에 사신을 보내어 대병력으로 구원해줄 것을 청하자고 하였다. 그리하여 이여송(李如松)의 대병력이 들어와 평양을 탈환하고, 이어 서울을 탈환, 환도하게 되었다. 다음해에 세자를 남쪽에 보내 분조(分朝)를 설치하고 경상도와 전라도의 군무를 맡아보게 하였는데 그는 대사마(大司馬)로서 세자를 받들어 보필하였다. 1594년 봄에 전라도에서 송유진(宋儒眞)의 반란이 일어나자 여러 관료들이 세자와 함께 환도를 주장하였으나 그는 반란군 진압에 도움이 되지 못한다고 상소하여 이를 중단시키고 반란을 곧 진압시켰다. 그는 병조판서·이조판서, 홍문관과 예문관의 대제학을 겸하는 등 여러 요직을 거치며 안으로는 국사에 힘쓰고 밖으로는 명나라 사절의 접대를 전담하였다. 명나라 사신 양방형(楊邦亨)과 양호(楊鎬) 등도 존경하고 어려운 일이 있을 때마다 찾았던 능란한 외교가이기도 하였다. 1598년에 우의정 겸 영경연사·감춘추관사(監春秋館事)에 올랐는데, 이때 명나라 사신 정응태(丁應泰)가 같은 사신인 경략(經略) 양호를 무고한 사건이 발생하자 그는 우의정으로 진주변무사(陳奏辨誣使)가 되어 부사(副使) 이정구(李廷龜)와 함께 명나라에 들어가 소임을 마치고 돌아와 토지와 재물 등 많은 상을 받았다. 그 뒤 문홍도(文弘道)가 휴전을 주장했다고 하여 유성룡(柳成龍)을 탄핵하자 그도 함께 휴전에 동조하였다 하여 자진하여 사의를 표명하고 병을 구실로 나오지 않았다. 그러나 조정에서 그를 도원수 겸 체찰사에 임명하자, 남도 작지를 돌며 민심을 선무, 수습하고 안민방해책(安民防海策) 6조를 지어 올리기도 하였다. 1600년에 영의정 겸 영경연·홍문관·예문관·춘추관사, 세자사(世子師)에 임명되고 다음해

에 호종일등공신(扈從一等功臣)에 녹훈되었다. 1602년 정인홍(鄭仁弘)·문경호(文景虎) 등이 최영경(崔永慶)을 모함, 살해하려 했다는 장본인이 성혼(成渾)이라고 발설하자 삼사에서는 성혼을 공격하였는데, 그는 성혼을 비호하고 나섰다가 정철의 편당으로 몰려 영의정에서 자진사퇴하였다. 1608년에 다시 좌의정 겸 도체찰사에 제수되었으나 이해에 선조가 죽고 광해군이 즉위하여 북인이 정권을 잡게 되었다. 그는 광해군의 친형인 임해군(臨海君)의 살해음모를 반대하다가 정인홍 일당의 공격을 받고 사의를 표했으나 수리되지 않았다. 그 뒤 정인홍이 이언적(李彦迪)과 이황(李滉)의 문묘배향을 반대한 바 있어 성균관 유생들이 들고 일어나 정인홍의 처벌을 요구했다가 도리어 유생들이 구금되는 사태가 벌어져 권당(捲堂: 동맹휴학)이 일어났는데 그의 주장으로 겨우 광해군을 설득, 무마하여 해결하기도 하였다. 이로써 그는 정인홍 일당의 원한과 공격을 더욱 받게 되었으며, 곧이어 북인세력에 의하여 자행된 선조의 장인 김제남(金悌男) 일가의 멸문지환, 선조의 적자 영창대군(永昌大君)의 살해 등 북인파당의 흉계가 속출하였고, 그의 항쟁 또한 극렬하여 북인파당의 원망의 표적이 되어 왔다. 그리하여 1613년(광해군 5)에 인재천거를 잘못하였다는 구실로 이들의 공격을 받고, 물러나와 별장 동강정사(東岡精舍)를 새로 짓고 동강노인(東岡老人)으로 자칭하면서 지냈는데, 이때 광해군은 정인홍 일파의 격렬한 파직처벌의 요구를 누르고 좌의정에서 중추부로 자리만 옮기게 하였다. 1617년에 인목대비 김씨(仁穆大妃 金氏)가 서궁(西宮)에 유폐되고, 이어 왕비에서 폐위하여 평민으로 만들자는 주장에 맞서 싸우다가 1618년에 관작이 삭탈되고 함경도 북청으로 유배되어 적소에서 세상을 떠났다. 죽은 해에 관작이 회복되고 이해 8월에 고향 포천에 예장되었다. 그 뒤 포천과 북청에 사당을 세워 제향하였을 뿐만 아니라 1659년(효종 10)에는 화산서원(花山書院)이라는 사액(賜額)이 내려졌으며, 1746년(영조 22)에는 승지 이종적(李宗迪)을 보내 영당(影堂)에 제사를 올리고 후손을 관에 등용하게 하는 은전이 있었으며, 1832년(순조 32)에는 임진왜란 발발한 지 네 번째 회갑을 맞아 제향이 베풀어졌다. 1838년(헌종 4)에는 우의정 이지연(李止淵)의 요청으로 봉사손(奉祀孫)의 관 등용이 결정되기도 하였다. 이정구는 그를 평하기를 "그가 관작에 있기 40년, 누구 한 사람 당색에 물들지 않은 사람이 없을 정도였지만 오직 그만은 초연히 중립을 지켜 공평히 처세하였기 때문에 아무도 그에게서 당색이란 찾아볼 수 없을 것이며, 또한 그의 문장은 이러한 기품에서 이루어졌으니 뛰어날 수밖에 없지 않겠는가!"라고 하

여 완전에 가까운 그의 기품과 인격을 칭송하기도 하였다. 저술로는 1622년에 간행된 『사례훈몽(四禮訓蒙)』 1권과 『주소계의(奏疏啓議)』 각 2권, 『노사영언(魯史零言)』 15권과 시문 등이 있으며, 이순신(李舜臣) 종렬묘비문을 찬하기도 하였다. 시호는 문총(文忠)이다.

▣ 인목대비(仁穆大妃)

1584년(선조 17)~1632년(인조 10). 조선 선조의 계비. 연안 김씨(延安 金氏)로 연흥부원군(延興府院君) 제남(悌男)의 딸이다. 1602년(선조 35)에 왕비에 책봉되었으며, 1606년에 영창대군(永昌大君)을 낳았다. 이때 광해군이 세자의 지위에 있었는데 당시 실권자인 유영경(柳永慶)은 적통론(嫡統論)에 입각하여 적출인 영창대군을 세자로 추대하려고 하였다. 그러나 선조가 급사하고 광해군이 즉위하자 유영경 일파는 몰락하고 대북정권이 들어섰는데 이들은 왕통의 취약성을 은폐하기 위하여 선조의 첫째 왕자인 임해군(臨海君)을 제거하고 이어서 영창대군을 폐서인시킨 뒤 살해하고, 대군의 외조부 김제남을 사사시키고, 인목왕후를 폐비시킨 다음 서궁(西宮)에 유폐시켰다. 이러한 패륜행위는 결국 정변에 구실을 주게 되어 인조반정이 일어났으며 이에 따라 인목왕후는 복호되어 대왕대비가 되었다. 인조의 왕통을 승인한 왕실의 장(長)의 위치에 처하면서 가끔 국정에 관심을 표하여 한글로 하교를 내리기도 하였다. 금강산 유점사(楡岾寺)에 친필로 쓴 『보문경(普門經)』의 일부가 전하고, 인목왕후필적(仁穆王后筆跡)첩(帖)이 남아 있다. 존호는 소성정의명렬(昭聖貞懿明烈)이고, 휘호는 광숙장정(光淑莊定)이며, 능은 목릉(穆陵)으로 양주에 있다. 시호는 인목(仁穆)이다.

▣ 인순왕후(仁順王后)

1532년(중종 27)~1575년(선조 8). 조선 명종의 비. 청송 심씨(青松 沈氏)로 영의정 연원(連源)의 손녀이고, 청릉부원군(青陵府院君) 강(鋼)의 딸이다. 1545년(명종 즉위년) 왕비로 책봉되었으며, 1551년에 순회세자(順懷世子)를 낳았으나 14세로 일찍 죽었다. 선조가 즉위하자 잠시 수렴청정(垂簾聽政)을 하였고, 1569년(선조 2)에 존호(尊號) 의성(懿聖)이 진상되었으며, 1575년에 창경궁에서 44세를 일기로 죽었다. 휘호는 선열(宣烈), 능은 강릉(康陵: 楊州 소재)이다. 시호는 인순(仁順)이다.

▣ 임해군(臨海君)

1574년(선조 7)~1609년(광해군 1). 조선 제14대 선조의 서자. 본관은 전주(全州). 초명은 진국(鎭國), 뒤에 진(珒)으로 고쳤다. 어머니는 사도시첨정 김희철(金希哲)의 딸이다. 서자이지만 서열이 첫째이므로 당연히 세자가 되어야 하나 성질이 난폭하여 아우인 광해군에게 세자 자리를 빼앗기고 비참한 최후를 맞았다. 1592년(선조 25) 임진왜란이 일어나자 왕명에 의하여 순화군(順和君)과 함께 김귀영(金貴榮)·윤탁연(尹卓然) 등을 대동하고 근왕병을 모집하기 위하여 함경도로 떠났다. 그해 9월 반적 국경인(鞠景仁) 등에 의하여 포로가 되어 왜장 가토 기요마사[加藤淸正]에게 넘겨져 고원(高原)에 수감되었다가 이듬해 부산으로 이송되었다. 여러 차례 석방협상 끝에 석방되어 서울로 돌아왔다. 본래 성질이 포악한데다가 포로가 되었던 정신적인 압박으로 인하여 그 포악함은 더욱 심해져서 분을 발산시키기 위하여 길거리를 헤매었고 민가에 들어가 재물을 약탈하고 상민을 구타하는 등 행패를 부렸다. 한편, 왜장 가토는 포로로 있을 때의 친분을 기화로 여러 차례 그에게 서신을 보내서 내정을 탐사하려고 하였다. 그 뒤 1603년 사옹원도제조가 되었다. 1608년 선조가 죽자 세자 봉작에 대한 서열문제가 명나라에서 다시 거론되어 현장실사를 위하여 사신이 파견되기에 이르렀다. 광해군을 지지하는 일부 대신들의 주청에 의하여 진도에 유배되었다가 다시 강화의 교동으로 이배되었고, 이듬해 죽음을 당하였다. 1623년(인조 1) 광해군이 쫓겨나고 인조가 등극하자 복작 신원되었고, 시호는 정민(貞愍)이다.

▣ 정명공주(貞明公主)

1603년(선조 36)~1685년(숙종 11). 조선 선조의 첫째 공주. 전주 이씨(全州李氏)로, 어머니는 영돈녕부사 연흥부원군(領敦寧府事延興府院君) 김제남(金悌男)의 딸 인목왕비(仁穆王妃)이다. 광해군이 즉위하여 영창대군을 역모죄로 사사하고 계비 인목대비를 폐출시켜 서궁(西宮)에 감금할 때 공주도 폐서인(廢庶人)되어 서궁에 감금되었다. 인조반정으로 인조가 즉위하면서 공주로 복권되고, 1623년(인조 1)에 동지중추부사 홍영(洪霙)의 아들인 주원(柱元)에게 시집을 갔다. 인조의 특명으로 사저(私邸)가 중수되었으며, 뒤에 연령군(延齡君)이 사용하였다. 어머니인 인목대비가 죽은 뒤 궁중에서 백서(帛書)가 나왔는데, 그 내

용이 무두하다고 하여 공주도 효종의 의심을 받아 영안위(永安尉)의 궁인이 고문을 받아 많이 죽기도 하였으나, 숙종이 즉위하자 다시 종친으로서 후대를 받았다. 숙종 때의 이조참판 홍석보(洪 錫輔)는 증손이며, 수찬 이인검(李仁儉)은 외증손이다.

■ 정온(鄭蘊)

1569년(선조 2)~1641년(인조 19). 조선 중기의 문신. 본관은 초계(草溪). 자는 휘원(輝遠), 호는 동계(桐溪)·고고자(鼓鼓子). 진사 유명(惟明)의 아들이다. 1610년(선조 34)에 진사가 되고, 1610년(광해군 2) 별시문과에 을과로 급제하여 시강원겸설서·사간원정언을 역임하였다. 임해군 옥사에 대해서 전은설(全恩說)을 주장하였고, 영창대군이 강화부사 정항(鄭沆)에 의해서 피살되자 격렬한 상소를 올려 정항의 처벌과 당시 일어나고 있던 폐모론의 부당함을 주장하였다. 이에 광해군은 격분하여 이원익(李元翼)·심희수(沈喜壽) 등의 반대에도 불구하고 국문할 것을 명하고 이어서 제주도에 위리안치하도록 하였다. 그 뒤 인조반정 때까지 10년 동안 유배지에서 학문을 게을리하지 않았으며, 중국 옛 성현들의 명언을 모은 『덕변록(德辨錄)』을 지어 이것으로 자신을 반성하였다. 인조반정 후 광해군 때 절의를 지킨 인물로 지목되어 사간·이조참판 등 청요직(淸要職)을 역임하였다. 특히 언관에 있으면서 반정공신들의 비리와 병권장악을 공격하였고, 폐세자(廢世子: 광해군의 아들 祗)와 선조의 서자 인성군 공(仁城君 珙)의 옥사에 대해서 전은설을 주장하여 공신들을 견제하였다. 1627년(인조 5) 정묘호란이 일어나자 행재소(行在所)로 왕을 호종하였고, 1636년 병자호란 때에는 이조참판으로서 명나라와 조선의 의리를 내세워 최명길(崔鳴吉) 등의 화의주장을 적극 반대하였다. 강화도가 함락되고 항복이 결정되자 오랑캐에게 항복하는 수치를 참을 수 없다고 하며 칼로 자결하였으나 실패하였다. 그 뒤 관직을 단념하고 덕유산에 들어가 조[粟]를 심어 생계를 자급하다가 죽었다. 숙종 때 절의를 높이 평가하여 영의정에 추증되었다. 어려서부터 당시 경사우도에서 명성이 자자하던 정인홍(鄭仁弘)을 사사하여 그의 강개한 기질과 학통을 전수받았다. 1607년 정인홍이 왕위계승을 둘러싸고 의혹을 일으키는 유영경(柳永慶) 등 소북파를 탄핵하다가 처벌을 받자 정인홍을 위하여 변호상소를 올렸다. 광해군 때는 임해군과 영창대군의 옥사를 두고 비록 의견이 달랐지만 정인

홍에 대한 의리는 변하지 않아 인조반정 후 정인홍의 처벌을 반대하였다. 그러나 이후 격화된 붕당정치 속에서 그와 그의 후손들이 남인으로 처신하였고, 정인홍이 역적으로 심하게 몰리면서 정구(鄭逑)를 사사한 것으로 인식되었다. 그의 현실대응자세는 조식(曺植)에서 정인홍으로 이어지는 강개한 기질을 이어받아 매사에 과격한 자세를 견지하였다. 그것은 영창대군 옥사 때의 상소나 대청관계에서의 척화론에서 유감없이 발휘되었다. 조선 후기 숭명배청사상이 고조된 분위기 속에서 김상헌(金尙憲)보다 크게 추앙받지 못한 것은 색목(色目)이 노론이 아니었던 데 연유한다. 허목(許穆)·조경(趙絅) 등 기호남인(畿湖南人)과도 깊은 관계를 가져 이황(李滉)-정구-허목으로 이어지는 기호남인학통 수립에도 큰 구실을 하였다. 광주(廣州)의 현절사(顯節祠), 제주의 귤림서원(橘林書院), 함양의 남계서원(藍溪書院)에 제향되었다. 그의 생가는 중요민속자료 제205호로 지정, 보존되고 있다. 시호는 문간(文簡)이다.

■ 정인홍(鄭仁弘)

1535년(중종 30)~1623년(인조 1). 조선 중기의 학자·의병장·문신. 본관은 서산(瑞山). 자는 덕원(德遠), 호는 내암(來菴). 합천(陜川) 출신. 건(健)의 아들이다. 조식(曺植)의 수제자로서 최영경(崔永慶)·오건(吳健)·김우옹(金宇顒)·곽재우(郭再祐) 등과 함께 경상우도의 남명학파(南冥學派)를 대표하였다. 1573년(선조 6) 학행으로 천거되어 6품직에 오르고, 1575년 황간현감으로 나가 선종을 베풀었다. 이듬해 지평을 거쳐 1581년 장령에 승진하였다. 당파가 동서로 양분되자 다른 남명학파와 함께 동인편에 서서 서인 정철(鄭澈)·윤두수(尹斗壽) 등을 탄핵하려다가 도리어 해직당하고 낙향하였다. 1589년 정여립옥사(鄭汝立獄事)를 계기로 동인이 남북으로 분립될 때 북인에 가담하여 영수(領袖)가 되었다. 1592년 임진왜란이 일어나자 합천에서 성주에 침입한 왜군을 격퇴하고, 10월 영남의 병장의 호를 받아 많은 전공을 세웠다. 이듬해 의병 3,000명을 모아 성주·합천·고령·함안 등지를 방어하였으며, 의병활동을 통하여 강력한 재지적 기반(在地的基盤)을 구축하였다. 1602년 대사헌에 승진, 동지중추부사·공조참판 등을 역임하였으며, 유성룡(柳成龍)이 임진왜란 때 화의를 주장하였다는 죄를 들어 탄핵하여 파직하게 한 다음 홍여순(洪汝諄)·남이공(南以恭) 등 북인과 함께 정권을 잡았으며, 이어 유성룡과 함께 화의를 주장하였던 성혼(成渾)

등 서인을 탄핵하였다. 북인이 선조 말년에 소북·대북으로 분열되자 이산해(李山海)·이이첨(李爾瞻)과 대북을 영도하였으며, 선조의 계비 인목대비(仁穆大妃)에게서 영창대군(永昌大君)이 출생하자 적통(嫡統)을 주장하여 영창대군을 옹립하려는 소북에 대항하여 그는 광해군을 적극 지지하였다. 1670년 선조가 광해군에게 양위하위하고자 할 때 소북의 영수 유영경(柳永慶)이 이를 반대하자 탄핵하였다가 이듬해 소북 이효원(李效元)의 탄핵으로 영변에 유배되었다. 이어 광해군이 즉위하자 유배도중 풀려나와 대사헌에 기용되어 소북 일당을 추방하고 대북정권을 수립하였다. 대북정권의 고문 내지 산림(山林)의 위치에 있던 그는 유성룡계의 남인과 서인세력을 추방하고 스승 조식의 추존사업을 적극 추진하는 한편, 문묘종사 문제를 둘러싸고 이언적(李彦迪)·이황(李滉)을 비방하는 상소를 하여 두 학자의 문묘종사를 저지시키려다가 8도 유생들로부터 탄핵을 받았고, 성균관 유생들에 의하여 청금록(靑襟錄: 儒籍)에서 삭제되는 등 집권을 위한 싸움으로 정계에 큰 파문을 일으켰다. 1612년(광해군 4) 우의정이 되고, 1613년 이이첨과 계축옥사를 일으켜 영창대군을 제거하고 서령부원군(瑞寧府院君)에 봉하여졌다. 같은 해 좌의정에 올라 궤장(几杖)을 하사받고 1618년 인목대비유폐사건에 가담하여 영의정에 올랐다. 그는 광해군 때 대북의 영수로서 1품(品)의 관직을 지닌 채 고향 합천에 기거하면서 요집조권(遙執朝權: 멀리서 조정의 권세를 좌지우지함)하는 위치에 있었다. 그러나 1623년 인조반정으로 참형되고 가산이 적몰(籍沒)당하였으며, 끝내 신원되지 못하였다. 이이(李珥)는 일찍이 그를 평하여 "강직하나 식견이 밝지 못하니, 용병에 비유한다면 돌격장이 적격이다."라고 하였다. 강경한 지조, 강려(剛戾)한 성품, 그리고 지나치게 경의(敬義)를 내세우는 행동으로 좌충우돌하는 대인관계를 맺어 많은 물의를 일으켰다. 저서로는 『내암집』이 있다.

▣ 정조(鄭造)

1559년(명종 14)~1623년(인조 1). 조선 중기의 문신. 본관은 해주(海州). 자는 시지(始之). 승지 척(惕)의 손자로, 문영(文英)의 아들이며, 어머니는 홍순(洪純)의 딸이다. 1590년(선조 23) 생원·진사 양시에 합격하고, 1605년 정시문과에 병과로 급제하였다. 이이첨(李爾瞻)의 주구가 되어 인목대비(仁穆大妃)를 죽이려 하였으나 박승종(朴承宗)의 방해로 실패하였다. 1617년(광해군 9) 다시

폐모론을 제기하여 인목대비를 서궁(西宮)에 유폐시키는 데 적극 가담하였고, 다음해 부제학·대사성을 거쳐 1619년에는 대사간이 되었다. 1621년 형조참판을 지내고, 1622년 부제학·동지의금부사로 있다가 인조반정으로 정국이 역전되면서 원흉으로 지목되어 1623년(인조 1)에 사형되었다. 동생인 의주부윤 준(遵), 집의 도(道), 대사간 규(逵)도 함께 사형되거나 귀양갔다.

▣ 정홍익(鄭弘翼)

1571년(선조 4)~1626년(인조 4). 조선 중기의 문신. 본관은 동래(東萊). 자는 익지(翼之), 호는 휴옹(休翁)·후헌(休軒)·휴암(休菴). 아버지는 시정(寺正) 사신(思愼)이며, 어머니는 순흥 안씨(順興安氏)로 사직 혼(混)의 딸이다. 1589년(선조 22) 사마시에 합격하고, 1597년 별시문과에 병과로 급제하여 예문관검열이 되었으며, 주서·예조좌랑·정언·형조좌랑 등을 지냈다. 이원익(李元翼)이 체찰사로 있을 때 그의 종사곤이 되어 함경도·평안도·등을 순찰하였으며, 황해도암행어사를 역임하였다. 1602년 이후 정언·지평을 지냈는데, 사헌부지평으로 있을 때 대북파의 영수 대사헌 정인홍(鄭仁弘)이 성혼(成渾)을 탄핵하자 이를 극력변호, 정인홍을 공격하다가 권신들의 뜻에 거슬려 단천채은관(端川採銀官)으로 좌천되었으며, 이어 어천찰방(魚川察訪)을 지냈다. 1608년 이후 중앙에 돌아와 교리·성균관사예 등을 지내고, 1612년(광해군 4) 성천부사가 되었다. 이듬해 벼슬에서 탈락되어 산반(散班)으로 지내다가 동지사(冬至使)가 되어 명나라에 다녀와 분원승지(分院承旨)가 되었다. 1617년 인목대비(仁穆大妃) 폐모론이 일어나자 이를 극력 반대, 극간하다가 진도·종성·광양 등지에 유배되었다. 1623년 인조반정 후 풀려나와 부제학 등에 임명되었으나 귀양살이에서 얻은 병 때문에 부임하지 못하였다. 진도의 봉암사(鳳巖祠), 종성의 종산서원(鐘山書院)에 제향되었다. 글씨를 잘 썼으며, 저서로는 『휴옹집』이 있다. 시호는 충정(忠貞)이다.

▣ 진종(眞宗)

968년~1022년. 중국 북송(北宋) 제3대의 황제(재위 997~1022). 이름은 처음에는 덕창(德昌)이었으나, 후에 원보(元保)·원간(元侃), 다시 항(恒)으로 바꾸었다. 태종 조경(趙炅)의 제3자. 그의 치세는 태조·태종의 창업기에서 제4대

인종(仁宗)의 최성기로 넘어가는 발전기였다. 도교를 신봉하는 한편 재정(財政)을 충실히 하고 산업과 학문을 장려하였다. 과거를 거친 관료가 관계(官界)를 차지하고 천자(天子)의 권력이 한층 강화됨과 동시에 재상(宰相)의 권한은 줄어들고 그 풍격도 변하였다. 그러나 문신정치의 취약점인 군사력의 약체화 현상이 나타나자, 1004년 거란(契丹)의 성종(聖宗)이 어머니 소태후(蕭太后)와 함께 침입하여 황허강[黃河] 북안의 찬저우[州]를 친정한 끝에 '찬저우[州]의 맹(盟)'으로 일컬어지는 화의를 성립시켰다. 그 결과 북방의 군사관계는 안정되었으나, 북방족에 대한 세폐(歲幣: 맹약에 따라 兄인 宋은 弟인 契丹에 매년은 10만 냥과 비단 20만 필을 보냄)로 인해 재정 부담이 증가하였다. 또한 그는 맹약 성립 후에 태산(泰山)에 봉선(封禪)을 행하였으며, 궁중에 옥청소응궁(玉淸昭應宮)을 건립하는 등 큰 토목공사를 일으켰으므로 송나라의 재정은 크게 어려웠다.

▣ 최기(崔沂)

1553년(명종 8)~1616년(광해군 8). 조선 중기의 문신. 본관은 해주(海州). 자는 청원(淸源), 호는 서촌(西村)·쌍백당(雙栢堂). 아버지는 선전관 여개(汝漑)이며, 어머니는 현감 허운(許雲)의 딸이다. 1585년(선조 18) 진사시에 합격하고 이어 식년문과에 을과로 급제, 승문원 권지부정자가 되고 저작 겸 봉상시직장·검열·대교·지평 등을 거쳐 1604년에 정주목사로 나갔다. 그 뒤 우승지, 형조·호조의 참의, 장례원판결사 등을 거쳐 1607년 성절사(聖節使)로 명나라에 다녀오고, 뒤에 개성부도사, 숙천·동래·경주부윤 등을 역임하고 충청도관찰사가 되었다. 1592년 임진왜란이 일어났을 때 일부 명나라 원군들이 약탈을 자행하자 그는 창고의 곡식을 다른 곳으로 은닉시켜 백성들을 보호하는 등 일을 상황에 맞게 임기응변적으로 잘 처리하여 선조로부터 신임을 받았다. 그는 또한 달천교(達川橋)의 목교(木橋)를 석교(石橋)로 대체하여 민폐를 덜어주었으며, 수로를 개통하여 논을 만들어서 벼농사를 짓게 하기도 하였다. 1616년 해주목사로 있을 때 앞서 1613년의 계축옥사에 관련되어 해서(海西) 산곡으로 모여든 도당을 회유하여 돌려보냈는데, 그 가운데 이이첨(李爾瞻)의 일파인 박희일(朴希一)·박이빈(朴以彬)을 무고죄로 처형함으로써 이이첨의 미움을 받아 남형죄(濫刑罪)로 투옥, 고문을 받다가 옥사하고 뒤에 또다시 대역죄로 몰려 부관참시당

하였다. 인조반정 후 신원되고 이조판서에 추증되었다. 숙천·밀양·정주 등에 송덕비가 세워졌으며, 묘는 경기도 양평군 서종면에 있다.

▣ 태종(太宗)

1367년(공민왕 16)~1422년(세종 4). 조선 제3대 왕. 제위 1400년~1418년. 휘는 방원(芳遠), 자는 유덕(遺德). 태조의 다섯째 아들, 한씨(韓氏) 소생. 태조의 개국(開國)에 공헌이 컸으며 왕위를 얻기 위해 두 번이나 왕자의 난을 일으켜 드디어 정종의 양위를 받고 즉위하였다. 철저한 배불숭유정책(排佛崇儒政策)의 강행, 관제(官制)의 개혁에 주력하였으며 저폐(楮幣)를 만들어 경제유통을 원활히 하였고, 신문고(申聞鼓)를 설치하여 민정(民情)을 들을 수 있게 하였으며 호패법(號牌法)을 신설하여 호구수(戶口數)를 명확히 하는 등 제반 제도를 개혁하여 국가의 기반을 튼튼히 하였다. 능은 헌릉(獻陵)이다.

▣ 한기(韓琦)

1008년~1075년. 중국 북송(北宋)의 정치가. 자 치규(稚圭). 시호 충헌(忠獻). 안양(安陽: 河南省) 출생. 젊어서 진사에 합격, 지주안무사(知州按撫使)로서 쓰촨[四川]의 기민(飢民) 190만 명을 구제하고, 이어 서하(西夏)의 침입을 격퇴하여 변경방비에도 역량을 과시함으로써, 30살에 이미 문무에 명성을 떨쳐 추밀부사(樞密副使)가 되었다. 그러나 자청하여 지방관을 역임하고, 1056년 삼사사(三司使), 1058년에는 재상에 올라 약 10년간 국정에 참여하였다. 신종(神宗) 즉위 후 다시 지방으로 나갔으며, 왕안석(王安石)의 청묘법(青苗法) 실시를 맹렬히 비난하고, 또 거란이 요구해온 영토할양에도 반대하며 왕안석과 정면 대립함으로써 관직에서 물러났다.

▣ 한응인(韓應寅)

1554년(명종 9)~1614년(광해군 6). 조선 중기의 문신. 본관은 청주(淸州). 자는 춘경(春卿), 호는 백졸재(百拙齋)·유촌(柳村). 부사직(副司直) 경남(敬男)의 아들이다. 1576년(선조 9) 사마시를 거쳐, 이듬해 알성문과에 병과로 급제하여 예문관에 뽑혔고, 곧이어 승정원주서·예조좌랑·병조좌랑·지평·정언을 지

냈다. 1584년 종계변무주청사(宗系辨誣奏請使)의 서장관(書狀官)으로 명나라에 다녀와서 성균관직강을 거쳐, 1588년 선천군수로 부임하여 이듬해 정여립(鄭汝立)의 모반사건을 적발, 그 공으로 호조참의가 되고, 이어 도승지가 되었다. 1590년 종계변무의 공으로 광국공신(光國功臣) 2등에 오르고, 정여립 모반을 고변한 공으로 평난공신(平難功臣) 1등에 책록되었다. 1591년 예조판서에 승진하여 진주사(陳奏使)로 다시 명나라에 들어가 일본의 도요토미 히데요시[豊臣秀吉]가 명나라를 공격하기 위하여 조선에 길을 빌려 달라는 사실을 고하여 명나라의 조선에 대한 의심을 풀게 하였다. 이듬해 돌아오는 길에 의주에서 임진왜란이 일어났다는 소식을 듣고 개성에 이르자 피란길에 오른 선조를 만나 왕을 따라 다시 평양으로 갔다가, 제도도순찰사(諸道都巡察使)로 임진강 방어에 임하였다. 그러나 가토 기요마사[加藤清正]의 유인작전에 속아 전군이 붕괴하자, 왕을 뒤따라 의주의 행재소(行在所)로 달려가 공조판서에 임명되었다. 요동(遼東)에 건너가 원병(援兵)의 급속한 출병을 요구하였고, 12월 이여송(李如松)이 원군을 이끌고 압록강을 건너자 한어(漢語)에 능한 그는 접반관(接伴官)으로 이여송을 맞이하였다. 이듬해 청평군(清平君)에 봉해지고, 서울이 수복되자 질서 회복에 힘썼으며, 호조판서로서 군량미 보급에 진력을 하였다. 1595년 주청사(奏請使)로 명나라에 다녀오고, 다음해 평안감사로서 당시 평안도에 있던 많은 명나라 장병과의 화합을 도모하였다. 1599년 사은사(謝恩使)로 다시 명나라에 가서 정유재란 때의 원군을 사례하고 돌아와 우찬성에 올랐다. 1600년 이조판서, 다음해 호조판서·병조판서를 거쳐, 1605년 부원군(府院君)에 진봉되고, 1607년 우의정에 올랐다. 초서(草書)에 뛰어났으며, 저서로는 『백졸재유고』가 있다. 시호는 충정(忠靖)이다.

▣ 한준겸(韓浚謙)

1557년(명종 12)~1627년(인조 5). 조선 중기의 문신. 본관은 청주(淸州). 자는 익지(益之), 호는 유천(柳川). 서울 출신. 아버지는 경성판관 효윤(孝胤)이며, 어머니는 예빈시정(禮賓寺正) 신건(申健)의 딸이다. 인조의 장인이다. 1579년(선조 12) 생원시·진사시에 합격, 1585년 태릉참봉에 제수되고, 이듬해 별시문과에 병과로 급제, 예문관검열이 되어 홍문록에 오르고 문장으로 이름을 날렸다. 주서·봉교·전적을 거쳐, 1589년 금천현감(衿川縣監)이 되었는데 선조가

그에게 노모가 있음을 알고 사가독서(賜暇讀書)하게 하였다. 이해 겨울 정여립의 사위 이진길(李震吉)을 천거한 일로 연좌되어 옥에 갇혔다가 수개월 만에 풀려나 원주로 이사하였다. 1592년 다시 서용되어 예조정랑을 거쳐, 강원도도사·사서를 역임하고 원주목사가 되어 유망민(流亡民)을 초집(招集), 진휼하는데 힘썼다. 1595년 내직으로 지평·필선·정언·교리를 역임하고, 도체찰사 유성룡(柳成龍)의 종사관(從事官)이 되었으며, 이어 검상·사인·부응교·사간·집의를 지냈다. 1597년 좌주승지에 올라 명나라 도독 마귀(麻貴)를 도와 마초와 병량의 보급에 힘썼다. 1598년 임진왜란이 끝나자 우승지·경기감사·대사성을 거쳐, 다음해 경상도관찰사가 되었으나 정인홍(鄭仁弘)과의 알력으로 파직을 당하였다. 다음해 병조참판을 거쳐, 내외의 여러 요직을 두루 역임하고 1605년 호조판서에 특진되었고, 그 뒤 대사헌·한성부판윤 및 평안도와 함경도의 관찰사를 지냈다. 특히 함경도관찰사로 있을 때는 『소학』『가례』 등의 책을 간행, 보급하여 학문을 진흥시켰다. 선조로부터 영창대군(永昌大君)의 보필을 부탁받은 유교칠신(遺敎七臣)의 한 사람으로 1613년(광해군 5) 계축옥사에 연루되어 전리방귀(田里放歸)되고, 1617년 충주에 부처되었으며, 1621년 여주에 양이(量移)되었다. 이해 오랑캐 침입의 위험이 있자 이에 대비할 적임자로 뽑혀 유배지에서 지중추부사에 임명되었고 오도도원수가 되어 국경수비에 힘썼다. 1623년(인조 1) 인조반정으로 그의 딸이 인열왕후(仁烈王后)로 책봉되자 영돈녕부사로 서평부원군(西平府院君)에 봉하여졌다. 1624년 이괄(李适)의 난이 일어나자 왕을 공주에 호종, 돌아와 겸지춘추관사(兼知春秋館事)로 『광해군일기』 편찬에 참여하였다. 1627년 정묘호란 때 왕자를 전주에 시종하였다. 예학(禮學)과 국가의 고사(故事)에 밝았다. 함흥의 문회서원(文會書院)에 제향되었다. 저서로 『유천유고(柳川遺稿)』가 있다. 시호는 문익(文翼)이다.

▣ 한효순(韓孝純)

1543년(중종 38)~1621년(광해군 13). 조선 중기의 문신. 본관은 청주(淸州). 자는 면숙(勉叔), 호는 월탄(月灘). 서원부원군(西原府院君) 상경(尙敬)의 후손으로, 여필(汝弼)의 아들이다. 1568년(선조 1) 생원이 되고, 1576년 식년문과에 병과로 급제, 검열·수찬을 거쳐 영해부사에 임명되었다. 1592년 임진왜란이 일어나자 8월 영해에서 왜군을 격파하고 경상좌도관찰사에 승진, 순찰사를 겸임

하여 동해안지역을 방비하며 군량조달에 공을 세웠다. 1594년 병조참판, 1596년 경상도·전라도·충청도의 체찰부사(體察副使)가 되었으며, 이해 한산도무과(閑山島武科)에 시관(試官)이 되었고, 통제사 이순신(李舜臣)과 함께 수군강화에 힘썼으며, 지중추부사가 되었다. 내직으로 들어와 남해지역의 순찰사로 나갔으며, 왜란이 평정된 뒤에도 해상군비강화에 계속 노력하였다. 일찍이 1599년에는 전라좌수사 이순신 막하의 전선감조군관(戰船監造軍官)으로 있으면서 거북선 건조에 공이 많았던 나대용(羅大用)의 건의를 받아들여 거북선 모양의 소형 무장선인 쟁선(鎗船) 25척을 건조하도록 하였다. 1604년 이조판서에 이르렀으며, 다음해 평안도관찰사·판중추부사를 거쳐, 1606년 우찬성·판돈녕부사를 역임하였다. 1610년(광해군 2) 다시 이조판서로 있으면서 권신 이이첨(李爾瞻)과 부화뇌동하여 광해군 난정에 일익을 담당하였다. 1616년 우의정을 거쳐 좌의정에 이르고, 이듬해에 폐모론을 주장하여 이에 반대하는 이항복(李恒福)·기자헌(奇自獻) 등을 탄핵, 유배시켰으며, 결국은 인목대비(仁穆大妃)를 폐출, 유폐(幽閉)하였다. 판중추부사로 죽었다. 1623년(인조 1) 인조반정 후 관직이 추탈되었다.

▣ 허균(許筠)

1569년(선조 2)~1618년(광해군 10). 조선시대 중기 문신·소설가. 본관은 양천(陽川), 자는 단보(端甫), 호는 교산(蛟山)·성소(惺所)·백월거사(白月居士)이다. 1589년(선조 22) 생원이 되고, 1594년 정시문과에 급제, 검열(檢閱)·세자시강원 설서(世子侍講院說書)를 지냈다. 1597년 문과중시에 장원급제, 이듬해 황해도도사가 되었다가 서울 기생을 끌어들였다는 탄핵을 받아 파직되었다. 뒤에 춘추관기주관(春秋館記注官)·형조정랑(刑曹正郎)을 지내고 1602년 사예(司藝)·사복시정(司僕寺正)을 거쳐 전적(典籍)·수안군수(遂安郡守)를 역임하였다. 1606년 원접사(遠接使) 종사관(從事官)이 되어 명나라 사신 주지번(朱之蕃)을 영접하여 명문장으로 명성을 떨쳤다. 1610년(광해군 2) 진주부사(陳奏副使)로 명나라에 가서 한국 최초의 천주교 신도가 되었고, 천주교 12단(端)을 얻어왔다. 같은 해 시관(試官)이 되었으나 친척을 참방(參榜)했다는 탄핵을 받고 파직 후 태인(泰仁)에서 창작에 전념하다가 1613년 계축옥사(癸丑獄事) 때 평소 친교가 있던 박응서(朴應犀) 등이 처형되자 신변의 안전을 위해 권신 이이첨(李爾瞻)에게 아부하여 예조참의·호조참의·승문원부제조(承文院副提調)를

지냈다. 1617년 폐모론(廢母論)을 주장하는 등 대북파의 일원으로 왕의 신임을 얻었다. 같은 해 좌참찬(左參贊)으로 승진하고, 광해군 폭정에 항거하여 이듬해 하인준(河仁俊)·김개(金)·김우성(金宇成) 등과 반란을 계획하다가 탄로되어 1618년 가산이 적몰(籍沒)되고 참형되었다. 시문(詩文)에 뛰어난 천재로 여류시인 난설헌(蘭雪軒)의 동생이며 소설『홍길동전(洪吉童傳)』은 사회모순을 비판한 조선시대 대표적 걸작이다. 작품으로『교산시화(蛟山詩話)』,『성소부부고(惺所覆藁)』,『성수시화(惺詩話)』,『학산초담(鶴山樵談)』,『도문대작(屠門大爵)』,『한년참기(旱年讖記)』,『한정록(閑情錄)』등이 있다.

▣ 허성(許筬)

1548년(명종 3)~1612년(광해군 4). 조선 중기의 문신. 본관은 양천(陽川). 자는 공언(功彦), 호는 악록(岳麓)·산전(山前). 엽(曄)의 아들이며, 봉(篈)·균(筠)의 형이고, 난설헌(蘭雪軒)의 오빠이다. 당시 이름난 문장가였다. 유희춘(柳希春)의 문인이다. 1568년(선조 1) 생원이 되고, 1583년 별시문과에 병과로 급제하였다. 1590년 전적(典籍)으로서 통신사(通信使)의 종사관(從事官)이 되어 일본에 다녀왔다. 이어 정언·헌납·이조좌랑·응교·사인·집의를 거쳐, 1594년 이조참의로 승진되었으며, 이듬해 대사성·대사간·부제학을 역임하였다. 이어 이조참판을 지내고 전라도안찰사로 나갔다가 예조와 병조의 판서에 제수되었으며, 그 뒤 이조판서에까지 이르렀다. 1607년 선조의 유교(遺敎)를 받게 되어 세인들이 고명칠신(顧命七臣)이라 칭하게 되었다. 선조대에 학문과 덕망으로 사림의 촉망을 받았으며, 성리학에 조예가 깊었고 글씨에도 뛰어났다. 찬성에 추증되었다. 저서로는『악록집(嶽麓集)』이 있다.

▣ 홍주원(洪柱元)

1606년(선조 39)~1672년(현종 13). 조선 중기의 문신. 본관은 풍산(豊山). 자는 건중(建中), 호는 무하당(無何堂). 대사헌 이상(履祥)의 손자로 예조참판 영(靈)의 아들이며, 어머니는 좌의정 이정구(李廷龜)의 딸이다. 외할아버지와 김류(金瑬)로부터 수학하였다. 1623년(인조 1) 선조의 딸 정명공주(貞明公主)에게 장가들어 영안위(永安尉)에 봉하여졌다. 1647년 사은사로 청나라에 가서 시헌력(時憲曆)을 구입해서 귀국, 새로운 역법의 시행을 건의하였고, 1649년(효

종 즉위년) 고부청시청승습사(告訃請諡請承襲使)로 각각 청나라를 다녀왔다. 천성이 온순하고 효성이 지극하며 형제간에 우애가 두터웠다. 또한, 문학을 즐기고 선비들과 명승지를 찾아 놀기를 좋아하였으며, 특히 조석윤(趙錫胤)·박장원(朴長遠)과의 우정이 깊었다. 저서로는 『무하당집』 6권이 있다. 시호는 문의(文懿)이다.

조선조 궁녀(宮女) 제도

1. 조선조 이전의 궁녀 제도

왕조사회에서 통치자와 그 가족의 의식주와 수많은 행사를 위해서는 그들과 함께 생활하며 사는 사람들이 있었을 것이다. 그들이 오늘날 말하는 궁인들이다. 그 중 궁녀에 관한 최초의 문헌은 주(周)나라 주례(周禮)의 천관총제(天官冢宰) 편에 여어(女御)·여축(女祝)·여사(女史)·해(奚)·여궁(女宮) 등의 이름이 보이는데 이들이 오늘날 궁녀로 보여 진다. 한(漢)대에 와서는 계층이 더 세분되었고 호칭도 바뀌게 되고, 원(元)대에는 황후로부터 궁관직을 14등급으로 세분화 했다. 송(宋)대는 태조 때 오대지제(五代之制)에 의거하여 '사부(司簿)'를 두고 궁중 모든 일을 관장케 했다.

우리나라도 왕조사회였기에 개국 이래 궁녀들이 있었으리라 생각되나 구체적인 기록은 발견되지 않는다. 다만 고구려 귀족 동수(冬壽) 무덤 벽화(황해도 안악군 용순면 유순리에서 발견된 안악 3호분)에 시녀로 보이는 여인이 있는 것으로 보아 왕을 보필하는 궁녀가 있었으리라 생각된다. 또한 고구려 무덤으로 추정되는 무용총(舞踊塚, 중국 길림성 집안현) 벽화에는 고구려 사람들의 생활풍속과 함께 14명의 춤추는 여인이 발견된다. 여악(女樂, 무용수)은 대개 국가기관이나 궁궐에 속한 집단이므로 여러 명의 여악이 함께 춤추는 것으로 보아 대규모 궁녀 조직이 있었으리라 짐작할 수 있다.

최초의 기록은 백제 의자왕 16년 3월 '왕이 궁인들과 더불어 주색에 빠지

고 마음껏 즐기며 술 마시기를 그치지 않았다.'는 것이다. 낙화암과 삼천궁녀 이야기는 당시의 국가 규모로 보아 과장된 것으로 생각되지만 궁녀의 실체가 있었음을 확인 할 수는 있다.

궁녀 조직의 구체적인 기록은 『삼국사기』「잡지」의 신라 관직 편에 조하방(朝霞房) 모(母) 23인, 침방(針房) 여자(女子) 16인, 소방전(蘇芳典) 모 6인, 표전(漂典) 모 10인, 기전(綺典) 모 8인, 염궁(染宮) 모 11인, 홍전(紅典) 모 6인, 찬염전(攢染典) 모 6인, 소전(疏典) 모 6인 등 100여 명이 처소에 따라 배치되었다. 그들의 임무는 정확히 알 수는 없지만 신라시대에 왕을 위한 여인들이 존재했음을 알 수 있다.

고려시대에는 초기에는 궁녀 조직에 대한 규정이 없고 후궁들만 '×원(院), 부인(夫人), ×궁(宮)'으로 일컫다가 8대 현종 대에 와서 상궁(尙宮), 상침(尙寢), 상식(尙食), 상침(尙針)의 직명이 생겼다. 그러나 품계가 정해지지않아 자세한 직책은 알 수 없지만 높고 낮음은 있었으리라 생각된다.

오늘날 우리가 알고 있는 궁녀 제도는 조선조에 정비된 것이다. 실록에 의하면 태종 5년에 시치여관(始置女官)이라 하여 궁녀 제도의 효시라 했지만 궁녀 제도는 봉건군주제가 성립되면서 있었으리라 생각된다.

2. 조선조 궁녀 제도

1) 궁녀의 범주와 명칭

조선조의 종합 법전인 대전회통(大典會通)에 의하면 궁녀는 궁중여관(宮中女官)의 별칭으로 상궁 이하의 궁인직을 말한다. 그들은 궁중에 머물면서 일정한 지위와 급료를 받는 여성들로 정 5품(正五品)의 상궁(尙宮)에서부터 종 9품(從九品)의 주변치(奏變徵)의 내인과 같이 내명부의 품계를 받은 여관을 이르지만, 넓게는 여관들의 시녀로 궁중의 잡역을 담당하는 비자(婢子)나 무수리와 같이 품계가 없는 천비들까지 포함된다.

또한 궁녀는 왕이 거처하는 궁궐 안과 궁궐 밖의 친족(대군과 군)들이 거쳐하는 궁이나 왕의 생모를 모신 사당(祠堂)을 지키는 여인들도 포함된다. 그러므로 궁궐 안에 근무하던 600~700명에다 궁궐 밖에서 근무하는 궁녀를 합하면 그 수가 천여 명을 넘는다. 이들은 평소에는 왕을 위시하여 궁궐에서 생활하는 모든 구성원의 의·식·주와 관련된 일을 하고, 공적인 행사(제사나 축하연 등)가 있을 때는 직책에 따라 임무를 수행한다.

궁녀들의 공식 명칭은 궁중여관이다. 즉 궁중에서 근무하는 여성이라는 뜻이며 궁궐 안의 사람이라는 의미로 궁인으로도 불렀다. 또 궁궐 안에 산다고 하여 내인(內人)이라고도 하는데 보통 나인이라고도 했다. 그러므로 궁녀, 나인, 여관, 궁인 등은 모두 궁녀를 통칭하는 호칭이다.

2) 궁녀의 선출

① 자격과 연령

궁녀 선발에 관한 기록은 영조 때에 편찬된 속대전(續大典) 형전(刑典) 공천조(公賤條)에 의하면 궁녀는 내수사(內需司)의 여자 종으로 하고 양인을 속이고 궁녀로 추천한 자는 곤장 60대를 맞고 1년간 강제노동의 형벌에 처한다는 조항이 있다. 이로 보면 궁녀는 노비 출신이고 그것도 임금의 개인 재산에 속하는 내수사 소속을 원칙으로 했다. 이 조항은 구한말 궁녀로 있었던 궁인들이 자신은 "양인(良人)나 중인 출신이지만 여러 곡절에 의하여 입궁하게 되었다."고 한 증언과는 다르다.

또 입궁 시기도 증언에 의하면 "빠르면 4~5살에 늦어도 12살 이전에 입궁한다."고 했다. 궁녀의 입궁 연령을 구체적으로 제시한 기록은 없지만 〈계축일기〉의 주인공인 인목대비가 서궁에 유폐되었을 때 괴롭히던 내인들이 인조반정 후에 체포되어 조사받던 기록을 보면 13살에서 20살까지 다양하게 나타나 있다.

구한말 궁녀들의 증언이 신빙성이 아주 없는 것은 아니지만, 고종 말기

나 순종 때는 일제 침략기로 왕권이 제대로 제 몫을 담당하지 못하던 시기이므로 증언만으로 천여 명의 궁인들의 모든 면을 단정 짓는 데는 무리가 있다고 생각된다.

3) 궁녀의 수

구체적으로 언급된 자료는 없다. 이익(李瀷)의 성호사설(星湖僿設)에 보면, 영조 때(영조 13년 4월) 왕이 궁녀를 더 뽑으려고 하자, 실학자 이현필이 "요즈음 듣기에 환관 335명, 궁녀 684명이 있어 그들에게 들어가는 경비가 1년에 쌀 11,430석이나 된다."며 궁녀를 더 뽑으려는 것은 옳지 않다고 직언하는 내용이 있다. 영조는 자신의 뜻이 아니고 대왕대비(숙종의 제2계비, 인원왕후)가 원해서이며 대왕대비가 승하하시면 모두 내보내겠다고 약속하는 대목이 있다. 검소한 생활을 실천하려 한 영조가 700명에 가까운 궁녀가 있었음에도 더 뽑으려 한 것을 보면, 조선조 궁궐의 궁녀 수를 짐작할 수 있다.

또한 조선조 말기 갑오경장 후(고종 31년)에도 (대전, 대비전, 중궁전, 각 시녀 100명, 세자궁 60명, 세자빈궁 40명, 세손궁 50명, 세손빈궁 30명) 500명이 가까운 궁녀가 있었다. 여기에 궁궐 밖에서 독자적인 생활을 하던 왕족(대군 · 군 · 공주 · 옹주 등)이 거처하던 곳과, 왕실에서 직접 관리하던 사당(祠堂, 약 10명)에도 나라에서 봉급을 주는 궁녀가 있었음을 계산하면, 조선 왕조시대는 공식적인 궁녀가 약 1000여 명에 가까웠으리라 짐작된다.

4) 『경국대전』에 규정된 내명부 중 궁인의 품계와 명칭

	대전의 궁녀	세자궁의 궁녀
정5품	상궁(尙宮) 상의(尙儀)	
종5품	상복(尙服) 상식(尙食)	
정6품	상침(尙寢) 상공(尙功)	

종6품	상정(尙正) 상기(尙起)	수규(守閨) 수칙(守則)
정7품	전빈(典賓) 전의(典儀) 전선(典膳)	
종7품	전설(典設) 전제(典製) 전언(典言)	장찬(掌饌) 장정(掌正)
정8품	전찬(典贊) 전식(典飾) 전약(典藥)	
종8품	전등(傳燈) 전채(典彩) 전정(典正)	장서(掌書) 장봉(掌縫)
정9품	주궁(奏宮) 주상(奏商) 주각(奏角)	
종9품	주변치(奏變徵) 주치(奏徵) 주우(奏羽) 주변궁(奏變宮)	장장(掌藏) 장식(掌食) 장의(掌醫)

5) 소속과 임무

① 지밀(至密)

4~10살 사이에 입궁하고 가장 가려서 뽑는다. 승은을 입을 확률이 가장 높아 왕족이 될 수도 있기 때문이다. 왕족을 가장 가까운 곳에서 모시며 신변 보호와 의식주 시중, 내전(內殿)의 물품 관리, 가례나 제례 등 중요한 일을 담당한다. 그러므로 입궁 후 15년에 관례하고 입궁 25년에 상궁이 된다. 내인 시절 생머리를 하여 다른 처소의 내인들과 차별되며 다른 처소의 궁녀들도 달리 대접한다.

예속기관으로 소주방에서 준비한 음식을 데우거나 수라상을 물린 후 설거지를 담당하는 퇴선간(退膳間)이 있다.

② 침방(針房)

6~7살에 입궁하여 15년이 지난 후 관례하고 입궁 35년이 되면 상궁이 된다. 왕궁에서 소요되는 각종 의복과 이불 등을 만드는 역할을 한다. 내인 시절 생머리를 하여 다른 처소와 차별화 한다.

③ 수방(繡房)

6~7살에 입궁하고 궁중에서 소요되는 옷에 수를 놓거나 장식물을 담당

한다. 내인 시절 생머리를 하여 다른 처소와 차별화 한다.

④ 세수간(洗水間)

왕족(왕 · 왕비 · 동궁 등)의 세숫물과 목욕물을 대령하고 지(요강), 타구, 매우틀(梅雨, 변기)의 시중을 든다, 또한 왕비가 궁궐에서 나들이할 때 교자(轎子)의 시위(侍衛) 및 전도(前導)를 거행한다.

⑤ 생과방(生果房)

왕족의 식사 이외의 음료 및 과자를 만든다. 수라상을 올릴 때에는 안소주방 내인을 도와준다.

⑥ 내소주방(內燒廚房)

안소주방이라 하며 왕족의 평소 수라를 관장하는 곳이므로 수라간이라고도 한다.

⑦ 외소주방(外燒廚房)

궁궐의 각종 잔치나 제사 등 행사 음식을 관장한다. 밖 소주방이라고도 한다.

⑧ 세답방(洗踏房)

세답은 빨래라는 뜻으로 세탁, 다듬이질, 다리미질, 염색 등의 임무를 담당한다.

예속된 기관으로 침실에 불 때기와 등불을 담당하는 복이처(僕伊處)가 있다.

6) 직위 및 신분별 명칭

① 제조상궁(提調尙宮)

일명 큰방상궁이라고도 하며 궁녀의 우두머리로 학식과 통솔력을 지닌 인물이다. 임무는 대전어명(大殿御命)을 받들고, 내전(內殿)의 대소사를 주관한다. 왕을 가장 가까이 모시기에 역사상 정치의 이면에서 주요한 역할을 맡은 경우가 많다. 궁궐의 크고 작은 일들을 총 감독하고 궁녀들의 권익을 대변한다.

② 부제조상궁(副提調尙宮)

궁녀들의 제2인자로 왕의 사유재산을 관리한다. 일명 '아리고 상궁'이라고도 한다.

③ 대령상궁(侍令尙宮)

잠시도 왕의 곁을 떠나지 않고 항상 어명을 받들 자세로 대기하는 지밀상궁이다.

④ 보모상궁(保姆尙宮)

왕족의 자녀를 양육하는 일을 담당한다. 대군(大君, 중전 소생의 아들)과 동궁 처소에는 2명, 군(君, 후궁 소생의 아들) 처소에는 1명씩 배치된다.

⑤ 시녀상궁(侍女尙宮)

지밀에 속하는 상궁으로 서적들을 깨끗이 베끼거나 관리하고 글을 낭독하기도 한다. 잔치 때에는 모든 절차를 직접 안내한다. 각 종실(宗室), 외척(外戚)들의 집에 내리는 하사품을 관리하고, 왕비나 왕대비의 친정에 큰 일이 있을 때에는 어명을 받들고 특사로 참석하기도 한다. 일명 봉명상궁(奉命尙宮)이라고도 한다.

⑥ 일반상궁(一般尙宮)

직책이 없는 상궁으로 각 처소마다 7~8명씩 있다. 아래 내인들을 통솔

하고 보직 상궁들의 지시를 받아 업무를 처리한다. 나인들은 '마마님'이라고 부른다.

⑦ 특별상궁

승은상궁(承恩尙宮)이고 한다. 승은이란 왕의 손이 닿아 은혜를 입었다는 뜻이다. 왕 자녀를 낳았거나 총애 정도에 따라 하루아침에 정 1품인 빈(嬪)의 직책을 받을 수 있는 후궁이 된다. 그러나 승은을 입었으나 자녀를 낳지 못한 경우에는 특별상궁(特別尙宮)이라는 지위에 머물게 된다. 일정한 직책 없이 궁중에 머물고 있으므로 왕의 후궁인 셈이다.

7) 궁녀의 등급

① 견습 내인

견습나인은 정식내인이 되기 이전의 내인을 말한다. 견습나인들은 상궁들에게 한 명씩 맡겨져 궁중 예절과 언어, 걸음걸이 등 궁중의 법도와 일상사를 배운다. 한글을 익힌 후 〈소학〉·〈열녀전〉·〈내훈〉 등 궁중 생활에 필요한 기본적인 서적을 익히고 궁체를 배운다. 견습나인들은 상궁이 어머니와 같은 역할을 하기 때문에 궁중생활 내내 끈끈한 유대감을 지니고 서로 아껴준다.

② 생각시

생각시는 생과 각시를 합친 말로 견습나인 중 지밀, 침방, 수방내인을 말한다. 생이란 한문으로 사양(絲陽)이라는 머리 모양이다. 머리를 두 가닥으로 땋아 내린 다음 이것을 뒤 꼭지까지 말아 올려서 쌍 상투같이 갸름하게 하여 붙이는 모습이다. 각시는 한문으로 가씨(加氏)라 하는데 부인이나 첩을 의미했으며 여성이라는 의미라도 쓰였다. 따라서 생각시란 생의 머리 모양을 한 궁중 여성이라는 의미다. 그 외 처소의 견습나인들은 각시라 하며

일반여성들처럼 머리를 한 줄로 길게 땋아 내린 궁중 여성을 말한다.

③ 내인(內人)

관례를 치른 내인을 말한다. 관례를 치르면 처소가 다른 두 사람이 함께 쓰는 방이 배정된다. 본가에서 들여 온 세간으로 방을 꾸미고 처음으로 자신의 공간이 마련된다. 두 사람은 상궁이 되어 독방을 갖기 전까지 20년(지밀은 10년)을 동고동락한다. 나인이 되면 품계와 함께 정기적인 월급을 받아 본가에 도움을 줄 수도 있다. 나인들끼리는 서로 '김씨 형님', '이씨 항아님'이라고 부르고 견습 나인들은 '항아(姮娥)님'으로 높여 부른다. 상궁들도 이때부터는 이름을 부르지 않고 '박가 효덕', '문가 대복' 등으로 이름 앞에 성을 붙여 부른다. 방에는 심부름하는 하녀도 배치되어 궁녀로서의 자리가 잡혀간다.

④ 상궁

입궁 후 지밀처소는 25년, 그 밖의 처소는 35년이 지난 후에 상궁이 된다. 직책이 주어지기까지는 상궁마마님으로 불리고 거처도 혼자 사용할 수 있도록 따로 마련된다. 거처에는 각심이와 침모가 한 명씩 배치되고 가정부도 둘 수 있다. 봉급은 나라에서 지급하지만 생활비는 자신의 봉급에서 부담한다.

같은 계급의 내인이라도 웃전 또는 웃 대궐 내인의 격이 더 높다.(예, 왕처소의 내인보다는 대비 처소의 내인이, 대비 처소의 내인보다는 대왕대비 처소의 내인의 격이 더 높다.) 효를 모든 규범의 근본으로 삼던 유교의 윤리에서 나온 법도다. 그리하여 왕조차도 웃전 상궁에게는 '해라'를 못하고 '하오'체를 쓴다.

같은 전각에서도 '지밀'내인이 제일 격이 높다. 왕과 왕비 또는 왕대비를 가장 가까이서 모시는 까닭에 이들은 궁녀 중의 엘리트다. 지밀 다음으로는 침방과 수방 처소의 내인들로 이들은 치마도 길게 입고 양반 계급과 같이

외로 여몄다. 견습 내인 시절에도 생머리를 하는 등 다른 처소의 내인들과는 차별화 되었다.

♧ 관례(冠禮)

관례는 조선조의 남성 성인식으로 여성은 관례를 치르지 않는다. 그러나 궁녀들은 혼례를 하지 않기 때문에 관례가 궁녀들에게는 혼례와 같은 것이다. 그날 나인은 관례와 함께 쪽을 찌고 첩지를 쓰게 되는데 사실상 결혼식도 겸한다. 남은 일생도 왕을 위해 바치겠다는 약속이다. 입궁 후 15년이 지난 후에 관례를 치르므로 처소에 따라 입궁의 나이가 다르기에 관례를 올리는 나이도 처소에 따라 다르다.

관례를 치르는 날 궁에서는 겉 옷감 외에 명주·모시·무명·베를 각각 한 필씩 하사한다. 그러면 궁녀의 본가에서 버선·누비바지·속치마·장롱과 같은 세간과 잔치 음식을 장만해서 들여온다. 궁에서 내린 옷감으로 옥색 반 회장 저고리에 남 겹치마를 지어 입고, 그 위에 남송색 원삼을 입고, 원삼 위에 큰 노리개를 차고 분홍 당혜(唐鞋)를 신는다. 지밀, 침방, 수방 내인은 어여머리를 빗은 위에 어여미(於汝美)를 쓰고, 그 밖의 처소의 내인은 화관을 쓴다.

이 날 입궁 후 처음이자 마지막으로 부모님께 절을 드린다. 부모 형제들의 전송을 받고 궁에 들어온 궁녀들은 우선 윗분들에게 문안을 드리고 친가에서 차려 들어온 음식을 가지고 잔치를 한다. 음식은 그녀가 소속된 궁의 지밀까지 올라간다.

8) 궁녀의 하녀들

궁녀들은 1일 2교대로 12시간을 근무한다. 근무 시간이 아닐 때에는 자신의 처소에서 쉬면서 공부나 취미 활동을 하여 재충전의 시간을 갖는다. 자신이 섬기는 주인(왕, 왕비, 대비, 세자, 세자빈, 후궁 등)에게 충실하기 위해서는 빨래, 청소, 밥 짓기 등의 일상사의 노동에서 벗어나게 해야 한다.

그러므로 이들에게 지급되는 월급은 국가에서 부담했다.

① 방자(房子)

방자는 방에 딸린 사람이란 뜻으로 '방 아이'라고도 한다. 여관인 상궁과 나인들이 거처하는 곳의 방청소, 살림을 도맡아하고, 주인이 외출할 때에도 늘 수행하는 개인 비서 격이다. 방자는 다시 시간제로 부리는 빈 방자와 붙박이로 있는 온방자로 나눈다. 이들은 관비 출신이 아니고 궁녀들이 개인적으로 알게 되어 들어온다. 살림의 경험이 있는 자라 결혼 경력이 있지만 독신이어야 한다.

② 무수리(水賜)

각 초소에 한 명 정도씩 물 긷기, 불 때기 등의 잡일을 맡은 여인을 말한다. 궁궐에는 전각 내부에 우물이 없어 물 긷는 일이 주된 업무였기에 수사(水賜)라고도 한다. 특별한 선발 기준은 없고 내인들의 소개로 민간 아낙네들 중에서 일을 잘하는 여인들이다. 대개 기혼자들로 출퇴근 했다. 신분은 천민이나 양인 등 제약이 없으나 대개 힘이 좋고 일을 잘 하는 여인들이었다.

③ 비자(婢子)

각 처소 혹은 상궁의 살림집에 소속된 궁녀들의 하녀로 심부름이나 잡역을 담당했다. 특별한 명령이 없으면 함부로 궁 밖에 나갈 수 없고 궁녀들과 같이 결혼을 할 수 없다. 비자 중에 '글월비자'는 궁 밖의 문안 편지를 담당하였으므로 요즈음 우체부 역할을 했다.

9) 그 밖의 궁인

① 의녀(醫女)

조선조는 남녀 간의 내외법이 엄격하여 부녀자들은 남자 의원에게 치료받기를 꺼려 가볍게 고칠 수 있는 병으로 죽는 경우가 많았다. 이러한 문제

를 해결하기 위하여 태종 때(6년, 1406)에 어린 관비(官婢) 중에서 10명을 뽑아 간단한 의술을 가르치면서 시작되었다. 그 중 5명은 제법 의술을 시행할 수 있어 최초의 여의사가 되었다. 그 후 처음에는 부정기적으로 뽑았으나 필요성이 인식되어 3년에 한 번씩 150명씩 선발하여 인재를 양성하였다. 그 중 70명은 궁궐 내의원(內醫院)에 두고 나머지는 기술을 습득시킨 뒤에 출신 고을에 가서 의료행위를 하도록 했다.

의녀들 중에는 중종의 주치의가 된 대장금과 같이 전문적인 의술을 갖춘 자도 있었지만 대개는 간호사 역할을 담당하는 경우가 많았다. 그러므로 때로는 여자 범죄자를 잡아들이고 문초하거나 죄수들의 병을 돌보는 여순경 역할도 했다.

또 궁중 소속의 의녀를 일명 약방기생(藥房妓生)이라고도 했다. 그것은 연산군이 혜민서 의녀들을 불러 술시중과 음악을 연주하게 했기 때문이다. 그 후에도 종종 의녀를 여악(女樂)으로 연회에 부르는 폐단을 막으려고 했지만 쉽게 고쳐지지 않았다.

이 외에도 의녀는 왕비의 능을 조성하거나 지키는 일을 하는 등 의술에만 전념하지 못하고 잡다한 일을 감당하곤 했다. 의녀들이 노비 출신이었기에 신분제도가 엄격하던 사회적 통념이 전문적인 여의사의 품위를 지키기 어려웠던 것 같다.

3. 궁녀들의 생활

1) 복장

① 견습 내인

의복 색깔에 구애를 받지 않았으나 고종 20년 후로는 연두저고리에 진분홍 치마, 또는 분홍 저고리에 남치마로 바뀌었다. 조금 점잖은 소녀 내인은 보라 저고리에 남치마를 입었다. 저고리에는 반드시 자주 삼회장을 달았다.

머리를 생머리를 하고 그 위에 자주색 긴 댕기(지밀은 엉덩이까지, 침방·수방은 조금 짧게.)를 드린다. 다른 처소는 일반 처녀머리와 같이 땋아 늘였다.

② 일반 내인

지밀내인의 경우는 아침 식전의 복식은 남치마에 옥색회장저고리, 그 위에도 초록 겉마기를 입는다. 오후에 근무할 때에는 분홍저고리나 연두저고리를 입는다. 집에 내려와서 쉴 때에는 비빈이나 왕녀들의 옷 색깔과 백색, 흑색, 무늬 없는 옥색저고리 외에는 마음대로 입을 수 있다. 머리모양은 식전에 어여머리, 오후 근무 시에는 조진머리로 빗는다. 신은 푸른색과 붉은색의 가죽신을 신었다.

③ 상궁

원칙적으로는 색깔에 있어서 내인과 같다. 그러나 대체로 상궁들은 40세 이상들이라 3회장보다 2회장을 다는 것이 보통이고 끝동도 자주가 아니라 남색이었다.

④ 명절복식

정월 초하루의 상궁 내인들 중 40세 미만은 자주 3회장을 단 연두저고리에 남치마를 입고, 60세 이상은 평상시와 같이 입는다.

동지에는 60세 미만의 경우 자주 저고리에 남치마를 입는다. 평상시 궁녀들에게 금지된 자주색을 입을 수 있는 것은 '팥죽'의 붉은 색과 같이 주술적인 의미로 추측된다.

2) 음식

지밀내인의 경우, 자신의 처소에 있을 때에는 독립적으로 하지만, 근무

시에는 자신이 모시는 분의 퇴선상(退膳床)을 물려받아서 먹는다. 궁중에 술은 금물이나 담배는 허용되었다.

3) 근무

궁중에서 궁녀들의 근무를 번(番)살이라 했다. 관례 전의 소녀내인이나 60세 이상의 상궁들은 정상을 참작해서 아침에 올라갔다가 저녁에 내려오는 일근(日勤)을 격일제로 했다. 정상 근무는 식전에 자기 처소에서 아침을 먹고 올라가면 오후 세 시쯤에 늦은 번과 교대한다.

4) 근무 외의 생활

지밀 내인은 생각시 시기에 동몽선습(童蒙先習), 소학(小學), 내훈(內訓), 열녀전(烈女傳)부터 궁체(宮體) 연습 등 일반적인 교양을 쌓는다. 지밀내인을 제외한 다른 내인들은 한글을 익히는 정도다. 저녁이면 모여 앉아 이야기꽃을 피우기도 하고, 생일에는 음식을 나눠 먹으며 마작 · 쌍육 · 화투 · 투호 놀이 등을 하기도 한다. 그러나 궁중에는 크고 작은 행사가 이어지는 경우가 많아 쉬는 날에도 쉽게 쉴 수가 없었다.

5) 보수

궁녀와 궁녀의 하인들은 일정 금액의 보수가 정해져 있다. 매월 월급 형식으로 받는 것 외에 후생복지 차원으로 봄과 가을 두 차례 보너스를 받았다. 화폐가 일상화되기 전에는 '쌀 25두, 콩 5두, 북어 100마리' 등으로 받았으나 구한말에는 일상생활에 필요한 물품과 함께 화폐도 지급되었다.

〈1926년 왕의 후궁과 궁녀들의 월급 명세서〉

귀인貴人	복녕당(福寧堂)	580원	귀인	광화당(光華堂)	480원
귀인	정화당(貞和唐)	280원	귀인	보현당(寶賢堂)	280원

귀인	영보당(永保堂) 200원		귀인	내안당(內安堂) 200원	
지밀궁녀	김충연	196원	지밀궁녀	천일청	176원
	장성원	142원		차석원	125원
	박춘희	77원		김필순	50원
본 방	김명길	95원	본 방	박창복	65원
침 방	최창운	80원	침 방	남현임	57원
수 방	이완순	73원	수 방	김용준	58원
세 수 간	이영옥	73원	세 수 간	박용현	43원
소 주 방	이준창	73원	소 주 방	서문길	45원
생 과 방	최채길	73원	생 과 방	최덕길	57원
세 답 방	임성창	73원	세 답 방	김경순	18원
색장나인	김영운	76원	색장나인	김태순	18원
비 자	박복순	20원	비 자	김임녀	18원

6) 궁녀의 만년(晩年)

환갑이 지나면 낮에만 근무한다. 병이 낫지 않으면 본가로 나가서 치료하고 완쾌되기 전에는 입궐할 수 없다. 왕족을 보호하는 차원에서 대궐에서는 왕족 외에는 절대로 죽지도 못하고 앓지도 말아야 하기 때문이다. 만약 심장마비 등으로 궁에서 죽었을 경우에는 살아있는 채 위장해서 궁 밖으로 보낸다. 궁인이 죽으면 대궐에서 제수(祭需)를 하사하고 삼년 상 안에는 녹(祿)을 내린다.

4. 궁녀사회의 습속(習俗)

궁녀는 폐쇄적인 공간에서 일생을 살아야하기에 그들 나름의 습속(習俗)이 있었다. 신고식과 같은 통과 의례거나 그들 나름대로 살아남기 위한 자율적인 규제이기도 했다. 소개하면 다음과 같다.

① 쥐부리 글려

선달그믐날 밤에는 그 해에 새로 들어온 내인의 입에 밀떡을 물리고 수건으로 마스크같이 만들어 귀에 걸게 하고 한 줄로 세운다. 수십 명의 젊은 내시들이 긴 바지랑대에 횃불을 붙여 궁녀들에게 다가와 입을 지지는 시늉을 하면서 '쥐부리 글려, 쥐부리 지져.'라고 소리치며 위협을 준다. 어린 궁녀들은 겁에 질려 울부짖고 왕비이하 궁녀들은 먼 발치에서 구경한다. 이것은 새로 입궁한 궁녀들에게 말조심의 중요성을 일깨워주는 일종의 통과의례인 동시에 잡귀를 몰아내고자하는 주술적 의미도 있다.

② 방긋례(放氣禮)

애기내인들이 제일 두려워하는 것 중의 하나가 방귀를 뀌는 것이다. 만약 어전이나 선배 앞에서 버릇없는 실수를 하게 되면 본가에서 음식을 차려 들여와야 되는 벌칙이 있기 때문이다. 방긋례를 하게 되면 실수가 크게 소문나는 것이 부끄럽기도 하지만 가난한 부모에게 음식을 차려야 하는 부담을 주기 때문이다. 이러한 벌칙은 버릇없는 실수를 막기 위한 것이다.

③ 담배 잡히기

궁녀들이 마음대로 담배를 피우려면 선배 상궁의 시험을 통과해야 한다. 즉 선배 상궁 앞에 돌아앉아서 그가 '그만'할 때까지 피워야 한다는 것이다. 이 시험에 통과하면 담배를 마음대로 피울 수 있고 선배상궁과도 '맞담배질'이 허용된다.

④ 외출

궁녀들의 사적인 외출은 입궁한지 오래된 나인이나 상궁들의 부모 생신이나 정월에 약 20일 정도의 휴가를 받았을 때에만 가능하다. 휴가를 가더라도 하늘과 같은 왕을 모시는 사람이므로 부모에게 절을 하지 않으며 부모가 도리어 딸을 공대하며 맞아야 한다. 젊은 나인은 결혼식에 참석하지

않으며 부모의 장례식에 참여해서도 시신을 보지 않는다. 궁녀들의 궁 밖 출입은 개인적인 일 외에 공적인 일도 있다.

일반적으로 '궁녀'라고 하면 사극의 보조 인물로 궁중모사(謀事)의 행동대원이거나 승은(承恩)만을 학수고대하는 '궁궐의 꽃' 쯤으로 생각한다. 궁궐도 사람이 사는 곳인데 쫓고 쫓기는 고락(苦樂)이 왜 없으며, 가능하다면 신데렐라의 꿈도 꾸지 않았겠는가? 그러나 각 전각(殿閣)에 소속된 수많은 궁녀들 중에서 행동대원으로 발탁되는 절대 신임의 기회도 쉽지 않고, 왕이나 세자의 승은은 하늘의 별따기만큼이나 어려웠다. 그러므로 대다수의 궁녀들은 왕족들의 일상사에 필요한 의식주와 수많은 행사의 실무자로 살았다. 왕조사회에서 왕은 하늘이 택한 자이며 왕과 그 가족을 섬기는 것에 일호(一毫)의 오차도 허락하지 않는 궁중 법도이기에 오랜 수련을 거친 후에 맡게 된 임무에는 자연 긍지와 일가견(一家見)을 지니게 된다. 이러한 과정이 되풀이되면서 형성된 고급문화의 정수(精髓)가 궁중 문화(음식, 복식, 문학 등)다. 열 살 전후에 입궁한 어린 내인들이 30년 넘는 혹독한 수련을 인고한 후에 각 분야의 최고의 장인(匠人)으로 거듭난다. 묵묵히 이어 온 그들이 고급문화의 정수인 궁중 문화를 남겨 준 주인공이다.

정은임

❖ 숙명여자대학교 국어국문학과 졸업.
❖ 동대학원에서 「궁정실기문학연구」로 문학박사 학위 받음.
❖ 현재 강남대학교 인문학부(국어국문학 전공) 교수로 재직 중.

❖ 『궁정문학연구』, 교주 『한중록』, 『인현왕후전』 등의 저서와 『노년문학연구』 1, 『노년문학연구』 2, 『노년문학연구』 3, 『노년문학연구』 4, 『고전산문연구』 1, 『고전소설연구』 『고소설연구사』 등의 공저가 있으며, 그 밖에 다수의 논문이 있다.

계축일기

제1판 1쇄 발행　2005년　8월　25일

교　　주 | 정은임
펴 낸 이 | 송미옥
펴 낸 곳 | 이회문화사

주　　소 | 서울 동대문구 답십리동 488-338 부영B/D 503호
전　　화 | (02) 2244-7912, 3
팩　　스 | (02) 2244-7914
전자우편 | ih7912@chollian.net
등록번호 | 제6-0532(1992. 5. 2)

정　　가 | 30,000원

ISBN　89-8107-236-1　(세트)
　　　89-8107-351-1　94810